Siri Hustvedt, geboren 1955 in Northfield, Minnesota, studierte Literatur an der New Yorker Columbia-Universität und promovierte mit einer Arbeit über Charles Dickens. Sie lebt in Brooklyn und ist mit dem Schriftsteller Paul Auster verheiratet, mit dem sie eine Tochter hat. Bekannt wurde sie mit den Romanen «Die unsichtbare Frau» (rororo 23603) und «Die Verzauberung der Lily Dahl» (rororo 22457).

Siri Hustvedt **Was ich liebte**

Roman Deutsch von Uli Aumüller,
Erica Fischer und Grete Osterwald

Rowohlt Taschenbuch Verlag

Die Originalausgabe erschien 2003 unter dem Titel
«What I Loved» bei Henry Holt and Company, New York.

Uli Aumüller übersetzte Teil eins, Erica Fischer Teil zwei
und Grete Osterwald Teil drei.

14. Auflage Juni 2006

Veröffentlicht im
Rowohlt Taschenbuch Verlag,
Reinbek bei Hamburg, April 2004
Copyright © 2003 by Rowohlt Verlag GmbH,
Reinbek bei Hamburg
«What I Loved» Copyright © 2003 by Siri Hustvedt
Umschlaggestaltung any.way, Cathrin Günther
(Foto: Agentur FOCUS / © Inge Morath / Magnum Photos)
Gesamtherstellung Clausen & Bosse, Leck
Printed in Germany
ISBN 13: 978 3 499 23309 8
ISBN 10: 3 499 23309 6

Für Paul Auster

Eins

Gestern fand ich Violets Briefe an Bill. Sie fielen zwischen den Seiten eines seiner Bücher heraus und flatterten zu Boden. Ich wusste seit Jahren von diesen Briefen, doch weder Bill noch Violet hatten mir je erzählt, was darin stand. Sie hatten mir nur erzählt, Bill habe, unmittelbar nachdem er den fünften und letzten gelesen hatte, sich seine Ehe mit Lucille noch einmal durch den Kopf gehen lassen, die Haustür in der Greene Street hinter sich zugeschlagen und sei schnurstracks zu Violets Wohnung im East Village gegangen. Als ich die Briefe in der Hand hielt, spürte ich das nachhaltige Gewicht jener Dinge, die verzaubert sind, weil man immer wieder Geschichten darüber gehört hat. Meine Augen sind schlecht geworden, und ich brauchte eine ganze Weile, um die Briefe zu lesen, doch es gelang mir, jedes Wort zu entziffern. Als ich sie aus der Hand legte, wusste ich, dass ich heute anfangen würde, dieses Buch zu schreiben.

«Während ich im Atelier auf dem Fußboden lag», schrieb Violet im vierten Brief, «habe ich dich beobachtet, wie du mich maltest. Ich betrachtete deine Arme, deine Schultern und vor allem deine Hände, die die Leinwand bearbeiteten. Ich wollte, du hättest dich umgedreht, wärst zu mir gekommen und hättest meine Haut so gerieben, wie du das Gemälde riebst. Ich wollte, du hättest deinen Daumen so fest gegen mich gepresst wie gegen das Bild, und ich dachte, ich würde verrückt, wenn du es nicht tätest, aber ich wurde nicht verrückt, und du hast mich nicht berührt, kein einziges Mal. Du hast mir nicht einmal die Hand gegeben.»

Das Gemälde, von dem Violet sprach, sah ich zum ersten Mal

vor ungefähr fünfundzwanzig Jahren in einer Galerie in der Prince Street in SoHo. Damals kannte ich weder Bill noch Violet. Die meisten Bilder der Gruppenausstellung waren blutleere minimalistische Arbeiten, die mich nicht interessierten. Bills Gemälde hing allein an einer Wand. Ein großes Format, eins achtzig mal zwei fünfzig. Mit einer auf dem Boden eines leeren Raumes liegenden jungen Frau. Sie stützte sich auf einen Ellbogen und schien etwas außerhalb des Bildes zu betrachten. Von dort strömte helles Licht in den Raum und beleuchtete ihr Gesicht und ihre Brust. Ihre rechte Hand lag auf dem Schambein, und als ich näher trat, sah ich, dass sie ein kleines Taxi in der Hand hielt – eine Miniaturausgabe des allgegenwärtigen Yellow Cab, das die Straßen von New York hinauf- und hinunterfährt.

Es dauerte eine Weile, bis mir bewusst wurde, dass sich in Wirklichkeit drei Personen auf dem Bild befanden. Ganz weit rechts, wo die Leinwand dunkel war, bemerkte ich eine aus dem Gemälde heraustretende Frau. Innerhalb des Rahmens waren nur ihr Fuß und ihr Knöchel zu sehen, doch der Slipper, den sie trug, war mit ungeheurer Sorgfalt wiedergegeben, und als ich ihn erst entdeckt hatte, musste ich immer wieder hinsehen. Die unsichtbare Frau wurde genauso wichtig wie die, die das Bild beherrschte. Die dritte Person war nur ein Schatten. Einen Augenblick hielt ich diesen Schatten für meinen eigenen, doch dann begriff ich, dass der Künstler ihn hineingemalt hatte. Die schöne Frau, die nur ein Männer-T-Shirt trug, wurde von jemandem außerhalb des Bildes angesehen, einem Betrachter, der genau dort zu stehen schien, wo ich stand, als ich das Dunkel bemerkte, das über ihren Bauch und ihre Schenkel fiel.

Rechts von dem Gemälde las ich auf dem kleinen getippten Pappschild: *Selbstporträt* von William Wechsler. Zuerst dachte ich, das sei ein Scherz des Künstlers, doch dann besann ich mich anders. War der Titel, im Zusammenhang mit einem Männernamen, ein Hinweis auf etwas Weibliches in ihm oder auf eine

Dreigespaltenheit? Vielleicht hatte die versteckte Erzählung von zwei Frauen und einem Betrachter unmittelbar mit dem Künstler zu tun, oder der Titel bezog sich gar nicht auf den Inhalt des Bildes, sondern auf seine Form. In einigen Teilen des Gemäldes versteckte sich die malende Hand, in anderen machte sie auf sich aufmerksam. Sie verschwand in der fotografisch genauen Illusion des Gesichts der Frau, in dem Licht, das durch das unsichtbare Fenster hereinströmte, und im Hyperrealismus des Schuhs. Das lange Haar der Frau jedoch war ein Gewirr pastoser Farben mit kraftvollen Tupfern Rot, Grün und Blau. Um den Schuh und den Knöchel fielen mir dicke Streifen Schwarz, Grau und Weiß auf, die wohl mit einem Spachtel aufgetragen waren, und in diesen dichten Pigmentstrichen sah ich Spuren, die der Daumen eines Menschen hinterlassen hatte. Anscheinend war sein Gestus jäh, ja ungestüm gewesen.

Dieses Bild hängt nun hier bei mir, in diesem Zimmer. Wenn ich den Kopf drehe, sehe ich es, obwohl es sich durch mein schwächer werdendes Sehvermögen verändert hat. Etwa eine Woche nachdem ich es erblickt hatte, kaufte ich es für zweitausendfünfhundert Dollar. Erica stand nur wenige Schritte von dort entfernt, wo ich jetzt sitze, als sie sich das Gemälde zum ersten Mal ansah. Sie studierte es in aller Ruhe und sagte: «Es ist, als betrachtete man den Traum eines anderen, findest du nicht?»

Als ich mich dem Bild zuwandte, bemerkte ich, dass seine Stilmischung und sein veränderliches Zentrum tatsächlich an die Verzerrungen in Träumen erinnerten. Der Mund der Frau war leicht geöffnet, und ihre Schneidezähne standen etwas vor. Der Künstler hatte sie strahlend weiß und ein bisschen zu lang gemalt, fast wie die eines Tieres. Dann bemerkte ich die Prellung direkt unter ihrem Knie. Ich hatte sie schon vorher gesehen, doch in jenem Augenblick wurden meine Augen von ihrer violetten, am Rand gelbgrünen Färbung angezogen, so als wäre diese kleine Blessur das eigentliche Thema des Gemäldes. Ich ging hin, legte meinen Finger auf die Leinwand und zog den Umriss des blauen Flecks nach. Die Geste erregte mich. Ich drehte mich um und sah Erica an. Es war ein warmer Septembertag, sie hatte bloße Arme. Ich beugte mich über sie und küsste die Sommersprossen auf ihren Schultern, dann hob ich ihr Haar an und küsste die zarte Haut auf ihrem Hals. Ich kniete mich vor sie, schob ihren Rock hoch, fuhr mit den Fingern und dann mit der Zunge über ihre Schenkel. Ihre Knie gaben etwas nach. Sie zog ihren Slip aus, warf ihn lächelnd aufs Sofa und drückte mich sanft nach hinten auf den Boden. Sie setzte sich rittlings auf mich, und als sie mich küsste, fiel ihr Haar über mein Gesicht. Dann lehnte sie sich zurück und zog T-Shirt und BH aus. Ich liebte es, meine Frau in dieser Stellung zu sehen. Ich berührte ihren Busen und zeichnete mit dem Finger ein vollkommen rundes Muttermal auf ihrer linken Brust nach, ehe sie sich wieder über mich beugte. Sie küsste mich auf die Stirn, die Wangen, das Kinn und nestelte dann am Reißverschluss meiner Hose.

Zu jener Zeit lebten Erica und ich in einem Zustand fast ständiger sexueller Erregung. Nahezu alles konnte eine wilde Orgie auf dem Bett, dem Fußboden auslösen, einmal sogar auf dem Esszimmertisch. Seit der High School waren in meinem Leben Freundinnen gekommen und gegangen. Ich hatte kurze und längere Beziehungen gehabt, doch immer waren lange Pausen dazwischen gewesen – Durststrecken ohne Frauen und Sex. Erica meinte, die Entbehrung habe einen besseren Liebhaber aus mir gemacht, ich hielte den Körper einer Frau nicht für selbstverständlich. An jenem Nachmittag liebten wir uns jedenfalls wegen des Bildes. Ich habe seither oft darüber nachgedacht, warum die Darstellung einer Wunde an einem Frauenkörper erotisch auf mich gewirkt haben mochte. Später sagte Erica, sie glaube, meine Reaktion habe etwas mit dem Wunsch zu tun, auf dem Körper des anderen ein Mal zurückzulassen. «Haut ist zart», sagte sie. «Sie lässt sich leicht schneiden und quetschen.

Sie sieht nicht so aus, als wäre sie geschlagen worden oder so. Es ist ein gewöhnlicher kleiner blauer Fleck, doch durch die Art, wie er gemalt ist, fällt er auf. Sieht so aus, als hätte der Maler es gern getan; als hätte er dort eine kleine Verletzung anbringen wollen, die ewig bleibt.»

Erica war damals vierunddreißig. Ich war elf Jahre älter, und wir hatten ein Jahr zuvor geheiratet. Wir waren in der Butler Library der Columbia University buchstäblich übereinander gestolpert. Es war an einem späten Samstagvormittag im Oktober, und die Gänge zwischen den Bücherregalen waren größtenteils leer. Ich hatte ihre Schritte gehört, hatte ihre Gegenwart hinter den verschwommenen Buchreihen gespürt, die von einem leise brummenden Timer-Licht trübe beleuchtet wurden. Ich fand das gesuchte Buch und ging zum Aufzug. Außer dem Summen hörte ich nichts. Ich bog um die Ecke und stolperte über Erica, die am Kopfende des Regals auf dem Boden saß. Es gelang mir, auf den Füßen zu bleiben, doch meine Brille fiel herunter. Sie hob sie auf, und im selben Augenblick, als ich mich bückte, um sie entgegenzunehmen, stand Erica auf und stieß mit dem Kopf gegen mein Kinn. Sie sah mich lächelnd an. «Wenn das so weitergeht, können wir zusammen in einer Slapstick-Nummer auftreten.»

Ich war über eine hübsche Frau gestolpert. Sie hatte einen großen Mund und kinnlanges, dichtes dunkles Haar. Ihr enger Rock war bei unserem Zusammenstoß hochgerutscht, und als sie ihn hinunterzog, warf ich einen flüchtigen Blick auf ihre Schenkel. Nachdem sie den Rock zurechtgezupft hatte, sah sie zu mir auf und lächelte wieder. Bei diesem zweiten Lächeln zitterte ihre Unterlippe sekundenlang, und ich hielt dieses kleine Anzeichen von Nervosität oder Verlegenheit für ein Indiz, dass sie nichts gegen eine Einladung haben würde. Ich bin mir ganz sicher, dass ich mich ohne dieses Lächeln schlicht entschuldigt hätte und gegangen wäre. Doch das flüchtige Zittern ihrer Lippe enthüllte etwas Weiches in ihrem Charakter und ließ aufblitzen, was ich für ihre sorgsam gehütete Sinnlichkeit hielt. Ich fragte sie, ob sie einen Kaffee mit mir trinken gehen würde. Aus dem Kaffee wurde ein Mittagessen, daraus ein Abendessen, und am nächsten Morgen erwachte ich im Bett meiner alten Wohnung am Riverside Drive neben Erica Stein. Sie schlief noch. Durch das Fenster fiel Licht auf ihr Gesicht und ihr Haar. Sehr behutsam legte ich ihr die Hand auf den Kopf. Ich ließ sie mehrere Minuten dort liegen, während ich Erica ansah und hoffte, sie würde bleiben.

Inzwischen hatten wir stundenlang geredet. Es stellte sich heraus, dass Erica und ich derselben Welt entstammten. Ihre Eltern waren deutsche Juden, die Berlin 1933 als Teenager verlassen hatten. Ihr Vater wurde ein bekannter Psychoanalytiker, ihre Mutter Sprecherzieherin an der Juilliard School. Sie waren beide tot. Sie starben im Abstand von wenigen Monaten im Jahr bevor ich Erica traf, im Jahr, in dem auch meine Mutter starb: 1973. Ich bin in Berlin geboren und lebte dort bis zu meinem fünften Lebensjahr. Meine Erinnerungen an die Stadt sind bruchstückhaft; einige mögen falsch sein, Bilder und Geschichten, die ich mir nach dem zusammenreimte, was meine Mutter mir über meine frühe Kindheit erzählte. Erica wurde auf der Upper West Side geboren, wo auch ich mit meinen Eltern nach drei Jahren in einer Wohnung im Londoner Stadtteil Hampstead landete. Erst Erica brachte mich dazu, die West Side und meine gemütliche Wohnung nahe der Columbia University zu verlassen. Ehe wir heirateten, sagte sie mir, sie wolle «emigrieren». Als ich sie fragte, was sie damit meine, sagte sie, es sei an der Zeit, die Wohnung ihrer Eltern in der West 82nd Street zu verkaufen und die lange U-Bahn-Fahrt nach Downtown anzutreten. «Hier oben rieche ich den Tod», sagte sie, «Antiseptisches, Krankenhäuser und altbackene Sachertorte. Ich muss hier weg.» Erica und ich verließen das vertraute Terrain unserer Kindheit und steckten weiter südlich unter den Künstlern und Bohemiens ein neues Revier ab. Mit dem Geld, das wir von unseren Eltern geerbt hatten, kauften und bezogen wir einen Loft in der Greene Street zwischen Canal und Grand.

Das neue Viertel mit seinen leeren Straßen, niedrigen Gebäuden und jungen Mietern befreite mich von Fesseln, die ich bis dahin gar nicht als beengend empfunden hatte. Mein Vater starb 1947, im Alter von nur dreiundvierzig Jahren, doch meine Mutter lebte weiter. Ich war ihr einziges Kind, und nach dem Tod meines Vaters lebten meine Mutter und ich mit seinem Geist zusammen. Meine Mutter wurde alt und arthritisch, mein Vater jedoch blieb jung, brillant und viel versprechend – ein Arzt, der alles Mögliche hätte erreichen können. Aus diesen Möglichkeiten wurden für meine Mutter Tatsachen. Sechsundzwanzig Jahre lang lebte sie mit meines Vaters verlorener Zukunft in derselben Wohnung in der 84th Street zwischen Broadway und Riverside Drive. In meiner Anfangszeit als Hochschullehrer redete mich hin und wieder ein Student mit «Dr. Hertzberg» statt mit «Herr Professor» an, und ich musste unweigerlich an meinen Vater denken. In Soho zu leben löschte meine Vergangenheit nicht aus und führte kein Vergessen herbei, doch wenn ich um eine Ecke bog oder eine Straße überquerte, war da nichts, was mich an meine Kindheit und Jugend als Vertriebener erinnerte. Erica und ich waren die Kinder von Emigranten aus einer untergegangenen Welt. Unsere Eltern waren assimilierte Mittelschichtjuden, für die das Judentum eine Religion war, die ihre Urgroßeltern praktiziert hatten. Vor 1933 hatten sie sich als «jüdische Deutsche» betrachtet, ein Terminus, der heute in keiner Sprache mehr so richtig existiert.

Als wir uns kennen lernten, war Erica Dozentin für Englisch an der Rutgers University, und ich lehrte bereits seit zwölf Jahren im Fachbereich Kunstgeschichte der Columbia University.

Ich hatte in Harvard promoviert, sie an der Columbia, was erklärte, weshalb sie an jenem Samstagmorgen mit einem Ehemaligenausweis in der Bibliothek herumlief. Ich war schon öfter verliebt gewesen, doch fast immer hatte ich irgendwann einen Punkt des Überdrusses und der Langeweile erreicht. Erica langweilte mich nie. Sie ärgerte und reizte mich manchmal, aber sie langweilte mich nie. Ericas Kommentar zu Bills Selbstbildnis war typisch für sie – einfach, direkt und scharfsinnig. Ich habe nie auf Erica herabgesehen.

Ich war viele Male an der Bowery 89 vorbeigegangen, ohne je stehen zu bleiben und mir das Haus anzusehen. Der heruntergekommene vierstöckige Klinkerbau zwischen Hester und Canal Street war nie mehr als das schlichte Quartier eines Großhandelsgeschäfts gewesen, doch als ich dorthin kam, um William Wechsler zu besuchen, waren jene Tage bescheidener Achtbarkeit längst vorbei. Die Fenster der einstigen Ladenfassade waren mit Brettern zugenagelt, und die schwere Eisentür war so zerkratzt und verbeult, als hätte jemand sie mit einem Hammer bearbeitet. Ein bärtiger Mann mit irgendetwas Alkoholischem in einer Tüte lag auf der einzigen Treppenstufe herum. Er grunzte mich an, als ich ihn bat, beiseite zu rücken, und entfernte sich dann halb rollend, halb rutschend von der Treppe.

Mein erster Eindruck von Menschen wird oft von dem überlagert, was ich später erfahre, doch bei Bill ist mir während unserer ganzen Freundschaft zumindest eine Erinnerung an diese ersten Sekunden geblieben. Bill hatte Ausstrahlung – jene geheimnisvolle Anziehungskraft, die Fremde verführt. Als er mir die Tür öffnete, sah er fast genauso verlottert aus wie der Mann auf der Treppe. Er hatte einen Zweitagebart. Das dichte schwarze Haar auf seinem Kopf stand oben und seitlich wild ab, und seine Kleidung starrte vor Schmutz und Farbflecken. Doch als er mich ansah, fühlte ich mich zu ihm hingezogen. Sein Teint war für einen Weißen sehr dunkel, und seine schräg stehenden, klaren grünen Augen hatten etwas Asiatisches. Er hatte einen eckigen Kiefer und ein kantiges Kinn, breite Schultern und kräftige Arme. Mit seinen eins fünfundachtzig schien er mich weit zu überragen, obwohl ich selbst nur ein paar Zentimeter kleiner bin. Später entschied ich, dass seine fast magische Anziehungskraft etwas mit seinen Augen zu tun haben musste. Als er mich ansah, tat er es direkt und unbefangen, und doch spürte ich zugleich seine Verinnerlichung, seine Abgelenktheit. Obwohl seine Neugier auf mich ungespielt wirkte, spürte ich auch, dass er nichts von mir wollte. Bill verströmte etwas so vollständig Autonomes, dass er unwiderstehlich war.

«Ich habe es wegen des Lichts gemietet», sagte er, als wir das Atelier im dritten Stock betraten. Durch drei lange Fenster am hinteren Ende des einzigen Raumes schien die Nachmittagssonne. Das Gebäude war abgesackt, der hintere Teil des Lofts lag erheblich niedriger als der vordere. Der Fußboden hatte sich ebenfalls verzogen, und als ich zu den Fenstern hinübersah, bemerkte ich Verwerfungen in den Dielen wie flache Wellen auf einem See. Die höher gelegene Seite des Lofts war karg möbliert mit einem Hocker, einem Tisch aus zwei Sägeböcken mit einer alten Tür darauf und einer Stereoanlage, umgeben von Hunderten von Schallplatten und Tonbändern in Plastikmilchkästen. Reihen von Leinwänden standen an die Wand gelehnt. Der Raum roch stark nach Farbe, Terpentin und Moder.

Alles Lebensnotwendige war auf der tiefer gelegenen Seite zusammengedrängt. Ein über eine alte Badewanne mit Löwenfüßen gebauter Tisch. Daneben ein Doppelbett, nicht weit von einem Waschbecken, und der Herd ragte aus einer Lücke eines mit Büchern voll gestopften Regals. Auch daneben auf dem Fußboden stapelten sich Bücher, und Dutzende mehr auf einem

Sessel, der so aussah, als hätte seit Jahren niemand darin gesessen. Das Durcheinander in der Wohnecke des Lofts offenbarte nicht nur Bills Armut, sondern auch sein Desinteresse an Gegenständen des täglichen Gebrauchs. Mit der Zeit sollte er wohlhabender werden, doch seine Gleichgültigkeit gegenüber solchen Dingen änderte sich nie. Er blieb seltsam unverbunden mit den Wohnungen, in denen er lebte, und blind für die Details ihrer Einrichtung.

Schon an jenem ersten Tag spürte ich Bills Askese, seinen fast brutalen Wunsch nach Reinheit und seine Kompromisslosigkeit. Das Gefühl rührte sowohl von dem her, was er sagte, als auch von seiner physischen Präsenz. Er war ruhig, sprach leise, war etwas verhalten in seinen Bewegungen, und dennoch entströmte ihm eine raumgreifende Intensität. Anders als andere große Persönlichkeiten war Bill nicht laut, arrogant oder ungewöhnlich charmant. Dennoch fühlte ich mich, als ich neben ihm stand und mir die Bilder ansah, wie ein Zwerg, der gerade einem Riesen vorgestellt worden ist. Dieses Gefühl machte meine Kommentare scharfsinniger und gedankenreicher. Ich kämpfte um Raum.

Er zeigte mir an jenem Nachmittag sechs Bilder. Drei waren fertig. Die drei anderen hatte er gerade angefangen – skizzenhafte Linien und große Farbfelder. Mein Gemälde gehörte auch zu dieser Serie, lauter Porträts der dunkelhaarigen Frau; doch von einer Arbeit zur anderen änderte sich ihr Leibesumfang. Auf der ersten Leinwand war sie dick, ein Berg blassen Fleisches in engen Nylonshorts und einem T-Shirt – ein Bild von so gewaltiger Verfressenheit und Selbstaufgabe, dass ihr Körper wie in den Rahmen gequetscht schien. Mit ihrer fetten Faust umklammerte sie eine Babyrassel. Der längliche Schatten eines Mannes fiel über ihre rechte Brust und ihren riesigen Bauch und schrumpfte auf ihren Hüften zu einer bloßen Linie. Auf der zweiten war die Frau viel dünner. Sie lag in Unterwäsche auf einer Matratze und sah mit einem Ausdruck, der zugleich selbstverliebt und selbstkritisch schien, an sich hinunter. In der Hand hielt sie einen Füllfederhalter, der ungefähr doppelt so groß war wie ein normaler Füller. Auf dem dritten Bild hatte die Frau ein paar Pfunde mehr, war aber nicht so füllig wie die Person auf dem Gemälde, das ich gekauft hatte. Sie trug ein zerschlissenes Flanellnachthemd und saß mit lässig gespreizten Oberschenkeln auf der Bettkante. Ein Paar rote Kniestrümpfe lagen zu ihren Füßen. Als ich mir ihre Beine ansah, bemerkte ich direkt unter den Knien eine schwache rote Linie vom Gummiband der Strümpfe.

«Das erinnert mich an Jan Steens Gemälde der Frau bei der Morgentoilette, die ihren Strumpf auszieht», sagte ich. «Das kleine Bild, das im Rijksmuseum hängt.»

Bill lächelte mich zum ersten Mal an. «Ich habe das Bild mit dreiundzwanzig in Amsterdam gesehen, und es brachte mich dazu, über Haut nachzudenken. Ich interessiere mich eigentlich nicht für Akte. Sie sind zu gewollt, aber für Haut interessiere ich mich wirklich.»

Wir sprachen eine Weile über Haut in der Malerei. Ich erwähnte die schönen roten Wundmale auf der Hand von Zurbaráns heiligem Franziskus. Bill sprach über die Hautfarbe von Grünewalds totem Christus und die rosa Haut von Bouchers Nackten, die er als «Softpornodämchen» bezeichnete. Wir diskutierten die wechselnden Konventionen in der Darstellung von Kreuzigungen, Pietàs und Grablegungen. Ich sagte, Pontormos Manierismus habe mich immer interessiert, und Bill erwähnte Robert Crumb. «Mir gefällt seine Grobheit», sagte er. «Die mutige Hässlichkeit seines Werkes.» Ich fragte ihn nach George Grosz, und Bill nickte.

«Ein Verwandter. Die beiden sind ganz bestimmt künstlerisch verwandt. Haben Sie mal Crumbs Serie ‹Tales from the Land of Genitalia› gesehen? Penisse, die in Stiefeln herumlaufen?»

«Wie in ‹Die Nase› von Gogol», sagte ich.

Dann zeigte Bill mir medizinische Zeichnungen, ein Gebiet, über das ich wenig wusste. Er zog aus seinen Regalen Dutzende Bücher mit Illustrationen aus verschiedenen Perioden – mittelalterliche Schaubilder von Körpersäften, anatomische Bilder aus dem 18. Jahrhundert, ein Bild aus dem 19. Jahrhundert vom Kopf eines Mannes mit phrenologischen Beulen und eines von weiblichen Genitalien aus derselben Zeit. Es war eine kuriose Zeichnung der Sicht zwischen die gespreizten Oberschenkel einer Frau. Wir standen nebeneinander und starrten auf die akribische Wiedergabe von Vulva, Klitoris, Schamlippen und dem kleinen schwarzen Loch der Vaginaöffnung. Die Linien waren hart und peinlich genau.

«Sieht aus wie das Schaubild einer Maschine», sagte ich.

«Ja», sagte er. «So habe ich es noch nie betrachtet.» Er blickte auf das Bild. «Es ist ein gemeines Bild. Alles ist am richtigen Platz, aber es ist eine garstige Karikatur. Der Künstler hielt es natürlich für Wissenschaft.»

«Ich glaube, nichts ist jemals einfach nur Wissenschaft», sagte ich.

Er nickte. «Das ist das Problem mit dem Sehen von Dingen. Nichts ist klar. Gefühle, Ideen formen das, was man vor sich hat. Cézanne wollte die Welt nackt, aber die Welt ist nie nackt. Ich möchte in meinen Arbeiten Zweifel wecken.» Er hielt inne und lächelte mich an. «Deren sind wir uns nämlich sicher.»

«Haben Sie Ihre Frauengestalt deshalb mal dick, mal dünn oder mittel gemalt?», sagte ich.

«Ehrlich gesagt, war es eher ein Bedürfnis als etwas Reflektiertes.»

«Und die Stilmischung?», sagte ich.

Bill ging zum Fenster und zündete sich eine Zigarette an. Er inhalierte und ließ die Asche auf den Boden fallen. Er musterte mich. Seine großen Augen waren so durchdringend, dass ich wegschauen wollte, doch ich tat es nicht. «Ich bin einunddreißig Jahre alt, und Sie sind der erste Mensch, meine Mutter nicht mitgezählt, der eines meiner Bilder gekauft hat. Ich arbeite seit zehn Jahren. Kunsthändler haben meine Arbeiten hundertmal abgelehnt.»

«De Kooning hatte auch erst mit vierzig seine erste Einzelausstellung», sagte ich.

«Sie missverstehen mich», sagte er langsam. «Ich verlange nicht, dass sich irgendwer dafür interessiert. Warum auch? Ich frage mich, warum Sie sich dafür interessieren.»

Ich erklärte es ihm. Wir setzten uns auf den Boden, die Bilder standen vor uns, und ich sagte, mir gefalle seine Zweideutigkeit, mir gefalle, nicht zu wissen, wohin ich auf seinen Gemälden schauen solle, und vieles in der modernen figurativen Malerei langweile mich, seine Bilder jedoch nicht. Wir sprachen über de Kooning, vor allem über ein kleines Werk, das Bill anregend fand, «Selbstporträt mit imaginärem Bruder». Wir sprachen über das Befremdliche bei Hopper und über Duchamp. Bill nannte ihn «das Messer, das die Kunst in Stücke schnitt». Ich dachte, er meine das abfällig, doch er fügte hinzu: «Er war ein großer Schwindler. Ich verehre ihn.»

Als ich auf die zarten Stoppeln vom Rasieren hinwies, die er auf die Beine der dünnen Frau gemalt hatte, sagte er, seine Augen würden, wenn er mit einem anderen Menschen zu tun habe, oft von einem Detail angezogen – einem abgebrochenen Zahn, einem Pflaster auf einem Finger, einer Vene, einer Schnittwunde, einem Ausschlag, einem Muttermal –, und dieses einzelne Merkmal beherrsche dann einen Augenblick sein ganzes Sehen. Diese Sekunden wolle er in seinem Werk wiedergeben. «Sehen ist fließend», sagte er. Ich sprach ihn auf die verborgenen Erzählungen in seiner Arbeit an, und er sagte, für ihn seien Geschichten wie durch einen Körper fließendes Blut – Pfade eines Lebens. Das war eine aufschlussreiche Metapher, und ich vergaß sie nie. Als Künstler war Bill hinter dem Nichtsichtbaren im Sichtbaren her. Das Paradoxe daran war, dass er sich entschieden hatte, diese unsichtbare Bewegung in gegenständlicher Malerei darzustellen, die nichts ist als gefrorener Schein – eine Oberfläche.

Bill erzählte mir, er sei in der Vorstadt aufgewachsen, in New Jersey, wo sein Vater mit großem Erfolg einen Handel mit Pappkartons aufgebaut habe. Seine Mutter leistete ehrenamtliche Arbeit bei jüdischen Wohlfahrtsvereinen, war Betreuerin für die jüngsten Pfadfinder und hatte am Ende eine Konzession als Immobilienmaklerin bekommen. Seine Eltern hatten nicht studiert, und es gab wenig Bücher im Haus. Ich stellte mir den grünen Rasen und die ruhigen Häuser von South Orange vor – Fahrräder in Einfahrten, die Straßenschilder, die Doppelgaragen. «Ich konnte gut zeichnen», sagte er, «aber Baseball war mir lange wichtiger als Kunst.»

Ich erzählte ihm, dass ich im Sport an der Fieldston School gelitten hatte. Dünn und kurzsichtig, wie ich war, hatte ich im Außenfeld gestanden und gehofft, niemand würde mir den Ball zuschlagen. «Jede Sportart, zu der man ein Gerät brauchte, war für mich tabu. Ich konnte laufen und schwimmen, aber sobald man mir etwas in die Hand gab, ließ ich es fallen.»

Während der Zeit an der High School begann Bill ins Metropolitan Museum, ins Museum of Modern Art, in die Frick Collection und in Galerien zu pilgern und, wie er sich ausdrückte, «auf der Straße herumzulungern». «Ich liebte Straßen genauso wie Museen und lief stundenlang in der Stadt herum und atmete den Müllgeruch ein.» Als er in der dritten Klasse der High School war, ließen sich seine Eltern scheiden. Im selben Jahr verließ er das Jogging-, das Basketball- und das Baseballteam. «Ich hörte mit dem Muskeltraining auf», sagte er. «Ich wurde dünn.» Bill studierte in Yale, belegte Malerei, Kunstgeschichte und Literatur. Dort lernte er Lucille Alcott kennen, deren Vater Jura-Professor war. «Wir haben vor drei Jahren geheiratet», sagte er. Ich merkte, dass ich mich nach Spuren einer weiblichen Gegenwart umsah, doch ich entdeckte keine. «Arbeitet sie?», fragte ich.

«Sie ist Dichterin. Sie hat ein paar Straßen weiter ein kleines Zimmer gemietet. Dort schreibt sie. Sie arbeitet auch als freie Lektorin. Sie redigiert. Ich mache Maler- und Verputzarbeiten für Baufirmen. Wir kommen zurecht.»

Ein mitfühlender Arzt bewahrte Bill vor Vietnam. In seiner Kindheit und Jugend hatte er schwere Allergien gehabt. Sein Gesicht schwoll an, und er musste so stark niesen, dass er Nackenschmerzen bekam. Ehe er sich beim Musterungsausschuss in Newark meldete, fügte der Arzt zu dem Wort «Allergien» die Worte «mit einer Neigung zu Asthma» hinzu. Einige Jahre später hätte eine bloße Neigung Bill wohl nicht mehr untauglich gemacht, doch das war 1966, und die geballte Wucht des Widerstands gegen den Vietnamkrieg lag noch in der Zukunft. Nach dem Studium arbeitete er ein Jahr als Barkeeper in New Jersey. Er wohnte bei seiner Mutter, sparte seinen ganzen Lohn und reiste für zwei Jahre nach Europa. Er verbrachte sie in Rom, Amsterdam und Paris. Um sich über Wasser zu halten, nahm er alle möglichen Jobs an. Er arbeitete am Empfang der Redaktion einer englischen Zeitschrift in Amsterdam, als Führer in den römischen Katakomben und in Paris bei einem alten Mann als Vorleser englischer Romane. «Beim Vorlesen musste ich auf dem Sofa liegen. Das war ihm sehr wichtig. Ich musste die Schuhe ausziehen. Er wollte unbedingt meine Socken genau sehen können. Ich verdiente gutes Geld, deshalb spielte ich eine Woche lang mit. Dann kündigte ich. Ich nahm meine dreihundert Francs und ging. Mehr als dieses Geld besaß ich nicht. Ich kam unten auf der Straße an. Es war gegen elf Uhr abends, und da stand so ein abgezehrter Alter mit ausgestreckter Hand auf dem Bürgersteig. Ich schenkte ihm das Geld.»

«Warum?», fragte ich.

Bill wandte sich mir zu. «Ich weiß nicht. Mir war einfach danach. Es war dumm, aber ich habe es nie bereut. Danach fühlte ich mich frei. Ich habe zwei Tage lang nichts gegessen.»

«Ein Bravourakt», sagte ich.

Er sah mich an und sagte: «Eine Unabhängigkeitserklärung.»

«Wo war Lucille?»

«Sie lebte in New Haven bei ihren Eltern. Es ging ihr damals nicht so gut. Wir schrieben uns.»

Ich fragte nicht nach Lucilles Krankheit. Bei deren Erwähnung hatte er weggeschaut, und ich sah, dass sich seine Augen schmerzlich verengten.

Ich wechselte das Thema. «Warum haben Sie das Bild, das ich gekauft habe, Selbstporträt genannt?»

«Das hier sind alles Selbstporträts», sagte er. «Während der Arbeit mit Violet wurde mir klar, dass ich ein Terrain in mir selbst vermaß, das ich vorher nicht gesehen hatte, oder vielleicht ein Terrain zwischen ihr und mir. Der Titel fiel mir einfach so ein, und ich benutzte ihn. Selbstporträt klang richtig.»

«Wer ist Violet?», sagte ich.

«Violet Blom. Sie promoviert an der N.Y.U. Sie hat mir diese Zeichnung geschenkt, die ich Ihnen gezeigt habe – die aussieht wie eine Maschine.»

«Was studiert sie?»

«Geschichte. Sie schreibt über Hysterie in Frankreich um die Jahrhundertwende.» Bill zündete sich noch eine Zigarette an und blickte zur Decke. «Sie ist ein sehr kluges Mädchen – ungewöhnlich.» Er blies den Rauch nach oben, und ich beobachtete, wie sich die dünnen Ringe im Licht am Fenster mit Staubpartikeln füllten.

«Die meisten Männer würden sich, glaube ich, nicht als Frau porträtieren. Sie haben sich Violet ausgeborgt, um sich selbst zu zeigen. Wie findet sie das?»

Er lachte kurz auf und sagte dann: «Es gefällt ihr. Sie sagt, es sei subversiv, vor allem weil ich Frauen liebe und nicht Männer.»

«Und der Schatten?», sagte ich.

«Das ist meiner.»

«Schade», sagte ich. «Ich dachte, es wäre meiner.»

Bill warf mir einen Blick zu. «Es kann auch Ihrer sein.» Er

packte mich am Unterarm und schüttelte ihn. Diese plötzliche Geste der Kameradschaft, ja Zuneigung, machte mich ungewöhnlich glücklich. Ich habe oft darüber nachgedacht, weil dieser kleine Austausch über Schatten den Lauf meines Lebens veränderte. Die Geste kennzeichnet den Augenblick, in dem ein Gespräch zweier Männer über dies und jenes sich unwiderruflich zu einer Freundschaft hin entwickelte.

Sie schwebte beim Tanzen», sagte Bill eine Woche später bei einer Tasse Kaffee zu mir. «Sie schien nicht zu wissen, wie hübsch sie war. Ich bin ihr jahrelang nachgelaufen. Mal waren wir zusammen, mal getrennt. Irgendwas zog mich immer wieder zu ihr hin.» In den folgenden Wochen erwähnte Bill nie wieder Lucilles Krankheit, doch wegen der Art, wie er über seine Frau sprach, hielt ich sie für zerbrechlich, für eine Frau, die Schutz vor etwas brauchte, worüber er nicht sprechen wollte.

Als ich Lucille Alcott zum ersten Mal sah, stand sie in der Tür des Lofts in der Bowery, und sie erinnerte mich an eine Frau in einem flämischen Gemälde. Sie hatte blasse Haut, hinten zusammengebundenes hellbraunes Haar und große, fast wimpernlose blaue Augen. Erica und ich waren zum Abendessen in die Bowery eingeladen. Es regnete an jenem Novemberabend, und beim Essen hörten wir den Regen über uns aufs Dach trommeln. Jemand hatte wegen unseres Besuchs Staub, Asche und Kippen weggefegt, und jemand hatte ein großes weißes Tuch auf Bills Arbeitstisch gelegt und acht Kerzen darauf gestellt. Lucille rechnete es sich als Verdienst an, das Essen gekocht zu haben, einen geschmacklosen braunen Mischmasch unkenntlicher Gemüsesorten. Als Erica sich höflich nach dem Namen des Gerichts erkundigte, blickte Lucille auf ihren Teller und sagte in perfektem Französisch: *«Flageolets aux légumes.»* Sie hielt inne, blickte auf und lächelte: «Aber die Flageolets scheinen inkognito unterwegs zu sein.» Nach einem kurzen Augenblick fuhr sie fort: «Ich wünschte, ich würde beim Kochen besser aufpassen. Eigentlich gehört Petersilie dazu.» Sie inspizierte ihren Teller. «Ich habe die Petersilie weggelassen. Bill würde lieber Fleisch essen. Er hat früher massenhaft Fleisch gegessen, aber er weiß, es gibt bei mir kein Fleisch, weil ich mich davon überzeugt habe, dass es nicht gut für uns ist. Ich verstehe nicht, warum ich mit Kochrezepten so auf dem Kriegsfuß stehe. Beim Schreiben bin ich sehr pingelig. Ich quäle mich immer mit den Verben rum.»

«Ihre Verben sind toll», sagte Bill und goss Erica Wein nach.

Lucille sah ihren Mann an und lächelte etwas steif. Ich verstand das Unbehagen in ihrem Lächeln nicht, denn Bills Bemerkung war ohne Ironie gesprochen. Er hatte mir schon mehrmals gesagt, wie sehr er ihre Gedichte bewunderte, und hatte versprochen, mir Kopien davon zu geben.

Hinter Lucille sah ich das fettleibige Bildnis von Violet Blom und überlegte, ob sich Bills Gelüste nach Fleisch auf diesen gewaltigen Frauenkörper übertragen hatten, aber meine Theorie erwies sich später als falsch. Wenn wir zusammen Mittag aßen, sah ich Bill oft glücklich Corned-Beef-Sandwiches, Hamburger und Bagels mit Schinken verschlingen.

«Ich stelle mir Regeln auf», sagte Lucille über ihre Gedichte. «Nicht die üblichen metrischen Regeln, sondern eine Struktur, die ich erst aussuche und dann zergliedere. Zahlen sind nützlich dabei. Sie sind klar, unwiderlegbar. Einige Zeilen sind nummeriert.» Alles, was Lucille sagte, war von der gleichen unbeugsamen Direktheit. Sie schien keinerlei Zugeständnisse an artige Konversation oder Small Talk zu machen. Zugleich hörte ich aus nahezu jeder ihrer Bemerkungen einen humorigen Unterton heraus. Sie redete so, als beobachtete sie ihre eigenen Sätze, als sähe sie sich von weitem an und beurteilte ihren Klang und ihre Formen, schon während sie aus ihrem Mund kamen. Jedes

Wort, das sie sprach, klang ehrlich, und doch war diese Ernst-haftigkeit mit Ironie gepaart. Lucille hatte Spaß daran, zwei Positionen zugleich einzunehmen. Sie war Subjekt und Objekt ihrer eigenen Aussagen.

Ich glaube nicht, dass Erica Lucilles Bemerkung über Regeln mitbekam. Sie sprach mit Bill über Romane. Ich kann mir auch nicht vorstellen, dass Bill sie hörte, doch sie kamen nun ihrer-seits auf Regeln zu sprechen. Erica beugte sich zu Bill und grinste: «Du findest also auch, dass der Roman ein Sack ist, in dem alles Mögliche stecken kann?»

«*Tristram Shandy*, viertes Kapitel, über Horaz' *ab ovo*», sagte Bill und deutete mit dem Zeigefinger zur Decke hinauf. Er zi-tierte, als vernähme er zu seiner Rechten eine unhörbare Stimme: «‹Horaz, ich weiß es wohl, empfiehlt diese Methode nicht so eigentlich. Doch der gute Herr spricht auch nur von einem Heldengedicht oder einem Trauerspiel (von welchem, habe ich vergessen) – überdies, wenn es nicht so wäre, bäte ich Herrn Horaz um Verzeihung –, und bei meiner vorliegenden Schrift werde ich mich so wenig an seine Regeln kehren wie an die Regeln irgendeines anderen Menschen, der jemals gelebt hat.›» Bei den letzten Worten schwoll Bills Stimme an, und Erica warf den Kopf zurück und lachte. Als sich herausstellte, dass Bill Romane in rauen Mengen verschlang, kamen sie von Henry James über Beckett auf Céline. Das war der Beginn einer Freundschaft zwischen ihnen, die mit mir wenig zu tun hatte. Als das Dessert aufgetragen wurde – ein schlaff aussehender Obstsalat –, lud Erica ihn gerade ein, an der Rutgers University vor ihren Studenten zu sprechen. Zuerst zögerte Bill, dann wil-ligte er ein.

Erica war zu höflich, um Lucille, die neben ihr saß, links liegen zu lassen. Nachdem sie Bill gebeten hatte, in eines ihrer Semi-nare zu kommen, konzentrierte sie sich ganz auf Lucille. Meine Frau nickte, wenn sie Lucille zuhörte, und wenn sie redete, war ihr Gesicht eine Landkarte wechselnder Emotionen und Gedanken. Im Gegensatz dazu verriet Lucilles unbewegte Miene fast kein Gefühl. Im Lauf des Abends fanden ihre eigentümlichen Bemerkungen zu einer Art philosophischem Rhythmus und zum knappen Ton einer verquälten Logik, die mich ein wenig an meine Lektüre von Wittgensteins *Tractatus* erinnerten. Als Erica Lucille sagte, sie habe vom Ruf ihres Vaters gehört, erwiderte Lucille: «Ja, sein Ruf als Jura-Professor ist ausgezeichnet.» Nach einer Pause fügte sie hinzu: «Ich hätte so gern Jura studiert, aber ich konnte es nicht. Ich habe immer wieder versucht, die juristischen Bücher in der Bibliothek meines Vaters zu lesen. Da war ich elf. Ich wusste, dass ein Satz zum nächsten führt, aber wenn ich beim zweiten Satz angekommen war, hatte ich den ersten vergessen, und beim dritten vergaß ich den zweiten.»

«Du warst erst elf», sagte Erica.

«Nein, es lag nicht an meinem Alter. Ich bin immer noch vergesslich.»

«Vergessen ist wahrscheinlich ebenso ein Teil des Lebens wie Erinnern», sagte ich. «Wir leiden alle unter Amnesie.»

«Aber wenn wir vergessen haben», sagte Lucille und wandte sich mir zu, «erinnern wir uns nicht immer daran, dass wir vergessen haben; das heißt, sich daran zu erinnern, dass wir vergessen haben, ist eigentlich nicht Vergessen, oder?»

Ich lächelte sie an und sagte: «Ich freue mich darauf, deine Arbeiten zu lesen. Bill spricht mit großer Bewunderung davon.»

Bill hob sein Glas. «Auf unsere Arbeit», sagte er laut. «Auf das Schreiben und das Malen.» Er hatte sich gehen lassen, und ich merkte, dass er ein bisschen betrunken war. Bei dem Wort Malen schnappte seine Stimme über. Ich fand seine gehobene Stimmung einnehmend, doch als ich mich mit zum Toast erhobenem Glas Lucille zuwandte, lächelte sie zum zweiten Mal so angespannt und gezwungen. Es war schwer zu sagen, ob dieser Ausdruck mit ihrem Mann zusammenhing oder nur auf ihre eigene Gehemmtheit zurückzuführen war.

Ehe wir gingen, gab Lucille mir zwei schmale Zeitschriften,

in denen ihre Gedichte erschienen waren. Beim Abschied war ihr Händedruck schlaff. Ich drückte ihre Hand, was ihr nichts auszumachen schien. Bill umarmte mich, und er umarmte und küsste Erica. Seine Augen glänzten vom Wein, und er roch nach Zigaretten. Im Eingang legte er den Arm um Lucilles Schulter und zog sie fest an sich. Neben ihrem Mann schien sie sehr klein und sehr befangen.

Es regnete noch immer, als wir auf die Straße traten.

Nachdem ich unseren Regenschirm aufgespannt hatte, sagte Erica: «Hast du bemerkt, dass sie diese Slipper anhatte?»

«Was meinst du damit?», sagte ich.

«Lucille trug die Schuhe oder vielmehr den Schuh von unserem Bild. Sie ist die Frau, die fortgeht.»

Ich sah Erica an und ließ ihre Feststellung auf mich wirken. «Ich glaube, ich habe gar nicht auf ihre Füße geachtet.»

«Das überrascht mich aber. Alles andere an ihr hast du dir doch ziemlich genau angeschaut.» Erica grinste und ich merkte, dass sie mich neckte. «Findest du das mit dem Schuh nicht viel sagend, Leo? Und dann war da diese andere Frau. Immer wenn ich aufblickte, sah ich sie – dieses magere Mädchen, das auf seinen Slip hinunterschaut, ein bisschen gierig und erregt. Sie wirkte so lebendig. So, als hätten sie auf dem Tisch ein Gedeck für sie auflegen sollen.»

Mit meiner freien Hand zog ich Erica an mich, hielt den Schirm über uns und küsste sie. Danach legte sie den Arm um meine Taille, und wir gingen Richtung Canal Street. «Ich bin ja mal gespannt, wie ihre Gedichte sind.»

Alle drei von Lucilles veröffentlichten Gedichten waren ähnlich – Werke von obsessiver analytischer Selbsterforschung, irgendwo zwischen lustig und traurig schwebend. Ich erinnere mich nur an zwei Zeilen, weil sie ungewöhnlich ergreifend waren und ich sie mir vorsagte: «Eine Frau sitzt am Fenster. Sie denkt/Und während sie denkt, verzweifelt sie/Sie verzweifelt, weil sie ist, wer sie ist/Und niemand anders.»

Die Ärzte versichern mir, dass ich nicht erblinden werde. Ich habe eine Krankheit namens Makuladegeneration – Wolken vor den Augen. Ich bin seit meinem achten Lebensjahr kurzsichtig. Verschwommene Wahrnehmung ist für mich also nichts Neues, aber mit Brille habe ich immer tadellos gesehen. Peripher sehe ich noch gut, doch direkt vor mir ist ständig ein ausgefranster grauer Fleck, der größer wird. Meine Bilder aus der Vergangenheit sind allerdings noch lebendig. Betroffen ist die Gegenwart, und die Menschen aus meiner Vergangenheit, mit denen ich noch zusammenkomme, haben sich in wolkenverhangene Wesen verwandelt. Anfangs beängstigte mich das, doch habe ich von Leidensgenossen und von meinen Ärzten erfahren, dass das, was ich erlebe, ganz normal ist. Laszlo Finkelman zum Beispiel, der mir mehrmals in der Woche vorliest, hat etwas an Schärfe verloren, und weder meine Erinnerung an ihn aus der Zeit, ehe meine Augen nachließen, noch mein peripheres Sehen reichen aus, für ein klares Bild zu sorgen. Ich kann *sagen*, wie Laszlo aussieht, weil ich mich noch an die Worte erinnere, mit denen ich ihn mir immer beschrieb: schmales, blasses Gesicht, ein hoher Busch blonden Haares, das senkrecht nach oben steht, eine dunkle Brille mit breitem Gestell vor kleinen grauen Augen. Doch wenn ich ihn heute direkt ansehe, wird sein Gesicht einfach nicht scharf, und die Worte, die ich früher benutzte, hängen in der Luft. Der Mensch, den sie beschreiben sollen, ist die verschwommene Version eines früheren Bildes, das ich mir nicht mehr vollständig ins Gedächtnis rufen kann, weil meine Augen zu müde sind, als dass sie ihn ständig von der Seite mustern könnten. Ich verlasse mich mehr und mehr auf Laszlos Stimme. In dem gleich bleibenden, ruhigen Ton, in dem er mir vorliest, habe ich neue Seiten seiner kryptischen Persönlichkeit entdeckt – Echos von Gefühlen, die ich nie auf seinem Gesicht gesehen habe.

Obwohl meine Augen entscheidend für meine Arbeit waren, ist schlechtes Sehen noch immer besser als Senilität. Ich sehe nicht mehr gut genug, um durch Galerien zu streifen oder in die Museen zurückzukehren, um mir Werke anzusehen, die ich in- und auswendig kenne. Doch habe ich einen Katalog erinnerter Gemälde im Kopf, in dem ich blättern kann und gewöhnlich das benötigte Werk finde. In den Vorlesungen habe ich den Gebrauch des Lichtzeigestocks bei Dias aufgegeben, und statt auf Einzelheiten zu zeigen, weise ich auf sie hin. Mein derzeitiges Mittel gegen Schlaflosigkeit ist die Suche nach dem geistigen Abbild eines Gemäldes und das Bemühen, es wieder so klar wie möglich zu sehen. Seit kurzem rufe ich Piero della Francesca auf. Vor über vierzig Jahren habe ich meine Dissertation über sein *De prospectiva pingendi* geschrieben. Indem ich mich auf die strenge Geometrie seiner Gemälde konzentriere, die ich einst so genau analysiert habe, schütze ich mich vor anderen Bildern, die aufsteigen, um mich zu quälen und wach zu halten. Ich vertreibe damit die Straßengeräusche ebenso wie den Eindringling, den ich mir auf der Feuerleiter draußen vor meinem Zimmer lauernd vorstelle. Die Methode funktioniert. Gestern Nacht begannen die Holztafeln von Urbino in meine Halbschlafträume überzugehen, und kurz darauf schwand mir das Bewusstsein.

Seit einiger Zeit muss ich gegen Ängste ankämpfen, wenn ich allein im Bett liege und einzuschlafen versuche. Mein Geist ist eher gewachsen, doch mein Körper fühlt sich kleiner an als früher, so als würde ich stetig schrumpfen. Mein phantasiertes Kleinerwerden hängt vermutlich damit zusammen, dass ich älter und verwundbarer werde. Der Lebenskreis beginnt sich zu schließen, und ich denke häufiger an meine frühe Kindheit – an das, woran ich mich aus der Mommsenstraße 11 in Berlin noch erinnere. Nicht, dass mir noch alle Teile unserer Wohnung präsent wären, doch ich kann im Geiste die zwei Treppenfluchten hinaufgehen, vorbei an der geschliffenen Flurglasscheibe, zu unserer Wohnungstür. Drinnen weiß ich dann, dass die Praxis meines Vaters links liegt und die Repräsentationszimmer geradeaus. Obwohl ich nur wenige Details der Einrichtung behalten habe, habe ich eine allgemeine Erinnerung an die Weitläufigkeit der Wohnung – die großen Räume, die hohen Decken und das wechselnde Licht. Mein Zimmer lag am Ende eines kleinen Flurs hinter dem größten Raum der Wohnung. In diesem spielte mein Vater am dritten Donnerstag jedes Monats mit drei anderen musikalischen Ärzten Cello, und ich erinnere mich daran, dass meine Mutter stets die Tür zu meinem Zimmer öffnete, damit ich sie vom Bett aus hören konnte. Ich kann noch immer in mein Zimmer gehen und aufs Fensterbrett klettern. Ich klettere, weil ich in meiner Erinnerung so klein bin wie damals. Unten kann ich den Hof bei Nacht sehen, kann die Linien der geklinkerten Wege und die Schwärze der Büsche ausmachen. Gehe ich diesen Weg, ist die Wohnung immer leer. Ich bewege mich hindurch wie ein Gespenst, und ich habe angefangen, mich zu fragen, was in unserem Gehirn eigentlich vorgeht, wenn wir an halb vergessene Orte zurückkehren. Wie sieht die Perspektive der Erinnerung aus? Revidiert der Erwachsene die Sicht des Knaben, oder ist das Eingeprägte relativ statisch – ein Rudiment von etwas einst sehr Vertrautem?

Ciceros Redner geht durch weiträumige, hell beleuchtete Zimmer, an die er sich erinnert, und legt Wörter auf Tische und Stühle, wo sie leicht wieder zu finden sind. Zweifellos habe ich der Architektur meiner ersten fünf Lebensjahre ein Vokabular zugeordnet – ein durch das Denken eines Mannes vermitteltes Vokabular, der von dem Schrecklichen weiß, das kommen sollte, nachdem der kleine Junge die Wohnung verlassen hatte. In unserem letzten Jahr in Berlin ließ meine Mutter im Vestibül Licht brennen, um mich vor dem Einschlafen zu beruhigen. Ich hatte Albträume und wachte oft von einer würgenden Angst und meinen eigenen Schreien auf. «Nervös» war das Wort, das mein Vater benutzte: «Das Kind ist nervös.» Meine Eltern sprachen nicht mit mir über die Nazis, nur über unsere Umzugsvorbereitungen, und es ist schwer zu sagen, in welchem Maße meine kindlichen Ängste mit der Angst zusammenhingen, die damals jeder Jude in Deutschland empfunden haben muss. So, wie meine Mutter es erzählte, war sie völlig unvorbereitet gewesen. Eine Partei, deren Programm absurd und verachtenswert erschien, hatte sich plötzlich und unerklärlicherweise im Lande breit gemacht. Sie und mein Vater waren Patrioten und betrachteten den Nationalsozialismus als etwas ausgesprochen Undeutsches.

Am 13. August 1935 fuhren meine Eltern und ich nach Paris ab. Von dort reisten wir nach London weiter. Für die Zugfahrt hatte meine Mutter Butterbrote eingepackt – Schwarzbrot mit Wurst. Ich erinnere mich an das Butterbrot auf meinem Schoß, weil daneben, auf einem zerknitterten rechteckigen Stück Wachspapier, ein Mohrenkopf lag, gefüllt mit Vanillecreme und mit Schokolade bestreut. Ich habe keine Erinnerung daran, wie ich ihn esse, aber ich kann mich genau an meine Freude bei dem Gedanken erinnern, dass er gleich mein sein würde. Der Mohrenkopf ist lebendig. Ich sehe ihn im Licht des Abteilfensters. Ich sehe meine nackten Knie und den Saum meiner marineblauen kurzen Hose. Das ist alles, was mir von unserem Exodus in Erinnerung geblieben ist. Rings um den Mohrenkopf ist Leere, die mit den Geschichten anderer, mit historischen Zeugnissen, Zahlen und Fakten aufgefüllt werden kann. Erst ab dem Alter von sechs Jahren habe ich so etwas wie eine kontinuierliche Erinnerung, und da lebte ich schon in Hampstead. Nur wenige Wochen nach jener Zugreise wurden die Nürnberger Gesetze verabschiedet. Juden waren keine Bürger des Reiches mehr, und die Möglichkeiten, das Land zu verlassen, verringerten sich. Meine Großmutter, mein Onkel und meine Tante und ihre Zwillinge Anna und Ruth blieben da. Wir lebten schon in New York, als mein Vater herausfand, dass seine Familie im Juni 1944 nach Auschwitz deportiert worden war. Alle wurden umgebracht. Ich habe Fotos von ihnen in meiner Schublade. Meine Großmutter mit einem eleganten Hut mit Feder neben meinem Großvater, der 1917 in Flandern fallen sollte. Ich habe das offizielle Hochzeitsporträt von Onkel David und Tante Marta und ein Bild von den Zwillingen in kurzen Wollmänteln mit einem Band im Haar. Marta hatte auf den weißen Rand des Fotos unter jedes der Mädchen den Namen geschrieben, damit sie nicht verwechselt werden konnten. Anna links, Ruth rechts. Die schwarzweißen Gestalten auf den Fotos mussten mir die Erinnerungen ersetzen, und doch hatte ich immer das Gefühl, ihre anonymen Gräber seien ein Teil von mir. Das damals Ungeschriebene ist in mein Ich eingeschrieben. Je länger ich lebe, umso überzeugter bin ich, dass ich mit «ich» eigentlich «wir» meine.

Auf Bills letztem vollendetem Porträt von Violet Blom war sie nackt und abgezehrt. Der riesige Schatten eines sie überragenden unsichtbaren Betrachters verdunkelte ihren ganzen Körper. Als ich ganz nah an die Leinwand trat, bemerkte ich, dass Teile ihres Körpers mit Härchen bedeckt waren. Bill nannte sie «Lanugo-Behaarung» und sagte, verhungernde Körper entwickelten oft zum Schutz Härchen. Er hatte stundenlang medizinische und Dokumentarfotos studiert, um sie richtig hinzubekommen. Es war eine Qual, Violets skelettartigen Körper anzusehen; ihre großen Augen brannten wie im Fieber. Bill hatte ihren abgemagerten Körper farbig gemalt, hatte sie dabei zuerst sorgfältig realistisch wiedergegeben und war dann mit kühnen, expressionistischen Strichen darüber gefahren, Blau und Grün und rote Tupfer auf den Schenkeln und am Hals. Der schwarzweiße Hintergrund ähnelte alten Fotos wie denen, die ich in meiner Schublade aufbewahre. Hinter Violet, auf dem Fußboden, standen mehrere Paar Schuhe, in Grautönen gemalte Männer-, Frauen- und Kinderschuhe. Als ich Bill fragte, ob sich dieses Porträt auf die Todeslager beziehe, bejahte er. Wir sprachen länger als eine Stunde über Adorno und seinen Satz «Nach Auschwitz ein Gedicht zu schreiben ist barbarisch».

Ich hatte Bernie Weeks über Jack Newman kennen gelernt, einen Kollegen an der Columbia University. Die Weeks Gallery am West Broadway ging gut, weil Bernie eine Nase für viel versprechende Künstler hatte, und er hatte Beziehungen. Er war einer von denen in New York, die angeblich «jeden kennen». «Jeden kennen» heißt aber nicht, dass man Beziehungen zu vielen Leuten hat, sondern Beziehungen zu wenigen Leuten, die als wichtig und mächtig gelten. Als ich Bernie und Bill miteinander bekannt machte, war Bernie vermutlich fünfundvierzig, doch sein Alter wurde von seinem jugendlichen Habitus übertüncht. Er trug tadellose hochmoderne Anzüge zu Turnschuhen in leuchtenden Farben. Die Freizeitschuhe gaben ihm etwas leicht Exzentrisches, das in der Kunstwelt immer gut ankommt, trugen aber auch zu dem bei, was ich im Stillen Bernies Hüpfen nannte. Er war ständig in Bewegung. Er rannte Treppen hinauf, sprang in Fahrstühle, schaukelte auf den Absätzen vor und zurück, wenn er ein Kunstwerk studierte, und wackelte bei den meisten Gesprächen mit den Knien. Indem er die Aufmerksamkeit auf seine Füße lenkte, warnte er die Welt vor seinem unermüdlichen Aktivismus und seiner Nonstopjagd auf Neues. Mit seinem Hüpfen ging atemloses Reden einher, das, obwohl manchmal abgehackt, nie dumm war. Ich drängte Bernie, sich Bills Arbeiten anzusehen, und ließ Jack auch bei Bernie anrufen. Jack war schon in Bills Atelier gewesen und ebenfalls zum Fan der von ihm so genannten «schwellenden und schrumpfenden Violets» geworden.

Ich war nicht in der Bowery, als Bernie sich Bills Werke ansehen kam, doch es endete so, wie ich gehofft hatte. Im folgenden Herbst wurden die Bilder ausgestellt: «Sie sind verrückt», sagte Bernie zu mir. «Angenehm verrückt. Ich denke, diese Dick/Dünn-Geschichte wird ein Renner. Du meine Güte, jeder ist doch heutzutage auf Diät, und dann diese Sache mit dem Selbstporträt! Die ist gut. Es ist zwar ein bisschen riskant, jetzt neue gegenständliche Arbeiten zu zeigen, aber er hat was. Und die Zitate gefallen mir. Vermeer, de Kooning und Guston nach seiner Revolution.»

Als die Ausstellung dann eröffnet wurde, war Violet Blom schon in Paris. Bevor sie abreiste, begegnete ich ihr ein einziges Mal – im Treppenhaus der Bowery 89. Ich kam. Sie ging. Ich erkannte sie, stellte mich vor, und sie machte auf den Stufen Halt. Violet war schöner als auf Bills Bildern. Sie hatte große grüne Augen mit dunklen Wimpern, die ihr rundes Gesicht beherrschten. Lockiges braunes Haar fiel ihr bis auf die Schultern, und obwohl ihr Körper unter einem langen Mantel versteckt war, kam ich zu dem Schluss, dass sie nicht dünn war, aber auch nicht mollig genannt werden konnte. Sie schüttelte mir herzlich die Hand, sagte, sie habe alles über mich gehört, und fügte hinzu: «Mir gefällt die Dicke mit dem Taxi am besten.» Dann sagte sie, es tue ihr Leid, aber sie müsse los, und rannte die Treppe hinunter. Im Hinaufsteigen hörte ich sie meinen Namen rufen. Als ich mich umdrehte, sah ich sie schon an der Tür stehen. «Sie haben doch nichts dagegen, dass ich Sie Leo nenne, oder?» Ich schüttelte den Kopf.

Sie sprang die Treppe wieder hinauf, blieb einige Stufen unter mir stehen und sagte: «Bill mag Sie wirklich.» Sie zögerte. «Ich gehe fort, wissen Sie. Ich würde gerne denken, dass Sie für ihn da sind.»

Ich nickte. Sie stieg noch ein paar Stufen hinauf, legte mir die Hand auf die Schulter und drückte sie, als wollte sie bestätigen, dass sie das wirklich ernst gemeint hatte. Dann stand sie ganz still da und blickte mich mehrere Sekunden lang unverwandt an. «Sie haben ein nettes Gesicht», sagte sie. «Vor allem die Nase. Sie haben eine schöne Nase.» Ehe ich auf dieses Kompliment antworten konnte, hatte sie sich umgedreht und lief die Treppe hinunter. Die Tür fiel hinter ihr zu.

An jenem Abend beim Zähneputzen – und an vielen Abenden danach – begutachtete ich meine Nase im Spiegel. Ich drehte den Kopf von einer Seite zur anderen und versuchte, einen Blick auf mein Profil zu erhaschen. Ich hatte mich nie länger mit meiner Nase beschäftigt, hatte sie eher gering geschätzt als bewundert, und ich kann nicht sagen, dass ich sie besonders attraktiv fand; doch nun war diese Form in der Mitte meines Gesichts für immer verändert, verwandelt durch die Worte einer schönen jungen Frau, deren Bild ich täglich an meiner Wand sah.

Bill bat mich, für die Ausstellung einen Essay zu schreiben. Ich hatte noch nie über einen lebenden Künstler geschrieben, und über Bill war noch nie geschrieben worden. Der kleine Aufsatz, den ich «Multiple Ichs» nannte, ist seither nachgedruckt und in mehrere Sprachen übersetzt worden, doch damals betrachtete ich die zwölf Seiten als Akt der Bewunderung und Freundschaft. Es gab keinen Katalog. Der Essay wurde bei der Vernissage in gehefteter Form verteilt. Ich schrieb ihn in einem Zeitraum von drei Monaten zwischen dem Korrigieren von Seminararbeiten, Ausschusssitzungen und Studentensprechstunden, indem ich einfach meine Gedanken so notierte, wie sie mir nach den Vorlesungen und in der U-Bahn einfielen. Bernie war klar, dass Bill Unterstützung durch die Kritik brauchte, wenn er zu einem Zeitpunkt, da in den meisten Galerien der Minimalismus herrschte, mit seinem Werk «ungeschoren davonkommen» wollte.

Meine These war, dass Bills Kunst sich auf die Geschichte der abendländischen Kunst bezog, deren Voraussetzungen aber auf den Kopf stellte, und zwar auf eine Weise, die sich grundsätzlich von der früherer Modernisten unterschied. Indem er jedem Gemälde den Schatten eines Betrachters einverleibte, lenkte Bill die Aufmerksamkeit auf den Raum zwischen Betrachter und Gemälde, wo die wahre Aktion jeder Malerei stattfindet – ein Bild verwirklicht sich erst in dem Augenblick, da es gesehen wird. Doch der Raum, den der Betrachter einnimmt, gehört auch dem Maler. Der Betrachter steht an der gleichen Stelle wie der Maler und schaut ein Selbstporträt an, doch was er oder sie sieht, ist nicht das Bild des Mannes, der das Gemälde unten rechts signiert hat, sondern das von jemand anderem: einer Frau. Frauen auf Gemälden anzuschauen ist eine altvertraute erotische Konvention, die im Prinzip jeden Betrachter in einen von sexueller Eroberung träumenden Mann verwandelt. Unzählige bedeutende Maler haben Bilder von Frauen gemalt, die die Phantasie anregen – Giorgione, Rubens, Vermeer, Manet –, doch soweit ich weiß, hat noch kein einziger männlicher Maler dem Betrachter jemals kundgetan, dass er selbst die Frau sei. Ebendiesen Punkt führte Erica eines Abends aus: «In Wahrheit haben wir doch alle einen Mann und eine Frau in uns», sagte sie. «Schließlich sind wir aus einer Mutter und einem Vater entstanden. Wenn ich mir das Bild einer schönen Frau mit Sexappeal anschaue, bin ich immer zugleich sie und die Person, die sie anschaut. Man muss beides sein, sonst passiert nichts.»

Erica saß im Bett und las das unlesbare Werk von Jacques Lacan, als sie diese Feststellung traf. Sie trug ein tief ausgeschnittenes, ärmelloses Baumwollnachthemd und hatte ihr Haar hinten zusammengebunden, sodass ich ihre weichen Ohrläppchen sehen konnte. «Danke, Frau Dr. Stein», sagte ich und legte die Hand auf ihren Bauch. «Ist da wirklich jemand drin?» Erica legte ihr Buch beiseite und küsste mich auf die Stirn. Sie war im dritten Monat, und es war noch unser Geheimnis. Die Erschöpfung und Übelkeit der ersten zwei Monate waren überstanden, doch Erica hatte sich verändert. An manchen Tagen strahlte sie vor Glück, an anderen schien sie kurz davor, in Tränen auszubrechen. Erica war nie ausgeglichen gewesen, doch jetzt wurden ihre Launen noch wechselhafter. Eines Morgens beim Frühstück schluchzte sie geräuschvoll über einen Artikel zum Thema Pflegekinder in New York City, in dem es um einen vierjährigen Jungen namens Joey ging, der aus einem Heim nach dem anderen geflogen war. Eines Nachts wachte sie weinend aus einem Traum auf, in dem sie ihr Neugeborenes auf einem Schiff zurückgelassen hatte; das Schiff fuhr davon, und sie stand am Pier.

Einmal fand ich sie nachmittags tränenüberströmt auf dem Sofa sitzen. Als ich sie fragte, was los sei, schniefte sie und sagte: «Das Leben ist so traurig, Leo. Ich habe hier gesessen und darüber nachgedacht, wie traurig alles ist.»

Diese Veränderungen in meinem Leben, sowohl physisch wie emotional, wirkten sich auch auf meinen Essay über Bill aus. Violets Körper, der auf den Leinwänden dicker wurde und schrumpfte, ging über eine bloße Andeutung auf die Fruchtbarkeit und die Veränderungen, die sie bewirkt, hinaus. Eine der Phantasien zwischen dem Betrachter/Maler und dem weiblichen Objekt musste die Schwängerung sein. Schließlich ist Empfängnis Pluralität – zwei in einem –, das Männliche und das Weibliche. Nach der Lektüre des Textes grinste Bill. Er schüttelte den Kopf und betastete sein unrasiertes Gesicht, ehe er ein Wort sagte. Trotz meiner Kompetenz fühlte ich mich beklommen. «Das ist gut», sagte er. «Sehr gut. Natürlich ist mir die Hälfte davon nie in den Sinn gekommen.» Bill schwieg etwa eine Minute. Er zögerte, schien sprechen zu wollen, schwieg weiter. Schließlich sagte er: «Wir haben noch niemand davon erzählt, aber Lucille ist im dritten Monat. Wir haben es über ein Jahr lang probiert. Die ganze Zeit, als ich mit Violet gearbeitet habe, hofften wir, wir würden ein Kind bekommen.» Nachdem ich Bill von Ericas Schwangerschaft erzählt hatte, sagte er: «Ich wollte immer Kinder, Leo, eine Menge Kinder. Jahrelang hatte ich diesen Tagtraum, dass ich um die Welt reise und die Erde bevölkere. Es macht mir Spaß, mich mir als Vater von Hunderten, von Tausenden Kindern vorzustellen.» Ich lachte, doch ich vergaß diese Phantasie von außergewöhnlicher Potenz und Vermehrung nie. Bill träumte davon, sich über die ganze Erde zu verstreuen.

Ungefähr nach der Halbzeit seiner Vernissage verschwand Bill. Später erzählte er mir, er sei auf einen Scotch ins Fanelli's gegangen. Er hatte von Anfang an ziemlich unglücklich ausgesehen, wie er, tief an einer Zigarette ziehend, unter dem Schild BITTE NICHT RAUCHEN stand und die Asche in die Tasche eines Jacketts abklopfte, das ihm zu klein war. Bernie zog immer interessantes Publikum an. Die Gäste schoben sich mit einem Glas Wein in der Hand durch den großen weißen Raum und redeten laut. Mein Aufsatz lag in Stapeln auf dem Empfangstisch. Ich hatte Papiere für Konferenzen und Seminare geschrieben, hatte in Zeitungen und Zeitschriften veröffentlicht, doch noch nie zuvor war eine Arbeit von mir als Broschüre verteilt worden. Das Neue daran gefiel mir, und ich beobachtete, wer sich eine nahm. Ein hübscher Rotschopf griff zu und las die ersten paar Sätze. Besonders befriedigte mich, wie sie beim Lesen die Lippen bewegte. Das schien auf ein gesteigertes Interesse an meinen Worten hinzudeuten. Der Text war auch an die Wand gepinnt, und ein paar Leute sahen ihn sich an. Ein junger Mann in Lederhose schien ihn von vorn bis hinten zu lesen. Jack Newman tauchte auf und latschte, eine Augenbraue mit dem Ausdruck verwirrter Ironie hochgezogen, in der Galerie herum. Erica stellte Jack und Lucille einander vor, und er hielt sie eine gute halbe Stunde lang auf. Immer wenn ich hinschaute, sah ich ihn über sie gebeugt stehen, einige Zentimeter näher als angemessen. Jack war zweimal verheiratet und geschieden. Seine Erfolglosigkeit bei Ehefrauen hielt ihn nicht davon ab, weniger dauerhafte Begegnungen zu suchen, und sein Esprit machte seine fehlenden physischen Reize mehr als wett. Jack schien sich mit seinem feisten Gesicht, seinem dicken Bauch und seinen stämmigen Beinen wohl zu fühlen und schaffte es, dass die Frauen sich auch mit ihm wohl fühlten. Ich hatte ihn sich immer wieder erfolgreich um die unwahrscheinlichsten Menschen bemühen sehen. Er verführte sie mit wohlgesetzten Komplimenten. Ich beobachtete seine Mundbewegungen, als er neben

Lucille stand, und fragte mich, was für extravagante Aperçus er wohl an diesem Abend bei ihr einsetzte. Als Jack sich später an mich heranpirschte, um sich zu verabschieden, rieb er sich das Kinn, blickte mir unverwandt in die Augen und sagte: «Was hältst du von Wechslers Frau? Glaubst du, sie läuft heiß im Bett, oder bleibt sie so ein Eiszapfen?»

«Ich habe keine Ahnung», sagte ich. «Aber ich hoffe, du planst nichts in dieser Richtung. Sie ist keins von deinen Nymphchen an der Uni, und sie ist schwanger, um Himmels willen.»

Jack streckte die erhobenen Hände gegen mich aus und warf mir einen Blick gespielten Entsetzens zu. «Gott bewahre! Der Gedanke ist mir nie gekommen.»

Bevor Bill sich ins Fanelli's verzog, stellte er mich seinen Eltern vor. Regina Wechsler, nach ihrer zweiten Heirat Regina Cohen, war eine attraktive große Frau mit üppigem Busen, dichtem schwarzem Haar, beträchtlichen Mengen Goldschmuck und einer süßen, singenden Stimme. Beim Sprechen legte sie den Kopf zur Seite und sah mich unter ihren langen Wimpern hervor von unten an. Sie rollte die Schultern, als sie den Abend für «wunderbar» erklärte, und sagte, ehe sie zur Toilette ging, sie müsse «sich mal frisch machen». Und doch war Regina nicht nur gekünstelt. Sie vermaß die nüchtern gekleidete Menge in wenigen Sekunden mit Blicken, deutete auf ihr rotes Kostüm und sagte: «Ich fühle mich wie eine Feuerwehr.» Dabei gab sie ein tiefes, plötzliches Gelächter von sich, und ihr Humor ließ ihre Pose platzen. Ihr Gatte Al, ein rotgesichtiger Mann mit kantigem Kinn und tiefer Stimme, schien aufrichtig an Bill und seiner Arbeit interessiert. «Sie überrumpeln einen, nicht wahr?», sagte er über die Bilder, und ich musste zustimmen.

Ehe Regina ging, sah ich, wie sie Bill einen Brief übergab. Ich stand direkt neben ihr, und sie meinte wohl, sie sei mir eine Erklärung schuldig. «Er ist von seinem Bruder Dan, der heute Abend nicht hier sein kann.» Gleich darauf wandte sie sich an

Bill und sagte: «Dein Vater ist gerade gekommen. Ich sage ihm guten Tag, bevor wir gehen.»

Ich beobachtete, wie Regina auf einen großen Mann zuging, der gerade aus dem Lift getreten war. Die Ähnlichkeit zwischen Vater und Sohn war frappierend. Sy Wechsler hatte ein schmaleres Gesicht als Bill, aber seine dunklen Augen und sein bräunlicher Teint, seine breiten Schultern und kräftigen Gliedmaßen waren denen seines Sohnes so ähnlich, dass man die beiden von hinten leicht verwechseln konnte – woran ich später zurückdachte, als Bill die Porträtserie seines Vaters begann. Während Regina mit ihm sprach, nickte und antwortete Sy, aber seine Miene blieb kryptisch. Ich vermutete, dass ihm die Begegnung unangenehm war und er sie durch eine höfliche, aber distanzierte Haltung seiner Exfrau gegenüber mit Fassung ertrug, doch sein Gesichtsausdruck änderte sich nie. Als er zu Bill trat, streckte er die Hand aus, und Bill schüttelte sie. Er dankte seinem Vater für sein Kommen und stellte mich vor. Als wir uns die Hand gaben, sah ich dem Mann in die Augen, und er erwiderte meinen Blick, doch in seinem Gesicht tat sich nichts. Er nickte mir zu, sagte: «Herzlichen Glückwunsch und viel Glück», wandte sich dann seiner schwangeren Schwiegertochter zu und sagte genau dasselbe. Er äußerte sich nicht zu seinem künftigen Enkelkind, das inzwischen eine kleine Beule unter Lucilles Kleid bildete. Er nahm eine schnelle Durchsicht der Bilder vor, so als wären sie das Werk irgendeines Fremden, und verließ die Galerie. Ich weiß nicht, ob der plötzliche Auftritt und Abgang seines Vaters Bill so aufregte, dass er ging, oder ob es einfach die Belastung war, von einer Kunstwelt unter die Lupe genommen zu werden, von der er fürchtete, sie könnte ihn ablehnen.

Wie sich herausstellte, wurde er von der Kritik sowohl abgelehnt als auch akzeptiert. Diese erste Ausstellung war tonangebend für Bills weitere Laufbahn. Er sollte immer leidenschaftliche Verteidiger und wütende Kritiker haben, aber so schmerzlich oder erfreulich es für Bill gewesen sein mag, von einigen Leuten gehasst und von anderen verehrt zu werden, er sollte für die Kunstkritiker und Journalisten weit wichtiger werden als sie jemals für ihn. Zum Zeitpunkt dieser ersten Ausstellung war Bill schon zu alt und zu eigensinnig, um sich von Kritiken beeinflussen zu lassen. Er war der verschlossenste Mensch, den ich je kannte, und nur wenige durften jemals den geheimen Raum seiner Vorstellungswelt betreten. Es ist eine traurige Ironie, dass der vielleicht wichtigste Bewohner dieses Raumes Bills Vater war und immer sein würde. Zu seinen Lebzeiten war Sy Wechsler die Verkörperung der unerfüllten Sehnsucht seines Sohnes. Er war einer jener Menschen, die bei den Ereignissen in ihrem Leben nie ganz präsent sind. Ein Teil von ihm war nicht da, und dieses Abwesende an seinem Vater sollte nie aufhören, Bill zu verfolgen – sogar noch nach dessen Tod.

Bei dem kleinen Dinner in Bernies Loft im Anschluss an die Eröffnung tauchte Bill wieder auf, doch er schwieg die meiste Zeit, und wir gingen alle früh nach Hause. Am nächsten Tag, einem Samstag, besuchte ich ihn in der Bowery. Lucille war zu Besuch bei ihren Eltern in New Haven, und Bill erzählte mir die Geschichte seines Vaters. Die Eltern von Sy Wechsler waren Einwanderer, die Russland als kleine Kinder verlassen hatten und in der Lower East Side gelandet waren. Bill erzählte mir, sein Großvater habe seine Frau und drei Kinder verlassen, als Sy, das älteste, zehn Jahre alt gewesen sei. Die Familienfama war die, dass Moishe mit einer anderen Frau nach Kanada durchbrannte, wo er ein reicher Mann und Vater von drei weiteren Kindern wurde. Bei der Beerdigung seiner Großmutter hatte Bill eine Frau namens Esther Feuerstein kennen gelernt und von ihr etwas erfahren, was niemand in der Familie je erwähnt hatte. Einen Tag nachdem ihr Mann sie verließ, war Rachael Wechsler in die winzige Küche ihrer Wohnung in der Rivington Street gegangen und hatte den Kopf in den Backofen gesteckt. Sy war es, der an Esthers Tür hämmerte, und Sy half Esther, eine schreiende Rachael aus dem Gas zu ziehen. Trotz ihrer frühen Begegnung mit dem Tod wurde Bills Großmutter neunundachtzig Jahre alt. Seine Beschreibung der alten Dame war unsentimental: «Sie war verrückt. Sie brüllte mich immer auf Jiddisch an, und wenn ich sie nicht verstand, schlug sie mich mit ihrer Handtasche.»

«Mein Vater hat Dan immer vorgezogen.» Das stellte Bill ohne Bitterkeit fest. Ich wusste schon, dass Dan ein labiles, hochnervöses Kind gewesen war, und mit Anfang zwanzig war bei ihm Schizophrenie ausgebrochen. Seitdem war Bills jüngerer Bruder immer wieder in Krankenhäusern, offenen Anstalten und Nervenkliniken gewesen. Bill sagte, sein Vater lasse sich von Schwachheit rühren, er habe einen natürlichen Hang zu Menschen, die Hilfe brauchten. Einer von Bills Cousins litt am Down-Syndrom, und Sy Wechsler hatte Larrys Geburtstag nie vergessen, obwohl er manchmal den seines ältesten Sohnes vergaß. «Ich möchte, dass du den Zettel liest, den Dan mir geschickt hat», sagte Bill. «Er vermittelt dir eine gute Vorstellung von dem, was in seinem Kopf vorgeht. Er ist zwar geisteskrank, aber nicht dumm. Manchmal denke ich, er hat das Leben von mindestens fünf Menschen in sich.»

Bill gab mir ein von Hand bekritzeltes, zerknittertes Stück Papier.

> CHARGE BRO THE RS W.!
> REACH THE ACHE!
> HEAR THE BEAT
> TO THE ROSE, THE COAT,
> TO BEER. TO WAR.
> TO HERE. TO THERE.
> TO HER.
> WE WERE, ARE
> HER.
> LOVE, DAN (I) EL. (NO) DENIAL.

Nachdem ich den Zettel gelesen hatte, sagte ich: «Das ist so was wie ein Anagramm.»

«Ich habe eine Weile gebraucht, bis ich es merkte, aber wenn man genau hinsieht, sind alle Wörter in dem Gedicht aus den Buchstaben der ersten Zeile gebildet – außer den letzten, wo er sich verabschiedet.»

«Wer ist ‹sie›? Kannte er deine Bilder?»

«Vielleicht hat meine Mutter es ihm gesagt. Er schreibt auch Stücke. Einige sind gereimt. An Dans Krankheit ist niemand schuld. Ich glaube, meine Mutter hat immer gespürt, dass etwas mit ihm nicht stimmte, schon als er noch ein Baby war, aber es war natürlich auch nicht förderlich, dass meine Eltern, nun ja, nicht wirklich zusammenlebten. Als er geboren wurde, war meine Mutter schon ziemlich enttäuscht von der Ehe. Ich glaube nicht, dass sie eine Ahnung hatte, wen sie da heiratete. Als sie es schließlich herausfand, war es zu spät.»

Ich nehme an, wir sind alle das Produkt der Freuden und Leiden unserer Eltern. Ihre Gefühle sind im gleichen Maße in uns eingeschrieben wie ihre Gene. An jenem Nachmittag im Atelier – ich saß auf einem Stuhl neben der Badewanne, während Bill auf dem Boden hockte – erzählte ich ihm vom Tod meines Vaters, eine Geschichte, die ich bis dahin nur Erica erzählt hatte. Ich war siebzehn, als mein Vater starb. Er hatte drei Schlaganfälle gehabt. Nach dem ersten war er linksseitig gelähmt, wodurch sein Gesicht verzerrt wurde und ihm das Sprechen schwer fiel. Er nuschelte. Er klagte über eine Wolke in seinem Gehirn, die ihm die Worte aus dem Bewusstsein stahl, und er verbrachte Stunden damit, mit seiner guten Hand Sätze zu tippen, oft mit minutenlangen Pausen, um eine fehlende Wendung abzurufen. Ich hasste den Anblick meines geschwächten Vaters. Ich träume noch immer, dass ich mit einem gelähmten Bein oder Arm aufwache oder dass sie einfach abgefallen sind. Mein Vater war ein stolzer, förmlicher Mann, dessen Beziehung zu mir hauptsächlich im Beantworten meiner Fragen bestand, mitunter ausführlicher, als mir lieb war. Eine wenige Sekunden lange Frage konnte mir leicht einen halbstündigen Vortrag einbringen. Mein Vater ließ sich nicht auf mein Niveau herab. Er hatte großes Vertrauen in meine Auffassungsgabe, doch ehrlich gesagt, langweilten mich seine Exkurse über das Nervensystem, das Herz, den Liberalismus oder Machiavelli oft. Und doch wollte ich nie, dass er aufhörte zu reden. Ich spürte gern seine Augen auf mir, saß neben ihm und wartete auf die Zeichen der Zuneigung, mit denen seine Vorträge immer endeten – ein Klaps auf den Arm, aufs Knie oder das zärtliche Beben in seiner Stimme, wenn er seine Rede abrundete, indem er meinen Namen aussprach.

In New York las mein Vater den *Aufbau*, eine Wochenzeitung für deutsche Juden in Amerika. Im Krieg wurden darin Listen von Vermissten abgedruckt, und mein Vater las jeden einzelnen Namen, ehe er sich irgendetwas anderem in der Zeitung zuwandte. Ich fürchtete die Ankunft des *Aufbau*, fürchtete meines Vaters Versunkenheit, seine hochgezogenen Schultern, den leeren Ausdruck auf seinem Gesicht, während er die Listen studierte. Die Suche nach seiner Familie fand schweigend statt. Nie sagte er: Ich sehe nach, ob ihre Namen darin stehen. Er sagte gar nichts. Meine Mutter und ich erstickten an seinem Schweigen, aber wir brachen es nie, indem wir sprachen.

Der dritte Schlaganfall war tödlich. Meine Mutter fand ihn morgens leblos neben sich im Bett. Ich hatte meine Mutter noch nie weinen sehen oder hören, doch an jenem Morgen stieß sie einen so schrecklichen Klagelaut aus, dass ich zum Schlafzimmer meiner Eltern rannte. Sie sagte mir mit einer seltsam harten Stimme, Otto sei tot, scheuchte mich aus dem Zimmer und schloss die Tür hinter sich. Ich stand davor und lauschte ihren leisen kehligen Lauten, ihrem gedämpften Weinen und heiseren Gejammer. Ich kann mich nicht genau daran erinnern, wie lange ich dort stand, aber nach einiger Zeit öffnete sie die Tür. Ihre Miene war nun gefasst, ihre Haltung ungewöhnlich aufrecht. Sie rief mich herein, und wir saßen einige Minuten neben dem Leichnam meines Vaters. Dann stand sie auf und ging ins andere Zimmer, um zu telefonieren. Mein Vater war kein furchtbarer Anblick, doch der Wechsel vom Leben zum Tod erschreckte mich. Die Jalousien waren noch heruntergelassen, und an ihrem unteren Rand sah ich zwei glänzende Sonnenstreifen. Ich betrachtete sie eingehend, während ich allein mit meinem Vater in dem Zimmer saß.

Als Erica und Lucille beide etwa im fünften Monat waren, machte ich ein Foto von ihnen in unserem Loft. Erica grinst in die Kamera und hat den Arm um Lucilles Schultern gelegt. Lucille sieht klein und schüchtern, aber zugleich zufrieden aus. Ihre linke Hand liegt schützend auf ihrem Bauch, und ihr Kinn ist gesenkt, während sie hochschaut. Eine Seite ihres Mundes ist zu einem liebenswürdigen Lächeln verzogen. Schwangersein stand Lucille gut. Es machte sie weicher, und das Bild erinnert mich an etwas Freundliches in ihrer Persönlichkeit, das meist verborgen blieb.

Im vierten Monat ihrer Schwangerschaft begann Erica zu summen, und sie summte, bis unser Sohn geboren war. Sie summte beim Frühstück. Sie summte, wenn sie morgens aus dem Haus ging. Sie summte, wenn sie an ihrem Schreibtisch saß und an ihrem Aufsatz «Drei Dialoge» über Martin Buber, Michail Bachtin und Jacques Lacan arbeitete, den sie zweieinhalb Monate vor der Niederkunft bei einem Kongress an der N.Y.U vortrug. Das Summen machte mich wahnsinnig, doch ich gab mir große Mühe, tolerant zu sein. Wenn ich sie bat, damit aufzuhören, sah sie mich jedes Mal erschrocken an und sagte: «Habe ich gesummt?»

Während ihrer Schwangerschaft wurden Erica und Lucille Freundinnen. Sie verglichen die Tritte der Babys und ihre

Bauchgröße. Sie gingen zusammen winzige Ausstattungen kaufen und lachten verschwörerisch über ihre zusammengepressten Blasen, vorstehenden Bauchnabel und enormen BH-Größen. Erica lachte lauter. Obwohl Lucille ihre Zurückhaltung nie ganz aufgab, wirkte sie mit Erica entspannter als mit anderen. Und dennoch, nach der Geburt der Kinder veränderte sich Lucilles Haltung gegenüber Erica – ein kaum wahrnehmbarer Anflug von Kühle. Ich beobachtete oder spürte es erst, als Erica mich darauf hinwies, und selbst danach zweifelte ich lange daran. Lucille war im Umgang nicht charmant. Ihr Verhalten hatte etwas Schroffes, Ungehobeltes, und obendrein war sie wohl von den Mühen der Säuglingspflege erschöpft. Gewöhnlich überzeugten meine Argumente Erica, bis sie ihn wieder spürte, den leisen Stich möglicher Zurückweisung – immer zweideutig, immer offen für alle Interpretationen.

Wenn ich Lucille traf, sprachen wir über Lyrik. Sie gab mir weiterhin die kleine Zeitschrift, in der ihre Werke veröffentlicht wurden, und ich nahm mir mit den Gedichten Zeit und äußerte mich dazu. Meine Kommentare waren gewöhnlich Fragen – zur Form, zu Entscheidungen, die sie getroffen hatte oder auch nicht, und sie berichtete mir eifrig über ihren Gebrauch von Kommata und Punkten und ihre Vorliebe für eine einfache Diktion. Ihre Fähigkeit, sich auf solche Einzelheiten zu konzentrieren, war außerordentlich, und unsere Gespräche machten mir Spaß. Erica mochte Lucilles Gedichte nicht. Sie bekannte mir gegenüber einmal, sie zu lesen sei wie «Staub fressen». Entweder spürte Lucille Ericas Abneigung gegen ihr Werk und hatte es dieser Missbilligung instinktiv entzogen, oder ihr missfiel, dass Erica Bills literarische Ansichten begierig aufnahm und ihn manchmal wegen eines Zitats anrief oder auch nur, um ihn etwas zu fragen. Ich weiß nicht, aber mit der Zeit wurde mir klar, dass die zwei Frauen nicht mehr so eng befreundet waren, und je mehr sich Lucille von Erica entfernte, umso interessierter schien sie an mir.

Etwa zwei Wochen nachdem ich das Foto von Erica und Lucille gemacht hatte, starb Sy Wechsler an einem Herzinfarkt. Es geschah an einem frühen Abend nach der Arbeit, als er eben die Post aus dem Briefkasten geholt hatte. Wechsler lebte allein, und so hatte ihn sein Bruder Morris am nächsten Morgen neben dem Küchentisch liegend gefunden, auf dem Fußboden Rechnungen, einige Geschäftsbriefe und etliche Kataloge. Kein Mensch hatte mit Wechslers Tod gerechnet. Er rauchte nicht, er trank nicht und lief jeden Tag fünf Kilometer. Bill und sein Onkel Morris trafen die Vorbereitungen für die Beerdigung, und Sys jüngster Bruder kam mit Frau und zwei Kindern aus Kalifornien angeflogen. Nach der Beerdigung verkauften Bill und Morris das große Haus in South Orange, und als das erledigt war, begann Bill zu zeichnen. Er zeichnete Hunderte von Bildern von seinem Vater, sowohl aus der Erinnerung wie nach Fotos. Bill hatte seit seiner ersten Ausstellung sehr wenig produziert, nicht weil er nicht arbeiten wollte, sondern weil er Geld verdienen musste. Zwei der Gemälde von Violet waren an Sammler verkauft worden, doch das Geld, das sie eingebracht hatten, war schnell verschwunden. Seit Bill wusste, dass Lucille und er ein Kind bekommen würden, hatte er jeden Job als Stuckateur angenommen, der ihm angeboten wurde. Nach strapaziösen Tagen auf einer Baustelle war er oft zu müde, um irgendetwas zu tun außer schlafen. Sy Wechsler hinterließ jedem seiner Söhne 300 000 Dollar, und mit seinem Anteil veränderte Bill sein Leben.

Der Loft über uns in der Greene Street 27 stand zum Verkauf. Bill und Lucille erwarben ihn und zogen Anfang August 1977 ein. Die Miete in der Bowery war niedrig, und Bill behielt das Atelier. «Das Geld», sagte er zu mir, «wird uns Zeit für unsere Arbeit erkaufen.» Doch in jenem Sommer hatte Bill nur wenige Stunden für seine Malerei übrig. Jeden Tag sägte, hämmerte und bohrte er von morgens bis abends und atmete viel Staub ein. Er zog Rigipswände hoch, um Zimmer zu schaffen. Er kachelte das Bad, nachdem der Installateur die Anschlüsse gelegt hatte. Er konstruierte Wandschränke, legte Licht, hängte die Küchenschränke auf und kehrte dann nachts in die Bowery zu seiner schlafenden Frau zurück und zeichnete seinen Vater. Es war Gram in Form von Energie. Bill begriff, dass ihm der Tod seines Vaters einen neuen Anfang geschenkt hatte und dass die gewaltigen körperlichen Anstrengungen dieses Sommers letzten Endes spiritueller Natur waren. Er arbeitete im Namen seines Vaters für seinen ungeborenen Sohn.

Anfang August, nur wenige Tage vor Matthews Geburt, gingen Bernie Weeks und ich am späten Nachmittag in das Atelier in der Bowery, um einen Blick auf Bills frühe Pläne zu einer neuen Bilderserie zu werfen, die aus den Zeichnungen von seinem Vater hervorging. Als Bernie die Zeichnungen von Sy Wechsler – sitzend, stehend, laufend, schlafend – durchsah, hielt er bei einer inne und sagte: «Ich hatte mal ein nettes Gespräch mit deinem Vater.»

«Bei der Vernissage», sagte Bill brüsk.

«Nein, ein paar Wochen später. Er kam sich die Bilder nochmal ansehen. Ich habe ihn erkannt, und wir haben zwei oder drei Minuten geplaudert.»

Bill sagte aufgeregt: «Du hast ihn in der Galerie getroffen?»

«Ich dachte, du wüsstest das», sagte Bernie beiläufig. «Er war mindestens eine Stunde da. Er nahm sich viel Zeit. Er betrachtete jedes Bild eine ganze Weile und ging dann zum nächsten.»

«Er ist nochmal gekommen», sagte Bill. «Er ist nochmal gekommen und hat sie sich angesehen.»

Die Geschichte vom zweiten Besuch seines Vaters in der Weeks Gallery sollte Bill nie vergessen. Sie wurde das einzige konkrete Zeichen für seines Vaters Zuneigung zu ihm. Vorher hatten Sys lange Tage im Geschäft, sein Erscheinen beim gelegentlichen Jugendligaspiel oder bei der Theateraufführung in der Schule als Meilensteine väterlicher Pflichterfüllung und väterlichen Wohlwollens genügen müssen. Was Bernie erzählte, fügte Bills innerem Porträt seines Vaters eine Schicht hinzu. Es hatte auch die irrationale Auswirkung, dass es seine Bindung an die Weeks Gallery festigte. Bill verwechselte den Boten mit der Botschaft, aber das machte fast nichts. Während Bernie vor mehreren aufgestellten Zeichnungen von Sy Wechsler auf den Absätzen vor und zurück schaukelte und mit den Fingern durch die Schlüssel, Zettel und sonstigen Kleinigkeiten fuhr, die, wie Bill sagte, auf die Leinwand montiert werden sollten, spürte ich seine Erregung. Bernie hatte sich langfristig engagiert.

Eine Geburt ist brutal, blutig und schmerzhaft, und kein anders lautendes Gerede wird mich vom Gegenteil überzeugen. Ich kenne die Geschichten von diesen Frauen, die sich bei der Feldarbeit hinhocken, die Nabelschnur mit den Zähnen durchbeißen, sich ihr Neugeborenes auf den Rücken schnallen, die Sense nehmen und weitermähen. Aber ich war nicht mit so einer Frau verheiratet. Ich war mit Erica verheiratet. Wir gingen zusammen in Lamaze-Geburtsvorbereitungskurse und lauschten aufmerksam Jean Romers Atemlektionen. Jean war eine stämmige Frau in Bermudashorts und Turnschuhen mit dicken Sohlen. Sie nannte die Geburt «das große Abenteuer» und die Kursteilnehmer «Mamas» und «Betreuer». Erica und ich sahen uns Filme über athletische, lächelnde Frauen an, die während des Kreißens tiefe Kniebeugen machten und ihre Babys aus sich herausatmeten. Wir übten das Hecheln und Keuchen, während wir, immer wenn Jean «Jetzt knicken wir in die Knie ein» sagte, im Stillen ihre Grammatik korrigierten. Mit siebenundvierzig war ich der zweitälteste werdende Vater im Kurs. Der älteste war ein bulliger Mann um die sechzig namens Harry, der schon einmal verheiratet gewesen war, ein erwachsenes Kind hatte und nun an seinem zweiten Kind von seiner zweiten Frau arbeitete, die aussah wie ein Teenager, vermutlich aber weit über zwanzig war.

Matthew wurde am 12. August 1977 im Saint Vincent Hospital geboren. Ich stand neben Erica und beobachtete ihr gemartertes Gesicht, ihren sich krümmenden Körper und die geballten Fäuste. Ab und zu griff ich nach ihrer Hand, doch sie stieß mich kopfschüttelnd weg. Erica schrie nicht, aber weiter hinten im Flur, in einem anderen Kreißsaal, schrie und jammerte eine Frau aus vollem Hals und unterbrach sich nur, um auf Spanisch und Englisch zu fluchen. Sie hatte wohl auch einen «Betreuer» bei sich, weil wir sie nach wenigen Sekunden überraschender Stille brüllen hörten: «Scheiß auf dich, Johnny! Scheiß auf dich und dein Scheißatmen! Atme du nur, verdammte Scheiße! *Ich sterbe!*»

Kurz vor Schluss bekamen Ericas Augen einen hellen, ekstatischen Schimmer. Sie biss die Zähne zusammen und knurrte wie ein Tier, als ihr gesagt wurde, sie solle pressen. Ich stand in meinem Kittel neben dem Arzt und beobachtete, wie der nasse, blutige schwarze Kopf meines Sohnes zwischen Ericas Beinen hervorkam, dem sofort seine Schultern und sein restlicher Körper folgten. Ich sah seinen geschwollenen kleinen Penis, sah Blut und Flüssigkeit aus Ericas sich schließender Vagina strömen, hörte Dr. Figueira sagen: «Es ist ein Junge», und fühlte mich schwindlig. Eine Krankenschwester schob mich auf einen Stuhl, und dann hielt ich meinen Sohn im Arm. Ich sah hinunter auf sein faltiges rotes Gesicht und seinen weichen, zur Seite hängenden Kopf und sagte: «Matthew Stein Hertzberg», und er sah mir in die Augen und zog eine Schnute.

Ich war spät dran mit dem Kinderkriegen. Ich war der ergrauende, faltig werdende Vater eines Säuglings, doch ich nahm die Vaterschaft mit der Begeisterung dessen an, dem sie lange vorenthalten geblieben ist. Matt war ein seltsames kleines Geschöpf mit dünnen roten Gliedern, einem leicht violetten Nabelschnurrest und schwarzem Flaum auf einem Teil seines Kopfes.

Erica und ich verbrachten viel Zeit damit, seine Besonderheiten zu erforschen – seine gierigen Schmatzgeräusche, wenn er gestillt wurde, seinen senffarbenen Stuhlgang, seine rudernden Arme und Beine und sein versunkenes Glotzen, das je nach Betrachtungsweise auf hohe Intelligenz oder Verblödung hindeutete. Ungefähr eine Woche lang nannte Erica ihn «unseren nackten Fremden», doch dann wurde er Matthew, Matt oder Mattyboy. In diesen ersten Monaten nach seiner Geburt legte Erica eine Kompetenz und Lockerheit an den Tag, die ich noch nie zuvor an ihr gesehen hatte. Sie war immer nervös und erregbar gewesen, und wenn sie wirklich aufgeregt war, wurde ihre Stimme schrill und ängstlich – eine Tonlage, die mich körperlich angriff, so als führe jemand mit einer Gabel über meine Haut. Doch in Matthews erster Zeit hatte Erica nur selten solche Ausbrüche. Sie war fast heiter. Es war beinahe so, als wäre ich noch einmal ganz neu mit einer etwas anderen Frau verheiratet. Sie schlief nie genug, und die Haut unter ihren Augen war häufig dunkel vor Schlafmangel, doch ihre Gesichtszüge waren sanfter als sonst. Beim Stillen sah sie mich oft mit einer fast schmerzhaft intensiven Zärtlichkeit an. Häufig las ich noch im Bett, während Erica mit Matt in den Armen schlafend neben mir lag, sein Kopf auf ihrer Brust. Sogar im Schlaf war sie sich seiner bewusst und wachte vom leisesten Pieps auf. Manchmal legte ich mein Buch beiseite und betrachtete die beiden im Licht meiner Leselampe. Heute denke ich, dass ich Glück hatte, nicht mehr so jung zu sein. Ich erkannte nämlich, was ich früher womöglich nicht erkannt hätte: dass mein Glück gekommen war. Ich nahm mir sogar vor, mir das Bild meiner Frau und meines Sohnes einzuprägen, während ich ihnen beim Schlafen zusah, und es steht noch immer vor mir, eine von meinem bewussten Wunsch erzeugte klare Erinnerung. Ich sehe Ericas Profil auf dem Kissen, ihr dunkles Haar liegt über ihrer Wange, und Matts kleiner Kopf, etwa so groß wie eine Pampelmuse, ist dem Körper seiner Mutter zugewandt.

Wir verfolgten Matts Entwicklung mit der wissenschaftlichen Präzision und Aufmerksamkeit von Aufklärern, indem wir jede Phase seines Wachstums protokollierten, so als hätte vor ihm noch nie jemand gelächelt, gelacht oder sich umgedreht. Einmal rief Erica mich lauthals an sein Kinderbett, und als ich neben ihr stand, zeigte sie auf unseren Sohn und sagte: «Leo, sieh mal! Ich glaube, er weiß, dass es sein Fuß ist. Sieh mal, wie er an seinen Zehen lutscht. Er weiß, dass sie ihm gehören!» Ob Matt damals wirklich die Grenzen seines eigenen Körpers entdeckte oder nicht, blieb ein strittiger Punkt, doch er wurde zunehmend zu einer für uns identifizierbaren Persönlichkeit. Er war nicht laut, aber vermutlich wird man kein lautes Kind, wenn die Eltern immer gleich herbeigelaufen kommen, sobald man einen Laut von sich gibt. Für ein Baby schien er seltsam mitfühlend. Eines Abends, als Matt ungefähr neun Monate alt war, machte Erica ihn bettfertig. Mit ihm auf dem Arm öffnete sie den Kühlschrank, um seine Flasche herauszuholen. Aus Versehen kamen zwei Gläser mit Senf und Marmelade mit heraus und zerschellten auf dem Fußboden. Erica hatte inzwischen wieder angefangen zu arbeiten, und die Erschöpfung übermannte sie. Sie starrte auf die Scherben und brach in Tränen aus. Sie hörte erst auf zu weinen, als sie spürte, dass Matts Händchen mitfühlend über ihren Arm strich. Unser Sohn fütterte uns auch gern – mit vorgekauter Banane, Spinat oder pürierten Möhren. Er hielt mir seine klebrige Faust hin und stopfte mir deren faden Inhalt in den Mund. Wir deuteten das als Zeichen seiner Großzügigkeit. Sobald Matt sitzen konnte, ließ er eine starke Konzentrationsfähigkeit erkennen, und wenn ich gleichaltrige Kinder verglich, fand ich diese Beobachtung nicht übertrieben. Er hatte eine lange Aufmerksamkeitsspanne, doch er sprach nicht. Er gurgelte, plapperte und zeigte mit dem Finger auf Dinge, aber die Wörter kamen sehr langsam.

Als Erica wieder arbeiten ging, stellten wir eine Kinderfrau ein. Grace Thelwell war groß und dick, eine Frau um die fünfzig, in Jamaica aufgewachsen. Sie hatte vier erwachsene Kinder, sechs Enkel und die Haltung einer Königin. Sie ging lautlos in unserer Wohnung umher, sprach mit leiser, musikalischer Stimme und setzte jeder Aufregung eine buddhahafte Ruhe entgegen. Ihr ständig wiederholtes Mantra bestand aus zwei Worten: «Schon gut.» Wenn Matt weinte, nahm sie ihn in die Arme und sang: «Schon gut.» Wenn Erica nach einem Tag an der Uni abgehetzt und mit hektischem Blick in die Küche stürmte, legte Grace ihr eine Hand auf die Schulter und sagte: «Schon gut», ehe sie ihr beim Einräumen der Lebensmittel half. Als Grace zu uns kam, brachte sie ihre praktische Philosophie mit, und das wirkte beruhigend auf uns drei – so als wehte eine warme karibische Brise durch die Zimmer des Lofts. Sie sollte immer Matts gute Fee sein, und je länger sie bei uns blieb, umso klarer wurde mir, dass sie kein gewöhnlicher Mensch war, sondern einer mit viel Gefühl und Intelligenz, dessen Fähigkeit, zwischen Wichtigem und Belanglosem zu unterscheiden, Erica und mich oft beschämte. Wenn wir abends ausgingen und Grace bei Matt blieb, sahen wir sie bei unserer Rückkehr in seinem Zimmer sitzen, während er schlief. Das Licht war immer aus. Grace las weder, noch strickte sie oder beschäftigte sich mit irgendetwas anderem. Sie saß still auf einem Stuhl, betrachtete Matt und war mit der Fülle ihrer Gedanken zufrieden.

Mark Wechsler wurde am 27. August geboren. Wir waren jetzt zwei Familien. Obwohl die räumliche Nähe gegenseitige Besuche leicht machte, sah ich Bill kaum häufiger als zuvor. Wir liehen einander Bücher, tauschten Artikel aus, die wir gelesen hatten, doch unser häusliches Leben fand größtenteils in den jeweiligen Wohnungen statt. Erstgeborene Babys sind für ihre Eltern stets mehr oder weniger ein Schock. Ihre Bedürfnisse sind so dringlich, ihre Gefühle so unkontrolliert, dass Familien sich oft nach außen abschotten, um ihren Ansprüchen gerecht zu werden. Manchmal besuchte mich allerdings Bill mit Mark, wenn er nach einem Tag im Atelier nach Hause zurückgekehrt war.

«Lucille schläft ein bisschen», sagte er dann. «Sie ist erschöpft», oder: «Ich verschaffe ihr etwas Ruhe. Sie braucht Stille.» Ich nahm diese Äußerungen kommentarlos zur Kenntnis, obwohl ich gelegentlich die Sorge aus Bills Stimme heraushörte – aber hatte er sich nicht immer um Lucille gesorgt? Er ging ganz selbstverständlich mit seinem Sohn um, einer blauäugigen Miniaturausgabe von ihm, der auf mich einen friedlichen, gut genährten und leicht schlafmützigen Eindruck machte. Mein besessenes Interesse an Matthew übertrug sich nicht auf Mark, doch dass Bills Liebe zu seinem Sohn mindestens so leidenschaftlich war wie meine zu Matt, verfestigte meinen Eindruck, dass sein und mein Leben parallel verliefen, dass er und Lucille, wie Erica und ich, im Verlauf der hektischen, chaotischen Prüfung, die die Versorgung eines Babys darstellt, neue Aspekte geteilter Freude entdeckt hatten.

Doch Lucilles Müdigkeit unterschied sich von Ericas. Sie hatte etwas Existenzielles – so als litte sie an mehr als bloßer Übernächtigung. Sie kam mich nicht oft besuchen, vielleicht alle zwei Monate, und sie rief immer schon Tage vorher an, um das Treffen zu verabreden. Zur vereinbarten Zeit öffnete ich dann die Wohnungstür, und im Flur stand Lucille mit einem Stoß Gedichte in der Hand. Sie sah stets blass, eingefallen und steif aus. Das Haar hing ihr ungekämmt und gewöhnlich schmutzig ins Gesicht. Meist trug sie Jeans und altmodische Blusen in düsteren Farben, und doch konnte ihr ungepflegtes Aussehen nicht verbergen, wie hübsch sie war, und ich bewunderte ihren Mangel an Eitelkeit. Ich freute mich immer, sie zu sehen, doch ihre Besuche verstärkten Ericas Gefühl, Lucille habe sie vergessen. Lucille begrüßte sie stets höflich. Sie ließ ihre Fragen nach Mark über sich ergehen, beantwortete sie mit kurzen, präzisen Sätzen und wandte sich dann mir zu. Ihre sparsamen, aber klangvollen Gedichte waren im Ton absoluter Distanziertheit geschrieben. Zwangsläufig enthielten sie autobiographische Bezüge. In einem Gedicht liegen ein Mann und eine Frau nebeneinander im Bett und können nicht schlafen, aber keiner von beiden sagt ein Wort zum anderen. Sie sprechen aus gegenseitiger Achtung nicht, doch am Ende empfindet die Frau die Rücksicht des Mannes als die Anmaßung, er wüsste, was sie denke. Noch lange nachdem er eingeschlafen ist, hält ihr Ärger sie wach. Das Gedicht hieß «Wach und aufgeweckt». In einigen Arbeiten tauchte ein Baby auf, eine komische Figur mit Namen «Es». «Es» heulte, spuckte, klammerte und trat, etwa wie ein außer Kontrolle geratenes Aufziehspielzeug mit gesprungener Feder. Lucille gab in keiner Weise zu, dass die Gedichte persönlich waren. Sie behandelte sie wie Objekte, die mit meiner Hilfe umgearbeitet werden konnten. Ihre Kühle faszinierte mich. Hin und wieder, beim Lesen einer Zeile, lächelte sie in sich hinein, doch konnte ich die Quelle ihres Amüsements nie ergründen. Während ich neben ihr saß, hatte ich immer das Gefühl, sie sei mir ein wenig voraus und ich liefe ihr hinterher. Ich blickte dann auf die blonden Härchen auf ihrem schlanken Arm und fragte mich, was an ihr sich mir so entzog.

Eines Abends, ehe sie wieder nach oben ging, beobachtete ich, wie sie anfing, ihre Blätter einzusammeln. Ich hatte gelernt, sie nicht direkt anzusehen, da ich wusste, dass sie sich sonst unbehaglich fühlte und vielleicht ihren Bleistift oder Radiergummi fallen ließ. Als ich ihr zum Abschied die Hand gab, bedankte sie sich und öffnete die Tür. Während sie dann hinausging, überfiel mich das unheimliche Gefühl, eine Ähnlichkeit entdeckt zu haben, gefolgt von der plötzlichen Gewissheit, dass ich damit richtig lag: In diesem Augenblick erinnerte Lucille mich an Sy Wechsler. Die Verbindung zwischen ihnen war weder körperlich noch geistig. Ihre Persönlichkeiten hatten wenig gemeinsam, außer dem, was ihnen beiden fehlte: eine ganz normale Verbundenheit mit anderen Menschen. Lucille entzog sich nicht nur Bill, sie entzog sich jedem, der sie kannte. Die alte

Wendung «Er hat seine Mutter geheiratet» musste umformuliert werden. Bill hatte seinen Vater geheiratet. Hatte er nicht gesagt: «Ich war jahrelang hinter ihr her»? Während ich ihren Schritten auf der Treppe lauschte, fragte ich mich, ob er nicht noch immer hinter ihr her war.

Im Frühling des Jahres, als Matt zwei wurde, hörte ich zufällig einen Streit zwischen Bill und Lucille mit. Es war Samstagnachmittag, und ich saß in meinem Sessel am Fenster. Ich hatte ein Buch in der Hand, doch ich las nicht, weil ich über Matt nachdachte. Erica war mit ihm aus dem Haus gegangen, um ihm neue Schuhe zu kaufen, und kurz vor ihrem Aufbruch hatte Matt seine ersten Worte gesprochen. Er hatte auf seine Mutter, auf sich und auf seine Schuhe gezeigt. Ich hatte gesagt, ich hoffte, seine neuen Schuhe wären schön, und da entrang sich Matthew zwei unverständliche Laute – «ööö uuu» –, die Erica und ich freudig als «schöne Schuhe» übersetzt hatten. Das Kind lernte sprechen. Ich hatte das Fenster geöffnet, um die warme Brise hereinzulassen. Das Fenster über mir war wohl auch offen, denn nun unterbrach Bills dröhnende Stimme meine Träumerei über Marks sprachlichen Durchbruch.

«Wie konntest du das sagen?», schrie er.

«Du solltest es nicht erfahren. Sie hätte es dir nicht sagen dürfen!» Auch Lucilles Stimme wurde mit jedem Wort lauter. Ihr Zorn überraschte mich. Sie war doch sonst immer so beherrscht.

Bill grollte zurück: «Ich glaub das einfach nicht. Sie erzählt doch allen alles. Du hast es ihr gesagt, weil du wusstest, sie würde es mir erzählen, und du könntest dich dann um die Verantwortung für deine eigenen Worte drücken. Streitest du ab, dass du es gesagt hast? Nein! Und, hast du es auch so gemeint?»

Stille.

«Was, zum Teufel, tue ich eigentlich hier?», brüllte Bill. «Kannst du mir das sagen?» Ich hörte ein lautes Krachen. Er musste gegen etwas geschlagen oder getreten haben.

«Du hast es kaputtgemacht!» Ich hörte Wut in Lucilles Stimme, bebende, hysterische Wut, und sie ging mir durch und durch. Mark fing an zu weinen. «Halt den Mund!», kreischte sie. «Halt den Mund! Halt den Mund!»

Ich stand auf und schloss das Fenster. Das Letzte, was ich hörte, war Bill, der sagte: «Mark, Mark. Komm her.»

Am nächsten Tag rief Bill mich vom Atelier aus an und erzählte mir, er sei aus dem Haus in der Greene Street ausgezogen und wohne wieder in der Bowery. Seine Stimme klang ganz dumpf vor Kummer. «Soll ich rüberkommen?», fragte ich. Einige Sekunden antwortete er nicht. Dann sagte er: «Ja, bitte.»

Die geheimnisvolle Frau, die bei dem Streit am Vortag die Hauptrolle gespielt hatte, erwähnte Bill nicht, und ich konnte nicht nach ihr fragen, ohne ihm zu sagen, dass ich gelauscht hatte. Ich ließ ihn reden, obwohl das meiste, was er sagte, wenig erklärte. Er erzählte mir, dass Lucille, obwohl sie vor Marks Geburt immer wieder gesagt habe, wie sehr sie sich darauf freue, Mutter zu werden, nach seiner Geburt enttäuscht gewesen zu sein schien. «Sie war richtig down und reizbar. Alles an mir scheint sie zu stören: Beim Essen schlucke ich zu laut. Ich putze meine Zähne zu energisch. Ich gehe beim Nachdenken auf und ab, und all das macht sie wahnsinnig. Meine Socken riechen. Ich berühre sie zu oft. Ich arbeite zu viel. Ich bin zu lange weg. Ihr gefällt, dass ich mich um Mark kümmere, aber ihr gefällt nicht, wie ich es tue. Ich soll ihm keine Songs von Lou Reed vorsingen. Die seien ungeeignet. Die Spiele, die ich mit ihm spiele, sind zu grob. Ich bringe ihn aus seinem Rhythmus.»

Lucilles Beschwerden waren alltäglich – die in einer freudlosen Intimität üblichen Geschichten. Ich fand immer, Liebe gedeiht gut bei einer gewissen Distanz; sie verlangt ein ehrfürchtiges Getrenntsein, um zu bestehen. Ohne diesen nötigen Abstand werden die kleinsten körperlichen Äußerungen des anderen in der Vergrößerung abscheulich. Dabei sah Bill in meinen Augen wie das Byron'sche Ideal männlicher Schönheit aus. Eine schwarze Locke war ihm in die Stirn gefallen, während er gedankenverloren an einer Zigarette zog und blinzelte. Hinter ihm standen die sieben unfertigen Bilder von seinem Vater, die er auszustellen beschlossen hatte. Seit zwei Jahren arbeitete er nun an Porträts von Sy Wechsler. Es gab bestimmt fünfzig Gemälde des Mannes in verschiedenen Positionen, doch Bill hatte den Entschluss gefasst, nur sieben zu zeigen – alle von hinten. Er nannte die Serie «Die Vermissten». Das Nachmittagslicht in den Fenstern nahm ab, in dem großen Raum wurde es dunkler, und wir sagten minutenlang kein Wort. Zum ersten Mal tat Bill mir Leid, und beim Gedanken an seinen Kummer durchfuhr mich ein Schmerz. Kurz vor fünf Uhr sagte ich ihm, ich hätte Erica versprochen, in zehn Minuten zu Haus zu sein.

«Weißt du, Leo», sagte er, «ich habe Lucille jahrelang für jemand anderen gehalten. Ich habe mich selbst betrogen. Das ist nicht ihre Schuld, sondern meine. Und jetzt habe ich einen Sohn.»

Statt direkt darauf zu antworten, sagte ich: «Es ist sicher nicht viel, aber ich bin für dich da, wenn du mich brauchst.» Als ich das aussprach, fiel mir Violet ein, wie sie die Treppe zu mir heraufgelaufen war und was sie gesagt hatte. Einen Augenblick fragte ich mich, ob sie etwas über Bill und Lucille gewusst hatte, was ich nicht wusste, und dann vergaß ich sie und ihre Bemerkung fast ein Jahr lang.

Lucille blieb im Loft in der Greene Street und Bill in der Bowery. Mark pendelte zwischen seinen Eltern: die halbe Woche bei Lucille, die andere Hälfte bei Bill. Sie telefonierten täglich, und weder Bill noch Lucille sprachen je von Scheidung. Spielzeuglaster, Feuerwehren und Moltontücher tauchten im Loft in der Bowery auf, und irgendwann im Juli baute Bill ein wunderschönes Bett für seinen Sohn, das aussah wie ein Boot. Er konstruierte eine Aufhängung dafür, damit es vor und zurück schaukeln konnte wie eine übergroße Wiege, und strich es in einem dunklen Marineblau. Er las seinem Sohn vor, fütterte ihn und ermunterte ihn, das Plastiktöpfchen in dem kleinen Raum mit der Toilette doch wenigstens auszuprobieren. Er machte sich Sorgen um seinen Appetit, regte sich auf, als Mark die Treppe hinunterfiel, und sammelte sogar meist die Spielsachen auf, obwohl er für jegliche Hausarbeit unbegabt war. Der Loft war dreckiger denn je, weil Bill sich nie die Mühe machte, ihn zu putzen. Das Waschbecken schillerte in Farben, die ich nie zuvor auf Porzellan gesehen hatte – eine Palette von Blassgrau über Orange bis hin zu einem schmutzigen Dunkelbraun. Ich sagte nichts dazu. In Wahrheit schienen sich Vater und Sohn in dem großen, unebenen Raum ganz wohl zu fühlen. Es machte ihnen nichts aus, zwischen Bergen von Schmutzwäsche zu wohnen, die sich auf einem staubigen Boden voller Asche türmten.

Bill sagte nicht mehr viel zu seiner gescheiterten Ehe. Er beschwerte sich nie über Lucille, und wenn er sich nicht um Mark kümmerte, arbeitete er viel und schlief wenig. Doch wenn Erica, Matt und ich Bill und Mark in jenem Sommer besuchten, war ich, ehrlich gesagt, oft erleichtert, wenn wir sie wieder verließen und draußen durch die heiße Straße davongingen. In dem Atelier herrschte eine bedrückende, fast erstickende Atmosphäre, so als wäre Bills Traurigkeit in die Sessel, Bücher, Spielsachen und die unter dem Waschbecken gesammelten leeren Weinflaschen eingegangen. In den Bildern von seinem Vater nahm sein Schmerz eine greifbare, mit kraftvoller, unerschütterlicher Hand erzeugte Schönheit an, aber im Leben war sein Kummer einfach nur deprimierend.

Als die Porträts von Bills Vater im September ausgestellt wurden, kam Lucille nicht zur Vernissage. Als ich sie fragte, ob ich sie dort sehen würde, sagte sie, sie sei dabei, ein Manuskript zu redigieren, und müsse bis in die Nacht arbeiten. Ihre Antwort klang wie eine Ausrede, und sie muss mir meine Zweifel angesehen haben, doch sie wiederholte: «Ich habe eine Deadline. Ich kann nichts daran ändern.»

Alle Porträts wurden verkauft, aber nicht an Amerikaner. Ein Franzose namens Jacques Dupin kaufte drei Bilder, die anderen gingen an einen deutschen Sammler und einen Holländer aus der Pharmabranche. Im Anschluss an die Ausstellung wurde Bill von einer Galerie in Köln, einer in Paris und einer in Tokio übernommen. Die amerikanischen Kritiker waren verwirrt – der Beifall des einen wurde vom wüsten Angriff eines anderen neutralisiert. Es gab unter denen, die berufsmäßig über Kunst schrieben, keinen Konsens über Bills Malerei, doch mir fielen die zahlreichen jungen Leute in der Galerie auf, nicht nur bei der Eröffnung, sondern immer wenn ich dort vorbeiging, um mir die Bilder anzusehen. Bernie sagte mir, es seien noch nie so viele Künstler, Dichter und Romanciers zwischen zwanzig und dreißig in seine Ausstellungen gekommen wie in diese. «Die Kids reden alle von ihm», sagte er. «Das muss einfach gut sein. Die alten Knacker sterben weg, und sie übernehmen.»

Erst nach mehreren Besuchen in der Galerie begriff ich, dass der Mann, dessen Rücken von einem Bild zum nächsten ziemlich gleich aussah, alterte. Ich bemerkte, dass in seinem Nacken Falten entstanden und dass sich seine Haut veränderte. Leberflecke vermehrten sich. Auf dem letzten Bild war eine kleine Zyste unter Sys Ohr. Durch ein Wunder der Kunst oder der Natur blieb sein Haar auf allen Bildern schwarz. Bills Darstellung seines stets mit einem dunklen Anzug bekleideten Vaters erinnerte mich an holländische Gemälde aus dem 17. Jahrhundert, doch ohne deren Illusion von Tiefe. In das glatte, klare Bild vom Rücken des Mannes fiel von links Licht ein, und jede Falte im Anzugstoff, jedes Stäubchen auf einer wattierten Schulter, jeder Kniff im schwarzen Leder eines Schuhs war mit peinlichster Genauigkeit gemalt. Faszinierend für den Betrachter war das Material, das Bill über dieses anfängliche Bild gelegt und womit er es teilweise verdeckt hatte – die Briefe, Fotos, Ansichtskarten, Geschäftsnotizen, Rezepte, Motelzimmerschlüssel, abgerissenen Kinokarten, Aspirintabletten, Kondome –, bis jede der Arbeiten ein dickes Palimpsest aus leserlichen und unleserlichen Schriften geworden war und zugleich ein Konglomerat der verschiedensten kleinen Gegenstände, die in fast jedem Haushalt Gerümpelschubladen füllen. Fremde Materialien auf ein Gemälde zu kleben war zwar nicht gerade innovativ, doch der Effekt war sehr verschieden von zum Beispiel Rauschenbergs dichter Schichtenkunst, weil die Sachen auf Bills Leinwänden Hinterlassenschaften eines einzigen Mannes waren, und während ich von einem Bild zum nächsten ging, freute ich mich daran, die Fragmente zu lesen. Besonders gefiel mir ein mit Bleistift geschriebener Bief: «Lieber Onkl Sy, danke für das ächt tolle Rennauto. Es ist wirklich ächt toll. Liebe Grüße Larry.» Ich las die Einladung, auf der stand: «Bitte kommt zur Feier von Reginas und Sys fünfzehntem Hochzeitstag. Ja, es geht tatsächlich schon so lange!» Es gab eine Krankenhausrechnung für Daniel Wechsler, eine Eintrittskarte für *Hello Dolly* und einen zerrissenen, zerknitterten Zettel, auf dem der Name Anita Himmelblatt und eine Telefonnummer standen. Trotz dieser schnappschussartigen Einblicke in ein Leben hatten die Gemälde mit den collagierten Materialien etwas Abstraktes, eine perfekte Ausdruckslosigkeit, die das Sonderbare der Sterblichkeit an sich wie auch den Eindruck vermittelte, dass, selbst wenn jedes Fragment eines Lebens aufgehoben, zu einem riesigen Berg aufge türmt und dann sorgfältig gesichtet würde, um ihm jede mögliche Bedeutung zu entlocken, das Ganze sich nicht zu einem Leben summierte.

Über jeder Leinwand hatte Bill eine dicke Plexiglasscheibe angebracht, die den Betrachter von den zwei darunter liegenden Schichten entfernte. Das Plexiglas verwandelte die Werke in Gedenktafeln. Ohne es wären die Gegenstände und Zettel zugänglich gewesen, doch versiegelt hinter dieser durchsichtigen Wand, waren das Bild des Mannes und die Überreste seines Lebens unerreichbar.

Ich sah mir die Ausstellung in der Galerie am West Broadway sieben- oder achtmal an. Beim letzten Mal, nur wenige Tage vor dem Ende der Schau, begegnete ich Henry Hasseborg. Ich hatte ihn schon früher in anderen Galerien herumschleichen sehen und kannte ihn daher. Jack, der mehrmals mit ihm gesprochen hatte, nannte ihn mir gegenüber einmal eine «menschliche Kröte». Hasseborg war ein für seine bissige Prosa und seine scharfen Urteile bekannter Schriftsteller und Kunstkritiker. Er war ein winziger Glatzkopf, immer schick in Schwarz gekleidet. Er hatte kleine Augen, eine flache Nase und einen gewaltigen Mund. Ein Ausschlag, vermutlich eine Flechte, kroch ihm von der Seite des Gesichts bis oben auf den Kopf. Er kam auf mich zu und stellte sich vor. Er sagte, er kenne mein Werk und hoffe, dass ich an einem neuen Buch arbeite. Er habe meinen «Piero» gelesen und ihn gemocht, genauso wie meine Essays. «Phantastisch!» war das Wort, das er gebrauchte. Dann schaute er beiläufig zu einem Gemälde hinüber und sagte: «Gefällt Ihnen das?»

Ich bejahte und setzte an zu erklären, warum, als er mich unterbrach: «Finden Sie das Zeug nicht anachronistisch?»

Ich begann einen anderen Satz: «Nein, ich denke, hier wird historischen Bezügen eine neue Funktion –»

Hasseborg schnitt mir wieder das Wort ab. Er war fast dreißig Zentimeter kleiner als ich. Während er zu mir heraufsah, trat er einen Schritt weiter vor, und seine Nähe bereitete mir plötzlich Unbehagen. «Es heißt, er hätte es bei Galerien in Europa geschafft. Bei welchen?»

«Weiß ich nicht», sagte ich. «Wenn es Sie interessiert, sollten Sie Bernie fragen.»

«Interessieren ist vielleicht ein zu starkes Wort», sagte er lächelnd. «Wechsler ist mir ein bisschen zu zerebral.»

«Tatsächlich?», sagte ich. «Ich spüre in seinen Arbeiten viel Gefühl.» Überrascht, dass er mich hatte ausreden lassen, machte ich eine Pause, dann fuhr ich fort: «Ich meine, mich an einen Artikel von Ihnen über Warhol zu erinnern. Wenn jemandes Werk Ideen veranschaulicht, dann das von Warhol. Das ist doch wohl ziemlich zerebral.»

Hasseborg beugte sich mit erhobenem Kinn noch näher zu mir. «Andy ist eine Ikone», sagte er, als beantworte das meine Frage. «Er hatte den Finger am Puls der Kultur, Mann. Er wusste, was kommen würde, und es kam. Ihr Freund Wechsler da ist irgendwie auf Abwegen ...» Er beendete den Satz nicht. Er schaute auf seine Uhr und sagte: «Scheiße, ich bin spät dran. Bis dann mal, Leo.»

Während ich ihm nachblickte, als er langsam zum Aufzug ging, fragte ich mich, was gerade geschehen war. Sein Ton war von lobhudelnder Schmeichelei zu beleidigender Vertraulichkeit übergegangen. Mir fiel auch auf, dass er, als er sich vorstellte, meine Freundschaft mit Bill nicht erwähnt, im Lauf des Gesprächs unsere Verbundenheit aber unterstellt hatte, indem er nach den europäischen Galerien fragte und dann von Bill direkt mit «Ihr Freund Wechsler» sprach. Schließlich hatte er unser abgebrochenes Gespräch mit dem respektlosen Gebrauch meines Vornamens beendet, als wären wir alte Freunde. Ich war nicht naiv. Für Hasseborg war das Manipulieren anderer Leute ein raffiniertes Spiel, das ihm Nutzen bringen konnte: eine Insiderinformation, ein bisschen Kunstszeneklatsch, einen Ausspruch von jemandem, der nie vorhatte, seine Bemerkung öffentlich werden zu lassen. Er war skrupellos, aber auch intelligent, und in New York konnte einen diese Kombination weit bringen. Henry Hasseborg hatte etwas von mir gewollt, doch ich konnte mir beim besten Willen nicht vorstellen, was.

Inzwischen waren Erica und ich über fünf Jahre zusammen, und ich stellte mir unsere Ehe oft als ein einziges langes Gespräch vor. Wir redeten viel, und ich hörte ihr gern zu, besonders abends, wenn sie über Matt oder über ihre Arbeit sprach. Wenn sie müde wurde, war ihre Stimme wunderschön. Sie verlor ihre Schrillheit, und manchmal unterbrachen ein Gähnen oder kleine Seufzer der Erleichterung darüber, dass der lange Tag nun vorbei war, ihre Worte. Einmal lagen wir nachts im Bett und redeten noch, Stunden nachdem Matt eingeschlafen war. Erica hatte den Kopf auf meine Brust gelegt, und ich erzählte ihr von meinem Essay über Manierismus, hauptsächlich Pontormo, der mit einer langen Definition von «Verzerrung» und dem zum Verständnis dieses Wortes notwendigen Kontext begann. Ihre Hand wanderte über meinen Bauch, und dann spürte ich ihre Finger in meinen Schamhaaren. «Weißt du, Leo», sagte sie, «je schlauer du bist, desto sexyer bist du.» Ich vergaß Ericas Gleichung nie. Für sie waren meine körperlichen Reize mit der Flinkheit meines Geistes verbunden, und im Lichte dessen hielt ich es für klug, jenes höher gelegene Organ straff, schlank und gut in Form zu halten.

Matt war zu einem dünnen, nachdenklichen Jungen herangewachsen, der einsilbige Wörter sprach und, während er mit seinem Plüschlöwen «La» in der Wohnung herumspazierte, hoch und misstönend vor sich hin sang. Er sprach nicht viel, aber er verstand alles, was wir ihm sagten. Abends lasen Erica oder ich ihm vor, und beim Zuhören lag Matt mucksmäuschenstill in seinem neuen großen Bett, die haselnussbraunen Augen weit geöffnet und so konzentriert, als könnte er die Geschichte sich an der Zimmerdecke über ihm abspielen sehen. Manchmal wachte er nachts auf, doch er rief nur selten nach uns. Wir hörten ihn dann nebenan in einer flüssigen, aber ganz privaten Sprache mit seinen Tieren, Autos und Bauklötzen plappern. Wie die meisten Zweijährigen tobte Matt oft bis zur Erschöpfung, schluchzte heftig, kommandierte uns herum und war frustriert, wenn wir uns weigerten, seinen gebieterischen Befehlen zu gehorchen. Doch im Innern des Kleinkindes spürte ich einen seltsamen, stürmischen, einsamen Kern – ein unermessliches Allerheiligstes, in dem ein gut Teil seines Lebens stattfand.

Violet tauchte im Juni 1981 wieder auf. Ich war in der Nähe des Ateliers, weil ich weiter oben in der Bowery in einem italienischen Deli Wurst gekauft hatte, und beschwingt durch meine sommerliche Freiheit von studentischen Seminararbeiten, von den Studenten selbst und dem endlosen Gezänk meiner Kollegen in den Ausschusssitzungen, beschloss ich, bei Bill hereinzuschauen. Ich ging gerade die Hester Street hinunter, als ich ihn mit Violet vor dem chinesischen Kino an der Ecke stehen sah. Ich erkannte Violet sofort wieder, obwohl ich sie nur von hinten sah und sie das Haar jetzt kurz trug. Sie hatte die Arme um Bills Taille geschlungen und lehnte den Kopf an seine Brust. Ich beobachtete, wie er ihn mit beiden Händen anhob und sie küsste. Violet stellte sich auf die Zehenspitzen, um zu ihm hinaufzureichen, und verlor einen Augenblick das Gleichgewicht, bis Bill sie auffing und sie lachend auf die Stirn küsste. Keiner von beiden sah mich reglos auf dem Bürgersteig gegenüber stehen. Violet küsste und umarmte Bill noch einmal und rannte dann von mir fort die Straße hinunter. Mir fiel auf, dass sie gut lief, wie ein Junge, doch sie ermüdete schnell, wurde langsamer und hüpfte dann weiter. Einmal drehte sie sich um und warf Bill eine Kusshand zu. Er sah ihr nach, bis sie um die Ecke gebogen war. Ich überquerte die Straße, und als ich näher kam, winkte Bill mir zu.

Als ich bei ihm stand, sagte er: «Du hast uns gesehen.»

«Ja, ich war dahinten in dem Deli und …»

«Schon gut. Macht ja nichts.»

«Sie ist also wieder da.»

«Sie ist schon eine ganze Weile wieder da.» Bill legte den Arm um meine Schultern. «Komm», sagte er, «lass uns raufgehen.»

Während Bill mir von Violet erzählte, hatten seine Augen jenen ruhigen, konzentrierten Glanz, der mir aus dem ersten Jahr meiner Bekanntschaft mit ihm vertraut war. «Es fing schon an, als ich sie gemalt habe», sagte er. «Obwohl da nichts zwischen uns war. Ich meine, wir hatten keine Affäre, aber das Gefühl war da. Mein Gott, war ich vorsichtig. Ich erinnere mich, wie ich dachte, ich wäre erledigt, wenn ich sie nur einmal flüchtig berühren würde. Ja, und dann ging sie fort, und ich dachte unentwegt an sie. Ich glaubte, ich würde darüber hinwegkommen, es wäre nur eine sexuelle Anziehung, die sich verflüchtigt hätte, wenn ich sie je wieder sehen sollte. Als sie vor einem Monat anrief, hoffte ein Teil von mir, ich würde nach einem Blick auf sie denken: ‹Von dieser Tussi warst du jahrelang besessen? Spinnst du?› Aber sie kam zur Tür herein …» Bill rieb sich kopfschüttelnd das Kinn. «Und sobald ich sie sah, haute es mich völlig um. Ihr Körper …» Er beendete den Satz nicht. «Sie geht so mit, Leo. So was hab ich noch nie erlebt. Nicht mal annähernd.»

Als ich ihn fragte, ob er Lucille von Violet erzählt habe, schüttelte er den Kopf: «Das habe ich verschoben, aber nicht, weil sie mich zurückhaben will. Das will sie nicht, sondern wegen Mark …» Er zögerte. «Mit einem Kind ist das alles viel komplizierter. Der arme Junge ist sowieso schon ganz durcheinander.»

Wir sprachen eine Weile über unsere Söhne. Mark war wortgewandt, aber leicht abzulenken. Matt redete wenig, konnte sich aber lange selbst unterhalten. Bill fragte nach Pontormo, und ich sprach eine Weile über die Streckung der Figur in der *Kreuzabnahme*, ehe ich sagte, ich müsse gehen.

«Vorher will ich dir noch was zeigen. Ein Buch, das Violet mir geliehen hat.»

Der Verfasser des Buches war ein Franzose, Georges Didi-Huberman, doch Bill interessierte nicht der Text, sondern die Fotografien. Sie waren alle in der Salpêtrière aufgenommen, dem Pariser Krankenhaus, in dem der berühmte Neurologe Jean-Martin Charcot Experimente mit Frauen gemacht hatte, die an Hysterie litten. Bill erklärte, etliche der Patientinnen seien für die Fotos hypnotisiert worden. Einige waren in Stellungen verdreht, die mich an Schlangenmenschen im Zirkus erinnerten. Andere schauten mit stumpfem Blick in die Kamera und streckten Arme vor, die mit Nadeln so dick wie Stricknadeln durchbohrt waren. Andere wieder knieten und schienen zu beten oder Gott um Hilfe anzuflehen.

Am besten erinnere ich mich an das Foto auf dem Buchcover. Ein mit Tüchern zugedecktes hübsches dunkelhaariges Mädchen lag im Bett. Ihr Körper war zur Seite verdreht, und sie streckte die Zunge heraus. Die Zunge schien ungewöhnlich dick und lang, wodurch die Geste obszöner wirkte, als sie vielleicht war. Ich meinte auch einen Funken Bosheit in ihren Augen zu sehen. Die Fotografie war sorgfältig ausgeleuchtet, um die wollüstigen Rundungen des Mädchens unter den Tüchern zur Geltung zu bringen. Ich starrte das Bild eine Weile an, da ich mir nicht ganz sicher war, was ich darin sah.

«Sie hieß Augustine», sagte Bill. «Violet interessiert sich ganz besonders für sie. Man hat sie in der Anstalt wie besessen fotografiert, und sie wurde so etwas wie ein Pin-up-Girl der Hysterie. Sie war auch farbenblind. Anscheinend konnten viele Hysterikerinnen Farben nur unter Hypnose erkennen. Es ist fast zu perfekt: Das Vorzeigemädchen für eine Krankheit in den frühen Tagen der Fotografie sieht die Welt in Schwarzweiß.»

Violet war damals erst siebenundzwanzig und schrieb eifrig an ihrer Doktorarbeit über längst verstorbene Frauen, deren Wahnsinn mit heftigen Krämpfen, Lähmungen der Gliedmaßen, Stigmata, besessenem Kratzen, unzüchtigen Körperstellungen und Halluzinationen einherging. Sie nannte die Hysterikerinnen «meine lieben Irren» und erwähnte sie zwanglos mit Vornamen, so als hätte sie sie erst kürzlich in der Anstalt getroffen, und betrachtete sie als Freundinnen oder zumindest als interessante Bekannte. Anders als die meisten Intellektuellen unterschied Violet nicht zwischen geistig und körperlich. Ihre Gedanken schienen ihr ganzes Wesen zu durchlaufen, so als wäre Denken eine sinnliche Erfahrung. Ihre Art, sich zu bewegen, suggerierte Wärme und Entspanntheit, ein gelassenes Wohlbefinden im eigenen Körper. Sie war ständig dabei, es sich gemütlicher zu machen. Sie kuschelte sich in Sessel und lockerte Hals, Arme oder Schultern. Sie schlug die Beine übereinander oder ließ eines über die Sofakante baumeln. Sie neigte dazu, tief Luft zu holen, zu seufzen und sich auf die Unterlippe zu beißen, wenn sie nachdachte. Manchmal streichelte sie beim Reden sanft ihren Arm oder befühlte beim Zuhören ihre Lippen. Wenn sie mit mir sprach, streckte sie oft die Hand aus und berührte ganz leicht die meine. Zu Erica war sie offen zärtlich. Sie streichelte ihr übers Haar oder legte ihr bequem den Arm um die Schulter.

Verglichen mit Lucille hatte meine Frau locker und offen gewirkt. Neben Violet schienen Ericas Nervosität und ihre relative körperliche Unbeweglichkeit sie auf einmal als reserviert und vorsichtig zu definieren. Doch die beiden Frauen mochten sich sofort, und die Freundschaft zwischen ihnen sollte beständig sein. Violet verführte Erica mit ihren Geschichten über weibliche Subversion – Geschichten von Frauen, die kühne Fluchten aus Krankenhäusern, vor Ehemännern, Vätern und Arbeitgebern inszenierten. Sie schnitten sich das Haar ab und verkleideten sich als Mann. Sie kletterten über Mauern, seilten sich aus Fenstern ab und sprangen von Dach zu Dach. Sie bestiegen Schiffe und stachen in See. Besonders mochte Erica die Tiergeschichten. Lächelnd und mit großen Augen hörte sie Violet zu, als diese von einem Miau-Anfall unter Mädchen in einer französischen Klosterschule erzählte. Jeden Nachmittag um genau die gleiche Zeit ließen sich die Mädchen auf alle viere nieder und miauten mehrere Stunden lang, bis es in der ganzen Nachbarschaft widerhallte. Bei einem anderen Vorfall kam es zur Imitation hündischen Verhaltens. Violet berichtete, im Jahre 1855 seien sämtliche Einwohnerinnen der französischen Stadt Josselin von unkontrollierbaren Bell-Anfällen überwältigt worden.

Violet fesselte Erica auch mit Geschichten von sich selbst, die meine Frau meist vor mir geheim hielt und nur in Andeutungen erwähnte, aus denen ich mir jedoch zusammenreimte, dass Violet in jungen Jahren durch viele Betten gewandert war und dass nicht in jedem ein Mann gelegen hatte. Für Erica, die in ihren neununddreißig Lebensjahren mit genau drei Männern geschlafen hatte, waren Violets erotische Abenteuer mehr als spannende Anekdoten. Es waren Märchen von beneidenswerter Waghalsigkeit und Freiheit. Für Violet war Erica die Verkörperung weiblicher Vernunft, eine Idee, die die Historie meist als Oxymoron eingestuft hat. Erica hatte eine geistige Ausdauer, die Violet abging, eine verbissene Bereitschaft, einen Gedanken bis zur Vollendung herauszuarbeiten, und an manchen Tagen kam Violet mit einer Frage an Erica zu uns, gewöhnlich über deutsche Philosophie – Hegel, Husserl oder Heidegger. Dann wurde

Violet Ericas Studentin. Sie lag auf unserem Sofa, die Augen auf das Gesicht ihrer Lehrerin gerichtet, und beim Zuhören blinzelte sie, runzelte die Stirn und zupfte an ihrem Haar, als könnte diese Mimikry ihr helfen, die verzwickten Geheimnisse des Seins herauszufinden.

Ich bezweifle, dass Erica oder ich Violet so schnell ins Herz geschlossen hätten, wenn sie nicht mit Bill zusammen gewesen wäre. Nicht nur weil wir ihn kannten und der Frau, in die er sich so heftig verliebt hatte, wohlgesinnt waren, sondern weil wir Bill und Violet als Partner mochten. Sie waren ein schönes Paar, und mein Kopf ist noch immer voll von Erinnerungen an ihre Körperlichkeit in den frühen Tagen ihrer Liebe: Violet mit der Hand in Bills Haar oder auf seinem Schenkel; oder Bill, zu ihr heruntergebeugt, den Mund an ihrem Ohr. Wenn ich sie sah, hatte ich stets den Eindruck, sie hätten sich gerade geliebt oder würden sich gleich lieben, und sie ließen einander nicht aus den Augen. Verliebte sehen für andere oft lächerlich aus. Ihr ununterbrochenes Turteln, Anfassen und Küssen kann für Freunde, die dieses Stadium hinter sich haben, unerträglich sein, doch bei Bill und Violet störte es mich nicht. Trotz ihrer offenkundigen Leidenschaft füreinander hielten sie sich zurück, wenn Erica und ich im selben Raum waren, und ich glaube, die Spannung, die sie so erzeugten, gefiel mir am besten von allem. Ich hatte immer das Gefühl, es verbände sie ein zum Zerreißen gespannter unsichtbarer Draht.

Violet war auf einem Bauernhof in der Nähe von Dundas in Minnesota aufgewachsen, einer Ortschaft mit 623 Einwohnern. Ich wusste kaum etwas über diesen Winkel des Mittleren Westens mit seinen Luzernefeldern, Holsteinerkühen und schwerfälligen Charakteren mit Namen wie Harold Lundberg, Gladys Hrbek und Lovey Munkemeyer, doch ich konnte ihn mir vorstellen, indem ich mir aus Filmen und Büchern Bilder einer flachen Landschaft unter einem weiten Himmel zusammenklaubte. Sie hatte die High School im benachbarten Northfield besucht und am dortigen St. Olaf College auch studiert, ehe sie nach Osten floh, um an der N.Y.U. zu promovieren. Ihre Urgroßeltern mütterlicher- und väterlicherseits waren aus Norwegen eingewandert und quer durchs Land gezogen, um im Kampf gegen Erde und Wetter ihren Bauernhof aufzubauen. Die Kindheit auf dem Lande war Violet noch anzumerken. Nicht nur an den langen mittelwestlichen Vokalen und daran, dass sie von Melkmaschinen und Futtersäcken sprach, sondern an der Ernsthaftigkeit und der Schwere ihres Geistes. Violet hatte Charme, aber er war ungeschult. Wenn ich mit ihr sprach, hatte ich das Gefühl, ihre Gedanken seien in weiten, offenen Räumen genährt worden, wo selten geredet wurde und Stille herrschte.

Eines Nachmittags im Juli war ich auf einmal allein mit ihr. Erica war mit Matt und Mark nach Hause in die Greene Street gegangen und hatte, mit dem Versprechen, es zu lesen, das erste Kapitel von Violets Dissertation mitgenommen. Bill war bei Pearl Paint, um Materialien zu kaufen. Das Licht leuchtete auf Violets braunem Haar, während sie mir, im Schneidersitz vor einem der Fenster auf dem Boden hockend, die Geschichte von Augustine erzählte, die in eine Geschichte von ihr selbst überging.

In Paris hatte sie in Dokumenten, Akten und *Observations* genannten Fallstudien aus der Salpêtrière gestöbert. Aus diesen Berichten hatte sie einige skizzenhafte Biographien zusammengestellt. «Augustines Eltern waren beide Bedienstete», erzählte sie. «Bald nach ihrer Geburt brachten sie sie zu Verwandten. Dort blieb sie sechs Jahre, dann wurde sie in eine Klosterschule gesteckt. Sie war ein zorniges Mädchen – aufsässig und schwierig. Die Nonnen glaubten, sie wäre vom Teufel besessen, und spritzten ihr Weihwasser ins Gesicht, damit sie ruhiger wurde. Als sie dreizehn war, warfen die Nonnen sie hinaus, und sie ging zu ihrer Mutter zurück, die in einem Pariser Haushalt als Zimmermädchen arbeitete. Die Fallstudie erwähnt nicht, was aus ihrem Vater wurde. Er verschwand wohl irgendwie. Augustine wurde ‹unter dem Vorwand› eingestellt, sie solle den Kindern des Hauses das Singen und Nähen beibringen. Dafür durfte sie in einem kleinen Kabuff schlafen. Es stellte sich heraus, dass ihre Mutter eine Affäre mit dem Hausherrn hatte. In den Akten heißt er einfach ‹Monsieur C.›. Nicht lange nachdem Augustine eingezogen war, machte sich Monsieur C. an sie heran, aber sie wies ihn ab. Schließlich bedrohte er sie mit einem Rasiermesser und vergewaltigte sie. Danach bekam sie Anfälle von Krämpfen und Lähmungen. Sie halluzinierte Ratten, Hunde und große Augen, die sie anstarrten. Schließlich brachte ihre Mutter sie in die Salpêtrière, wo Hysterie diagnostiziert wurde. Sie war fünfzehn.»

«Nach solchen Erlebnissen würden viele Leute durchdrehen», sagte ich.

«Sie hatte keine Chance. Du würdest dich wundern, wie viele dieser Mädchen und Frauen aus ähnlichen Verhältnissen kamen. Die meisten waren bitterarm. Viele wurden von einem Elternteil oder Verwandten zum anderen geschoben. Alle waren als Kinder entwurzelt worden. Etliche waren auch von einem Angehörigen, dem Arbeitgeber oder sonst jemandem sexuell belästigt worden.» Violet schwieg eine Weile. «Es gibt noch immer Psychoanalytiker, die von einer ‹hysterischen Persönlichkeit› sprechen, aber die meisten halten Hysterie gar nicht mehr für eine Geisteskrankheit. Das Einzige, was noch in Büchern abgehandelt wird, ist die ‹Konversionshysterie› oder ‹Konversionsneurose›: Da wachst du eines Morgens auf und kannst deine Arme oder Beine nicht mehr bewegen, ohne einen körperlichen Befund dafür.»

«Du meinst also, Hysterie sei eine ärztliche Erfindung.»

«Nein, das wäre zu vereinfacht. Die Ärzteschaft war be-

stimmt daran beteiligt, aber dass so viele Frauen hysterische Anfälle hatten, nicht nur solche, die deswegen in Anstalten behandelt wurden, liegt jenseits der Ärzte begründet. Ohnmachten,
Um-sich-Schlagen und Schaum vor dem Mund waren im neunzehnten Jahrhundert viel verbreiteter. Heutzutage kommt so
was kaum noch vor. Findest du das nicht sonderbar? Ich meine,
die einzige Erklärung ist, dass Hysterie wirklich ein verbreitetes
kulturelles Phänomen war – ein zulässiger Ausweg.»

«Woraus?»

«Aus Monsieur C.s Haus zum Beispiel.»

«Glaubst du, Augustine hat simuliert?»

«Nein. Ich glaube, sie war wirklich krank. Käme sie heute in
ein Krankenhaus, würde man sie für schizophren oder bipolar
erklären, aber es lässt sich nicht leugnen, dass diese Begriffe
ebenfalls recht vage sind. Ich glaube, ihre Krankheit nahm diese
spezielle Form an, weil sie in der Luft lag wie ein Virus – so wie
heute Anorexia nervosa.»

Während ich über ihre Bemerkung nachdachte, fuhr Violet
fort: «Als Kinder verbrachten meine kleine Schwester Alice und
ich viel Zeit in der Scheune. In dem Sommer, als ich neun war
und Alice sechs, spielten wir mit unseren Puppen oben auf dem
Heuboden. Wir saßen uns gegenüber und ließen unsere Puppen
sprechen, als Alice plötzlich so einen komischen Gesichtsausdruck bekam und auf das kleine Fenster zeigte: ‹Guck mal, Violet›, sagte sie, ‹da ist ein Engel.› Ich sah nichts außer dem kleinen sonnigen Viereck, aber es gruselte mich, und sekundenlang
dachte ich, da könnte eine Gestalt sein – etwas Blasses, Schwe-
reloses. Alice fiel hin und fing an, um sich zu treten und zu würgen. Ich packte sie und versuchte, sie zu schütteln. Zuerst
dachte ich, sie würde Quatsch machen, aber dann sah ich, dass
ihre Augen ganz verdreht waren, und ich wusste, es war ernst.
Ich schrie nach meiner Mutter, und dann begann ich an meiner
eigenen Spucke zu ersticken. Ich strampelte und rollte im Heu
herum. Meine Mutter kam angelaufen und stieg die Leiter zu

uns herauf. Ich war völlig von Sinnen, Leo. Ich schrie so laut, dass ich heiser wurde. Meine Mutter brauchte eine Weile, bis sie herausfand, wer von uns beiden wirklich ein Problem hatte. Und dann musste sie mich beiseite schieben, richtig mit Gewalt, weil ich Alices Knie umklammert hielt und nicht loslassen wollte. Meine Mutter trug Alice die Leiter hinunter und fuhr mit ihr ins Krankenhaus.» Violet holte tief und schaudernd Atem und erzählte weiter. «Ich blieb mit meinem Vater zu Hause. Ich war krank vor Scham. Ich hatte den Kopf verloren. Ich hatte alles falsch gemacht. Ich war überhaupt nicht tapfer gewesen; schlimmer noch, etwas in mir wusste, dass ich das Ausrasten bloß gespielt hatte, dass es nur zum Teil echt gewesen war.» Violets Augen füllten sich mit Tränen. «Ich ging in mein Zimmer und fing an zu zählen. Ich zählte bis knapp über viertausend, dann kam mein Vater und sagte mir, Alice sei wieder in Ordnung. Er hatte mit meiner Mutter im Krankenhaus gesprochen, und ich weinte mich in seinen Armen aus.» Violet drehte den Kopf zur Seite. «Alice hatte einen Anfall von Fallsucht. Sie ist Epileptikerin.»

«Du solltest dir nicht vorwerfen, dass du Angst hattest», sagte ich.

Violet musterte mich plötzlich scharf. «Weißt du, wie Charcot begriff, was Hysterie ist? Die Hysterikerinnen waren im Krankenhaus zufällig gleich neben den Epileptikern untergebracht. Nach einem Weilchen bekamen sie Anfälle von Fallsucht. Sie wurden, was sie sahen.»

Im August mieteten Erica und ich für zwei Wochen ein Haus auf Martha's Vineyard. Wir feierten Matts vierten Geburtstag in dem kleinen weißen Gebäude, das etwa einen halben Kilometer vom Strand entfernt lag. Nach dem Aufstehen an jenem Morgen war Matt ungewöhnlich ruhig. Er setzte sich Erica und mir gegenüber an den Frühstückstisch und blickte ernst auf die vor ihm aufgebauten Geschenke. Hinter seinem Kopf sah ich durch das Küchenfenster die grüne Fläche des kleinen Vorgartens und das Glitzern des Taus im Gras. Ich wartete darauf, dass er das Geschenkpapier aufriss, doch er rührte sich nicht. Er sah so aus, als wolle er etwas sagen. Matt hielt oft inne, ehe er sprach, und sammelte sich für den bevorstehenden Satz. Seine Sprachentwicklung hatte im letzten Jahr dramatische Fortschritte gemacht, aber sie hinkte noch immer der seiner meisten Freunde hinterher.

«Willst du denn deine Geschenke nicht aufmachen?», sagte Erica.

Er nickte zu den Stapeln hin, sah wieder zu uns herüber und sagte mit klarer, lauter Stimme: «Wie kommt die Zahl in mich rein?»

«Die Zahl?», sagte ich.

«Vier.» Seine braunen Augen weiteten sich.

Erica streckte die Hand über den Tisch und legte sie auf seinen Arm. «Tut mir Leid, Matty», sagte sie, «aber wir verstehen nicht, was du meinst.»

«Vier werden», sagte er. Ich hörte ihm die Dringlichkeit an.

«Ach so, verstehe», sagte ich langsam. «Die Zahl geht gar nicht in dich rein, Matt. Man sagt zwar, du wirst vier, aber in deinem Körper passiert nichts.» Es dauerte eine Weile, Matt zu erklären, was Zahlen sind, ihm klar zu machen, dass sie abstrakte Symbole sind, Mittel, um Jahre, Tassen, Erdnüsse oder sonst was zu zählen. Am selben Abend dachte ich wieder über Matthews Vier nach, als ich Ericas Stimme aus seinem Zimmer hörte. Sie las ihm «Ali Baba und die vierzig Räuber» vor, und immer wenn sie «Sesam, öffne dich» sagte, sang Matt die Zauberworte mit. Es war nicht ungewöhnlich, dass er über den Begriff «vier werden» gestolpert war. Sein Körper hatte schließlich wunderbare Eigenschaften. Er hatte ein unsichtbares Inneres und eine weiche Oberfläche mit Ein- und Auslässen. Essen ging hinein. Urin und Exkremente kamen heraus. Wenn er weinte, floss eine salzige Flüssigkeit aus seinen Augen. Wie konnte er wissen, dass «vier werden» nicht auch irgendeine körperliche Veränderung bedeutete, eine Art physisches «Sesam, öffne dich», das es einer nagelneuen Nummer vier ermöglichte, ihren Platz neben seinem Herzen oder in seinem Magen einzunehmen oder in seinem Kopf heimisch zu werden?

In jenem Sommer hatte ich angefangen, mir Notizen zu einem geplanten Buch über wechselnde Sichtweisen in der abendländischen Malerei zu machen, einer Analyse der Konventionen des Sehens. Es war ein großes, ehrgeiziges Projekt und ein gefährliches dazu. Zeichen werden leicht mit anderen Zeichen verwechselt, ebenso wie mit den Dingen, die jenseits von ihnen in der Welt liegen. Doch Bildzeichen funktionieren anders als Wörter und Zahlen, und das Problem der Ähnlichkeit muss angesprochen werden, ohne dass man in die Falle des Naturalismus tappt. Während meiner Arbeit an dem Buch fiel mir Matts Vier häufig ein – als kleiner Hinweis darauf, eine sehr verführerische Form des philosophischen Irrtums zu vermeiden.

In Violets erstem Brief an Bill vom 15. Oktober schrieb sie: «Lieber Bill, vor einer Stunde hast du mich verlassen. Ich hatte nicht damit gerechnet, dass du so abrupt aus meinem Leben verschwinden und ohne die geringste Vorwarnung fortgehen würdest. Nachdem ich dich zur U-Bahn gebracht hatte und du mich zum Abschied geküsst hattest, kam ich nach Hause, setzte mich aufs Bett und betrachtete das von deinem Kopf zerdrückte Kissen und das von deinem Körper zerknitterte Laken. Ich legte mich aufs Bett, wo du noch vor Minuten gelegen hattest, und merkte, dass ich nicht wütend war und auch nicht weinen wollte. Ich war nur verblüfft. Als du sagtest, du müsstest wegen Mark dein altes Leben wieder aufnehmen, sagtest du es so einfach und so traurig, dass ich nicht mit dir diskutieren oder dich bitten konnte, deine Meinung zu ändern. Du warst entschlossen. Das sah ich, und ich bezweifle, dass Tränen oder Worte etwas daran geändert hätten.

Sechs Monate sind keine sehr lange Zeit. So lange ist es her, seit ich dich im Mai besucht habe, aber tatsächlich geht es schon viel länger. Wir beide haben jahrelang im anderen gelebt. Ich liebte dich vom ersten Augenblick an, als ich dich in diesem hässlichen grauen T-Shirt mit der schwarzen Farbe drauf oben an der Treppe stehen sah. Du hast an jenem Tag nach Schweiß gestunken, und du hast mich von oben bis unten gemustert, als wäre ich ein Gegenstand in einem Geschäft, den du kaufen wolltest. Aus irgendeinem Grund machte mich dieser kalte, strenge Blick verrückt vor Liebe, aber ich habe mir nichts anmerken lassen. Ich war zu stolz.»

«Ich denke an deine Schenkel», schrieb sie im zweiten Brief, «an den warmen, feuchten Geruch deiner Haut am Morgen und an die winzige Wimper in beiden Augenwinkeln, die mir immer auffällt, wenn du dich zu mir umdrehst und mich ansiehst. Ich weiß nicht, warum du besser und schöner bist als jeder andere. Ich weiß nicht, warum dein Körper etwas ist, woran ich nicht aufhören kann zu denken, warum ich diese kleinen Kuhlen und Senken auf deinem Rücken hübsch finde oder warum die blassen, weichen Sohlen deiner New-Jersey-Füße, die immer Schuhe trugen, ergreifender sind als alle anderen Füße, aber sie sind es. Ich dachte, ich würde mehr Zeit haben, deinen Körper kartographisch zu erfassen, seine Pole, seine Umrisse und Landschaften, seine inneren Regionen, die gemäßigten wie die heißen – die ganze Topographie von Haut, Muskeln und Knochen. Ich habe es dir nicht gesagt, aber ich betrachtete mich als deine lebenslange Kartographin – Jahre der Forschung und Entdeckungen, in denen sich das Aussehen meiner Karte dauernd verändert haben würde. Sie hätte immer wieder neu gezeichnet und gestaltet werden müssen, um mit dir Schritt zu halten. Ich bin sicher, mir ist manches entgangen, Bill, oder ich habe es vergessen, weil ich die halbe Zeit besinnungslos trunken vor Glück auf deinem Körper umhergewandert bin. Es gibt noch immer Stellen, die ich nicht gesehen habe.»

Im fünften und letzten Brief schrieb Violet: «Ich will, dass du zu mir zurückkommst, aber auch wenn du nicht kommst, bin ich jetzt in dir. Es begann mit den Porträts von mir, von denen du sagtest, sie zeigten dich. Wir haben uns ineinander eingeschrieben und -gezeichnet. Tief. Du weißt, wie tief. Wenn ich allein schlafe, höre ich dich atmen, und das Komischste daran ist, ich fühle mich wohl allein, bin glücklich allein, bin imstande, allein zu leben. Ich sterbe nicht vor Sehnsucht nach dir, Bill. Ich will dich einfach, und wenn du immer bei Lucille und Mark bleibst, werde ich nie kommen und mir zurückholen, was ich dir in der Nacht gab, als wir den Mann hinter den Mülltonnen vom Mond singen hörten. In Liebe, Violet.»

Bills Trennung von Violet dauerte fünf Tage. Am 15. zog er wieder in die Wohnung über uns ein und führte seine Ehe weiter. Am 19. verließ er Lucille endgültig. Beide, Bill und Violet, riefen Erica und mich an und erzählten, was geschehen war, und keiner von beiden leugnete dabei seine Gefühle. Ich sah Violet in der Zeit nur einmal. Am Morgen des 16. traf ich sie im Hausflur, unten an der Treppe. Seit dem Anruf mit der Neuigkeit hatte Erica vergeblich versucht, sie zu erreichen. «Sie klang zwar ruhig», hatte Erica gesagt, «aber sie muss am Boden zerstört sein.» Aber so sah Violet nicht aus. Sie schien nicht einmal traurig. Sie trug ein marineblaues Kleidchen, das ihrer Figur schmeichelte. Ihre Lippen waren glänzend rot geschminkt, ihr Haar kunstvoll zerzaust. Ihre hochhackigen Schuhe sahen neu aus, und sie schenkte mir ein strahlendes Lächeln. In der Hand hielt sie einen Brief. Als ich sie fragte, wie es ihr gehe, reagierte sie kühl und knapp auf meinen mitfühlenden Unterton – eine Warnung, lieber keine Spur von Mitleid zu zeigen. «Mir geht's gut, Leo. Ich will nur einen Brief für Bill abgeben. So geht es schneller als mit der Post.»

«Ist Schnelligkeit wichtig?», sagte ich.

Violet sah mir fest in die Augen und sagte: «Schnelligkeit und Strategie. Darauf kommt es jetzt an.» Mit einer einzigen, entschlossenen Bewegung legte sie den Brief auf den Briefkasten. Dann wirbelte sie auf ihren hohen Absätzen herum und ging zur Tür. Ich war mir sicher, Violet wusste, dass sie einen ihrer besten Momente erlebte. Ihre aufrechte Haltung, ihr leicht gerecktes Kinn, das Klacken ihrer Absätze auf den Fliesen wären ohne Publikum verschwendet gewesen. Vor dem Hinausgehen drehte sie sich um und zwinkerte mir zu.

Bill hatte mir nie gesagt, dass er noch einmal über seine Ehe nachdachte, doch ich wusste, dass Lucille ihn häufiger anrief, nachdem er ihr von Violet erzählt hatte. Ich wusste auch, dass sie sich mehrmals getroffen hatten, um über Mark zu sprechen. Ich weiß nicht, was Lucille zu ihm gesagt hat, doch ihre Worte müssen an Bills Schuldgefühl wie an sein Pflichtbewusstsein gerührt haben. Ich war davon überzeugt, dass er Violet verlassen hatte, weil er aufrichtig glaubte, es wäre der einzig gangbare Weg für ihn. Erica meinte, Bill habe den Verstand verloren, aber sie war ja auch parteiisch. Nicht nur mochte sie Violet sehr, sie hatte auch etwas gegen Lucille. Ich versuchte, Erica gegenüber in Worte zu fassen, was ich schon lange an Bill wahrgenommen hatte: etwas Rigides in seiner Persönlichkeit, das ihn mitunter in absolute Positionen trieb. Bill hatte mir einmal erzählt, er habe mit etwa sieben Jahren seinen eigenen strengen moralischen Verhaltenskodex aufgestellt. Ich denke, er merkte, dass es etwas arrogant war, an sich selbst einen höheren Maßstab anzulegen als an andere, doch solange ich ihn kannte, gab er die Vorstellung nie auf, er lebe mit besonderen Einschränkungen. Vermutlich beruhte das auf dem Glauben an seine Talente. Als

Kind konnte Bill schneller laufen, weiter werfen und besser Ball spielen als alle anderen gleichaltrigen Jungen. Er sah gut aus, war gut in der Schule, konnte genial zeichnen und war sich, anders als viele andere begabte Kinder, seiner Überlegenheit deutlich bewusst. Doch für ihn hatte das seinen Preis. Nie tadelte er andere wegen ihrer Unentschiedenheit, ihrer moralischen Schwäche oder ihres verworrenen Denkens, aber sich selbst gestattete er dergleichen nie. Angesichts von Lucilles Bereitwilligkeit, es noch einmal zu versuchen, und Marks Bedürfnis nach einem ständig verfügbaren Vater gehorchte er seinen inneren Gesetzen, auch wenn er damit gegen seine Gefühle für Violet handelte.

Bill und Violet liebten die Geschichte ihrer kurzen Trennung und Wiedervereinigung. Sie erzählten sie beide auf die gleiche Weise, ganz einfach, so als wäre es ein Märchen, ohne je zu erwähnen, was in den Briefen stand: Eines Morgens wachte Bill auf und sagte Violet, er müsse sie verlassen. Sie begleitete ihn zur U-Bahn, und sie küssten sich zum Abschied. Dann brachte Violet fünf Tage hintereinander einen Brief in die Greene Street, und jeden Tag trug Bill ihn nach oben und las ihn. Am 19., nachdem er den fünften Brief gelesen hatte, sagte er Lucille, die Situation sei hoffnungslos, verließ unser Haus, ging in Violets Wohnung in der East 7th Street und erklärte ihr seine unsterbliche Liebe, worauf sie in Tränen ausbrach und zwanzig Minuten lang schluchzte.

Heute betrachte ich die fünf Tage, die sie getrennt waren, als Zeit eines Kampfes zwischen zwei willensstarken Charakteren, und nun, da ich die Briefe gelesen habe, ist mir klar, warum Violet gewonnen hat. Sie stellte Bills Recht, zu tun, was er seinem Gefühl nach tun musste, nie infrage. Sie überredete ihn einfach dazu, sie zu wählen statt seiner Frau, scheinbar ohne überhaupt davon zu reden und indem sie Lucilles Namen nur ein einziges Mal nannte. Violet wusste, dass Lucille die Zeit, einen Sohn und die Legitimität auf ihrer Seite hatte, und zudem Bills unbeugsames Verantwortungsgefühl, doch stellte sie niemals seinen Moralkodex infrage. Sie zermürbte ihn mit der einzigen Wahrheit, die sie ihm zu bieten hatte, nämlich dass sie ihn glühend liebte, und sie wusste, dass Leidenschaft genau das war, was Lucille fehlte. Später, wenn Violet über die Briefe sprach, machte sie unmissverständlich klar, dass sie sie mit Bedacht geschrieben hatte. «Sie mussten aufrichtig sein», sagte sie, «aber sie durften nicht gefühlsduselig klingen. Sie mussten gut geschrieben sein, ohne eine Spur von Selbstmitleid, und sexy, ohne pornographisch zu wirken. Ich will mich ja nicht loben, aber sie haben ihr Ziel erreicht.»

Lucille hatte Bill gebeten zurückzukommen. Das hat er mir ganz offen gesagt, doch ich glaube, ihre Sehnsucht nach ihm ließ nach, kaum dass er wieder da war. Er erzählte mir, sie habe schon nach wenigen Stunden erst seine Art abzuspülen kritisiert und dann die Geschichte, die er Mark vorlas – *Busy Day, Busy People*. Lucilles Kühle und Unnahbarkeit waren für Bill das Anziehendste an ihr gewesen, zumal sie sich ihrer Macht über ihn gar nicht bewusst schien. Doch Nörgeln ist eine Strategie der Machtlosen, es hat nichts Geheimnisvolles. Ich habe den Verdacht, dass der freudlose Klang von Lucilles häuslichem Gemäkel Violets Sache, die in den Briefen mit so offenkundiger Zielstrebigkeit zum Ausdruck gebracht wurde, sehr weiterhalf. Ich habe Lucille nie über diese Tage sprechen hören, daher weiß ich nicht, was sie dabei empfand, doch vermutlich stieß ein Teil von ihr, ob bewusst oder unbewusst, Bill zurück – zumindest ist das eine mögliche Erklärung, die Violets Sieg etwas weniger bemerkenswert macht, als sie ihn wohl fand.

Violet zog zu Bill in die Bowery 89, und kaum angekommen, begann sie sauber zu machen. Mit einem Eifer, der das Erbe einer langen Reihe skandinavischer Protestanten gewesen sein muss, schrubbte, desinfizierte, sprühte und polierte sie, bis der Loft ganz fremd, kahl, fast grotesk aussah. Lucille blieb über uns wohnen, und der vierjährige Mark nahm sein Pendlerleben wieder auf. Bill sprach nie mit mir über seine Erleichterung und Freude. Das brauchte er auch nicht. Mir fiel auf, dass er mir wieder auf den Rücken klopfte und liebevoll meinen Arm nahm, und das Komische daran war: Mir wurde erst als er mich wieder anfasste, überhaupt bewusst, dass er damit aufgehört hatte.

Die Tage kamen und gingen mit fast liturgischer Zuverlässigkeit – Beschwörungen des Alltäglichen und Vertrauten. Morgens sang Matt mit seiner hohen, misstönenden Stimme vor sich hin, während er sich ganz, ganz langsam anzog. An vier Tagen in der Woche flitzte Erica mit ihrer Aktentasche unterm Arm und einem Muffin in der Hand aus dem Haus. Ich brachte Matt zur Vorschule und fuhr dann mit der Expresslinie uptown. In der U-Bahn verfasste ich im Kopf Absätze eines Kapitels mit dem Schwerpunkt auf Plinius' Naturgeschichte, während ich die Gesichter und Körper der anderen Fahrgäste zugleich sah und nicht sah. Ich spürte ihre Körper, die an meinen gepresst waren, roch ihren Tabak- und Schweißgeruch, ihre süßlichen Parfüms, ihre medizinischen Salben und Heilkräutermedikamente. Ich hielt den Jungs von der Columbia University und ein paar Mädels von Barnard eine Einführungsvorlesung in die abendländische bildende Kunst und hoffte, einige der Bilder würden ihnen unvergesslich bleiben – die gold-blaue Abstraktion eines Cimabue, die befremdliche Schönheit von Giovanni Bellinis *Madonna in der Wiese* oder der Schrecken von Holbeins totem Christus. Ich hörte mir Jacks Klagen über die braven Studenten an: «Ich hätte nie gedacht, dass ich mich nochmal nach diesen Typen vom SDS zurücksehnen würde.» Nach der Arbeit fanden Erica und ich zu Hause Matt und Grace vor. Er saß damals oft auf ihrem Schoß, einem Plätzchen, das er «das weiche Haus» nannte. Wir machten ihm etwas zu essen, badeten ihn und hörten uns seine Geschichten über Gunna an, einen wilden Rotschopf aus einem Land namens «Lutit», irgendwo im «Norden». Er stritt auch mit uns, vor allem wenn er sich in Superman oder Batman verwandelte und wir die Frechheit besaßen, mit Anweisungen zum Zähneputzen und Ins-Bett-Gehen seine Omnipotenz herauszufordern. Erica half Violets Dissertation redigieren. Die Ideen flogen nur so zwischen den beiden hin und her, sie regten sich gegenseitig an. Manchmal musste ich Erica abends den Rücken massieren, um die Spannung zu lösen, von der sie nach langen Telefonaten mit Violet über kulturelle Ansteckung und das Problem des Subjekts Kopfschmerzen bekommen hatte.

Wenn Mark nicht bei ihm war, arbeitete Bill bis tief in die Nacht an den Installationen zur Hysterie. Violet schlief oft schon, wenn er aufhörte. Sie erzählte mir, dass er sich zum Essen selten hinsetzte, und wenn doch, saß er mit dem Teller auf dem Schoß vor seiner Arbeit und sagte nichts. Weder Bill noch ich hatten in jenem Jahr viel Zeit zum gemeinsamen Kaffeetrinken oder Mittagessen, aber mir war auch klar, dass Violet die Grundzüge unserer Freundschaft verändert hatte. Nicht, dass Bill mich offen vernachlässigte. Wir telefonierten. Ich sollte über die Arbeiten zur Hysterie schreiben, und immer wenn ich ihn sah, gab er mir etwas zu lesen – einen *Raw*-Comic, ein Buch mit medizinischen Fotos oder einen obskuren Roman. In Wahrheit hatte Violet in ihm eine Passage geöffnet, die ihn noch weiter in sein Alleinsein geführt hatte. Ich konnte nur raten, was zwischen ihnen stattgefunden hatte, doch manchmal spürte ich, dass ihre Vertrautheit so unerschrocken und unbändig war, wie ich selbst es noch nie erlebt hatte, und das Bewusstsein dieses Mangels in mir machte mich irgendwie ruhelos. Das Gefühl hinterließ einen schalen Geschmack in meinem Mund, und ich litt an einer durch nichts zu befriedigenden Sehnsucht. Was ich empfand, war weder Hunger noch Durst oder sexuelles Verlangen. Es war ein undeutliches, aber ständig nagendes Bedürfnis nach etwas Namenlosem und Unbekanntem, das ich seit meiner Kindheit von Zeit zu Zeit verspürt hatte. In einigen Nächten jenes Jahres lag ich neben meiner schlafenden Frau, wach mit dieser Leere im Mund, ging schließlich ins Wohnzimmer, setzte mich auf den Stuhl am Fenster und wartete, bis es Morgen wurde.

Lange hielt ich Dan Wechsler für einen weiteren Vermissten in einer Familie von vermissten Männern. Moishe, der Großvater, war verschwunden. Sy, der Vater, war zwar geblieben, hatte sich aber emotional aus dem Staub gemacht. Dan, der Jüngste in diesen drei Generationen von Männern, war in New Jersey versteckt – je nach Geisteszustand als Phantombewohner einer offenen Anstalt oder einer Klinik. In jenem Jahr gaben Bill und Violet ein kleines Thanksgiving-Essen in der Bowery, zu dem Dan eingeladen wurde. Daraufhin hatte er Bill jeden Tag angerufen. Mal sagte er ab. Mal sagte er zu. Tags darauf rief er wieder an, um zu sagen, er werde nicht kommen. Doch im letzten Augenblick brachte er den Mut auf, in den Bus zum Port-Authority-Bahnhof zu steigen, wo Bill ihn abholte. Wir waren zu siebt: Bill, Violet, Erica, Dan, Matthew, Mark und ich. Regina war zu Als Familie gefahren, und die Bloms hatten es zu weit und zu teuer gefunden, für den Feiertag nach New York zu reisen. Dans Verrücktheit war nicht zu übersehen. Seine Fingernägel hatten breite schwarze Schmutzränder, und auf seinem Hals lag eine dicke Schicht aschgrauer trockener Hautschuppen. Sein Hemd war falsch geknöpft, wodurch sein ganzer Oberkörper schief wirkte. Beim Essen saß ich neben ihm. Während ich noch die Serviette auseinander faltete und auf meinen Schoß legte, hatte Dan schon zu seinem Dessertlöffel gegriffen und stopfte sich mit erstaunlicher Geschwindigkeit Truthahnfleisch und

Füllung in den Mund. Nach ungefähr dreißig Sekunden war es mit seinem gierigen Mampfen vorbei. Dann zündete er sich eine Zigarette an, saugte fest daran, wandte sich mir abrupt zu und sagte mit lauter, aufgeregter Stimme: «Leo, isst du gern?»

«Ja», sagte ich. «Ich esse fast alles gern.»

«Das ist gut», sagte er, aber es klang enttäuscht. Er begann, mit der freien Hand fest seinen Unterarm zu kratzen. Die Fingernägel hinterließen rote Striemen auf seiner Haut. Danach schwieg er. Seine großen Augen, die viel Ähnlichkeit mit denen seines Bruders hatten, nur dass ihre Iris dunkler war, wandten sich plötzlich von mir ab.

«Isst du gern?», sagte ich.

«Nicht sehr.»

«Dan, du hast doch gestern Cracker gegessen, als ich dich anrief», unterbrach uns Bill.

Dan lächelte. «Richtig. Stimmt!» Er sagte es glücklich, dann stand er vom Tisch auf und begann, auf und ab zu gehen. Er ging mit gebeugten Schultern und gesenktem Kopf und machte dabei seltsame Gesten mit der linken Hand. Er formte aus Zeigefinger und Daumen ein O, ballte die Hand dann zur Faust, und nach einem Weilchen machte er wieder das O.

Bill ignorierte seinen Bruder und setzte sein Gespräch mit Erica und Violet fort. Matt und Mark blieben noch ein paar Minuten sitzen, dann sprangen sie vom Tisch auf, rannten herum und verkündeten, sie seien «Superhelden». Dan ging auf und ab. Die verzogenen Dielen knarrten bei jedem seiner Schritte. Beim Gehen führte er Selbstgespräche und unterbrach seinen Monolog mit kurzen Lachern. Violet blickte wiederholt zu ihm hinüber, sah dann Bill an, doch der schüttelte den Kopf, um ihr zu bedeuten, sie solle nicht eingreifen.

Als wir mit dem Dessert fertig waren, bemerkte ich, dass Dan sich in die hinterste Ecke des Raumes zurückgezogen hatte, wo er auf dem Hocker an Bills Arbeitstisch saß. Ich stand auf und ging zu ihm. Im Näherkommen hörte ich ihn sagen: «Dein

Bruder lässt dich nicht in diese stinkende Baracke zurückgehen. Mutter ist alt geworden. Sie tut ja ohnehin nur so, als hätte sie dich gern.»

Ich sagte seinen Namen.

Der Klang meiner Stimme erschreckte ihn wohl, denn ich sah, wie ein Ruck durch seinen ganzen Körper ging. «Entschuldigung», sagte er. «Ich hoffe, es ist in Ordnung, dass ich hier bin. Ich musste nachdenken. Ich habe ziemlich scharf nachgedacht.»

Ich setzte mich neben ihn. Ich konnte ihn riechen. Dan stank nach Schweiß, und sein Hemd hatte unter den Armen große feuchte Flecken. «Worüber denkst du denn nach?»

«Mysteriös», sagte er. Er zerrte an ein paar Haaren auf seinem Unterarm und drehte sie zu einem kleinen Knoten. «Ich habe es schon zu Bill gesagt. Es ist komisch, weil es zwei Seiten hat – männlich und weiblich.»

«So? Inwiefern denn?»

«Es ist so: Es kann Mister Jös sein oder Miss Terriös. Verstehst du?»

«Ja.»

«Sie sind der Held und die Heldin in dem Stück, das ich schreibe.» Er riss plötzlich heftig an den Haaren auf seinem Arm, zündete sich noch eine Zigarette an und starrte zur Decke hinauf. Seine Augen waren schwarz umrandet, doch sein hageres Profil ähnelte dem von Bill, und einen Augenblick stellte ich mir die beiden als kleine Jungen vor, wie sie in einem Vorgarten standen. Dan versank wieder in seine Gedanken, und das O tauchte erneut auf, wobei seine Finger die Bewegungen diesmal dringlich und schnell machten. Er erhob sich und ging wieder auf und ab. Violet kam dazu.

«Hast du Lust, dich auf einen Cognac zu uns an den Tisch zu setzen?», sagte sie.

«Danke, Violet», sagte Dan höflich. «Aber ich möchte lieber rauchen und auf und ab gehen.»

Nach ein paar Minuten kam er dann doch an den Tisch. Er setzte sich neben Bill, lehnte sich an ihn und begann, ihm fest auf die Schulter zu klopfen. «Mein großer Bruder. Big Bill, guter alter B. B., Big Boom Bill ...»

Bill beendete Dans Klopferei, indem er den Arm um ihn legte. «Ich freue mich, dass du dich entschlossen hast zu kommen. Es ist schön, dass du da bist.»

Dan grinste breit und nippte ein Schlückchen aus dem Cognacschwenker vor ihm.

Eine Stunde später war das Geschirr abgewaschen und weggeräumt. Die beiden Jungen spielten am Fenster mit Bauklötzen, während Violet, Erica, Bill und ich über der Matratze standen, auf der Dan lag und wie tot schlief. Er hatte sich eng zusammengerollt, die Arme um die Knie geschlungen, und keuchte leise mit offenem Mund. Eine zerbrochene Zigarette und sein Feuerzeug lagen neben ihm auf der Decke. «Ich hätte ihn diesen Brandy nicht trinken lassen dürfen», sagte Bill. «Womöglich verträgt er sich nicht mit dem Lithium.»

Dan kam nicht oft in die Bowery, doch ich weiß, dass Bill ihn regelmäßig anrief, manchmal jeden Tag. Der arme Dan war ganz närrisch. Sein Leben war ein täglicher Kampf gegen den Zusammenbruch, der ihn wieder in die Klinik bringen würde. Von Paranoiaschüben gequält, rief er an, um zu fragen, ob Bill ihn noch möge oder, schlimmer, ob Bill vorhabe, ihn umzubringen. Doch trotz seiner Krankheit hatte Dan charakterliche Gemeinsamkeiten mit seinem Bruder. Beide wurden von Emotionen getrieben, die nicht leicht zu beherrschen waren. Bei Bill fanden diese machtvollen Gefühle ein Ventil in der Arbeit. «Ich arbeite, um zu leben», sagte er mir einmal, und nachdem ich Dan kennen gelernt hatte, verstand ich viel besser, was er damit gemeint hatte. Kunst zu schaffen war für Bill notwendig, um ein minimales Gleichgewicht aufrechtzuerhalten, um weitermachen zu können. Dans Stücke und Gedichte blieben meist unfertig, die fahrigen Produkte eines Geistes, der sich im Kreis drehte und nie aus sich selbst herauskonnte. Gehirn, Nerven und persönliche Geschichte hatten dem älteren Bruder die Kraft verliehen, den Belastungen eines normalen Lebens standzuhalten. Dem jüngeren Bruder nicht.

Ich hörte Lucille jeden Tag über uns hin- und hergehen. Sie hatte einen besonderen Schritt, leicht, aber etwas schlurfend. Begegnete ich ihr im Treppenhaus, dann lächelte sie immer verlegen, bevor wir uns unterhielten. Nie erwähnte sie Bill oder Violet, und obwohl ich sie immer nach ihrer Arbeit fragte, bat sie mich nie wieder, ihre Gedichte zu lesen. Auf mein Drängen lud Erica Lucille und Mark in jenem Frühjahr zu einem frühen Abendessen ein. Lucille hatte zu diesem Anlass ein Kleid angezogen, einen komischen beigen, außerordentlich unvorteilhaften Sack. Obwohl sich ihr Körper unter dem schlecht ausgewählten Kleid versteckte, war ich gerührt. Ich deutete das als weiteres Zeichen ihrer Weltabgewandtheit und fand die Hässlichkeit eher ergreifend als abstoßend. Als sie mir an jenem Abend bei Tisch gegenübersaß, wunderte ich mich über die strengen Züge ihres blassen ovalen Gesichts. Ihre Beherrschung verlieh ihr eine Aura fast völliger Leblosigkeit, so als wäre sie durch irgendeinen übernatürlichen Zufall ein Jahrhunderte vor ihrer Geburt angefertigtes Gemälde ihrer selbst geworden.

An jenem Abend kramten Mark und Matt ihre Halloween-Kostüme hervor und tobten darin herum. Mark trug einen dünnen Nylonanzug mit aufgemaltem Skelett, und Matt war ein spindeldünner, winziger Superman in einem blauen Pyjama mit einem roten S aus Filz auf der Brust und einem Cape aus dem gleichen Stoff. Matt rief Mark «Skelimann» und «Knochenkopp». Nach einigen Minuten war aus den Spitznamen ein lauter Gesang geworden: «Skeli Skeli Mausetot.» Die beiden Knaben stampften an den Fenstern unseres Lofts im Kreis herum. Wie zwei übergeschnappte Totengräber sangen sie wieder und wieder: «Skeli! Skeli! Mausetot!» Erica beobachtete sie, und auch ich drehte mich mehrmals zu ihnen um, um mich zu vergewissern, dass sie sich nicht in eine Raserei hineinsteigerten, die in Tränen enden würde, doch Lucille schien ihren Sohn gar nicht zu bemerken und auch den Singsang nicht zu hören, den Matt sich für ihr Spiel ausgedacht hatte.

Sie teilte uns mit, sie überlege, eine Stelle für Creative Writing an der Rice University in Houston anzunehmen, die man ihr angeboten hatte. «Ich war noch nie in Texas», sagte sie. «Wenn ich die Stelle annehme, hoffe ich, einen oder zwei Cowboys kennen zu lernen. Ich habe noch nie einen getroffen.» Lucille vermied beim Sprechen Verschleifungen – ein kleiner Tick, der mir erst bei diesem Essen auffiel. «Cowboys haben mich interessiert, seit ich klein war, keine echten natürlich, sondern die, die ich mir selbst erfand. Die echten werden mich vielleicht furchtbar enttäuschen.»

Lucille nahm die Stelle an und ging Anfang August mit Mark nach Texas. Zu der Zeit waren sie und Bill schon zwei Monate geschieden. Fünf Tage nachdem die Scheidung rechtsgültig wurde, waren Bill und Violet verheiratet. Die Hochzeit fand am 16. Juni im Loft in der Bowery statt, am gleichen Tag, als Joyces jüdischer Ulysses in Dublin umherwandert. Beim Gelöbnis fiel mir auf, dass Violets Familienname Blom nur ein «o» von Bloom entfernt war, und diese bedeutungslose Verbindung brachte mich dazu, über Bills Familiennamen Wechsler nachzudenken, der Wechsel und Veränderung bedeutet. In Blüte stehen und Veränderungen herbeiführen, dachte ich.

Bill und Violet hatten sich in Paris, weit weg von Familie und Freunden, trauen lassen wollen. Das hatten sie auch Regina und Violets Eltern erzählt. Doch die verwickelten französischen Gesetze verdarben ihnen die romantische Laune, und so heirateten sie schnell noch vor ihrer Abreise. Die Einzigen, die dem Ereignis beiwohnten, waren Matt, Dan, Erica und ich. Mark und Lucille waren mit Lucilles Familie auf Cape Cod. Regina und Al waren auf einer Kreuzfahrt, und die Bloms planten später im Jahr in Minnesota einen Empfang für das Paar.

Wir sechs waren in Schweiß gebadet, da die Temperatur auf fast vierzig Grad Celsius angestiegen war. Der Deckenventilator verteilte die glühende Luft nur gleichmäßig und quietschte während der gesamten kurzen Zeremonie, die ein kahlköpfiger kleiner Mann von der Ethical Culture Society vornahm. Nachdem dieser einige Worte gesprochen und «Das Gutmorgen» von John Donne vorgelesen hatte, erklärte er Bill und Violet zu Mann und Frau. Nur Minuten später erhob sich ein Wind, blies durch die Fenster, und es fing an zu regnen. Es regnete in Strömen und donnerte, während wir zur Musik der Supremes tanzten und Champagner tranken. Wir alle tanzten. Dan tanzte mit Violet, mit Erica, mit Matt und mit mir. Er stampfte mit den Füßen auf und gab hin und wieder ein tiefes, polterndes Lachen von sich, ehe ihn sein Wunsch, allein zu sein, zu rauchen und auf und ab zu gehen, in eine Ecke lockte. Erica hatte Matt in einen Blazer mit Fliege und graue Hosen gesteckt, aber er tanzte barfuß in nichts als seinem weißen Unterhemd und der Unterhose. Er wackelte mit den Händen über seinem Kopf und schwang im Rhythmus der Musik die Hüften vor und zurück. Braut und Bräutigam tanzten ebenfalls. Violet rock-'n'-rollte mit zurückgeworfenem Kopf, und Bill hielt mit. Spontan hob er sie hoch, trug sie aus der Tür ins Treppenhaus und wieder herein.

«Was macht Onkel Bill da mit Violet?», fragte mich Matt.

«Er trägt sie über die Türschwelle.» Ich kauerte mich neben ihn, um ihm die Symbolik von Türen zu erklären. Matt sah mich mit aufgerissenen Augen an und wollte wissen, ob ich das mit Mommy auch gemacht hätte. Das hatte ich nicht, und als ich in sein Gesicht blickte, sah ich meine Männlichkeit ein wenig neben der des starken Onkel Bill verblassen.

Bill hatte nicht gewollt, dass Lucille mit Mark aus New York fortging, doch je mehr er darauf bestand, dass sie blieb, umso sturer war Lucille geworden, und er verlor diesen ersten Kampf um seinen Sohn. Bill behielt den Loft, den er von seiner Erbschaft gekauft hatte. Sein Truck, sein Sparkonto, die Möbel, die er und Lucille zusammen angeschafft hatten, und drei Porträts von Mark verschwanden mit der Vereinbarung. Als Bill und Violet aus Frankreich zurückkamen, waren Lucille und Mark schon nach Texas gezogen, und der Loft über uns war, mit Ausnahme von Bills Büchern, völlig leer geräumt. Violet machte tüchtig sauber, und dann zogen sie ein. Doch Ende September, nur wenige Wochen nach ihrem Umzug, rief Lucille aus Texas an und sagte Bill, sie sei nicht in der Lage, Mark zu versorgen und zugleich zu unterrichten. Sie setzte Mark in ein Flugzeug und schickte ihn nach Hause zu seinem Vater. Mark landete wieder in der Greene Street bei Bill und Violet, in derselben Wohnung, in der er einige Jahre mit seiner Mutter gelebt hatte. Sie muss einen sehr gewandelten Eindruck auf ihn gemacht haben. Lucille war eine nachlässige Hausfrau. Obwohl nicht so schlampig wie Bill, hatte auch sie mit Haufen von Büchern auf dem Boden, überall verstreutem Spielzeug und Herden von Wollmäusen gelebt. Violet nahm die neue Wohnung mit dem für sie typischen Eifer in Besitz. Die weitgehend leeren Räume funkelten von ihren heftigen Säuberungsaktionen. An dem Tag, als ich den Loft zum ersten Mal in seiner neuen Gestalt sah, stand eine durchscheinende Glasvase auf einem schlichten neuen Tisch, den Bill gebaut und Violet dunkeltürkis lackiert hatte. In der Vase waren zwanzig knallrote Tulpen.

Als dann gegen Ende Oktober 1983 die Arbeiten zur Hysterie ausstellungsreif waren, war das SoHo, wohin Erica und ich 1975 gezogen waren, verschwunden. An die Stelle seiner meist ausgestorbenen Straßen und seiner stillen Schäbigkeit war neuer Glanz getreten. Eine Galerie nach der anderen machte auf – mit abgezogenen und frisch gestrichenen Türen. Modeboutiquen schossen aus dem Boden und stellten in riesigen kahlen Räumen sieben oder acht Kleider, Röcke oder Pullover aus, so als wären auch diese Kleidungsstücke Kunstwerke. Bernie machte aus seiner großen weißen Galerie im ersten Stock am West Broadway eine noch elegantere, größere, weißere Galerie, und je mehr Kunst er verkaufte, umso schneller lief Bernie und umso höher hüpfte er. Immer wenn ich ihm an einer Straßenecke oder in einem Café begegnete, quasselte er wackelnd und zappelnd über diesen oder jenen neuen Künstler und grinste breit über ausverkaufte Ausstellungen und steigende Preise. Bernie hatte nichts gegen Geld. Er nahm es mit einem Überschwang und einer Unbescheidenheit, die ich einfach bewundern musste. Booms und Pleiten kommen und gehen in New York in rhythmischer Folge, doch nie habe ich mich großen Geldbeträgen so nahe gefühlt wie damals. Diese Dollars lockten scharenweise Fremde in unser Viertel. Busse hielten auf dem West Broadway und luden Touristen aus, meist weiblich und mittleren Alters. Die Frauen trotteten in Gruppen umher und besuchten eine Kunstgalerie nach der anderen. Gewöhnlich trugen sie Trainingsanzüge – eine Mode mit dem widerwärtigen Effekt, dass sie aussahen wie alt gewordene Kinder. Junge Europäer kamen und kauften Lofts auf. Nachdem sie ihre neuen Buden nach der damaligen minimalistischen Mode eingerichtet hatten, machten sie sich auf den Weg in die Straßen, Restaurants und Galerien, wo sie, ebenso ziellos wie gut gekleidet, stundenlang herumlungerten.

Kunst ist rätselhaft genug, doch der Kunsthandel ist noch rätselhafter. Das Objekt selbst wird ge- und verkauft, von einem Menschen an einen anderen weitergegeben, und doch sind an dieser Transaktion zahllose Faktoren beteiligt. Damit sein Wert wächst, ist für den Verkauf eines Kunstwerks ein bestimmtes psychologisches Klima erforderlich. Zu dieser Zeit entwickelte SoHo genau die richtige geistige Temperatur, dass die Kunst gedieh und die Preise in die Höhe schnellten. Teure Werke, einerlei, aus welcher Epoche, müssen von etwas Ungreifbarem beseelt sein – der Idee ihres Wertes. Diese Idee hat die paradoxe Wirkung, dass sie den Namen des Künstlers von dem Gegenstand löst, und der Name wird dann zum ge- und verkauften Artikel. Das Objekt zockelt nur als greifbarer Beweis hinter dem Namen her. Natürlich hat der Künstler oder die Künstlerin selbst mit alldem wenig zu tun. Doch immer wenn ich in jenen Jahren Einkäufe machte oder auf der Post in der Schlange stand, hörte ich die Namen. Schnabel, Salle, Fischl, Sherman waren damals Zauberworte, wie die in den Märchen, die ich Matt jeden Abend vorlas. Sie öffneten versiegelte Türen und füllten leere Börsen mit Gold. Der Name Wechsler rief damals noch keine richtige Begeisterung hervor, aber nach Bernies Ausstellung wurde er hier und da geflüstert, und ich ahnte, dass vielleicht auch Bill seinen Namen allmählich an das seltsame Wetter verlieren könnte, das einige Jahre über SoHo hing, ehe es plötzlich, an einem Oktobertag im Jahr 1987, wieder abzog.

Im August waren Erica und ich eingeladen, uns in seinem Atelier drei der fertigen Installationen zur Hysterie anzusehen. Dutzende kleinere Arbeiten zum selben Thema – Gemälde, Zeichnungen und Bauten – waren noch im Werden. Beim Betreten des Ateliers sah ich in der Mitte des Raumes drei große flache Kästen – drei Meter lang, zwei Meter breit, dreißig Zentimeter tief. Ihre Rahmen waren mit Leinwand bespannt, und der Stoff leuchtete – angestrahlt von im Innern der Kästen angebrachtem elektrischem Licht. Zuerst nahm ich nur die Oberflächen wahr: Flure, Treppen, Fenster und Türen waren in stumpfen Farben – Braun, Ocker, Dunkelgrün und Dunkelblau – überall aufgemalt. Stufen führten zu einer Decke ohne Zugang zum nächsten Stockwerk. Fenster gingen auf Backsteinmauern. Türen lagen auf der Seite oder neigten sich in unmöglichen Winkeln. Eine Feuerleiter schien, zusammen mit einem langen Efeubüschel, durch ein Loch von einem gemalten Außen in ein gemaltes Innen zu kriechen.

Eine Verkleidung, die mich an Plastikfolie erinnerte, war fest über die Frontseite der drei bemalten Kästen gezogen. Auf den Kunststoff waren Texte und Bilder gedruckt worden, die einen Abdruck, aber keine Farbe hinterlassen hatten. Diese Worte und Bilder hatten vor allem eine unterschwellige Wirkung, denn sie waren schwer zu erkennen. In der unteren rechten Ecke des dritten Kastens stand ein etwa fünfzehn Zentimeter großer dreidimensionaler Mann mit Zylinder und langem Mantel. Er drückte gegen eine Tür, die angelehnt schien. Als ich näher hinschaute, stellte ich fest, dass die Tür echt war. Sie hing nur an einer Angel, und durch den Spalt erblickte ich eine Straße, die wie unsere aussah: die Greene Street zwischen Canal und Grand.

Erica fand im ersten Kasten eine weitere Tür und öffnete sie. Ich stellte mich dicht neben sie und spähte in einen kleinen Raum, der von einer Miniaturdeckenlampe grell erleuchtet wurde. Die Lampe beschien eine alte Schwarzweißaufnahme, die an die rückwärtige Wand geklebt war. Darauf waren Kopf und Torso einer Frau von hinten zu sehen. Das Wort SATAN stand in großen Buchstaben auf der Haut zwischen ihren Schulterblättern. Vor dem Foto das Bild einer anderen, auf dem Boden knienden Frau. Sie war auf schwere Leinwand gemalt und dann ausgeschnitten worden. Für ihre entblößten Arme und den Rücken hatte Bill idealisierte, perlmutterne Fleischtöne verwendet, die an Tizian erinnerten. Das Nachthemd, das sie über ihre Schultern hochgezogen hatte, war von blassestem Blau. Die dritte Figur in dem Raum war ein Mann, eine kleine Wachsskulptur. Er stand mit einem Zeigestock, wie sie im Geographieunterricht benutzt werden, über der ausgeschnittenen Frau und schien etwas auf ihre Haut zu zeichnen – eine schlichte Landschaft mit einem Baum, einem Haus und einer Wolke.

Erica drehte sich um und sagte zu Violet: «Dermographie.»

«Ja, sie haben auf ihrer Haut geschrieben», sagte Bill zu mir. «Die Ärzte zeichneten mit einem stumpfen Gerät auf ihren Körpern, worauf Wörter oder Bilder auf ihrer Haut erschienen. Dann wurden die Aufschriften fotografiert.»

Bill öffnete eine weitere Tür in demselben Kasten, und ich blickte in einen zweiten Raum. Auf seiner schwarzen Rückwand prangte das gemalte Bild einer Frau, die aus einem Fenster schaute. Ihr langes dunkles Haar war auf einer Seite zusammengefasst, um ihre Schultern zu entblößen. Der Stil des Gemäldes war reinstes holländisches 17. Jahrhundert, doch Bill hatte das Bild komplexer gestaltet, indem er in Schwarz leicht darüber gezeichnet hatte. Die Zeichnung stellte dieselbe Frau dar, aber in einem anderen Stil, was auf mich wirkte, als hätte die Frau ihren eigenen Geist bei sich. Auf ihrem Arm stand zweimal, einmal mit roter Farbe und einmal mit schwarzer Kreide, «T. Barthelemy». Die Buchstaben schienen zu bluten.

«Didi-Huberman erwähnt Barthelemy», sagte Violet. «Er war Arzt irgendwo in Frankreich. Er schrieb seinen Namen auf eine Frau und befahl ihr dann, am selben Nachmittag um vier Uhr aus den Buchstaben zu bluten. Sie blutete tatsächlich, und seinem Bericht zufolge blieb der Name drei Monate lang sichtbar.» Ich blickte weiter in den kleinen erleuchteten Raum. Auf dem Boden vor dem Gemälde von Augustine lagen winzige Kleidungsstücke: ein Unterrock, ein Miniaturkorsett, Strümpfe und winzig kleine Stiefel.

Violett zog die dritte Tür auf. Den völlig weißen Raum dahinter erhellte von oben ein kleiner elektrischer Kronleuchter. Ein winziges Gemälde in einem verschnörkelten Goldrahmen lehnte an der rückwärtigen Wand. Darauf waren ein vollständig bekleideter Mann und eine nackte Frau in einem Flur zu sehen. Das Gesicht der Frau war nicht sichtbar, doch ihr Körper erinnerte mich an den von Violet. Sie lag auf dem Boden, während der junge Mann rittlings auf ihrem Rücken saß. Er hielt einen großen Füllfederhalter in der linken Hand und schien kräftig auf eine ihrer Hinterbacken zu schreiben.

Der mittlere Kasten hatte zwei Türen. Hinter der ersten war eine kleine Puppe, die mich an Goldlöckchen erinnerte – langes blondes Haar, kariertes Kleid mit weißer Schürze. Die kleine Figur hatte einen Koller. Sie kniff die Augen fest zusammen, und ihr Mund war in einem stummen Schrei aufgerissen, während ihre Arme einen Pfosten umschlangen, der das Zimmer mittig teilte. Im Verlauf des Anfalls hatte sich ihr Körper so verdreht, dass ihr Kleid hochgerutscht war, und als ich mir ihr Gesichtchen näher ansah, entdeckte ich auf einer Wange einen langen, blutigen Kratzer. Auf die Wände ringsum hatte Bill in Schwarzweiß zehn schattenhafte männliche Gestalten gemalt. Jeder Mann hielt ein Buch und hatte die grauen Augen auf das heulende Mädchen gerichtet.

Hinter der zweiten Tür des mittleren Kastens befand sich ein schwarzweißes Bild, das aussah wie eine Fotografie aus der Salpêtrière. Bill hatte eines der Fotos der «gekreuzigten» Frau als Vorlage für seine Version der Geneviève benutzt, einer jungen Frau, deren Krankheitsbild die Prüfungen von Heiligen imitiert hatte: Lähmungen, Anfälle und Stigmata. Davor auf dem Boden lagen vier Barbiepuppen mit dem Gesicht nach oben. Ihre Augen waren verbunden, ihr Mund zugeklebt. Als ich die Puppen musterte, bemerkte ich, dass auf die Klebestreifen über den Mündern der ersten drei Wörter gedruckt waren: HYSTERIE, ANOREXIA NERVOSA und SELBSTVERSTÜMMELUNG. Der vierte Klebestreifen war unbedruckt.

Der dritte Kasten mit der einzelnen Figur unten drin, die eine Tür aufdrückte, enthielt noch zwei gut versteckte Türen. Ich fand die erste, deren Griff unter Dutzenden anderen in Trompe-l'œil-Manier kaschiert war. Ich schaute in einen hell erleuchteten Raum, der viel kleiner war als die anderen. Auf dem Boden stand ein Miniatursarg. Das war alles. Erica öffnete die letzte Tür, hinter der noch ein nahezu leerer Raum auftauchte. Darin war nichts außer einem schmutzigen, zerrissenen Zettel, auf dem in winziger geneigter Handschrift das Wort «Schlüssel» stand.

Erica bückte sich, um den kleinen Mann mit dem Zylinder zu studieren, der aus der Tür auf die Greene Street hinausging. «Ist er auch ein wirklicher Mensch?», sagte sie.

«Sie», sagte Violet. «Schau genau hin.»

Ich kauerte mich neben Erica. Jetzt konnte ich die Brüste unter dem Jackett sehen. Der Anzug wirkte zu groß. Unten um die Knöchel herum stand er auf.

«Es ist Augustine», sagte Violet. «Das ist das Ende ihrer Geschichte – die allerletzte Eintragung in ihre *Observation*: ‹9 septembre – X . . . . *se sauve de la Salpêtrière déguisée en homme.*›»

«X?», sagte ich.

«Ja, die Ärzte schützten die Identität ihrer Patienten, indem sie Buchstaben oder Codes benutzten. Aber es war eindeutig Augustine. Ich habe es nachgeprüft. Am 9. September 1880 ist sie als Mann verkleidet aus der Salpêtrière fortgelaufen.»

Inzwischen war es früher Abend. Erica und ich waren direkt nach der Arbeit in die Bowery gekommen. Hunger und Müdigkeit begannen mich zu plagen. Ich dachte an Matt, der mit Grace zu Hause war, fragte mich, wie ich über diese Kästen schreiben könnte, und beobachtete, wie Bill den Arm um Violet legte, die noch mit Erica sprach: «Sie haben lebendige Frauen zu Objekten gemacht», sagte sie. «Charcot nannte die hypnotisierten Frauen ‹künstliche Hysterikerinnen›. Das war sein Begriff. Die Dermographie macht diese Vorstellung noch deutlicher. Ärzte wie Barthelemy signierten Frauenkörper, als wären sie Kunstwerke.»

«Es riecht nach Betrug», sagte ich. «Blutende Namen. Ein bloßes Berühren der Haut, und es erscheinen Zeichnungen.»

«Sie haben das nicht getürkt, Leo. Aber es stimmt, die Szenerie war ziemlich theatralisch. Charcot ließ sein Arbeitszimmer ganz in Schwarz einrichten. Er war fasziniert von historischen Berichten über Dämonen, Hexerei und Wunderheilungen. Vermutlich glaubte er, er könne das alles wissenschaftlich erklären, aber die Dermographie war echt. Sogar ich kann das.»

Violet setzte sich auf den Boden. «Es dauert ein Weilchen», sagte sie. «Etwas Geduld, bitte.» Sie schloss die Augen und atmete laut ein und aus. Ihre Schultern sanken herab. Ihre Lippen öffneten sich. Bill blickte auf sie hinunter und schüttelte lächelnd den Kopf. Violet öffnete die Augen und blickte starr vor sich. Sie streckte den Unterarm aus und fuhr leicht mit dem Zeigefinger der anderen Hand darüber. Der Name Violet Blom erschien als blasse Schrift auf ihrer Haut, die zuerst zartrosa und dann etwas dunkler wurde. Sie schloss die Augen, atmete erneut ein und aus und öffnete sie kurz darauf wieder. «Magie», sagte sie. «Echte Magie.»

Sie rieb über die runden Buchstaben und hielt uns ihren Arm hin. Während ich mir die Wörter auf der geröteten Haut ihrer Unterarminnenfläche ansah, schloss sich der Abstand zwischen den Ärzten in der Salpêtrière und mir. Die Medizin hatte eine Phantasie sanktioniert, die die Männer nie aufgegeben haben, eine verworrene Version dessen, was Pygmalion sich ersehnte – ein Zwischending zwischen einer wirklichen Frau und einem schönen Ding. Violet lächelte. Sie ließ den Arm sinken, und ich dachte an Ovids Pygmalion, der das Mädchen, das er aus Elfenbein geschnitzt hat, küsst, umarmt und ankleidet. Als sich sein Wunsch erfüllt, berührt er ihre neue warme Haut, und seine Finger hinterlassen einen Abdruck darauf. Der Name auf Violets Arm war noch zu sehen, während sie, die Hände im Schoß, im Schneidersitz auf dem Boden saß. Die hypnotisierten Frauen hatten jedem Befehl gehorcht: Beug dich vor, knie nieder, heb den Arm, krieche. Sie hatten ihren Kittel bis zu den Schultern hochgezogen und ihren nackten Rücken dem Zauberstab des

Arztes zugewandt. Nur eine Berührung war nötig, und die Worte in seinem Kopf wurden Worte in Fleisch und Blut. Allmachtsphantasien. Wir alle haben sie, aber gewöhnlich leben sie nur in Geschichten und Wachträumen, in denen sie zügellos umherschweifen dürfen. Ich dachte an eines der kleinen Bilder, das ich gerade gesehen hatte und das jetzt hinter einer geschlossenen Tür versteckt war: Der junge Mann drückt das runde Ende seines Füllfederhalters in den weichen Hintern der liegenden Frau. Als ich es ansah, hatte es komisch gewirkt, aber in der Erinnerung durchlief es mich warm, bis Bills Stimme mich unterbrach: «Nun, Leo, was meinst du dazu?»

Ich gab ihm Antwort, aber ich sagte nichts über Violets Arm oder Pygmalion oder den erotischen Füller.

Mit der Aufgabe des Flächigen der Malerei war Bill in eine neue Dimension gesprungen. Zugleich spielte er weiter mit der Idee der Malerei, indem er zweidimensionale Bilder dreidimensionalen Räumen und Puppen gegenüberstellte. Er arbeitete weiter in kontrastierenden Stilen, mit Verweisen auf die Kunstgeschichte und kulturelle Bilder allgemein – Werbung eingeschlossen. Ich stellte fest, dass die Plastik«haut» über den Kästen dicht bedruckt war mit alten und neuen Anzeigen für alles von Korsetts bis Kaffee. Zwischen den Anzeigen standen Gedichte – von Dickinson, Hölderlin, Hopkins, Artaud und Celan: den einsamen Dichtern. Es standen auch Zitate von Shakespeare und Dickens darauf, vor allem solche, die in die Umgangssprache eingegangen sind, wie: «Die ganze Welt ist eine Bühne» und «Das Gesetz ist ein Esel». Über einer der Türen fand ich Dans Gedicht «Charge Brothers W», und daneben entzifferte ich den Titel eines anderen Werkes, den ich wiedererkannte: «*Mysteriös: Ein halbiertes Stück* von Daniel Wechsler».

Einige Wochen ließ ich mein Buchmanuskript liegen, um einen kurzen Essay zu schreiben – sieben Seiten. Wieder wurde mein Aufsatz fotokopiert und in der Weeks Gallery auf einem Tisch ausgelegt, diesmal zusammen mit postkartengroßen Reproduktionen der Kästen und ein paar kleinerer Arbeiten. Bill gefiel mein kurzer Essay. Ich hatte alles getan, was ich unter den Umständen vernünftigerweise tun konnte, doch eigentlich hätte ich Jahre gebraucht, nicht einen Monat, um diese Werke zu durchdenken. Damals verstand ich manches nicht, was ich heute verstehe. Die Kästen waren gleichsam drei greifbare Träume, die Bill träumte, als sich sein Leben zwischen Lucille und Violet gespalten hatte. Ob Bill es wusste oder nicht – die kleine Figur der wie ein Mann gekleideten Frau war ein weiteres Selbstporträt. Augustine war das fiktionale Kind, das er und Violet zusammen gemacht hatten. Ihre Flucht in diese vertraute Straße war auch Bills Flucht, und ich habe nie aufgehört, über das nachzudenken, was Augustine in den Räumen desselben Kastens zurückließ: einen winzigen Sarg und das Wort «Schlüssel». Bill hätte ebenso gut einen wirklichen Schlüssel in den weißen Raum legen können, doch er hatte sich dagegen entschieden.

Erica und ich fragten uns, ob es nicht falsch gewesen war, Matt in die Galerie mitzunehmen, um die Hysterie-Kästen zu sehen. Nach seinem ersten Besuch dort bettelte er um weitere Ausflüge zu «Bernies Haus». Dafür war zum Teil eine Schale mit Pralinen in Stanniolpapier auf dem Empfangstisch verantwortlich, aber Matt mochte auch, wie Bernie mit ihm sprach. Bernie ließ seine Stimme nicht in den herablassenden Ton verfallen, den Erwachsene Kindern gegenüber gewöhnlich anschlagen. «He, Matt», sagte er etwa, «ich hab da was im Hinterzimmer, das dir gefallen könnte. Eine coole Plastik von einem Baseballhandschuh, aus dem haariges Zeug rauswächst.» Nach so einer Einladung richtete Matt sich auf und ging langsam und würdevoll hinter Bernie her. Er war erst sechs Jahre alt und schon ein Poseur. Doch mehr als alles und jeden in der Weeks Gallery liebte Matt das monströse kleine Mädchen in der zweiten Arbeit zur Hysterie. Hundertmal hob ich ihn hoch, damit er die Tür öffnen und sich das schreiende Kind ansehen konnte.

«Was gefällt dir so gut an der kleinen Puppe, Matt?», fragte ich ihn schließlich eines Nachmittags, nachdem ich ihn wieder auf dem Boden abgestellt hatte.

«Dass ich ihre Unterhose sehe», sagte er sachlich.

«Ihr Kleiner?», sagte eine Stimme.

Als ich aufblickte, sah ich Henry Hasseborg. Er trug einen schwarzen Pullover, schwarze Hosen und hatte sich im Stil eines französischen Studenten einen roten Schal um den Hals geschlungen. Wegen dieses offenen Hangs zur Eitelkeit tat er mir einen Augenblick Leid. Er linste nach unten zu Matt, dann nach oben zu mir. «Ich drehe grade meine Runden», sagte er unnötig laut. «Die Vernissage habe ich verpasst, aber ich habe zumindest davon gehört, sie hat ja ein dumpfes Raunen unter den Connaisseurs ausgelöst. Gutes Stück Arbeit übrigens, Ihr Aufsatz», setzte er beiläufig hinzu. «Sie sind natürlich genau der Mann dafür mit Ihrem ganzen Training in Sachen alte Meister.» Die beiden letzten Wörter brachte er gedehnt hervor, wobei er mit den Fingern Anführungszeichen machte.

«Danke, Henry», sagte ich. «Tut mir Leid, dass ich nicht bleiben und reden kann, aber Matthew und ich waren gerade am Gehen.»

Wir ließen Hasseborg mit seiner roten Nase in einer von Bills Türen stehen.

«Das war aber ein ulkiger Mann», sagte Matt auf der Straße zu mir, als er meine Hand nahm.

«Ja. Ulkig ist er, aber weißt du, er kann nichts dafür, wie er aussieht.»

«Er redet aber auch ulkig, Dad.» Matt blieb stehen, und ich wartete. Ich sah, dass er scharf nachdachte. In jenen Tagen dachte mein Sohn mit dem Gesicht. Seine Augen verengten sich. Er verzog die Nase, und sein Mund wurde schmal. Nach einigen Sekunden sagte er: «Er redet wie ich, wenn ich spiele.» Und dann, mit tiefer Stimme: «So: Ich bin Spiderman.»

Ich sah erstaunt zu ihm hinunter. «Da hast du Recht, Matt. Er spielt wirklich.»

«Aber wen spielt er denn?», sagte Matt.

«Sich selbst», sagte ich.

Darüber lachte Matt und sagte: «Das ist albern.» Dann fing er an zu singen. «Ach, wie gut, dass niemand weiß, dass ich Rumpelstilzchen heiß!»

Seit seinem dritten Lebensjahr zeichnete Matt täglich. Seine Eiermenschen mit Armen, die aus riesigen Köpfen sprossen, bekamen schon bald Körper und dann einen Hintergrund. Mit fünf zeichnete er auf der Straße gehende Menschen im Profil. Obwohl seine Fußgänger übergroße Nasen hatten und sich etwas steif zu bewegen schienen, gab es sie in allen Formen und Größen. Sie waren dick und dünn und schwarz und braun und rosa, und er zog ihnen Anzüge und Kleider und die Motorradkluft an, die ihm vermutlich in der Christopher Street aufgefallen war. An seinen Straßenecken standen von Abfall und Getränkedosen überquellende Tonnen. Über dem Müll kreisten Fliegen, und er zeichnete Risse in die Bürgersteige. Seine knolligen Hunde waren am Pinkeln und Scheißen, während ihre Besitzer mit Zeitungspapier bereitstanden. Miss Langenweiler, Matts Lehrerin in der Vorschule, berichtete, sie habe in ihrer ganzen Lehrpraxis noch nie so einen Detailreichtum in einer Kinderzeichnung gesehen. Vor Buchstaben und Zahlen scheute Matthew allerdings zurück. Wenn ich ihm in der Zeitung ein B oder ein T zeigte, lief er davon. Erica kaufte kunstvoll illustrierte Abc-Fibeln mit großen bunten Buchstaben. «Ball», sagte sie und zeigte auf das Bild eines Wasserballs. «B-A-L-L.» Aber Matthew wollte nichts von Bällen und B wissen. «Lies mir ‹Die sieben Raben› vor, Mommy», sagte er dann, und Erica legte das öde neue Alphabetbuch beiseite und holte unsere zerfledderte Ausgabe von Grimms Märchen.

Manchmal dachte ich, Matt sähe zu viel, seine Augen und sein Gehirn würden so überflutet von den erstaunlichen Besonderheiten der Welt, dass dieselbe Gabe, die ihn empfänglich machte für die Gewohnheiten von Fliegen, für Risse im Zement und für die Art und Weise, wie Gürtel schließen, ihm das Lesenlernen erschwerte. Es dauerte lange, bis mein Sohn verstand, dass im Englischen die Wörter auf der Buchseite von links nach rechts wandern und dass die Zwischenräume zwischen den Buchstabengruppen eine Pause zwischen Wörtern bedeuten.

Mark und Matthew spielten jeden Nachmittag nach der Schule zusammen, während Grace Möhrenstäbchen und Apfelschnitze ausgab, Geschichten vorlas und bei gelegentlichem Streit vermittelte. Im Februar wurde diese Alltagsroutine jäh abgebrochen. Bill erklärte mir, Mark sei nach dem Weihnachtsbesuch seiner Mutter «sehr daneben» gewesen, und er, Bill, und Lucille hätten entschieden, dass Mark bei ihr in Texas besser aufgehoben sei. Ich fragte Bill nicht nach Einzelheiten aus. Bei den wenigen Malen, die er mit mir über seinen Sohn sprach, klang seine sanfte Stimme gepresst, und seine Augen fixierten irgendetwas hinter mir – eine Wand, ein Buch oder ein Fenster. Bill flog in jenem Frühjahr dreimal nach Houston. An diesen langen Wochenenden vergruben er und Mark sich in einem Motel, sahen sich Trickfilme an, gingen spazieren, spielten mit Star-Wars-Figuren und lasen «Hänsel und Gretel». «Das ist das Einzige, was er hören will – wieder und wieder und wieder», sagte Bill. «Ich kann es längst auswendig.» Bill musste Mark bei seiner Mutter lassen, doch die Geschichte nahm er mit und machte sich an eine Serie von Installationen, die seine eigene Version des Märchens werden sollten. Als *Hänsel und Gretel* dann fertig war, lebten Lucille und Mark schon wieder in New York. Man hatte ihr ein weiteres Jahr an der Rice University angeboten, doch sie hatte abgelehnt.

Nicht lange nachdem Mark nach Texas gezogen war, starb Gunna. Dem Tod dieses Phantasiejungen, der zwei Jahre lang bei uns gelebt hatte, folgte die Ankunft einer neuen Figur, die Matt «Geisterjunge» nannte. Als Erica ihn fragte, wie Gunna gestorben sei, sagte er: «Er war zu alt und konnte nicht mehr leben.»

Eines Abends nach dem Vorlesen saßen Erica und ich am Fußende von Matts Bett. «Ich habe das Geisterjungengefühl», sagte er.

«Wer ist der Geisterjunge?», fragte Erica und beugte sich über ihn. Sie drückte den Mund auf seine Stirn.

«Er ist ein Junge in meinen Träumen.»

«Träumst du oft von ihm?», fragte ich.

Matt nickte. «Er hat kein Gesicht und kann nicht sprechen, aber er kann fliegen. Nicht so wie Peter Pan, nur ein kleines bisschen über dem Boden, und dann sinkt er wieder runter. Manchmal ist er hier, aber dann ist er wieder weg.»

«Wohin geht er?», fragte Erica.

«Ich weiß nicht. Ich war noch nie dort.»

«Hat er noch einen anderen Namen?», fragte ich.

«Ja, aber er kann nicht sprechen, Dad, also kann er ihn nicht sagen!»

«Ach ja, das hatte ich vergessen.»

«Er macht dir doch keine Angst, Matt, oder?», sagte Erica.

«Nein, Mom. Er ist irgendwie in mir, weißt du. Halb in mir und halb draußen, und ich weiß, dass er nicht richtig wirklich ist.»

Wir akzeptierten diese hintergründige Erklärung und gaben Matt einen Gutenachtkuss. Der Geisterjunge kam und ging jahrelang. Nach einiger Zeit wurde er für Matt zu einer Erinnerung, einer Figur, von der er in der Vergangenheitsform sprach. Erica und ich hatten inzwischen verstanden, dass der Geisterjunge ein angeschlagenes Geschöpf war, jemand, den man bemitleiden musste. Matt schüttelte immer den Kopf, wenn er über die schwächlichen Flugversuche des Jungen sprach, bei denen er nur ein paar Zentimeter abhob. Seine Stimme klang dabei seltsam überlegen. Er redete so, als würde er, Matthew Hertzberg, anders als seine Erfindung, regelmäßig mit zwei großen Hochleistungsflügeln über New York City umhersegeln.

Der Geisterjunge war noch aktiv, als Violet im Mai ihre Dissertation verteidigte. Sie und Erica diskutierten stundenlang, was sie zu diesem Anlass anziehen sollte. Als ich sie unterbrach, um zu sagen, dass die Prüfer nie auf die Kleidung eines Doktoranden schauen, schnitt Erica mir das Wort ab. «Du bist keine Frau. Was weißt du denn schon?» Violet entschied sich für einen konservativen Rock, eine Bluse und flache Schuhe; darunter jedoch trug sie ein Korsett aus Fischbein, das sie bei einem Kostümverleih im Village ausgeliehen hatte. Bevor sie zu ihrer Disputation ging, stand sie bei uns in der Tür, um sich vorzuführen. «Das Korsett soll mir Glück bringen», sagte sie, während sie sich für Erica und mich drehte. «Damit fühle ich mich meinen Hysterikerinnen näher, aber es quetscht mich auch an den richtigen Stellen zusammen.» Sie sah auf ihren Bauch hinunter. «Durch das monatelange Sitzen auf meinen vier Buchstaben bin ich irgendwie fett geworden.»

«Du bist nicht fett, Violet», sagte Erica. «Du bist sinnlich.»

«Ich bin pummelig, und das weißt du auch.» Violet küsste erst Erica und dann mich. Fünf Stunden später kehrte sie triumphierend zurück. «Er muss doch für irgendwas gut sein», meinte sie zu ihrem Doktortitel. «Ich weiß, dass es hier überhaupt keine Jobs gibt. Vorige Woche hat mir ein Freund erzählt, es gäbe im ganzen Land nur drei Stellen für französische Geschichte. Die Arbeitslosigkeit ist mir sicher. Vielleicht werde ich ja eine dieser hochgebildeten, superwortgewandten Taxifahrerinnen, die in den Stadtbezirken herumgondeln und ihren Fahrgästen auf der Rückbank Puccini-Arien vorsingen oder Voltaire zitieren, während die beten, dass sie doch bitte die Klappe halten und einfach fahren sollen.»

Violet wurde nicht Taxifahrerin, und sie wurde auch nicht Dozentin. Im Jahr darauf veröffentlichte die University of Minnesota Press *Hysterie und Suggestion: Willfährigkeit, Rebellion und Krankheit in der Salpêtrière*. Die Lehrangebote, die Violet hätte annehmen können, kamen aus abgelegenen Orten in Nebraska oder Georgia, doch sie wollte New York nicht verlassen. Ein Museum für zeitgenössische Kunst in Spanien hatte Bills drei Hysterie-Installationen gekauft, und viele der kleineren Arbeiten waren an Sammler gegangen. Seine Geldsorgen waren vorbei, zumindest für eine Weile. Schon lange bevor ihr erstes Buch veröffentlicht wurde, hatte Violet mit den Recherchen für ein zweites über eine weitere Zivilisationskrankheit angefangen. Sie hatte beschlossen, über Essstörungen zu schreiben. Obwohl sie ihre Korpulenz übertrieb, glichen sich ihre molligen Rundungen in der Tat allmählich denen der fülligeren Filmdiven meiner Jugend an. Sie wusste, ihr Körper entsprach nicht der Mode, zumal in Manhattan, wo das Schlanksein für die wahrhaft Schicken ein Muss war. Violets Arbeit beflügelte unweigerlich ihre persönlichen Leidenschaften, und Essen war eine davon. Sie kochte gut und aß mit Genuss, wobei sie gerne kleckerte. Fast immer wenn Erica und ich mit Bill und Violet aßen, endete es damit, dass Bill zärtlich mit der Serviette Essensreste oder Saftflecken von Violets Gesicht abtupfte.

Violets Buch sollte Jahre bis zu seiner Fertigstellung brauchen, und es sollte mehr als eine kühle akademische Untersuchung werden. Violet fühlte sich berufen, die Leiden aufzudecken, die sie «invertierte Hysterien» nannte. «Heutzutage ziehen Mädchen Grenzen», sagte sie. «Die Hysterikerinnen wollten welche durchbrechen. Die Magersüchtigen bauen welche auf.» Sie vertiefte sich in historisches Material. Sie studierte die Heiligen, die irdische Speisen verweigerten, um in ihren Visionen die himmlische Nahrung vom Leib Christi zu schmecken – sein Blut, den Eiter aus seinen Wunden, sogar seine verloren gegangene Vorhaut. Sie grub Krankengeschichten von Mädchen aus, die angeblich mehrere Monate lang nichts gegessen hatten, von Frauen, die sich vom Duft von Blumen ernährten oder davon, anderen beim Essen zuzusehen. Sie erforschte das Leben von Hungerkünstlern, die im 19. Jahrhundert und bis weit ins 20. Jahrhundert hinein überall in Europa und Amerika aufgetreten waren. Sie erzählte mir von einem Mann in London namens Sacco, der in einem Glaskasten öffentlich fastete, während Hunderte von Besuchern an seinem ausgezehrten Körper vorbeigingen. Sie besuchte Kliniken und Hospitäler. Sie interviewte Frauen und Mädchen, die an Anorexie, Bulimie und Fettleibigkeit litten. Sie sprach mit Ärzten, Therapeuten, Psychoanalytikern und Redakteurinnen von Frauenzeitschriften. Oben in ihrem kleinen Arbeitszimmer sammelte sie Stunden über Stunden Tonbandaufnahmen für ihr Buch, und immer wenn wir sie sahen, hatte sie ihm einen neuen scherzhaften Titel gegeben: *Bohnenstangen und Breitmaulfrösche, Monstermäuler* und – mein Lieblingstitel –: *Breite Bräute und magere Mädels.*

Während er an den *Hänsel-und-Gretel*-Installationen arbeitete, lud Bill mich drei- oder viermal in sein Atelier ein. Bei meinem dritten Besuch wurde mir plötzlich klar, dass es in dem von Bill ausgewählten Märchen auch ums Essen ging. Die ganze Geschichte drehte sich um Essen, Nichtessen oder Gegessenwerden. Bill erzählte *Hänsel und Gretel* in neun einzelnen Arbeiten. Im Lauf der narrativen Darstellung wurden die Figuren und Bilder stetig größer und erreichten erst in der letzten Installation Lebensgröße. Bills Hänsel und Gretel waren ausgehungerte

Kinder, Opfer einer Hungersnot, deren zerbrechliche Glieder und riesige Augen an die zahllosen Fotos erinnerten, die das Elend des 20. Jahrhunderts dokumentieren. Er bekleidete die Kinder mit zerlumpten Sweatshirts, Jeans und Turnschuhen.

Die erste Arbeit war ein etwa sechzig mal sechzig Zentimeter großer Kasten, der einem Puppenhaus glich – eine Wand war zum Hineinschauen weggelassen. Oben an einer Treppe sah man die ausgeschnittenen Figuren von Hänsel und Gretel. Darunter saßen zwei weitere Ausschneidefiguren, ein Mann und eine Frau, auf einem Sofa, vor sich einen flimmernden Fernseher. Dessen flackerndes Licht kam von einer kleinen Birne hinter dem Gemalten. Ich konnte das Gesicht des Mannes nicht sehen. Seine Züge verschwammen in den Schatten, doch das Gesicht der Frau, das ihrem Mann zugewandt war, ähnelte einer soliden, harten Maske. Die vier Figuren waren mit schwarzer Tusche gezeichnet (in einem Stil, der mich ein wenig an Dick-Tracey-Comics erinnerte) und dann im Inneren des farbig bemalten Hauses appliziert worden.

Die drei folgenden Arbeiten waren Gemälde. Jede Leinwand war mit musealem Goldstuck gerahmt, und jede war etwas größer als die vorangegangene. Farben und Stil der Gemälde erinnerten mich zuerst an Caspar David Friedrich, doch dann wurde mir bewusst, dass sie noch mehr Ähnlichkeit mit Riders romantischen amerikanischen Landschaften hatten. Das erste Bild zeigte die Kinder aus großer Entfernung, nachdem sie im Wald aufgewacht waren und bemerkt hatten, dass ihre Eltern fort waren. Die winzigen Figuren klammerten sich unter einem hohen, unheimlichen Mond aneinander, dessen kaltes Licht auf Hänsels Kieselsteine schien. Bill setzte dieses Bild mit einer weiteren Landschaft, dem Waldboden, fort. Eine lange Spur von Brotkrumen leuchtete wie bleiche Knollen unter einem schwarzblauen Himmel. In diesem Bild waren die schlafenden Kinder kaum sichtbar – bloße Schatten, die nebeneinander auf dem Boden lagen. Auf dem dritten hatte Bill die Vögel im

Sturzflug auf die Brotstückchen gemalt, während ein schwach-goldener Sonnenaufgang durch die Bäume schimmerte. Hänsel und Gretel waren nirgends zu sehen.

Für die Darstellung des Knusperhäuschens hatte Bill statt gerahmter Leinwände eine größere benutzt, die wie ein Haus geschnitten war. Die Kinder waren separate Ausschneidefiguren und am Dach befestigt. Haus und Kinder hatte er mit breiten, wilden Pinselstrichen in viel leuchtenderen Farben als alles Vorangehende gemalt. Die beiden ausgehungerten, verlassenen Kinder krabbelten auf dem Knusperhäuschen herum und stopften sich voll. Hänsel presste die Hand fest auf den Mund, während er Pralinen verschlang. Gretel biss in ein Snickers und kniff dabei vor Lust die Augen zu. Jede Süßigkeit an dem Haus war als solche erkennbar. Manche waren gemalt. Andere waren Schachteln und Verpackungen von wirklichem Naschwerk, die Bill auf das Haus geklebt hatte – Raiders und Milky Ways, Lebkuchenherzen, Gummibärchen, KitKats und Bountys.

Die Hexe erschien erst in der sechsten Arbeit. Auf einer weiteren hausförmigen Leinwand, in dezenteren Farben bemalt als die vorherige, stand eine alte Frau über den schlafenden Kindern, die selig und aufgebläht wirkten wie gesättigte Vielfraße. Neben den drei Figuren stand ein Tisch mit schmutzigem Geschirr. Bill hatte Brotkrumen, Reste von Hamburgern und die roten Streifen von Ketchup-Resten auf ihre Teller gemalt. Das Interieur war so banal und trübselig wie nur irgendeins in Amerika, doch war es mit einer Energie gemalt, die mich an Manet erinnerte. Wieder hatte Bill einen Fernseher hineingestellt und auf den Bildschirm eine Werbung für Erdnussbutter gemalt. Die Hexe trug einen schmutzigen Büstenhalter und eine fleischfarbene Strumpfhose, durch die man ihre platt gedrückten Schamhaare und einen schwellenden weichen Bauch sah. Ihre verwelkten Brüste in dem BH und die beiden dünnen Hautsäcke um ihre Taille waren schon ein unerfreulicher Anblick, doch ihr Gesicht sah wirklich abscheulich aus. Wutverzerrt quollen die Augen hinter ihren dicken Brillengläsern hervor. Ihr aufgesperrter Mund wirkte umso ungeheuerlicher, als in den gefletschten Zähnen Reihen glänzender silberner Füllungen sichtbar wurden. In Bills Hexe wurde der Schrecken des Märchens buchstäblich wahr: Die Frau war eine Kannibalin.

In der siebten Arbeit gestaltete Bill die Geschichte wieder anders. In einen Eisenkäfig hatte er eine aus Leinwand geschnittene Figur von Hänsel gesetzt. Der plan gemalte Junge hockte auf allen vieren, und als ich durch die Gitterstäbe blickte, sah ich, dass er viel dicker war als in den früheren Darstellungen. Seine alte Kleidung passte ihm nicht mehr, sein Bauch hing aus der aufgeknöpften Jeans. Auf dem Käfigboden lag ein echter Hühnerknochen – sauber, trocken und weiß. Die achte Arbeit zeigte Gretel vor einem Ofen. Das Mädchen war eine Ausschneidefigur aus Pappe, die ihrem früheren gezeichneten Ich glich, aber viel pummeliger war. Bill hatte beide Seiten bemalt, vorne und hinten, weil sie von beiden Seiten zu sehen sein sollte. Der Ofen vor ihr war echt, und die Klappe stand weit offen. Doch im Ofen lag keine verbrannte Leiche. Seine Rückseite war entfernt worden, und alles, was man sehen konnte, war die kahle Wand dahinter.

Die letzte Arbeit zeigte zwei wohlgenährte Kinder, wie sie aus einer Tür traten, die aus einer großen rechteckigen Leinwand herausgeschnitten war – drei Meter fünfzig breit und zwei Meter fünfzig hoch. Das war kein Knusperhäuschen mehr, sondern eine klassische Ranch, dem Ambiente Tausender amerikanischer Vororte entlehnt, und es war so gemalt, dass es wie ein verblasstes Farbfoto aussah. Bill hatte einen schmalen weißen Rand um die Leinwand gelegt wie bei älteren Aufnahmen. Mit ihren zweidimensionalen Händen umklammerten die Kinder ein echtes Seil. Einige Schritte vor ihnen befand sich die lebensgroße dreidimensionale Skulptur eines Mannes. Er kniete auf dem Boden, hielt das andere Ende des Seils fest und schien die Kinder zu sich und aus der Geschichte zu ziehen. Neben seinen Füßen lag eine echte Axt. Die Vaterfigur war mit reinem Blau bemalt. Über dem Blau stand in weißen Buchstaben auf seinem ganzen Körper die vollständige Geschichte von «Hänsel und Gretel». «Vor einem großen Wald wohnte ein armer Holzhacker mit seiner Frau und seinen zwei Kindern; das Bübchen hieß Hänsel und das Mädchen Gretel.»

Rettende Worte, sagte ich zu mir, als ich die Schrift auf dem Körper des Mannes sah. Was genau ich damit meinte, wusste ich nicht, aber ich dachte es dennoch. In der Nacht, als ich die fertige Installation gesehen hatte, träumte ich, ich höbe den Arm und entdeckte geschriebene Wörter auf meiner Haut. Ich konnte mir nicht erklären, wie sie dorthin gekommen waren, und ich konnte sie nicht lesen, doch ich konnte die Substantive erkennen, denn sie waren großgeschrieben. Ich versuchte, die Buchstaben abzureiben, aber sie gingen nicht weg. Als ich aus dem Traum erwachte, vermutete ich, dass er von Bills Vaterfigur angeregt war, doch dann erinnerte ich mich an das Bild der Frau mit der blutenden Inschrift und an die blassen Spuren, die Violets Name auf ihrer Haut hinterlassen hatte. *Hänsel und Gretel* war eine Geschichte über Völlerei und Hungern und über Kindheitsängste, doch Bills Werk mit seinen bis aufs Skelett abgemagerten Kindern hatte in meinem träumenden Geist noch eine andere Assoziation ausgegraben: Die großgeschriebenen Substantive meiner Muttersprache hatten sich in die Nummern verwandelt, die den Menschen nach ihrer Ankunft in den Todeslagern von den Nazis in den Arm gebrannt wurden. Ich lag lange wach und lauschte auf Ericas Atem. Etwa nach einer Stunde stand ich auf, ging an den Schreibtisch in meinem Arbeitszimmer und holte das Hochzeitsfoto von David und Marta heraus, das in der Schublade lag. Um vier Uhr morgens war die Greene Street außerordentlich still. Ich horchte auf ein paar Lastwagen, die die Canal Street entlangrumpelten, und betrachtete das Bild. Ich musterte Martas elegantes, fessellanges Kleid und den Anzug meines Onkels. David hatte besser ausgesehen als mein Vater, aber ich sah die Ähnlichkeit zwischen beiden, vor allem um den Kiefer und die Augenbrauen. Ich habe nur eine einzige Erinnerung an meinen Onkel. Ich bin mit meinem Vater unterwegs, um ihn zu treffen. Wir sind in einem Park, und die durch die Bäume scheinende Sonne zeichnet Muster aus Licht und Schatten aufs Gras. Ich schaue mir eingehend das Gras an, und dann, plötzlich, ist Onkel David da, und er fasst mich um die Hüfte und hebt mich hoch über seinen Kopf. Ich erinnere mich an die Freude, erst nach oben und dann nach unten zu fliegen, und dass ich seine Kraft und sein Selbstvertrauen bewunderte. Mein Vater wollte, dass er mit uns aus Deutschland fortging. Ich erinnere mich nicht, ob sie an jenem Tag stritten, doch ich weiß, dass sie oft darüber stritten und dass sich David hartnäckig weigerte, das Land, das er liebte, zu verlassen.

Als *Hänsel und Gretel* ausgestellt wurde, gab es einen Tumult. Hinter dem Aufruhr steckte Henry Hasseborg und sein Artikel für *Dash – The Downtown Arts Scene Herald* – mit der Überschrift: *Glamour Boys frauenfeindliche Vision*. Als Erstes beschuldigte Hasseborg Bill, «den nachlässigen Macholook der abstrakten Expressionisten zu übernehmen, um sich bei reichen europäischen Sammlern einzuschmeicheln». Dann verriss er das Werk als «seichte Illustration» und nannte es «den krassesten künstlerischen Ausdruck von Frauenhass in jüngster Zeit». In drei eng bedruckten Spalten tobte und schäumte Hasseborg und spuckte Gift und Galle. Neben dem Artikel war ein großes Foto von Bill mit Sonnenbrille, auf dem er sehr nach einem Filmstar aussah. Bill war wie vor den Kopf geschlagen. Violet weinte. Erica nannte die Kritik ein Beispiel von «narzisstischem Hass», und Jack kicherte: «Ausgerechnet dieses kleine

Stinktier gibt sich als Feminist aus. Wenn das kein Einschmei-
cheln ist!»

Mein Gefühl sagte mir, dass Hasseborg darauf gewartet hatte
zuzuschlagen. Inzwischen hatte Bill genug Aufmerksamkeit
bekommen, um sich die tiefe Abneigung einiger Leute zuzuzie-
hen. Ruhm, wie bescheiden er auch sein mag, geht unweigerlich mit Neid und Grausamkeit einher. Es spielt keine Rolle,
wo er keimt – auf dem Schulhof, in Vorstandsetagen oder an
den weißen Wänden einer Galerie. In der großen weiten Welt
bedeutete der Name William Wechsler ziemlich wenig, doch
im inzestuösen Kreis der New Yorker Sammler und Museen begann Bills Ruf heller zu strahlen, und schon ein so schwacher
Glanz hatte die Macht, solche wie Henry Hasseborg zu ver-
brennen.

Im Lauf der Jahre sollte sich Bill regelmäßig den Hass von
Menschen zuziehen, die ihn nicht kannten, und jedes Mal
überraschte und verletzte ihn das. Sein schönes Gesicht war
sein Fluch, doch noch schädlicher war, dass Fremde, in der Regel Journalisten, dunkel sein Ehrgefühl spürten, jene aufrei-
zende, keinen Kompromiss akzeptierende Selbstgewissheit. Für
einige, in der Regel Europäer, machte ihn das zu einer romantischen Gestalt – einem faszinierenden, mysteriösen Genie. Für
andere, gewöhnlich Amerikaner, waren Bills strikte Überzeugungen wie ein Schlag ins Gesicht, eine unverhohlene Bestätigung dessen, dass er «kein normaler Typ» war. Dabei stellte
Bill vieles von dem, was er produzierte, gar nicht aus. Seine
Ausstellungen waren das Ergebnis strenger Säuberungen, bei
denen er die Arbeiten auf das reduzierte, was er für wesentlich
hielt. Alles Übrige versteckte er. Manche Werke hielt er für
misslungen, andere für redundant, und wieder andere betrachtete er als Einzelstücke, was bedeutete, dass sie nicht als Teil
einer Gruppe arrangiert werden konnten. Obwohl Bernie
einige der nicht gezeigten Arbeiten in seinem Hinterzimmer
verkaufte, behielt Bill eine Menge einfach für sich. Er brauche

das Geld nicht, sagte er mir, und er habe seine Bilder, Kästen und kleinen Plastiken gern um sich «wie alte Freunde». Angesichts dessen war Hasseborgs Vorwurf, Bill stilisiere sich, um Sammlern zu gefallen, geradezu lächerlich, doch er entsprang einem dringenden Bedürfnis. Für Henry Hasseborg wäre das Eingeständnis, dass es Künstler gab, die nicht von einer exhibitionistischen Eitelkeit getrieben wurden, ihre Karriere voranzubringen, gleichbedeutend mit Selbstvernichtung gewesen. Es ging um einiges, und der Ton des Artikels spiegelte die Verzweiflung des Mannes wider.

Nach Erscheinen dieses Artikels bat ich Bernie, mir mehr über Hasseborg zu erzählen. Dabei stellte sich heraus, dass er, bevor er anfing zu schreiben, Maler gewesen war. Bernie zufolge hatte Hasseborg verworrene halb abstrakte Gemälde produziert, die niemand wollte, diese Berufung nach jahrelangem Kampf aufgegeben und sich als Kunstkritiker und Romancier etabliert. In den frühen Siebzigern hatte er ein Buch über einen Drogendealer in der Lower East Side veröffentlicht, der zwischen seinen Transaktionen über die Welt und das Menschsein nachdenkt. Das Buch hatte ein paar gute Rezensionen bekommen, aber in den zehn Jahren seit dem Erscheinen war es Hasseborg nicht gelungen, ein weiteres zu beenden. Er hatte jedoch viele Kritiken geschrieben, und Bill war nicht sein erstes Opfer. In den Siebzigern hatte Bernie eine Künstlerin namens Alicia Crupp ausgestellt. Ihre zarten Skulpturen zersplitterter Körper mit Fetzen von Spitze hatten sich in der Weeks Gallery gut verkauft. Im Herbst 1979 verriss Hasseborg ihr Werk in einer Kritik für *Art in America*. «Alicia war schon immer ziemlich zerbrechlich», erzählte mir Bernie. «Aber dieser Artikel gab ihr den Rest. Sie war eine Weile im Bellevue Hospital, dann packte sie ihre Sachen und zog nach Maine. Das Letzte, was ich von ihr hörte, war, dass sie sich mit dreißig Katzen in einer kleinen Hütte vergraben hat. Ich habe sie mal angerufen und gefragt, ob sie etwas über mich verkaufen wollte, ohne extra nach New York kommen zu müssen. Weißt du, was sie gesagt hat? ‹Ich mache das nicht mehr, Bernie. Ich habe damit aufgehört.›»

Die unbeabsichtigte Wendung der Geschichte war, dass Hasseborgs Rage drei weitere Kritiken über *Hänsel und Gretel* nach sich zog – eine ebenso feindselige und zwei lobende. Einer der positiven Artikel erschien in *Art Forum*, einer viel wichtigeren Zeitschrift als *Dash*, und die Kontroverse zog mehr und mehr Publikum in die Galerie. Alle wollten die Hexe sehen. Die nämlich hatte Hasseborg wohl zur Raserei gebracht. Ihre Strumpfhose hatte ihn so beleidigt, dass er ihr und den Schamhaaren darunter einen ganzen Absatz gewidmet hatte. Die Kritikerin von *Art Forum* setzte die Diskussion über die Strumpfhose in drei Absätzen fort, in denen sie Bills Verwendung des Kleidungsstücks verteidigte. Danach wurde Bill von einigen ihm nicht persönlich bekannten Künstlern angerufen, die ihn ihrer Sympathie versicherten und sein Werk lobten. So hatte Hasseborg ganz gegen seine Absicht Bills Hexe ins Rampenlicht verholfen, und sie wiederum hatte die Kunstwelt durch die Magie der Kontroverse verzaubert.

Eines Samstagnachmittags tauchte die Hexe in einem Gespräch wieder auf. Als Violet klopfte, saß ich an meinem Schreibtisch und sah mir gerade eine große Reproduktion eines Giorgione an – seine bemalte Tür mit Judith, die den Fuß auf das abgetrennte Haupt des Holofernes stellt. Nachdem Violet ein ausgeliehenes Buch auf meinen Schreibtisch gelegt hatte, stützte sie eine Hand auf meine Schulter und beugte sich über mich, um das Bild besser sehen zu können. Den nackten Fuß auf das Haupt des Mannes gestellt, den sie gerade geköpft hat, scheint Judith ein ganz klein wenig zu lächeln. Das Haupt lächelt auch beinahe, so als teilten die Frau und der körperlose Kopf ein Geheimnis.

«Holofernes sieht aus, als genieße er es, umgebracht zu werden», sagte Violet. «Das Bild wirkt kein bisschen gewaltsam, findest du nicht?»

«Genau», sagte ich. «Ich finde es erotisch. Es suggeriert die Ruhe nach dem Sex, die Stille der Befriedigung.»

Violet strich mir über den Arm. Die vertraute Bewegung war für sie natürlich, aber ich spürte auf einmal deutlich ihre Finger durch mein Hemd. «Du hast Recht, Leo. Natürlich hast du Recht.»

Sie trat an die Seite des Schreibtischs und beugte sich über das Bild. «Judith hat gefastet, oder?» Sie strich mit dem Finger über Judiths hoch gewachsenen Körper. «Es ist, als wären die beiden verschmolzen, miteinander vermischt. Ich vermute, genau das ist Sex.» Violet wandte den Kopf zur Seite. «Ist Erica nicht da?»

«Sie ist mit Matt einkaufen.»

Violet zog einen Stuhl heran und setzte sich mir gegenüber. Sie nahm das Buch und drehte das Bild zu sich hin.

«Ja, das scheint er hier richtig gut hingekriegt zu haben. Diese Sache mit der Vermischung ist nämlich höchst mysteriös.»

«Ist das eine neue Idee?»

«Eigentlich nicht», sagte sie. «Sie kam mir, weil ich nach etwas suchte, das die Bedrohung beschreibt, die Magersüchtige von außen verspüren. Diese Mädchen haben sich zu sehr vermischt, wenn du verstehst, was ich meine. Es fällt ihnen schwer, die Wünsche und Bedürfnisse anderer von ihren eigenen zu trennen. Nach einiger Zeit rebellieren sie, indem sie dicht machen. Sie wollen alle ihre Öffnungen verschließen, sodass nichts und niemand hineinkann. Aber die Welt vermischt sich nun mal. Sie geht durch uns hindurch: Essen, Bücher, Bilder, andere Menschen.» Violet stützte stirnrunzelnd die Ellbogen auf. «Wenn man jung ist, ist es schwerer zu wissen, was man will und wie viel man bereit ist, von anderen aufzunehmen. Als ich in Paris war, habe ich Vorstellungen von mir selbst anprobiert wie Kleider. Ich erfand mich dauernd neu. Die Beschäftigung mit

diesen Mädchen in der Salpêtrière machte mich rastlos und auf-
gekratzt. Spätnachmittags lief ich immer durch die Straßen,
machte hier und da Halt für einen Kaffee. Eines Tages lernte ich
in einem Café einen jungen Mann namens Jules kennen. Er erzählte, er sei gerade aus dem Gefängnis entlassen worden – am
selben Tag. Er habe acht Monate wegen Erpressung abgesessen.
Ich fand das hochinteressant und fragte ihn über das Gefängnis
aus, wie es dort sei. Er sagte, es sei furchtbar, doch er habe in seiner Zelle viel gelesen. Er war ein sehr gut aussehender Typ, mit
großen braunen Augen und diesen weichen Lippen, weißt du,
diesen etwas aufgesprungenen, die aussehen, als würden sie
ständig küssen. Jedenfalls verknallte ich mich in ihn. Er hatte
diese Vorstellung, ich, Violet Blom, wäre so ein wildes junges
amerikanisches Ding, eine auf Paris losgelassene Femme fatale
des ausgehenden zwanzigsten Jahrhunderts. Es war alles ganz
albern, aber es gefiel mir. Die ganze Zeit, während ich mit ihm
zusammen war, beobachtete ich mich selbst, so als wäre ich eine
Figur in einem Film.»

Violet hob gestikulierend die rechte Hand. «Also, sie sitzt mit
ihm im Café. Die Szene ist gut ausgeleuchtet, aber ein bisschen
verschwommen, damit sie besser aussieht. Im Hintergrund
scheußliche Musik. Sie wirft ihm diesen Blick zu: ironisch, di-
stanziert, unergründlich.» Violet klatschte in die Hände. «Cut!»
Sie blickte sich im Zimmer um und zeigte in eine Ecke. «Da ist
sie wieder. Sie färbt sich über dem Waschbecken die Haare. Sie
dreht sich um. Violet ist fort. Es ist V. Platin-V. geht in die
Nacht hinaus, um Jules zu treffen.»

«Du hast dir das Haar hell gefärbt», sagte ich.

«Ja, und weißt du, was Jules sagte, als er mein neues Haar
sah?»

«Nein.»

«Er sagte: ‹Du siehst aus wie ein Mädchen, das Klavierstunden braucht …›»

Ich lachte.

«Tja, du lachst, Leo, aber so hat es angefangen. Jules empfahl mir einen Lehrer.»

«Willst du damit sagen, du hast tatsächlich Klavierstunden genommen, nur weil er sagte, du brauchtest welche?»

«Es war zugleich eine Mutprobe und ein Befehl – sehr sexy. Und warum nicht? Ich ging in diese Wohnung im Marais. Der Mann hieß Renasse. Er hatte eine Menge Pflanzen, große Bäume und stachlige kleine Kakteen und Farne – ein regelrechter Dschungel. Sobald ich in der Wohnung war, hatte ich das Gefühl, dass dort irgendwas vorging, doch ich wusste nicht, was. Monsieur Renasse war steif und hatte gute Manieren. Wir fingen bei null an. Ich bin wahrscheinlich eines der wenigen Kinder in Amerika, die nie Klavier gespielt haben. Ich habe Trommel gespielt. Jedenfalls bin ich einen Monat lang jeden Dienstag zu Monsieur Renasse gegangen. Ich habe kleine Stücke gelernt. Er war immer *très correct*, geradezu langweilig korrekt, und doch spürte ich, wenn ich neben ihm saß, meinen Körper so intensiv, als wäre es nicht meiner. Mein Busen kam mir zu dick vor. Mein Hintern nahm auf dem Bänkchen zu viel Platz ein. Mein neues platinblondes Haar fühlte sich an, als würde es lodern. Beim Spielen presste ich die Schenkel zusammen. In der dritten Stunde war er etwas ungehalten und schimpfte ein paar Mal mit mir. Aber in der vierten Stunde wurde er dann richtig unzufrieden. Er unterbrach mich plötzlich und schrie: ‹Vous êtes une femme incorrigible.› Und dann nahm er meinen Zeigefinger. So.» Violet lehnte sich über den Schreibtisch, nahm meine Hand, dann meinen Finger und drückte ihn fest. Sie stand auf, noch immer mit meinem Finger in der Hand, und beugte sich über mich. Mit dem Mund an meinem Ohr sagte sie: «Und dann flüsterte er etwas. Etwa so.» Mit tiefer, heiserer Stimme sagte sie: «Jules.»

Violet ließ meinen Finger los und setzte sich wieder auf ihren Stuhl. «Ich bin aus der Wohnung gerannt. Fast hätte ich ein Zitronenbäumchen umgeworfen.» Sie unterbrach sich. «Weißt du, Leo, eine Menge Männer haben versucht, mich zu verführen. Das war ich gewohnt. Aber das hier war anders. Er machte mir Angst, weil es bei der ganzen Sache um Vermischung ging.»

«Ich bin mir nicht sicher, ob ich dich verstehe», sagte ich.

«Als er meinen Finger drückte, war es, als würde Jules das tun, verstehst du nicht? Jules und Monsieur Renasse waren ganz ineinander aufgegangen. Ich hatte Angst davor, weil es mir gefiel. Es erregte mich.»

«Aber vielleicht fühlte Monsieur Renasse sich von dir angezogen und du dich von ihm, und er benutzte Jules nur.»

«Nein, Leo», sagte sie. «Ich fühlte mich überhaupt nicht von Monsieur Renasse angezogen. Ich wusste, es war Jules. Jules hatte das arrangiert, und die Vorstellung, eine von Jules' Phantasien auszuleben, machte mich an.»

«Warst du denn noch nicht Jules' Geliebte?»

«Doch, natürlich, aber das war es ja gerade. Es war ihm nicht genug. Er wollte einen Dritten dabeihaben, verstehst du?»

Ich antwortete ihr nicht. Ich verstand die Geschichte besser, als sie sich vorstellte. Was immer in dieser Wohnung voller Pflanzen geschehen war, ich hatte das Gefühl, ich sei jetzt in die Geschichte einbezogen, die Kette erotischer Elektrizität gehe ungebrochen weiter.

«Ich bin davon überzeugt, dass die Vermischung ein Schlüsselbegriff ist. Er funktioniert besser als Suggestion, die einseitig ist. Er erklärt das, worüber Menschen selten sprechen, weil wir uns als isoliert definieren, als geschlossene Körper, die aufeinander prallen, aber geschlossen bleiben. Descartes hatte Unrecht. Es muss nicht heißen: Ich denke, also bin ich. Es muss heißen: Ich bin, weil du bist. Das ist Hegel, na ja, die Kurzfassung.»

«Ein bisschen zu kurz», sagte ich.

Violet machte eine wegwerfende Handbewegung. «Worauf es ankommt, ist, dass wir uns ständig mit anderen Menschen vermischen. Manchmal ist es normal und gut, manchmal ist es gefährlich. Die Klavierstunde ist nur ein schlagendes Beispiel für das, was ich für gefährlich halte. Bill vermischt in seinen Bildern. Schriftsteller vermischen in ihren Büchern. Wir machen es alle andauernd. Denk nur an die Hexe.»

«Meinst du Bills Hexe?»

«Ja, *Hänsel und Gretel* ist Marks Geschichte. Es ist gleichsam sein ureigenes Märchen, das eine, das ihn persönlich anspricht. Bill hat es wegen Mark gemalt. Manchmal sagt Mark zu mir: ‹Du bist meine richtige Mommy›, und dann, zwei Minuten später, wird er wütend und sagt: ‹Du bist nicht meine richtige Mommy. Ich hasse dich.› Alles, was ich sagen kann, ist, dass sie, immer wenn ich mit ihm zusammen bin, da ist. Sie geht durch jedes Spiel, das ich mit ihm spiele. Immer wenn ich mit ihm spreche, flüstert sie hinter mir. Wenn wir zeichnen, ist sie da. Wenn wir mit Bauklötzen bauen, ist sie da. Wenn ich ihn schelte, ist sie da. Sobald ich aufblicke, ist sie da.»

«Willst du damit sagen, dass du in seinen Augen immer zwischen guter Mutter und Hexe schwankst?»

«Warte, ich erklär's dir», sagte sie. «Seit über einem Jahr spielen Mark und ich nach dem Baden ein Spiel. Ich darf ihn jetzt nackt sehen. Früher durfte ich das nicht. Das Spiel heißt Master Fremont. Es geht so: Mark ist Master Fremont, und ich bin seine Dienerin. Ich wickle ihn in seinen Bademantel und trage ihn in sein Zimmer. Ich lege ihn aufs Bett, und dann umarme und küsse ich meinen kleinen Master. Er tut so, als wäre er furchtbar wütend, und schmeißt mich raus. Ich verspreche, brav zu sein und ihn nie wieder zu umarmen, aber ich kann mich nicht beherrschen, werfe mich auf ihn und küsse und umarme ihn erneut. Er schmeißt mich wieder raus. Ich bettele um eine weitere Chance. Ich knie nieder. Ich gebe vor zu weinen. Er lässt sich erweichen, und das Spiel geht von neuem los. Er könnte es ewig weiterspielen.»

«Du sprichst in Rätseln, Violet.»

«Es ist Lucille, verstehst du denn nicht? Es ist Lucille.»

«Das Spiel», sagte ich langsam.

«Ja, es geht um Vermischung. Endlich darf er mich wieder und wieder zurückweisen, fortschicken und erneut an sich heranlassen. Er hat die Macht. In dem Spiel bin ich Mark. Er ist...»

«Seine Mutter», sagte ich.

«Ja», sagte Violet. «Lucille wird uns nie verlassen.»

Einen Monat nach diesem Gespräch ergab es sich, dass ich mit Lucille allein war. Während ihres Jahres in Houston hatten wir keinen Kontakt gehabt, und seit ihrer Rückkehr im Herbst beschränkten sich meine Begegnungen mit ihr auf zufällige Hallos oder kurzes Geplauder im Treppenhaus, wenn sie Mark abholte. Violets Geschichten über «Vermischung» in dem Giorgione-Gemälde, in der Klavierstunde und in dem Master-Fremont-Spiel sind bei dem, was zwischen mir und Lucille geschah, von seltsamer Bedeutsamkeit. Inzwischen glaube ich, dass wir, obwohl sie und ich in jener Nacht die einzigen Menschen im Zimmer waren, nicht wirklich allein waren.

Es begann an einem Samstagabend. Erica und ich besuchten eine große Party für die Förderer einer Theatergruppe in der Wooster Street. Als ich Lucille erblickte, stand sie mit einem blutjungen Mann, vermutlich Anfang zwanzig, ins Gespräch vertieft. Sie hatte ihr Haar aufgesteckt, was ihren schlanken Hals zur Geltung brachte, und trug ein graues Kleid, weitaus hübscher als alles, worin ich sie je gesehen hatte. Mir fiel auf, dass sie im Reden hin und wieder den Unterarm des jungen Mannes emphatisch und erstaunlich kraftvoll umfasste. Ich versuchte, ihren Blick aufzufangen, aber sie sah mich nicht. Es war eine dieser brechend vollen Veranstaltungen, bei denen die meisten Gespräche bestenfalls kursorisch sind und die Lichter zu schwach, um irgendjemanden richtig zu sehen.

Wir waren ungefähr eine halbe Stunde da, als Erica zu mir sagte: «Siehst du den Knaben da drüben?»

Ich drehte mich um. Auf der anderen Seite des Raumes sah ich einen großen dünnen Jungen mit einer dicken schwarzen Brille und dichtem blondem Haarschopf, der ihm senkrecht vom Kopf abstand, eine Frisur, die sehr nach dem Strohwisch eines Besens aussah. Der Junge lungerte in der Nähe des Buffets herum. Ich sah seine Hand auf eine Platte zuschnellen. Er schnappte sich mehrere Baguettes und stopfte sie flink in die Taschen seines langen Regenmantels – ein unpassendes Kleidungsstück für eine laue Frühlingsnacht ohne Regen. Binnen weniger Minuten hatte er Brötchen, Weintrauben, zwei ganze Käse und mindestens ein halbes Pfund Schinken gehamstert und in verschiedenen Manteltaschen verstaut. Offensichtlich zufrieden mit seinem Vorrat und sehr unförmig, machte er sich auf den Weg zur Tür.

«Ich gehe hin und rede mit ihm», sagte Erica.

«Nein, nicht, du bringst ihn in Verlegenheit», sagte ich.

«Ich werde ihm nicht sagen, dass er die Sachen zurücklegen soll. Ich will nur herausfinden, wer er ist.»

Kurz darauf stellte Erica mir Laszlo Finkelman vor. Als ich ihm die Hand gab, erwiderte er meine Begrüßung mit einem verklemmten Nicken. Ich bemerkte, dass sein Mantel jetzt bis unters Kinn zugeknöpft war; er schien noch mehr Essbares im Brustbereich untergebracht zu haben. Laszlo blieb nicht auf einen Plausch. Wir beobachteten, wie er zur Tür tapste und verschwand.

«Der Junge ist am Verhungern, Leo. Er ist erst zwanzig Jahre alt. Er wohnt in Brooklyn, in Greenpoint. Er ist so was wie ein Künstler. Er ernährt sich, indem er Happy-Hour-Buffets plündert und sich bei Partys wie dieser einschleicht. Ich habe ihn nächste Woche zum Abendessen eingeladen. Ich möchte ihm helfen.»

«Mit dem Fischzug von heute Abend sollte er einen Monat auskommen», sagte ich.

«Er hat mir seine Telefonnummer gegeben. Ich werde ihn anrufen und dafür sorgen, dass er kommt.»

Auf dem Weg zur Tür sahen wir Lucille wieder. Sie stand allein da und war gegen die Wand gesunken. Erica ging zu ihr.

«Lucille? Bist du in Ordnung?», sagte sie.

Lucille hob den Kopf und sah Erica an, dann mich. «Leo», sagte sie. Ihre Augen glänzten, und ihr Gesicht war so weich, wie ich es noch nie gesehen hatte. Die Gelenke ihres normalerweise steifen Körpers hatten sich gelockert wie die einer Marionette. Als wir vor ihr standen, gaben ihre Knie nach, und sie rutschte die Wand hinunter. Erica packte sie.

«Wo ist Scott?», fragte Lucille.

«Ich kenne Scott nicht», sagte Erica freundlich. Dann, zu mir gewandt: «Er hat sie wohl sitzen lassen. Wir können sie nicht hier lassen. Sie hat viel zu viel getrunken.»

Erica ging nach Hause und löste Grace beim Babysitten ab. Ich brachte Lucille im Taxi zur East 3rd Street, zwischen Avenue A und B. Als Lucille dann auf der Treppe vor ihrem Haus mit dem Schlüssel herumfummelte, war sie wieder etwas nüchterner. Obwohl ihre schlaffen Bewegungen hinter ihrem Willen herhinkten, sah ich einen Hauch Selbstwahrnehmung zurückkehren, während sie sich abmühte, den Schlüssel ins Schloss zu stecken. Das kleine, schmale Apartment im ersten Stock war still, außer einem tropfenden Wasserhahn irgendwo in einem nicht sichtbaren Zimmer. Auf dem Sofa lagen mehrere Kleidungsstücke herum, auf einem Schreibtisch Berge Papier, und der Fußboden war mit Spielzeug übersät. Lucille ließ sich auf das Sofa sinken und sah zu mir hoch. Ihr Haar hatte sich gelöst und fiel in langen Strähnen über ihr gerötetes Gesicht.

«Übernachtet Mark bei Bill?», fragte ich.

«Ja.» Sie fuhr sich versuchsweise durchs Haar, als wäre sie unsicher, was sie damit machen sollte. «Das ist sehr nett von dir», sagte sie.

«Bist du in Ordnung? Kann ich dir irgendwas holen?»

In einer abrupten Bewegung umfasste sie mein Handgelenk. «Bleib noch einen Moment», sagte sie. «Bitte bleib.»

Ich war nicht scharf darauf. Es war nach Mitternacht, und der Partylärm hatte mich ermüdet, doch ich setzte mich neben sie. «Wir haben uns nicht wirklich unterhalten, seit du aus Texas zurück bist», sagte ich. «Hast du irgendwelche Cowboys kennen gelernt?»

Lucille lächelte mich an. Der Alkohol bekam ihr gut, entschied ich, denn seine Wirkung entspannte noch immer ihre Züge, und ihr Lächeln war viel weniger gehemmt als sonst.

«Nein», sagte sie. «Am dichtesten dran war ich mit Jesse. Hin und wieder trug er einen Cowboyhut.»

«Und wer war Jesse?»

«Mein Student, aber auch mein Freund. Angefangen hat es, als ich seine Gedichte redigierte. Er mochte meine Vorschläge nicht, und seine Wut interessierte mich.»

«Dann hast du dich also in diesen Jesse verliebt?»

Lucille sah mir fest in die Augen. «Mein Interesse an ihm war sehr stark. Einmal habe ich ihn zwei Tage verfolgt. Ich wollte herausfinden, was er tat, wenn er nicht bei mir war. Ich bin ihm gefolgt, ohne dass er es wusste.»

«Dachtest du, er wäre mit einer anderen Frau zusammen?»

«Nein.»

«Was hat er gemacht, wenn er nicht bei dir war?»

«Er ist Motorrad gefahren. Er hat gelesen. Er hat mit seiner Vermieterin gesprochen, die blonde Haare hatte und stark geschminkt war. Er hat gegessen. Er hat mehr ferngesehen, als gut für ihn war. Eines Nachts habe ich in seiner Garage geschlafen. Es hat mir gefallen, weil er es nie erfahren hat. Ich bin zu seinem Haus gegangen, habe ihn eine Zeit lang durchs Fenster beobachtet, und dann habe ich in der Garage geschlafen und bin morgens gegangen, bevor er aufstand.»

«Das war doch bestimmt unbequem.»

«Es war eine Plane da.»

«Das hört sich ganz nach Liebe an», sagte ich. «Ein bisschen obsessiv vielleicht, aber trotzdem Liebe.»

Lucille runzelte die Augenbrauen, während sie mich weiter ansah. Ihr Gesicht war blass, und sie hatte dunkle Ringe unter den Augen. Sie schüttelte den Kopf. «Nein, ich habe ihn *nicht* geliebt, aber ich wollte bei ihm sein. Einmal, am Anfang, hat er gesagt, ich solle gehen, aber er hat es nicht so gemeint, er war nur wütend. Ich bin gegangen. Er kam mir nach, und wir blieben zusammen. Dann, Monate danach, hat er es wieder gesagt. Diesmal war er dabei ruhig, und ich wusste, er meint es so, doch ich bin geblieben, bis er mich rausgeworfen hat.»

Ich musterte Lucille schweigend. Warum erzählte sie mir das? Warum bestand sie darauf, dass sie Jesse nicht geliebt hatte? Hatte sie sich in ein semantisches Rätsel verstiegen – was bedeutet Liebe? –, oder wollte sie ihre Gefühlsarmut eingestehen? Warum schilderte sie zutiefst persönliche, sogar demütigende Erlebnisse, als wären es knifflige Übungen in einem Logik-Lehrbuch? Als ich in Lucilles klare blaue Augen sah, fand ich ihre kalte Festigkeit sowohl faszinierend wie aufreizend, und plötzlich hatte ich Lust, sie zu ohrfeigen. Oder zu küssen. Eins von beiden würde den Drang befriedigen, der über mich gekommen war, ein intensiver Wunsch, die spröde Maske ihres gleichmütigen Gesichts zu zerbrechen. Ich beugte mich zu ihr hin, und Lucille sprach augenblicklich darauf an. Sie umklammerte meine Schultern, zog mich an sich und küsste mich auf den Mund. Als ich ihren Kuss erwiderte, schob sie mir ihre Zunge tief hinein. Ihre Attacke überraschte mich, weil sie nicht zu ihr zu passen schien, doch ich war nicht mehr imstande, ihre oder meine Motive zu analysieren. Als ich ihr Kleid hinten aufzuknöpfen begann, wanderte ihr Mund auf meinen Hals, und ich spürte ihre Zunge und dann ihre Zähne, die meine Haut zwickten. Der Biss durchfuhr meinen Körper wie ein kleiner Schock, und ich begriff ihn als Wink, sie grob zu behandeln. Lucille wollte keine Zartheit, und sie hatte vielleicht von Anfang an gespürt, dass mein Begehren ohnehin der Wut sehr nahe war. Ich packte Lucille bei den Schultern, warf sie aufs Sofa, hörte sie keuchen und schaute zu ihr hinunter. Sie lächelte. Es war ein schwaches, kaum wahrnehmbares Lächeln, doch ich sah es, und ihr triumphierender Blick stachelte mich an. Ich schob ihr Kleid hoch und zerrte an ihrer Strumpfhose und ihrem Slip. Sie half mir, sie herunterzuziehen, und kickte das beige Knäuel auf den Fußboden. Ich zog mich gar nicht erst aus. Ich öffnete den Reißverschluss meiner Hose und spreizte ihre Schenkel. Als ich in sie eindrang, gab sie ein leises Stöhnen von sich. Danach machte sie nicht mehr viele Geräusche, doch sie bohrte ungestüm die Finger in meinen Rücken und stieß ihre Hüften gegen meine. Während ich über ihr schwitzte und stöhnte, fühlte sich die Luft auf meiner Haut warm und feucht an, und ich konnte Lucilles Parfüm oder Seife riechen, ein moschusartiger Duft, der sich mit dem trockenen Staubgeruch der Wohnung vermischte. Ich glaube nicht, dass es sehr lange dauerte. Sie gab einen unterdrückten Schrei von sich. Ich kam Sekunden später, und dann saßen wir wieder nebeneinander auf dem Sofa.

Sie stand auf und ging aus dem Zimmer, um ein Handtuch zu holen. Sobald sie weg war, senkte sich die Reue in meine Brust wie ein Eisengewicht. Als sie mir ein kastanienbraunes Handtuch zum Abwischen gab, fühlte sich mein Körper schwerer an denn je, wie ein Panzer, dem das Benzin ausgegangen ist.

In Lucilles Bad wusch ich meinen Penis mit Seife ab. Als ich mich mit einem anderen kastanienbraunen Handtuch abtrocknete, spürte ich, wie sich ein Riss zwischen mir und dem gegenwärtigen Augenblick auftat, so als hätte ich die Wohnung schon verlassen. Nur Minuten zuvor war mein Verlangen nach Lucille wild und real gewesen. Ich hatte diesem Verlangen nachgegeben und hatte Lust dabei empfunden, doch schon rückte der Sex in die Ferne, wie ein Gespenst seiner selbst. Als ich meine Hose hochzog, fiel mir Jack ein, der den Künstler Norman Bluhm zitierte: «Alle Männer sind Gefangene ihres Schwanzes.» Die

Worte kamen mir in den Sinn, während ich dastand und Lucilles Nachtcremes und einen eisblauen Strang Zahnpasta musterte, der in ihrem Waschbecken hart geworden war.

Nachdem ich zu lange im Bad geblieben war, ging ich zurück zu Lucille, die in ihrem halb aufgeknöpften Kleid auf dem Sofa saß. Als ich sie sah, verspürte ich den Drang, mich zu entschuldigen, doch ich wusste, es wäre taktlos gewesen – das Eingeständnis eines Fehlers. Ich setzte mich neben sie, nahm ihre Hand und begann im Geist mehrere Sätze: Ich liebe Erica. Ich weiß nicht, was über mich gekommen ist ... Lucille, das war nicht ... Ich denke, wir sollten darüber sprechen ... Ich strich all diese abgedroschenen Phrasen und sagte stattdessen nichts.

Lucille wandte sich mir zu. «Leo», sagte sie langsam, jedes Wort deutlich aussprechend, «ich werde es keinem Menschen erzählen.» Ihre Augen maßen sich mit meinen, und nachdem sie diese Worte gesprochen hatte, kniff sie den Mund zu. Zuerst war ich erleichtert, obwohl ich nicht so weit gedacht hatte, sie zu verdächtigen, sie könnte anderen etwas über meinen Seitensprung erzählen. Gleich darauf überlegte ich, wieso sie dies vor allem anderen erwähnte – dass sie es nicht weitererzählen würde. Warum war «kein Mensch» wie eine Figur in diesem Drama zwischen uns aufgetaucht? Ich war dabei, mir Gedanken zu machen, wie ich mich aus der Affäre ziehen könnte, ohne sie zu verletzen, und auf einmal merkte ich, dass sie mir ein Riesenstück voraus war, dass sie überhaupt nicht mehr von mir wollte. Sie hatte nur das gewollt, nur dies eine Mal.

Da sagte ich es doch: «Ich liebe Erica sehr. Sie ist mir teurer als alles auf der Welt. Ich war unbesonnen ...» Ich hielt inne. Lucille lächelte mich wieder an, breiter als zuvor, und es war kein Lächeln der Befriedigung oder Sympathie. Sie sah verlegen aus und war rot geworden. «Tut mir Leid», stotterte ich – die Entschuldigung rutschte mir einfach so heraus. Ich stand auf. «Kann ich dir etwas holen?», fragte ich. «Ein Glas Wasser? Ich könnte Kaffee kochen.» Ich füllte die Luft mit Reden, ich plapperte drauflos, um ihr Erröten nicht wahrhaben zu müssen.

«Nein, Leo», sagte sie. Sie nahm meine Hand und betrachtete sie, drehte die Handfläche um. «Du hast lange Finger und eine rechteckige Handfläche. In einem Buch, das ich mal gesehen habe, stand, Hellseher hätten solche Hände.»

«Ich fürchte, in meinem Fall irrte das Buch», sagte ich.

Sie nickte. «Gute Nacht, Leo.»

«Gute Nacht.» Ich beugte mich hinunter und küsste sie auf die Wange. Dabei gab ich mir große Mühe, mein Unbehagen zu überspielen. Und dann, obwohl ich am liebsten aus der Wohnung gerannt wäre, zögerte ich, weil ich plötzlich das Gefühl hatte, die Sache zwischen uns sei noch nicht beendet. Ich sah zu Boden und bemerkte ein Spielzeug neben meinen Füßen. Ich erkannte das schwarzrote Ding, weil Matt mehrere davon hatte. Das Transformer genannte Spielzeug konnte aus einem Fahrzeug in ein Roboterwesen mit mehr oder weniger menschlicher Gestalt verwandelt werden. Es war in einem Zwitterzustand – halb Ding, halb Mensch. In einem Impuls hob ich es auf. Aus irgendeinem Grund musste ich es anfassen. Ich schnippte eine Seite nach unten, um die Verwandlung zu vollenden. Es wurde ganz Roboter – zwei Arme, zwei Beine, ein Kopf und ein Torso. Ich spürte, dass Lucille mich beobachtete. «Ein hässliches Spielzeug», sagte sie.

Ich nickte und legte den Transformer auf den Tisch. Wir sagten noch einmal «Gute Nacht», und ich ging.

Als ich neben Erica ins Bett kroch, wachte sie einen Augenblick auf. «War Lucille okay?», sagte sie. Ich bejahte. Dann sagte ich ihr, Lucille habe reden wollen, und ich sei eine Weile bei ihr geblieben. Erica drehte sich um und schlief wieder ein. Ihre Schulter und ihr Arm waren nicht zugedeckt, und ich starrte im dunklen Licht des Zimmers auf den schmalen Träger ihres Nachthemds. Erica würde meinen Verrat nie argwöhnen, und ihr Vertrauen machte mich krank. Wäre sie eine Frau gewesen, die meine Loyalität anzweifelte, hätte ich mich weniger schuldig gefühlt. Am nächsten Morgen wiederholte ich die Lüge, ohne mit der Wimper zu zucken. Ich log so gut, dass die Vornacht sich eher in das zu verfestigen schien, was hätte geschehen sollen, als in das, was geschehen war. «Ich werde es keinem Menschen erzählen.» Lucilles Versprechen war unser Band, das dazu beitragen würde, die Wirklichkeit, dass ich mit ihr geschlafen hatte, auszuradieren. Als ich an jenem Sonntagmorgen mit Erica am Tisch saß, einen Korb voll Bagels vor mir, hörte ich Matt zu, der von Ling sprach. Ling hatte das Lebensmittelgeschäft nebenan für einen neuen Job aufgegeben. «Ich werde Ling wohl nie, nie wieder sehen», sagte er, und während er weiterredete, fielen mir Lucilles Zähne auf meinem Hals ein, und ich sah ihre blassbraunen Schamhaare vor ihrer weißen Haut. Lucille hatte keine Affäre gewollt. Dessen war ich mir ganz sicher, aber sie hatte etwas von mir gewollt. Ich sage etwas, weil es, was immer es war, die Gestalt von Sex nur angenommen hatte. Je länger ich darüber nachdachte, umso beunruhigender wurde es, denn ich begann zu argwöhnen, dass dieses Etwas mit Bill zusammenhing.

Danach sah ich Lucille monatelang nicht. Entweder entging mir ihr Kommen und Gehen in unserem Haus, oder sie holte Mark seltener ab, weil sie neue Verabredungen mit Bill getroffen hatte. Doch nur wenige Wochen nachdem ich mit ihr geschlafen hatte, fragte ich Bill nach ihrer Krankheit, die er mir gegenüber vor Jahren erwähnt hatte.

Seine offene Antwort ließ meine jahrelange Zurückhaltung als Torheit erscheinen. «Sie hat einen Selbstmordversuch gemacht», sagte er. «Ich fand sie in ihrem Zimmer im Wohnheim mit aufgeschnittenen Pulsadern, der ganze Fußboden war voll

Blut.» Bill unterbrach sich und schloss einen Moment die Augen. «Sie saß mit ausgestreckten Armen auf dem Boden und beobachtete in aller Ruhe, wie sie verblutete. Ich habe sie gepackt, habe Handtücher um ihre Gelenke gewickelt und um Hilfe geschrien. Nachher meinten die Ärzte, der Schnitt sei nicht sehr tief, sie habe wahrscheinlich nicht vorgehabt, sich wirklich umzubringen. Jahre später sagte sie mir, dass es ihr Spaß gemacht hat, das Blut zu beobachten.» Er machte eine Pause. «Sie lag eine Zeit lang im Krankenhaus, und dann wohnte sie bei ihren Eltern. Sie ließen mich nicht zu ihr. Sie dachten, ich hätte einen schlechten Einfluss auf sie. Als sie es getan hat, wusste sie nämlich, dass ich nicht weit weg war. Sie wusste, dass ich vorbeikommen würde. Ich glaube, ihre Eltern dachten, wenn ich da wäre, würde sie es wieder tun.» Bill verzog das Gesicht und schüttelte den Kopf. «Ich habe immer noch ein schlechtes Gewissen deswegen.»

«Aber es war doch nicht deine Schuld.»

«Ich weiß. Ich habe ein schlechtes Gewissen, weil mir dieses Verrückte an ihr gefiel. Ich fand es dramatisch. Sie war damals sehr schön. Die Leute sagten immer, sie sähe aus wie Grace Kelly. Es ist furchtbar, aber ein schönes blutendes Mädchen ist unwiderstehlicher als ein reizloses blutendes Mädchen. Ich war zwanzig und ein kompletter Idiot.»

Und ich bin sechsundfünfzig, dachte ich, und noch immer ein kompletter Idiot. Bill erhob sich und ging auf und ab. Während ich ihm dabei zusah, wurde mir klar, dass, wenn ich nicht vorsichtig war, das Geheimnis zwischen Lucille und mir wie eine Wunde schwären konnte. Mir wurde auch klar, dass ich es für mich behalten musste. Ein Geständnis würde, außer zu meiner eigenen Entlastung, zu nichts führen. «Lucille wird immer bei uns sein», hatte Violet gesagt. Vielleicht war es das, was Lucille wollte.

Nach mehreren Absagen kam Laszlo Finkelman schließlich einen Monat danach zum Abendessen. Ein gut Teil von Ericas Freude an seiner Gesellschaft resultierte daraus, ihm beim Essen zuzusehen. Er verschlang haufenweise Kartoffelpüree, sechs Portionen Hühnchen und kleinere, aber gleichwohl erhebliche Mengen Karotten und Brokkoli. Erst nachdem er noch drei Stücke Apfeltarte verzehrt hatte, schien er gesprächsbereit. Doch das Reden glich für Laszlo dem Erklimmen eines steilen Berges. Er war geradezu pervers lakonisch, beantwortete unsere Fragen einsilbig oder in Sätzen, die so langsam Form annahmen, dass ich gelangweilt war, ehe er sie zu Ende brachte. Dennoch hatten wir ihnen, bis er dann wieder ging, entnehmen können, dass er in Indianapolis aufgewachsen und Waise war. Sein Vater war gestorben, als er neun war, und sieben Jahre danach seine Mutter. Mit sechzehn hatten ihn eine Tante und ein Onkel aufgenommen, die, in seinen Worten, «okay» waren. Aber mit achtzehn hatte er sie verlassen und war nach New York City gegangen, «um meine Kunst zu machen».

Laszlo hatte viele Jobs gehabt. Er war Hilfskellner, Verkäufer in einer Eisenwarenhandlung und Fahrradkurier gewesen. In einer verzweifelten Periode hatte er auf der Straße Pfandflaschen gesammelt. Derzeit war er Kassierer in einem Laden in Brooklyn mit dem dubiosen Namen La Bagel Delight. Als ich Laszlo nach seiner Kunst fragte, zog er sogleich Dias aus seiner Tasche. Die Arbeiten erinnerten mich an Tinkertoys, dieses Holzspielzeug zum Zusammenstecken, das meine Mutter mir nicht lange nach unserer Ankunft in New York gekauft hatte. Als ich mir die eigenartig geformten Skulpturen ansah, schwante mir, dass sie männlichen und weiblichen Genitalien ähnelten.

«Haben alle deine Arbeiten ein sexuelles Thema?», fragte Erica. Dabei lächelte sie Laszlo an, doch er schien immun gegen ihren Humor. Er musterte sie hinter seinen Brillengläsern hervor und nickte ernst. Sein blonder Besen nickte mit. «So ist es», sagte er.

Erica war auch diejenige, die sich wegen Laszlo an Bill wandte. Seit einiger Zeit erwog Bill, sich einen Assistenten zuzulegen, und Erica war davon überzeugt, dass Laszlo «perfekt» wäre. Ich war skeptischer hinsichtlich der Eignung des Jungen, doch Bill konnte Erica nicht widerstehen, und bald gehörte Laszlo bei Bill zum Inventar. Jeden Nachmittag arbeitete er in der Bowery. Erica päppelte ihn ungefähr einmal im Monat auf, und Matt liebte ihn. Laszlo bemühte sich gar nicht besonders um Matthew. Er spielte nicht mit ihm und redete auch nicht mehr mit ihm als mit uns. Doch die scheinbare Kühle des jungen Mannes schreckte Matt nicht im Geringsten. Er kletterte auf Lasz' Schoß, fasste in seine faszinierenden Haare und begann über seine wachsende Begeisterung für Baseball zu plappern. Ab und zu legte Matt die Hände auf Laszlos Wangen und küsste ihn. Während dieser Attacken von Matts Leidenschaft saß Laszlo ungerührt auf seinem Stuhl und sprach mit gleichförmig verdrießlichem Gesicht so wenig wie möglich. Und doch, als ich eines Abends beobachtete, wie Matt die Arme um die dünnen Finkelman-Beine schlang, als sie gerade zum Abendessen zur Tür hereinkamen, kam mir plötzlich der Gedanke, dass Laszlos fehlender Widerstand gegen Matt an sich schon eine Form von Zuneigung war. Es war einfach das Beste, was er damals geben konnte.

Im Januar begann mein Kollege Jack Newman eine Liaison mit Sara Wang, einer Doktorandin, die an einem seiner Seminare teilgenommen hatte. Sie war eine hübsche junge Frau mit braunen Augen und schwarzem Haar, das bis zur Hälfte ihres Rückens herabfiel. Vor ihr hatte es andere gegeben – Jane und Delia und die einen Meter fünfundachtzig große Tina, deren sexueller Appetit offensichtlich ebenso groß war wie sie selbst. Jack war einsam. Sein Buch über *Pissoirs und Campbell's Suppe*, an dem er seit fünf Jahren arbeitete, füllte die Abendstunden in seiner großen Wohnung am Riverside Drive nicht aus. Seine Affären dauerten nie sehr lange. Jacks Liebesobjekte waren nicht unbedingt hübsch, aber immer klug. Einmal sagte er mir ziemlich traurig, er habe es nie geschafft, ein dummes Mädchen ins Bett zu bekommen. Doch sogar die gescheiten ermüdeten Jack bald. Ich vermute, sie merkten, dass er es nicht ernst meinte, dass er das Spiel mehr liebte als sie. Vielleicht wachten sie morgens auf, schauten zu der kahl werdenden Figur neben ihnen im Bett hinüber und fragten sich, wo der Zauber der vergangenen Nacht geblieben war. Ich weiß nicht, wie, aber alle liefen Jack davon. Eines späten Nachmittags ging ich durch den Flur zu Jacks Büro. Ich war länger geblieben, um Seminararbeiten zu korrigieren, und war dabei auf den bemerkenswerten kleinen Aufsatz eines jungen Mannes namens Fred Ciccio über Fra Angelico gestoßen, den ich Jack zeigen wollte. Als ich durch das kleine Fenster in seiner Bürotür schaute, sah ich ihn und Sara im Clinch. Jacks rechte Hand war in Saras Bluse verschwunden, und obwohl sich ihre Hände irgendwo unsichtbar unter dem Schreibtisch befanden, ließ Jacks Gesichtsausdruck vermuten, dass sie nicht untätig waren. Sobald ich begriff, was ich da sah, drehte ich mich um, lehnte den Kopf an das Fenster, um den Blick zu versperren, und ließ mich von einem explosiven Hustenanfall überwältigen, bevor ich anklopfte. Sara, wieder zugeknöpft, aber rotgesichtig, floh, sobald ich hereinkam.

Ich sprach ohne Umschweife mit Jack. Ich setzte mich auf den Stuhl ihm gegenüber und hielt ihm meinen üblichen Vortrag. Ich warnte ihn, dass ihm seine fehlende Diskretion in der Abteilung alles ruinieren könnte. Das Klima für die Verführung von Studentinnen war schlecht. Er würde die Sache beenden oder verheimlichen müssen.

Jack seufzte, warf mir einen düsteren Blick zu und sagte: «Ich bin in sie verliebt, Leo.»

«Du warst in alle verliebt, Jack», sagte ich.

Er schüttelte den Kopf: «Nein, mit Sara ist es anders. Habe ich das Wort je zuvor benutzt?»

Ich erinnerte mich nicht, ob Jack gesagt hatte, er liebe Tina, Delia oder Jane. Dann dachte ich an Lucille und an den seltsamen Unterschied, den sie zwischen «starkem Interesse» und dem Zustand des «Verliebtseins» gemacht hatte.

«Ich bin mir nicht sicher, ob Liebe alles entschuldigt», sagte ich.

Unterwegs in der U-Bahn dachte ich über meine Worte nach. Sie waren mir ohne Zögern über die Lippen gekommen – eine markige Reaktion auf Jacks Geständnis, doch was hatte ich damit gemeint? Hatte ich das gesagt, weil ich nicht an Jacks Liebe zu Sara glaubte oder weil ich an sie glaubte? Nicht ein einziges Mal in all den Jahren meiner Ehe hatte ich mich gefragt, warum ich Erica liebte. Im ersten Jahr nachdem wir uns kennen gelernt hatten, war ich völlig von ihr überwältigt gewesen. Ich hatte Herzklopfen gehabt. Meine Nerven waren vor Sehnsucht so gespannt gewesen, dass ich sie fast summen hörte. Der Appetit war mir vergangen, und ich hatte Entzugserscheinungen, wenn ich nicht bei ihr war. Diese Manie war allmählich abgeklungen, doch als ich nun die Treppen der U-Bahn hinaufstieg in die kalte, graue Luft, merkte ich, dass ich es nicht abwarten konnte, sie zu sehen. Zu Hause fand ich Erica, Grace und Matthew in der Küche. Ich packte Erica, kippte sie über meinen Arm nach hinten und küsste sie fest auf den Mund. Grace lachte. Matt staunte und Erica sagte: «Nochmal. Das gefällt mir.» Ich küsste sie noch einmal. «Jetzt ich, Daddy!», rief Matt. Ich beugte mich hinunter, warf Matt über meinen Arm und gab ihm einen Kuss auf seinen kleinen, gespitzten Mund. Diese Kundgebungen amüsierten Grace dermaßen, dass sie einen Küchenstuhl heranzog, sich darauf fallen ließ und eine gute Minute lang lachte.

Es war nur ein kleines Ereignis, und dennoch bin ich oft im

Geiste zu diesém Augenblick zurückgekehrt. Jahre später begann ich mir die kleine Episode aus der Ferne vorzustellen, so als wäre der Mann, der zur Tür hereinkam, auf Film gebannt worden: Ich beobachte, wie er seinen Mantel auszieht und Schlüssel und Brieftasche im Flur neben das Telefon legt. Ich sehe ihn seine Aktentasche auf den Boden stellen und mit großen Schritten in die Küche gehen. Der Mann mittleren Alters mit zurückweichendem, stark ergrautem Haaransatz packt eine große, noch jung aussehende Frau mit dunkelbraunem Haar und einem kleinen Leberfleck über der Lippe und küsst sie. Ich küsste Erica an jenem Tag aus einer Laune heraus, doch mein plötzliches Begehren ließ sich in Jacks Büro zurückverfolgen, wo er sagte, er liebe Sara, und sogar noch weiter bis zu Lucilles Sofa, auf dem sie mit demselben Wort linguistische Haare gespalten hatte. Niemand außer mir konnte diesen Kuss zurückverfolgen. Seine Spur war unsichtbar, ein verworrener Pfad menschlicher Interaktion, der in meiner impulsiven Rückversicherungsgeste gipfelte. Ich mag diese kleine Szene. Ob meine Erinnerung genau stimmt oder nicht, sie hat eine Schärfe wie nichts von dem, was ich mir heute ansehe. Wenn ich mich konzentriere, sehe ich Ericas Augen sich schließen und ihre dichten Wimpern die zarte Haut unter ihren Augen berühren. Ich sehe ihr Haar aus der Stirn zurückfallen und spüre das Gewicht ihres Körpers auf meinem Arm. Ich erinnere mich daran, was sie anhatte: ein gestreiftes T-Shirt mit langen Ärmeln. Sein weiter runder Ausschnitt entblößte ihre Schlusselbeine und die gleichmäßige Blässe ihrer Winterhaut.

Der August jenes Jahres war der erste von fünfen, die beide Familien gemeinsam in Vermont verbrachten. Matt und Mark feierten ihren siebten, achten, neunten, zehnten und schließlich elften Geburtstag in dem großen alten Bauernhaus, das wir jedes Jahr mieteten – ein verwinkelter, heruntergekommener Bau mit sieben Schlafzimmern. In seiner hundertjährigen Geschichte hatten Anbauten das Haus an verschiedenen Nahtstellen vergrößert und erneut vergrößert, um es wachsenden Familien anzupassen, doch zu der Zeit, als wir es zum ersten Mal sahen, war es in den übrigen Monaten des Jahres unbewohnt. Eine alte Frau hatte es ihren acht Patenkindern vermacht, die inzwischen selbst ältere Leute waren, und das Haus kümmerte als ein größtenteils vergessener Besitz vor sich hin. Es lag oben auf einem Hügel, den die Leute aus der Gegend einen Berg nannten, nicht weit von Newfane – einem Ort, der hübsch genug war, dass er als typisches gemütliches New-England-Dorf wie besessen fotografiert wurde. Die Sommertage überlagern einander in meiner Erinnerung, und ich kann das eine Ferienjahr nicht immer vom anderen unterscheiden, doch die insgesamt fünf Monate, die wir dort verlebten, haben jetzt einen Touch bekommen, den ich nur unwirklich nennen kann. Nicht, dass ich an ihrer Realität zweifle. Meine Erinnerung ist klar. Ich erinnere mich an jedes Zimmer, so als wäre ich gestern darin gewesen. Ich sehe den Blick aus dem kleinen Fenster vor mir, wo ich gewöhnlich saß und an meinem Buch arbeitete. Ich höre die Jungen unten spielen und Erica nicht weit von ihnen vor sich hin summen. Ich rieche kochenden Mais. Nein, es ist so, dass die schlichte Behaglichkeit und Zufriedenheit in diesem Haus in meinem Geist von «der Vergangenheit» umgeformt wurden. Weil das Gewesene nicht mehr existiert, ist es idyllisch geworden. Wäre es nur ein einziger Sommer gewesen, könnte der grüne Hügel nie den magischen Charme haben, den er nun für mich hat. Er wird durch die Wiederholung verzaubert: die Fahrt nach Norden in unserem Auto und in Bills Truck, voll gepackt mit Büchern, Malutensilien und Spielsachen, das Beziehen unserer muffigen Zimmer, die von Violet angeführten Putzrituale, das Kochen und Essen und Lesen und Schlaflieder-Singen, die vier Erwachsenen, die um den Holzofen sitzen und bis in die Nacht hinein reden. Es gab warme Tage, ein paar glühend heiße, oder tagelange Regenfälle, die das Haus auskühlten und an den Fenstern rüttelten. Es gab Nächte, in denen wir auf Decken draußen lagen und die Sternbilder studierten, die so hell und klar leuchteten wie die Punkte auf einer astronomischen Karte. Nachts im Bett hörten wir den Ruf von Schwarzbären, der wie der von Eulen klang. Rehe kamen vom Waldrand bis ans Haus, um zu äsen, und einmal landete ein Reiher einen halben Meter vom Haus entfernt und lugte hinein zu Matt, der am Fenster stand. Er wusste nicht, was es war, und als er zu mir kam und mir beschrieb, was er da gesehen hatte, war sein Gesicht noch blass vom plötzlichen Auftauchen eines Vogels, der zu groß war, um wirklich zu sein.

Bill, Violet, Erica und ich arbeiteten, während die Jungen zwanzig Autominuten entfernt in einem Tagescamp in Weston waren, wo sie um zwei Uhr nachmittags von einem der vier Erwachsenen abgeholt wurden. Erica, Violet und ich arbeiteten im Haus. Bill richtete sich ein Atelier in einem Nebengebäude ein, einer baufälligen Kate, die er «Bowery zwei» nannte. Diese kinderlosen Stunden, in denen jeder von uns seiner Arbeit nachging, erinnern mich heute an kollektives Träumen. Ich hörte das leise Klappern von Ericas elektrischer Schreibmaschine; sie arbeitete an ihrem Buch, das schließlich unter dem Titel *Henry James und die Ambiguitäten des Dialogs* veröffentlicht wurde. Aus Violets Zimmer hörte ich mit dem Recorder aufgenommene gedämpfte Mädchenstimmen. Einmal in jenem ersten Sommer ging ich, um mir ein Glas Wasser zu holen, an ihrer Tür vorbei und hörte eine kindliche Stimme sagen: «Ich sehe gern meine Knochen. Ich sehe sie gern und fühle sie gern. Wenn zwischen mir und meinen Knochen zu viel Fett ist, fühle ich mich weiter von mir selbst entfernt. Verstehen Sie?» Von Bills Arbeitsplatz klang Hämmern, gelegentliches Krachen und Rumsen und ferne leise Musik herüber: Charlie Mingus, Tom Waits, Lou Reed, die Talking Heads, Arien von Mozart und Verdi, Schubertlieder. Bill baute Märchenkästen. Jeder enthielt eine Geschichte, und weil ich die, an der er gerade arbeitete, meist kannte, kamen manchmal Bilder von unmöglich langem Haar, überwucherten Schlössern und aufgestochenen Fingern in mein Bewusstsein geschwebt, während ich über die Reproduktion einer Duccio-Madonna gebeugt saß. Ich liebe das Flächige, Geheimnisvolle der Kunst des Mittelalters und der Frührenaissance, und ich mühte mich ab, ihre didaktischen Codes in Bezug auf den Verlauf der Geschichte zu deuten. Die Triptychen und Tafelbilder mit Motiven aus der Passionsgeschichte, dem Marien- und Heiligenleben in all ihrer blutigen christlichen Fremdartigkeit überschnitten sich manchmal mit Bills magischen Erzählungen oder mit Violets verhungernden Mädchen, jungen Frauen, für die Verweigerung und selbst auferlegter Schmerz Tugenden waren. Und da Erica mir fast jeden Nachmittag aus ihrem Buch vorlas, merkte ich, dass Henry James' abgeschwächte Sätze (mit ihren zahlreichen einschränkenden Nebensätzen, die die vorangegangenen Abstrakta oder Nominalphrasen unweigerlich in Zweifel zogen) manchmal meine Prosa infizierten. Dann musste ich meine Absätze überarbeiten, um den Einfluss eines Schriftstellers auszumerzen, der über Ericas Stimme auf meine Seiten gelangt war.

Zurück aus dem Camp, spielten die Jungen draußen. Sie gruben Löcher und schütteten sie wieder zu. Sie bauten Burgen aus trockenen Holzscheiten und alten Wolldecken und fingen Molche und Käfer, darunter mehrere riesige Maikäfer. Sie wuchsen. Die beiden kleinen Kinder des ersten Sommers hatten nur noch wenig mit den langbeinigen Jungen des letzten Sommers gemeinsam. Matt spielte, lachte und tollte herum wie alle Kinder, doch ich spürte in seiner Persönlichkeit weiterhin eine Unterströmung, die ihn von seinesgleichen abhob, einen leidenschaftlichen Kern in ihm, der ihm seine eigene Richtung vorgab. Weil er und Mark einander seit jeher kannten, weil ihre Beziehung beinahe brüderlich war, lag ihrer Freundschaft die gegenseitige Duldung ihrer Unterschiede zugrunde. Mark war unbeschwerter als Matt. Nachdem er etwa sieben war, wurde er ein außergewöhnlich angenehmes Kind. Welche Entbehrungen er auch mitgemacht haben mochte, sie schienen keine Spuren in seinem Charakter hinterlassen zu haben. Matt hingegen lebte intensiv. Er weinte selten, wenn er sich geschnitten oder gestoßen hatte, doch wenn er sich zurückgesetzt oder ungerecht behandelt fühlte, schossen ihm Tränen aus den Augen. Sein Gewissen war streng, sogar grausam, und Erica war bekümmert, dass wir aus Versehen ein Kind mit einem monströsen Über-Ich geschaffen hatten. Schon bevor ich einen Tadel aussprach, entschuldigte Matt sich. «Tut mir Leid, Daddy. Es tut mir furchtbar Leid!» Er bemaß selbst seine Strafe, und meist endete es so, dass Erica und ich ihn trösteten, statt mit ihm zu schimpfen.

Matt lernte bei einem Nachhilfelehrer langsam, aber stetig lesen, und abends lasen wir ihm weiter vor. Die Bücher wurden immer länger und komplizierter und wirkten, zusammen mit einigen Filmen, stark auf seine Phantasie ein. Er war ein Waisenkind und wurde eingesperrt. Er führte Meutereien an und erlitt Schiffbruch. Er erforschte neue Galaxien. Eine Zeit lang hatten er und Mark im Wald eine Tafelrunde. Matts allergrößte Phantasie aber war Baseball. Er nahm seinen Handschuh überall mit hin. Er übte seine Schlaghaltung und seinen Schwung. Er stand in seiner Montur vor dem Spiegel und fing mit seinem Handschuh imaginäre Bälle. Er sammelte Karten, las jeden Abend in der Enzyklopädie des Baseballs und erfand Spiele, die oft in einer Alles-oder-nichts-Situation gipfelten. Um Matts willen wünschte ich mir manchmal, er wäre ein besserer Spieler. Als er neun war, bekam er eine Brille, und seine Schläge wurden besser, doch seine Fortschritte als Jugendligaspieler waren mehr das Er-

gebnis seines unbändigen, unermüdlichen Willens als irgendeines angeborenen Talents. Wenn ich ihn mit ungestüm pum-
penden Armen und Knien – die Brille mit Gummiband befestigt
– die Bases ablaufen sah, fiel mir auf, dass sein Laufstil weniger
anmutig war als der anderer Jungen und dass er trotz seiner Entschlossenheit nicht allzu schnell war. Doch damit stand er nicht
allein. Zumindest in den ersten Jahren ist die Jugendliga eine
Komödie der Irrtümer, mit Kindern, die träumend auf den Bases
stehen und die Regeln vergessen, die schnurgerade auf ihren ausgestreckten Handschuh gezielte Bälle verfehlen oder stolpern
und hinfallen, nachdem sie den Ball gefangen haben. Matt
machte jeden Fehler, außer dem erlahmender Aufmerksamkeit.
Wie Bill sagte: «Er hat die Konzentration eines Champions.»
Was ihm fehlte, war der Körper eines Champions.

Die Feinheiten des Spiels machten die Bindungen zwischen
Matt und Bill noch enger. Wie ein gnostischer Priester, der
einen Jünger in die Sekte aufnimmt, fütterte er Matt mit obskuren Schlag- und Laufstatistiken. Er brachte ihm Methoden bei,
die Signale des Trainers – Winken, Arme bewegen, Nase berühren und am Ohr zupfen – zu entziffern, und er warf und schleu-
derte Matt im Hof den Ball zu, bis das Licht schwand und der
Ball fast von der Dunkelheit verschluckt wurde. Das Interesse
seines eigenen Sohnes an dem Spiel war mäßig. Manchmal
schloss Mark sich den beiden Fanatikern an. Dann wieder ging
er seiner Wege, sammelte Insekten in einem Gefäß oder lag einfach im Gras und starrte in den Himmel. Nie stellte ich bei
Mark Anzeichen von Eifersucht gegenüber Matt fest. Er schien
völlig zufrieden mit der wachsenden Freundschaft zwischen seinem Vater und seinem besten Freund.

Bill vereinte in einer Person Matts zwei große Leidenschaften: Baseball und Kunst, und ich beobachtete, wie sich seine
Zuneigung zu Bill allmählich in Heldenverehrung verwandelte.
In den letzten zwei Ferienmonaten, die wir in Vermont verbrachten, gewöhnte Matt sich an, darauf zu warten, dass Bill

mit dem Arbeiten aufhörte. Er saß dann geduldig auf den Holzstufen vor dem improvisierten Atelier, meist mit einer Zeichnung auf dem Schoß. Hörte er Schritte, gefolgt vom Quietschen der Fliegengittertür, sprang er auf und wedelte mit dem Blatt Papier. Diese Szene sah ich oft von der Küche aus, wo ich der mir zugewiesenen Aufgabe – Gemüse putzen – nachging. Dann kam Bill aus dem kleinen Haus und blieb vor der Tür stehen. An warmen Tagen wischte er sich Stirn und Wangen mit einem seiner Mallappen ab, die er in der Hosentasche hatte, während Matt die verbleibenden Stufen zu ihm hinaufsprang. Bill nahm dann die Zeichnung, nickte lächelnd und fuhr Matt durchs Haar. Eins dieser Bilder war ein Geschenk für Bill – eine Farbstiftzeichnung von Jackie Robinson am Schlagmal. Matt hatte tagelang daran gearbeitet. Als Bill im September nach New York zurückfuhr, nahm er sie mit und hängte sie in seinem Atelier auf, wo sie jahrelang blieb.

Obwohl Matthew ständig Baseballspieler und Innenfelder zeichnete, hörte er auch nie auf, New York zu zeichnen und zu malen. Mit der Zeit wurden diese Bilder immer komplexer. Er malte die Stadt im Sonnenschein und unter ruhigen grauen Himmeln. Er malte sie bei heftigem Wind, Regen und wirbelnden Schneestürmen. Er zeichnete Ansichten der Stadt von oben, von der Seite und von unten und bevölkerte ihre Straßen mit soliden Geschäftsleuten, schicken Künstlern, dünnen Models, Pennern und den plappernden Verrückten, die wir täglich auf dem Schulweg sahen. Er zeichnete die Brooklyn Bridge, die Freiheitsstatue, das Chrysler Building und die Twin Towers. Wenn er mir diese Großstadtszenen brachte, nahm ich mir immer Zeit für sie, denn ich wusste, dass ihre Einzelheiten nur bei genauer Prüfung in Erscheinung traten – ein umschlungenes Paar in einem Park, ein schluchzendes Kind an einer Straßenecke neben seiner hilflosen Mutter, verirrte Touristen, Taschendiebe und Trickbetrüger.

In dem Sommer, als Matt neun wurde, begann er in fast alle

seine Stadtzeichnungen eine Figur einzufügen: einen älteren Mann mit Bart. Gewöhnlich sah man ihn durch das Fenster seiner winzigen Wohnung, und er war, wie einer dieser Einsiedler von Hopper, immer allein. Eine graue Katze streifte über die Fensterbank oder lag zusammengerollt zu seinen Füßen, aber er hatte nie menschliche Gesellschaft. In einer Zeichnung bemerkte ich, dass der Mann gebeugt in seinem Sessel saß und den Kopf zwischen den Händen hielt.

«Der arme Kerl kommt immer wieder vor», sagte ich.

«Das ist Dave», sagte Matt. «Ich habe ihn Dave getauft.»

«Warum Dave?»

«Ich weiß nicht, er heißt nun mal so. Er ist einsam, und ich denke immer, er sollte jemand kennen lernen, aber wenn ich dazu komme, ihn zu malen, ist er immer allein.»

«Er sieht unglücklich aus», sagte ich.

«Er tut mir Leid. Sein einziger Freund ist Durango.» Er zeigte auf die Katze. «Und du kennst ja Katzen, Dad, sie interessieren sich nicht wirklich für einen.»

«Aha», sagte ich. «Vielleicht findet er ja noch einen Freund...»

«Man würde meinen, ich könnte es einfach tun, weil ich ihn erfunden habe, aber Onkel Bill sagt, dass es so nicht funktioniert, dass man fühlen muss, was richtig ist, und manchmal ist das, was in der Kunst richtig ist, eben traurig.»

Ich sah in das ernste Gesicht meines Sohnes und dann hinunter zu Dave. Matt hatte sogar Adern auf die Hand des alten Mannes gemalt. Eine Kaffeetasse und ein Teller standen neben seinen Füßen. Es war noch immer die Zeichnung eines Kindes. Matts Perspektive war wacklig, seine Anatomie ein bisschen schief, doch die Linien, die den Körper dieses einsamen Mannes bildeten, berührten mich stark, und ich begann, immer wenn Matt mir eine seiner Stadtlandschaften gab, nach Dave Ausschau zu halten.

Spätnachmittags gingen wir über den Feldweg den Hügel hinunter. Oder wir fuhren zu Duttons Marktstand und suchten Tomaten, Paprikas und Bohnen für das Abendessen aus. An sonnigen Tagen schwammen wir in dem Teich, der nur wenige Meter vom Haus entfernt lag. Bill ging selten mit. Er arbeitete länger als wir alle. Er kochte nie – er wusch das Geschirr ab. Doch in jedem Sommer verließ er an ein paar glühend heißen Nachmittagen die Bowery zwei und kam zu uns ins Wasser, um sich abzukühlen. Wir sahen ihn über das Feld gehen und sich am Teich bis auf die Boxer Shorts ausziehen. Bill war damals alterslos. Er sah nicht einen Tag älter aus als zu jener Zeit, als wir uns kennen gelernt hatten. Er watete langsam in den Teich und gab dabei Schreckenslaute von sich. Oft hielt er in der über die Wasseroberfläche erhobenen Hand zwischen Daumen und Zeigefinger eine Zigarette. Nur einmal in den fünf Sommern in Vermont sah ich ihn untertauchen und tatsächlich schwimmen. Doch bei dieser Gelegenheit fiel mir auf, dass er mit kräftigen, schnellen Zügen schwamm.

In diesem Sommer, ich war sechsundfünfzig geworden, bemerkte ich auf einmal, dass mein Körper sich verändert hatte. Es war an dem Tag, als Bill schwamm, und ich hörte, wie Matt und Mark ihn anfeuerten, während er durch den Teich kraulte. Ich war gerade selbst geschwommen und saß in meiner schwarzen Badehose am Rand. Als ich an mir herunterblickte, stellte ich fest, dass meine Zehen knotig und knochig waren. An meinem linken Bein war eine lange Krampfader hervorgetreten, und die feinen Haare auf meiner Brust waren weiß geworden. Meine Schultern und mein Oberkörper wirkten seltsam verkleinert, und meine Haut, die immer blass gewesen war, war rosa und rau geworden. Aber noch mehr überraschten mich die weichen weißen Fettfalten, die sich um meine Körpermitte angesiedelt hatten. Ich war immer schlank gewesen, und obwohl ich in letzter Zeit, wenn ich morgens den Reißverschluss an meiner Hose hochzog, eine verdächtige Enge um die Taille gespürt hatte, war ich nicht besonders alarmiert gewesen. Die Wahrheit war, dass ich nicht mit mir Schritt gehalten hatte. Ich war mit einem völlig überholten Selbstbild herumgelaufen. Wann sah ich mich denn schon mal? Wenn ich mich rasierte, betrachtete ich nur mein Gesicht. Hin und wieder sah ich flüchtig mein Spiegelbild in einem Schaufenster oder einer Glastür in der Stadt. Wenn ich duschte, bürstete ich mich ab, aber ich studierte doch nicht meine Defekte. Ich war ein Anachronismus meiner selbst geworden. Als ich Erica fragte, warum sie diese unattraktiven Veränderungen an mir nicht erwähnt hatte, zwickte sie das Fleisch um meine Taille und sagte: «Mach dir nichts draus, Liebling. Ich mag dich alt und fett.» Eine Zeit lang nährte ich Hoffnungen auf eine Metamorphose. Während eines Ausflugs nach Manchester kaufte ich Hanteln, und ich machte Versuche, mehr von dem Brokkoli und weniger von dem Roastbeef auf meinem Teller zu essen, doch meine Entschlossenheit ließ bald nach. Meine Eitelkeit war einfach nicht stark genug, um Entbehrungen auszuhalten.

Jedes Jahr in der letzten Augustwoche kam Laszlo, um Bill beim Packen zu helfen. Ich sehe ihn noch vor mir, wie er in engen roten Hosen, schwarzen Lackstiefeln und mit unbeweglicher Miene Sachen aus der Bowery zwei über das Feld zu Bills Truck schleppte. Nicht sein Gesicht, sondern seine Frisur gab Laszlo Charakter. Die blonde Bürste, die aus seinem Kopf wuchs, ließ einen tief in der Finkelman-Seele verborgenen Hang zum Humor vermuten. Wie ein stummer Komödiant sprach sie für ihn, indem sie ihm das Aussehen eines glücklosen, naiven Romanhelden gab, eines zeitgenössischen Candide, dessen Reaktion auf die Welt tiefes, nie endendes Staunen war. In Wahrheit war Laszlo ein sanfter, zurückhaltender Mensch. Wenn Matt ihm einen Frosch zeigte, studierte er ihn sorgfältig; wenn er etwas gefragt wurde, äußerte er sich kurz und bündig dazu; und wenn man ihn darum bat, trocknete er sehr langsam und methodisch das Geschirr ab. Wegen dieser Ausgeglichenheit nannte Erica ihn «lieb».

Erica begann jeden August mit einer Migräne, die oft zwei oder drei Tage anhielt. Den weißen oder rosa Sternchen, die am Rande ihres linken Auges herumtanzten, folgten so unerträgliche Schmerzen, dass sie sich wand und sich übergeben musste. Der Kopfschmerz entzog ihrem Gesicht die Farbe und tönte die Haut unter ihren Augen fast schwarz. Sie schlief und lag wach. Sie aß fast nichts und wollte niemanden um sich haben. Jedes Geräusch tat ihr weh, und während der ganzen Zeit gab sie sich selbst die Schuld daran und murmelte, es tue ihr Leid.

Als Erica zum dritten Mal nacheinander im Sommer krank wurde, griff Violet ein. Der Tag, als der Kopfschmerz zuschlug, war feucht und schwül. Erica zog sich in unser Schlafzimmer zurück, und am frühen Nachmittag schaute ich nach ihr. Ich öffnete die Tür und sah, dass die Rollläden geschlossen waren. Violet saß auf Ericas Rücken und knetete ihr die Schultern. Ohne ein Wort zog ich die Tür wieder zu. Als ich eine Stunde später zurückkam, hörte ich Violets Stimme aus dem Zimmer dringen – ein kaum hörbarer, aber stetiger Klang. Ich öffnete die Tür. Erica lag auf dem Bett, den Kopf an Violets Brust gelehnt. Beim Geräusch der aufgehenden Tür hob sie ihn und lächelte mir zu. «Es geht mir besser, Leo», sagte sie, «viel besser.» Ich weiß nicht, ob Violet Wunderheilkräfte hatte oder ob die Migräne diesmal anders verlief; wie auch immer, danach wandte sich Erica jedes Mal an Violet. Wenn in der erste Woche unseres Aufenthalts in Vermont der Schmerz kam, führte Violet ihr Flüster- und Massageritual durch. Ich fragte nie, was sie da sagte. Die ohnehin vorhandene Nähe zwischen ihnen hatte sich zu einer engen Verbundenheit verstärkt, die ich als unklar weiblich deutete – eine mädchenhafte Intimität zwischen Frauen, einschließlich Streicheln, Kichern und Geheimnissen.

Unser Zusammenwohnen in dem Haus förderte auch andere, meist banale Intimitäten zutage. Ich sah Violet im Schlafanzug, und sie sah mich in meinem. Ich stellte fest, dass ihr zerzaustes Haar von Klammern zusammengehalten wurde. Mir fiel auf, dass Bill sich zwar vor dem Abendessen immer mit Seife und Terpentin wusch, aber nicht eben oft badete und vor seiner morgendlichen Tasse Kaffee mürrisch war. Erica und ich hörten, wie Violet mit Bill wegen nicht getaner Hausarbeit meckerte und Bill sich über Violets unmögliche häusliche Ansprüche beschwerte. Bill und Violet hörten, wie Erica mir Vorwürfe machte, weil ich etwas vergessen hatte einzukaufen oder eine Hose trug, die ich «schon vor Jahren hätte wegwerfen sollen». Ich hob Marks vor Dreck starrende Socken und seine schmutzigen Unterhosen zusammen mit denen von Matt auf. Eines Abends sah ich Blutflecken auf dem Toilettensitz und wusste, dass nicht Erica ihre Tage hatte. Ich nahm ein Stück Klopapier und wischte das Blut weg. In dem Augenblick wusste ich nicht, dass diese Flecken eine Bedeutung hatten. Am selben Abend hörten Erica und ich aus dem Schlafzimmer am anderen Ende des Flurs Violet weinen und dazwischen Bills leise Stimme.

«Sie weint wegen des Babys», sagte Erica.

«Welches Baby?»

«Das Baby, das sie nicht bekommen kann.»

Erica hatte ein Geheimnis gehütet. Seit über zwei Jahren hatte Violet versucht, schwanger zu werden. Die Ärzte hatten weder bei ihr noch bei Bill etwas nicht in Ordnung gefunden, aber Violet hatte Hormonbehandlungen gemacht, die bis dahin nicht angeschlagen hatten. «Sie hat heute ihre Periode bekommen», sagte Erica.

Gerade als Violet zu weinen aufhörte, erinnerte ich mich daran, wie Bill gesagt hatte, er habe immer Kinder gewollt, «Tausende von Kindern».

Es war kein Fernseher im Haus, und das führte uns zurück zu Unterhaltungsformen aus einer anderen Zeit. Jeden Abend nach dem Essen las einer der Erwachsenen etwas vor, normalerweise ein Märchen. Wenn ich an der Reihe war, blätterte ich in einem der vielen Bände Gesammelter Volkserzählungen, die Bill mitgebracht hatte, und suchte eine Geschichte aus, wobei ich sorgsam die mied, die von einem König und einer Königin handelten, die sich sehnlichst ein Kind wünschten. Bill war der beste Vorleser von uns. Er las ruhig, aber nuanciert, und wechselte je nach Bedeutung das Satztempo. Er machte Kunstpausen, um die Wirkung zu steigern. Manchmal zwinkerte er den Jungen zu und zog Mark, der sich gewöhnlich an ihn schmiegte, etwas näher heran. Bill wurde die Geschichten nie leid. Den ganzen Tag erfand er sie in seinem Atelier neu, und abends war er bereit, noch welche davon vorzulesen. Woran auch immer Bill gerade arbeitete, es wurde der obsessive Faden seiner Existenz, den er stur bis zum Ende verfolgte. Seine Begeisterung war ansteckend und auch etwas ermüdend. Er zitierte mir aus gelehrten Aufsätzen, übergab mir fotokopierte Zeichnungen, hielt Vorträge über die Bedeutung der Zahl Drei: drei Söhne, drei Töchter, drei Wünsche. Er spielte Volkslieder vor, die entfernt mit seinen Untersuchungen zusammenhingen, und kennzeichnete Texte, die ich lesen sollte, mit Bleistift-X. Ich konnte ihm selten widerstehen. Wenn Bill mit einem neuen Gedanken zu mir kam, sprach er nie lauter oder zeigte seine Aufregung körperlich. Alles war in seinen Augen. Sie brannten von der jeweiligen Erkenntnis, die er gerade hatte, und wenn er mich mit ihnen ansah, spürte ich, dass ich keine andere Wahl hatte, als ihm zuzuhören.

In fünf Jahren schuf Bill über zweihundert Kästen. Er illustrierte den Gedichtband eines Freundes, schuf weitere Gemälde oder Zeichnungen, oft Porträts von Violet und Mark, und meist hatte er nebenbei noch irgendein komisches Gerät oder Fahrzeug für die Jungen im Bau. Diese knallbunten Spielsachen rollten oder flogen oder drehten sich wie Windmühlen. Eine davon liebten Mark und Matt ganz besonders, eine Marionette in Gestalt eines irre aussehenden Jungen, der einen einzigen Trick ausführte: Wenn man an einem Hebel auf seinem Rücken zog, streckte er die Zunge heraus, und seine Hose fiel herunter. Spielzeug zu basteln war für Bill eine Erholung von der aufreibenden Arbeit an den Märchenkästen. Sie waren alle gleich groß – etwa einen Meter mal eins zwanzig. Er verwandte flache und dreidimensionale Figuren, kombinierte wirkliche Gegenstände mit gemalten und benutzte zeitgenössische Bilder, um die alten Geschichten zu erzählen. Die Kästen waren in Abschnitte unterteilt, die kleinen Zimmern glichen. «Es sind 2D- und 3D-Comics ohne Sprechblasen», erklärte er mir. Doch diese Beschreibung war irreführend. Das Miniaturhafte der Kästen appellierte an die normale Faszination, mit der Menschen in Puppenhäuser schauen, und an die Freuden des Entdeckens. Der Inhalt von Bills kleinen Welten unterlief indes die Erwartungen und schuf auf diese Weise oft ein Gefühl des Unheimlichen. Obwohl ihre Form und manches an ihrem magischen Gehalt an Joseph Cornell erinnerten, waren Bills Arbeiten größer, robuster und viel weniger lyrisch. Die Spannung der Werke schien auf die darin angelegten visuellen Konfrontationen zurückzugehen. In den frühen Installationen setzte Bill auf die Vertrautheit des Betrachters mit einer Geschichte, um sie neu zu erzählen. Seine dunkelhäutige, dunkelhaarige Schneewittchenpuppe lag im Bett eines Klinikzimmers im Koma. Intravenöse Schläuche und die Drähte eines Herzmonitors verhedderten sich mit raffinierten, von Wohlgesinnten geschickten Blumengestecken – riesigen Gladiolen, Nelken, Rosen, Papageienschnäbeln und Farnen, die den Raum verstopften. Aus einem rosa Körbchen kletterte Efeu in ihr Haar und kroch in den Hörer des pinkfarbenen Prinzessinnentelefons auf dem Tischchen neben ihrem Bett. In einer späteren Szene hing ein ausgeschnittener nackter Mann mit erigiertem Penis über ihrem Bett in der Luft, während sie schlief. Der Mann hielt eine große aufgeklappte Schere in der Hand. Im letzten Bild sah man das Mädchen mit offenen Augen im Bett sitzen. Der Mann war verschwunden, doch die Blumen, Schläuche und Drähte waren alle abgeschnitten und lagen in einem knietiefen Wirrwarr auf dem Boden.

Später nahm Bill unbekanntere Geschichten als Thema für die Kästen, unter anderem eine, die wir zusammen in *Das lila Märchenbuch* von Andrew Lang gelesen hatten: «Das Mädchen, das sich als Junge ausgab». Eine Prinzessin verkleidet sich als Jüngling, um das Königreich ihres Vaters zu retten. Nach zahlreichen Abenteuern, einschließlich der Befreiung einer gefangenen Prinzessin, wird die Heldin durch ihre Prüfungen in einen Helden verwandelt. Das Schlussbild der neun Kästen zeigte die Protagonistin mit Anzug und Krawatte vor einem Spiegel. Im Hosenschritt sah man die unverwechselbare Beule der Männlichkeit.

Während unseres letzten Sommers in Vermont vollendete Bill eine Installation mit dem Titel *Der Wechselbalg*. Es ist noch immer mein Lieblingswerk aus dieser Serie. Es war auch Jacks Lieblingswerk. Für ihn war es eine Allegorie auf die zeitgenössische Kunst – ein Spiel mit Identitäten, Repliken und Pastiches. Doch in gewisser Weise war ich vertrauter mit Bill als er selbst, und ich konnte nicht umhin, das Kunstwerk mit seinen sieben Räumen für eine Art Parabel seines Innenlebens zu halten.

Im ersten Raum stand die kleine Skulptur eines Jungen im Schlafanzug vor einem Fenster. Er sah etwa genauso alt aus wie Matt und Mark damals – zehn oder elf. Draußen war die Nacht hereingebrochen, und in drei Fenstern des Nachbargebäudes brannte Licht. In jedes Fenster hatte Bill eine Szene gemalt: einen Mann am Telefon, eine alte Frau mit Hund und zwei Liebende, die nackt im Bett auf dem Rücken lagen. Das Zimmer des Jungen war unaufgeräumt, übersät mit Kleidungsstücken und Spielzeug. Einige dieser Dinge waren auf den Fußboden gemalt. Andere waren winzige Nachbildungen. Als ich ganz dicht an den Kasten trat, stellte ich fest, dass der Junge eine Nähnadel und eine Rolle Garn in der rechten Hand hielt.

Im zweiten Raum des Kastens war der Junge ins Bett gegangen. Rechts von ihm kam eine weibliche Ausschneidefigur durch das Fenster ins Zimmer. Die Frau fiel auf, weil sie so unbeholfen gezeichnet war. Mit ihrem dicken Kopf, den kurzen Armen und Knien, die sich in einem unmöglichen Winkel beugten, sah sie aus wie eine Kinderzeichnung. Eins ihrer Beine war durch den Fensterspalt gestreckt, und ich bemerkte sofort, dass ein Miniaturslipper an den Papierfuß geheftet war.

In der dritten Szene hatte diese sonderbare kleine Frau den schlafenden Jungen aus seinem Bett gehoben. Die nächste war gar kein Raum, sondern eine vorn auf dem Kasten befestigte bemalte Leinwand. Sie zeigte die Frau, wie sie den Jungen durch eine Straße in Manhattan trug, offenbar irgendwo im Diamantendistrikt. Auf dem Gemälde hatte die vorher flache Frau eine Illusion von Tiefe erlangt. Sie sah nicht mehr aus wie eine Ausschneidepuppe, sondern schien dreidimensional wie das Kind, das sie trug. Ihr Rücken war krumm, und ihre Knie waren gebeugt, während sie mit ihm auf dem Arm ausschritt. Nur ihr Gesicht war gleich geblieben: zwei Punkte als Augen, ein senkrechter Strich als Nase und ein waagerechter als Mund. Im Innern des fünften Raumes war die Frau eine Skulptur geworden, mit demselben auf ihren ovalen Kopf gemalten primitiven Gesicht. Sie stand vorgebeugt und sah auf den Jungen hinunter, der in einem Glaskasten lag und noch immer seine Nadel und seinen Faden umklammert hielt. Neben ihr stand noch ein Junge mit geschlossenen Augen – eine Figur, die in jeder Hinsicht mit dem Kind in dem durchsichtigen Sarg identisch war. Die sechste Fläche war eine genaue Kopie der vierten – gebeugte Frau, schlafender Junge, Diamantendistrikt. Als ich sie zum ersten Mal sah, schaute ich sie mir sehr sorgfältig an und suchte nach einem Unterschied zur vierten, nach irgendeinem Hinweis auf eine Besonderheit oder Differenz, aber es gab keinen. Die

Schlussszene nahm den ganzen Boden des Kastens ein. Die Frau war verschwunden. Einer der Jungen, vermutlich der zweite, saß in seinem Zimmer aufrecht im Bett. Er lächelte und reckte in dem taghellen Raum die Arme. Es war offensichtlich Morgen.

Ich sah die Arbeit zum ersten Mal an einem Regentag gegen Ende August in der Bowery zwei. Bill und ich waren allein. Das durch die Fenster einfallende Licht war schwach und grau. Als ich Bill fragte, wo er die ungewöhnliche Geschichte gefunden hatte, sagte er mir, er habe sie selbst erfunden. «Es gibt viel Volkstümliches über Wechselbälger», sagte er. «Kobolde stehlen ein Baby, ersetzen es durch eine identische Kopie, und niemand bemerkt den Unterschied. Das ist nur eine Version von unzähligen Verdopplungsmythen, die überall aufkreuzen, angefangen bei den zum Leben erwachenden Statuen Dädalus' und Pygmalions bis hin zu altenglischen Sagen und Indianerlegenden. Zwillinge, Doppelgänger, Spiegel. Habe ich dir je die Geschichte über Descartes erzählt? Ich habe sie irgendwo gelesen, oder vielleicht hat mir auch jemand erzählt, dass er immer mit einem Automaton einer geliebten Nichte reiste, die ertrunken war.»

«Das kann nicht stimmen», sagte ich.

«Tut es auch nicht, aber es ist eine gute Geschichte. Die Hysterikerinnen haben mich auf das alles hier gebracht. Hypnotisiert, wurden Charcots Frauen gewissermaßen zu Wechselbälgern. Wenngleich sie in ihren Körpern blieben, waren sie so etwas wie Kopien ihrer selbst. Und denk nur an all diese UFO-Geschichten über von Außerirdischen bewohnte Menschen. Das gehört alles zum gleichen Vorstellungsbereich: der Betrüger, das falsche Ich, das zum Leben erwachende leere Gefäß oder ein Lebewesen, das in ein totes Ding verwandelt wird ...»

Ich beugte mich vor und zeigte auf den Slipper. «Ist der Schuh auch ein Double? Von dem in dem Gemälde von Violet?»

Einen Augenblick schien Bill verwirrt. «Stimmt», sagte er langsam. «Ich habe Lucilles Schuh für das Bild benutzt. Hatte ich vergessen.»

«Ich dachte, es könnte Absicht gewesen sein.»

«Nein.» Bill wandte sich von dem Kasten ab und nahm einen Schraubenzieher in die Hand, der auf seinem Arbeitstisch lag. Er drehte und wendete ihn. «Sie heiratet diesen Kerl, mit dem sie zusammen ist», sagte er.

«Ach? Und wer ist das?»

«Ein Schriftsteller. Er hat diesen Roman geschrieben, *Osterumzug*. Er lehrt in Princeton.»

«Wie heißt er?»

«Phillip Richman.»

«Da klingelt bei mir nichts», sagte ich.

Bill kratzte am Griff des Schraubenziehers. «Weißt du, ich kann jetzt kaum noch glauben, dass ich mit ihr verheiratet war. Ich frage mich oft, wie zum Teufel ich das tun konnte. Sie mochte mich nicht mal, und noch viel weniger liebte sie mich. Sie fühlte sich nicht mal von mir angezogen.»

«Wie kannst du das behaupten, Bill?»

«Sie hat es mir gesagt.»

«Menschen sagen alles Mögliche, wenn sie wütend sind. Sie hat das nur gesagt, um dich zu verletzen, da bin ich mir sicher. Das ist ja lächerlich.»

«Sie hat es mir nie direkt gesagt. Sie hat es jemand anderem erzählt, der es mir weitergesagt hat.»

Ich erinnerte mich an Lucilles und Bills Stimmen durch das offene Fenster an jenem Frühlingsnachmittag vor langer Zeit. «Jedenfalls kann es nicht gestimmt haben. Warum hätte sie dich sonst geheiratet? Bestimmt nicht wegen Geld. Damals hattest du doch gar keins.»

«Lucille ist keine Lügnerin. Zumindest das kann ich von ihr behaupten. Sie hat es einer gemeinsamen Freundin gesagt, einer Person, die bekannt dafür ist, dass sie Leuten bösartigen Klatsch weitererzählt, um sie dann zu bemitleiden. Die Ironie war, dass der Klatsch diesmal von meiner eigenen Frau stammte.»

«Warum hat sie nicht selbst mit dir gesprochen?»

«Ich nehme an, sie konnte es nicht.» Bill machte eine Pause. «Erst als ich mit Violet zusammenlebte, merkte ich, wie bizarr mein Leben mit Lucille gewesen war. Violet ist so präsent, so vital. Sie fasst mich dauernd an und sagt mir, dass sie mich liebt. Lucille hat das nie gesagt.» Er unterbrach sich. «Nicht ein einziges Mal.» Er blickte von dem Schraubenzieher auf. «Jahrelang, tagaus, tagein, habe ich mit einer erdichteten Figur zusammengelebt, einer Person, die ich erfunden hatte.»

«Das erklärt nicht, warum sie dich geheiratet hat.»

«Ich habe sie dazu gedrängt, Leo. Sie war schwach.»

«Nein, Bill. Menschen sind verantwortlich für das, was sie tun. Sie hat sich entschieden, dich zu heiraten.»

Bills Augen wanderten wieder zu dem Schraubenzieher. «Sie ist schwanger», sagte er. «Sie hat mir gesagt, es war ein Unfall, aber er will sie heiraten. Es hörte sich an, als wäre sie glücklich darüber. Sie zieht nach Princeton.»

«Will sie, dass Mark mitkommt?»

«Da bin ich mir nicht sicher. Ich habe die Erfahrung gemacht, dass sie ihn unbedingt haben will, wenn ich ihn unbedingt haben will. Wenn ich ihn nicht will, hat sie weniger Interesse an ihm. Ich glaube, sie ist bereit, Mark selbst entscheiden zu lassen. Violet macht sich Sorgen, dass Lucille uns Mark wegnimmt, dass irgendetwas passieren wird. Sie ist … sie ist fast abergläubisch, wenn es um Lucille geht.»

«Abergläubisch?»

«Ja, ich denke, das ist das passende Wort. Sie scheint zu denken, Lucille hätte irgendeine unbestimmte Macht über uns, nicht nur in Bezug auf Mark, auch sonst …»

Ich hakte nach dieser Wendung des Gesprächs nicht weiter nach. Ich sagte mir, Lucille verdiene Glück, eine neue Ehe, noch ein Kind. So würde sie endlich diesem düsteren Apartment in der East 3rd Street entrinnen. Doch unter diesen guten Wünschen war mir deutlich bewusst, dass Lucille jemand war, den ich nicht verstand.

In unserer allerletzten Nacht in dem Haus in Vermont wachte ich auf und sah Erica auf der Bettkante sitzen. Ich nahm an, sie wollte auf die Toilette, und drehte mich auf die andere Seite, um weiterzuschlafen, doch als ich halb wach im Bett lag, hörte ich ihre Schritte im Flur. Sie war an der Toilette vorbeigegangen. Ich folgte ihr in die Diele und sah, dass sie vor dem Schlafzimmer von Matt und Mark stand. Ihre Augen waren offen, als sie mit den Fingern leicht den Türknauf berührte. Sie drehte ihn nicht. Sie zog die Hand zurück und bewegte dann die Finger so darüber wie ein Zauberer, bevor er einen Trick vorführt. Als ich zu ihr trat, sah sie mich an. Die Jungen hatten ein Nachtlicht an, das durch einen Spalt unter der Tür schien und ihr Gesicht schwach von unten anleuchtete. Ich wusste nun, dass sie nicht wach war, erinnerte mich an den alten Ratschlag, Schlafwandler nicht zu wecken, und nahm sanft ihren Arm, um sie wieder ins Bett zu bringen. Doch als ich sie anfasste, rief sie laut und eindringlich: «Mutti!» Der Ausruf erschreckte mich. Ich ließ ihren Arm los, und sie wandte sich wieder dem Türknauf zu, berührte ihn einmal mit dem Zeigefinger, zog diesen aber augenblicklich zurück, als wäre das Metall heiß. Ich flüsterte ihr zu: «Erica, ich bin's, Leo. Ich bringe dich jetzt zurück ins Bett.» Sie sah mir wieder direkt in die Augen und sagte: «Oh, du bist es, Leo. Wo warst du?» Einen Arm um ihre Schultern gelegt, führte ich sie zurück ins Schlafzimmer und legte sie sanft ins Bett. Die Hand auf ihrem Rücken, blieb ich mindestens noch eine Stunde wach und passte auf, ob sie sich bewegte, aber Erica regte sich nicht mehr.

Ich hatte meine Mutter auch «Mutti» genannt, und das Wort tat einen Abgrund in mir auf. Während ich im Bett lag, dachte ich an meine Mutter, als sie jung war, und für einen kurzen Augenblick roch ich wieder ihren Duft, wenn sie sich über mich beugte – Puder und etwas Parfüm –, und spürte ihren Atem auf meiner Wange und ihre Finger in meinem Haar, wenn sie mir über den Kopf streichelte. «Du musst schlafen, Liebling. Du musst schlafen.» In meinem Zimmer in London gab es kein Fenster. Ich zupfte an der sich ablösenden Tapete mit verschlungenem Efeu neben meinem Bett, bis ich einen langen, schmalen Streifen kahler, gelber Wand bloßgelegt hatte.

Als Bills Märchenkästen im September in der Weeks Gallery ausgestellt wurden, schien der Börsenkrach in der Wall Street weniger als einen Monat später und nur ein paar Straßen weiter südlich so fern und so unwahrscheinlich wie das Ende der Welt. Bei der Vernissage drängten zweihundert oder mehr Menschen in die Galerie, und als ich den Blick über sie schweifen ließ, schienen sie zu einer einzigen Schwindel erregenden Masse zu verschmelzen – einem vielköpfigen, vielgliedrigen, von einem eigenen Willen umgetriebenen Wesen. Ich wurde herumgeschubst, bekleckert, angerempelt und in Ecken gedrängt. Durch das Partygetöse hörte ich, wie Preise genannt wurden – nicht nur für Bills Installationen, sondern für die Werke anderer Künstler, deren Wert «explodiert» war –, ein Ausdruck, bei dem ich an herumfliegende Dollarnoten denken musste. Ich wusste genau, dass die Frau, die zu wissen behauptete, was ein Märchenkasten kostete, dessen Preis um mehrere tausend Dollar erhöht hatte. Der Betrag war gar kein Geheimnis. Bernie hatte für jeden, der interessiert war, eine Preisliste in seinem Büro. Der inflationären Übertreibung der Frau lag vermutlich keine Absicht zugrunde. Ihr Satz begann mit den Worten: «Ich habe gehört …» Ein Gerücht war ebenso gut wie die Wahrheit. Wie an der Börse erzeugte Gerede Realität. Und doch hätten nur wenige Leute in dieser Galerie im südlichen Manhattan das Florieren der Gemälde, Plastiken, Installationen und Konzeptarbeiten mit Risikoaktien, überhöhten Bewertungen und läutenden Alarmglocken in der Wall Street in Verbindung gebracht.

Die zuletzt Gekommenen gingen als Erste. Kleinere Galerien im East Village verschwanden und wurden sofort durch Boutiquen für Lederbekleidung und Gürtel mit Metallspitzen ersetzt. Auch in SoHo begann der Niedergang. Die eingeführten Galerien hielten dem Schock stand, senkten aber ihre Kosten. Bernie machte weiter, musste jedoch die Stipendien für jüngere Künstler streichen und verkaufte unauffällig im Hinterzimmer seine Privatsammlung von Originalzeichnungen. Als ein englischer Sammler Hausputz machte, wobei er den Markt mit Werken mehrerer «heißer Achtziger-Jahre-Künstler» überschwemmte, ging deren Renommee augenblicklich den Bach hinunter, und wenige Monate entrückten ihre Namen in eine nostalgische Vergangenheit. Andere wurden schlicht vergessen. Die Allerberühmtesten überlebten, doch manchmal ohne Haus in Quogue oder Bridgehampton.

Bills Wert sank etwas, aber seine Sammler ließen ihn nicht im Stich. Die meisten seiner Arbeiten waren ohnehin in Europa, und dort hatte er einen einzigartigen Rang, weil seine Werke junge Leute anzogen, die sich normalerweise nicht für Kunst interessierten. Seine Galerie in Frankreich betrieb einen lebhaften Handel mit Postern der Märchenkästen, und ein Buch mit Reproduktionen war im Entstehen. In der Zeit, als sie gut verdienten, hatte Violet sich ein paar modische Kleider und Möbel für ihren Loft gekauft, doch Bill war in Sachen Konsumverzicht nie ins Wanken geraten. «Er will nichts», sagte mir Violet. «Ich habe einen Beistelltisch fürs Wohnzimmer gekauft, und es hat eine Woche gedauert, bis er ihn bemerkt hat. Er hat mehrmals ein Buch draufgelegt oder ein Glas darauf abgestellt, aber erst nach Tagen fragte er plötzlich: ‹Ist der neu?›»

Bill überstand die Baisse, weil er Geld gespart hatte, und er hatte Geld gespart, weil er in Furcht vor seiner Vergangenheit lebte – die erdrückende Armut, die Verputzen und Anstreichen bedeutet hatte. Damals war er mit Lucille verheiratet gewesen, und mir fiel auf, dass er mit der Zeit immer düsterer über diesen Abschnitt in seinem Leben sprach, so als wäre er im Nachhinein dunkler und qualvoller geworden als zu der Zeit, da er ihn erlebte. Wie jedermann schrieb Bill sein Leben um. Die Erinnerungen eines älteren Mannes sind anders als die eines jungen. Was mit vierzig lebenswichtig erschien, kann mit siebzig seine Bedeutung eingebüßt haben. Wir fabrizieren schließlich Geschichten aus den flüchtigen Sinneswahrnehmungen, von denen wir in jedem Augenblick bombardiert werden, eine bruchstückhafte Reihe von Bildern, Gesprächen, Gerüchen und der Berührung von Dingen und Menschen. Das meiste löschen wir, um in einem Anschein von Ordnung zu leben, und das Umgruppieren der Erinnerungen geht weiter, bis wir sterben.

In jenem Herbst beendete ich mein Buch. Sechshundert Manuskriptseiten, und ich nannte es *Eine kurze Geschichte des Sehens in der abendländischen Malerei*. Als ich damit anfing, hatte ich gehofft, erkenntnistheoretische Strenge würde mir ermöglichen, eine synthetische These über künstlerisches Sehen und seine philosophischen und ideologischen Fundierungen aufzustellen, doch während des Schreibens geriet das Buch länger, lockerer, spekulativer und, wie ich glaube, ehrlicher. Es schlichen sich Zweideutigkeiten ein, die in kein Schema passten, und ich ließ sie als Fragen stehen. Erica, meine erste Leserin und meine Lektorin, beeinflusste sowohl meine Prosa als auch einige meiner Klarstellungen, wofür ich ihr Dank sagte, doch gewidmet habe ich das Buch Bill. Es war nicht nur ein Akt der Freundschaft, sondern einer der Demut. Gute Kunstwerke haben unweigerlich etwas, was ich ein «Übermaß» oder eine «Überfülle» nenne, die sich dem Auge des Interpreten entzieht.

Am siebten November wurde Erica sechsundvierzig. Der Geburtstag, der plötzlich das Alter von fünfzig ins Blickfeld rückte, schien ihr neue Schubkraft zu geben. Sie nahm an einem Yogakurs teil. Sie streckte sich und atmete, machte Kopfstand und verknotete sich und behauptete steif und fest, sie fühle sich nach diesen Folterqualen auf dem Wohnzimmerfußboden «wunderbar». Mit ihrem Aufsatz «Unter der goldenen Schale» versetzte sie die Modern Language Association in helle Aufregung; sie veröffentlichte drei der fertigen Kapitel in Zeitschriften, und der Fachbereich für Englisch in Berkeley bot ihr eine sehr viel höher dotierte Stelle an, die sie aber ablehnte. Doch die beständige Kost von Yoga, Veröffentlichungen und Schmeicheleien bekam ihr gut. Ihre Nerven beruhigten sich. Sie hatte weniger Kopfschmerzen, und mir fiel auf, dass sie, wenn sie entspannt war, nicht mehr ständig die Stirn in Falten legte. Ihre Libido kam in Schwung. Sie umfasste meine Hüften, während ich mir die Zähne putzte. Sie knabberte an meinem Rücken oder schob die Hand in meine Hose. Wenn ich im Bett lag und las, zog sie sich mitten im Zimmer nackt aus, schlich sich an mich heran und warf sich auf mich. Mir waren diese Überfälle durchaus willkommen, und ich merkte, dass die nächtliche Akrobatik morgens Spuren hinterließ. Es kam in jenem Jahr oft vor, dass ich pfeifend aus dem Haus ging.

Laut Matt war Mrs. Ranklehams fünfte Klasse ein Hexenkessel von Intrigen. Beliebtheit galt als oberstes Diktat für die Elf- und Zwölfjährigen. Die Klasse hatte sich in hierarchische Fraktionen aufgesplittert, die sich entweder offen oder mit subtileren, an den französischen Hof erinnernden Grausamkeiten bekämpften. Ich entnahm Matts Berichten, dass manche Jungen und Mädchen «miteinander gingen» – ein verschwommener Ausdruck, der vom gemeinsamen Verspeisen eines Stücks Pizza bis zu verstohlenem Knutschen alles bedeuteten konnte. Soweit ich davon erfuhr, wechselten diese Paarungen wöchentlich, doch Matt gehörte nie zu den Auserwählten. Er sehnte sich zwar danach, dazuzugehören, aber ich spürte, er war nicht bereit, sich darum zu bemühen. An einem Oktobertag, als ich Matt nach der Schule zu einem Zahnarzttermin abholte, wurde mir klar, warum. Ich sah einige Mädchen aus seiner Klasse wieder, die ich seit Jahren kannte, Mädchen, die eine entscheidende Rolle in den Dramen spielten, von denen Matt beim Abendessen berichtete. Sie sahen aus wie Frauen. Erheblich größer als beim letzten Mal, als ich sie sah, hatten sie Brüste bekommen. Ihre Hüften waren breiter geworden. Auf einigen Mündern sah ich Lippenstift glänzen. Ich beobachtete sie, wie sie hinter Matt und ein paar anderen Knirpsen herstolzierten, die sich gegenseitig Goldfischlis an den Kopf warfen. Sich an eines dieser Mädchen heranzumachen erforderte entweder großen Mut oder monumentale Dummheit. Matt schien weder das eine noch das andere zu haben.

Nach der Schule spielte er mit Mark und einigen anderen Freunden. Er stürzte sich auf Baseball und sein Zeichnen und auf die Jagd nach guten Noten. Er zerbrach sich den Kopf über Arithmetik und Naturwissenschaften, verfasste mit gewissenhafter Sorgfalt und furchtbarer Rechtschreibung kleine Aufsätze und arbeitete fleißig an seinen eigenen Projekten: einer Bookland-Collage, einer spanischen Galeone aus Ton, die im Ofen schmolz, und einem Sonnensystem aus Pappmaché, dessen Herstellung unvergesslich lange dauerte. Eine Woche lang schufteten Matt, Erica und ich mit schleimigem Zeitungspapier, das wir in den Dimensionen von Venus, Mars, Uranus und Mond zusammenballten und -klebten. Der Ring des Saturn brach dreimal und musste dreimal neu gemacht werden. Als alles fertig war und an dünnen Silberdrähten hing, sagte Matt zu mir: «Die Erde gefällt mir am besten.» Und es stimmte. Seine Erde war wunderschön.

Sonntags, wenn Mark zu seiner Mutter fuhr, die nun mit ihrem neuen Mann in Cranbury, New Jersey, wohnte, besuchte Matt nun häufig Bill im Atelier. Wir erlaubten ihm, allein in die Bowery zu gehen, und warteten bang auf seinen Anruf, wenn er angekommen war. Einmal blieb er sechs Stunden dort. Als ich ihn fragte, was sie die ganze Zeit gemacht hätten, sagte Matt:

«Wir haben geredet und gearbeitet.» Ich wartete auf Einzelheiten, aber die Antwort war endgültig. In jenem Frühjahr rastete Matt Erica und mir gegenüber mehrmals wegen belangloser Ärgernisse aus. Hatte er wirklich schlechte Laune, hängte er ein BITTE-NICHT-STÖREN-Schild an seine Tür. Ohne dieses Schild hätten wir die brütenden Träumereien, die in seinem Zimmer stattfanden, vielleicht gar nicht bemerkt, doch die Mitteilung machte auf seinen Rückzug aufmerksam. Immer wenn ich daran vorbeiging, fuhr mir Matts einsamer Rückzug wie eine körperliche Erinnerung an meine eigene frühe Jugend in die Knochen. Doch Matts hormonelle Panikschübe dauerten selten sehr lange. Irgendwann kam er wieder aus seinem Zimmer, gewöhnlich heiter gestimmt, und dann führten wir drei beim Abendessen lebhafte Gespräche über Themen, die von der gewagten Garderobe einer Zwölfjährigen namens Tanya Farley bis zur amerikanischen Außenpolitik im Zweiten Weltkrieg reichten. Erica und ich ließen ihn gewähren und äußerten uns selten zu seinen wechselhaften Launen. Es schien sinnlos, ihn für die Hochs und Tiefs zu tadeln, die er selbst nicht verstand.

Durch Matt fühlte ich mich in meine eigenen Tage der Furcht und Geheimhaltung zurückversetzt. Ich erinnerte mich an etwas Warmes, Feuchtes auf meinen Schenkeln und meinem Bauch, das bald nach dem Traum erkaltete, an die Rollen Toilettenpapier, die ich für abendliche Masturbationsorgien unter dem Bett versteckte, und an meine heimlichen Ausflüge ins Badezimmer, um die besudelten Papierknäuel wegzuspülen – Schritt um atemlosen Schritt, so als wären diese Ausflüsse aus meinem Körper Diebesgut. Die Zeit hat meinen jungen Körper in etwas Komisches verwandelt, aber damals war es nicht spaßig. Ich berührte die drei Strähnen Schamhaar, die mir über Nacht gewachsen waren, und untersuchte jeden Morgen meine Achselhöhlen, ob sich dort etwas tat. Ich erschauderte vor Erregung und zog mich dann in die schmerzende Einsamkeit unter meiner zarten Haut zurück. Auch Miss Reed, ein Mensch, an den ich jahrelang nicht gedacht hatte, fiel mir wieder ein. Meine Tanzlehrerin hatte Pfefferminz im Atem und Sommersprossen auf der Brust. Sie trug wallende Kleider mit schmalen Trägern über ihren runden weißen Schultern, und hin und wieder, beim Foxtrott oder beim Tango, rutschte ein Träger herunter. Matt muss das auch alles durchmachen, dachte ich, und es gibt keine Möglichkeit, darüber so zu reden, dass es einfacher wird. Der wachsende Körper hat seine eigene Sprache, und die Einsamkeit ist seine erste Lehrerin. Mehrmals in diesem Frühjahr sah ich Matt vor dem «Selbstporträt» stehen, das seit fünfzehn Jahren an unserer Wand hing. Seine Augen wanderten über die mollige junge Violet zu dem kleinen Taxi, das neben ihrer Scham ruhte, und ich sah das Gemälde wieder wie beim ersten Mal – mit seiner ganzen erotischen Macht.

Dieses frühe Bild und die anderen aus der Serie bekamen allmählich einen hellseherischen Zug – so als hätte Bill schon vor langer Zeit gewusst, dass Violet eines Tages die Körper von Menschen mit sich herumtragen würde, die sich zu voll fraßen oder dünn hungerten. In jenem Jahr besuchte Violet regelmäßig eine junge Frau in Queens, die zweihundert Kilo wog. Angie Knott verließ nie das Haus in Flushing, in dem sie mit ihrer Mutter lebte, die ebenfalls fettleibig war, aber nicht so fett wie ihre Tochter. Mrs. Knott führte einen kleinen Betrieb für maßgeschneiderte Gardinen, und Angie machte die Buchführung. «Nachdem sie mit sechzehn von der Schule abgegangen war, wurde sie dicker und dicker», sagte Violet. «Aber sie war schon als Baby und als Kleinkind dick, und ihre Mutter hat sie von Anfang an voll gestopft. Sie ist ein Mund auf zwei Beinen, ein Müllschlucker für kleine Kuchen, Schokoriegel, tütenweise Brezeln und bergeweise süßes Müsli. Wir reden hier über Fett», sagte Violet, nachdem sie mir ein Bild von Angie gezeigt hatte. «Sie hat ihren Körper zu einer Höhle gemacht, in der sie sich verstecken kann, und das Seltsame ist, ich verstehe das, Leo. Siehst du, aus ihrer Sicht ist alles außerhalb von ihr gefährlich.

Sie fühlt sich sicher in dieser ganzen Polsterung, obwohl die Gefahr besteht, dass sie Diabetes und eine Herzkrankheit bekommt. Sie bietet sich nicht auf dem Sexmarkt an. Niemand kann durch diesen ganzen Wabbelspeck hindurch, und genau das will sie.»

An manchen Tagen ging Violet von Angie direkt zu Cathy, die im New York Hospital behandelt wurde. Violet nannte sie «heilige Caterina», nach Caterina Benincasa, der Dominikanerin aus Siena, die sich zu Tode fastete. «Sie ist ein Ungeheuer an Reinheit», sagte sie, «fanatischer und tugendhafter als jede Nonne. Ihr Geist bewegt sich in schmalen kleinen Kanälen, aber er bewegt sich gut darin, und sie ersinnt Argumente für das Hungern wie ein gelehrter Einsiedler im Mittelalter. Wenn sie einen halben Cracker isst, fühlt sie sich besudelt und schuldig. Sie sieht furchtbar aus, aber ihre Augen strahlen vor Stolz. Ihre Eltern haben viel zu lange gewartet. Sie ließen sie gewähren. Sie war immer so ein liebes Mädchen, und sie verstehen einfach nicht, was mit ihr passiert ist. Sie ist die Kehrseite von Angie, sie wird nicht von Fett, sondern von ihrer jungfräulichen Rüstung geschützt. Sie machen sich Sorgen um ihren Elektrolythaushalt. Sie könnte sterben.» Violet schrieb in ihrem Buch über Angie und Cathy wie über Dutzende andere. Sie änderte ihre Namen und analysierte ihre Krankheitsbilder sowohl als Ergebnis ihrer persönlichen Lebensgeschichte als auch im Zusammenhang mit der amerikanischen «Hysterie» in Sachen Essen, die sie ein «soziologisches Virus» nannte. Sie erklärte mir, sie benutze das Wort Virus, weil ein Virus weder lebendig noch tot sei. Sein Zustand hänge von seinem Gastorganismus ab. Ich weiß nicht, ob Violets Mädchen in Bills neues Werk eingingen oder ob er nur zu einem alten Thema zurückkehrte, jedenfalls fiel mir im Lauf seiner Arbeit an der neuen Installation auf, dass er sich wieder künstlerisch mit dem Hunger auseinander setzte.

Os Reise verlief rund um das Alphabet. Erica war die Erste, die die sechsundzwanzig Kästen als «Bills großen amerikanischen

Roman» bezeichnete. Der Ausdruck gefiel ihm, und er begann, ihn selbst zu verwenden, womit er zum Ausdruck brachte, dass die Fertigstellung seines Werkes genauso viel Zeit in Anspruch nehmen würde wie die eines dicken Romans. Jeder Kasten war ein kleiner, frei stehender Glaskubus von dreißig Zentimeter Seitenlänge, der es dem Betrachter ermöglichte, von überall hineinzusehen. Die Figuren in den Glaskästen wurden durch große Buchstaben identifiziert, die auf ihre Brust genäht oder gemalt waren – wie bei Hester Prynne. O, der junge Maler und Held des «Romans», wies auffallende Ähnlichkeit mit Laszlo auf, nur hatte er rotes statt blondes Haar und eine längere Nase, die ich als Anspielung auf Pinocchio verstand. Bill ging völlig in diesen Kuben auf. Sein Atelier quoll über von Hunderten von Zeichnungen, winzigen Gemälden, Stofffetzen für Miniaturkleider, Notizbüchern voller Zitate und eigener Überlegungen. Auf ein und derselben Seite fand ich einen Kommentar des Sprachwissenschaftlers Roman Jakobson, einen Verweis auf die Kabbalisten und einen Tipp für ihn selbst zu einem bestimmten Cartoon mit Daffy Duck. Je nach seinen Lebensumständen schwoll O auf den Zeichnungen an oder schnurrte zusammen. Auf einem meiner Lieblingsblätter lag ein abgemagerter O auf einem schmalen Bett, und sein kraftloser Kopf war seinem eigenen Gemälde eines Roastbeefs zugewandt.

In jenem Jahr besuchte ich Bill regelmäßig im Atelier. Bill gab mir die Schlüssel, damit ich mir selbst öffnen konnte, ohne ihn zu stören. Eines Nachmittags traf ich ihn auf dem Boden liegend und an die Decke starrend an. Vier leere Würfel und mehrere kleine Puppen lagen um ihn herum. Als ich hereinkam, rührte er sich nicht. Ich nahm ein Stück von ihm entfernt auf einem Stuhl Platz und wartete. Nach ungefähr fünf Minuten setzte er sich auf. «Danke, Leo», sagte er. «Ich musste ein Problem mit B überdenken. Das konnte nicht warten.» An anderen Tagen saß er, wenn ich kam, im Schneidersitz auf dem Fußboden und nähte in Handarbeit kleine Kleidungsstücke oder ganze Figuren. Er begrüßte mich herzlich, ohne von seiner Arbeit aufzublicken, und redete los: «Leo, schön, dass du da bist. Ich möchte dir Os Mutter vorstellen.» Er hielt eine große, dünne Plastikfigur mit rosa Augen hoch. «Das ist Os arme Mutter, seit langem leidend, gutmütig, aber sie hebt gern einen. Ich nenne sie X. Y ist Os Vater. Er wird nie leibhaftig erscheinen, weißt du. Er ist nur ein in der Ferne oder über Os Kopf schwebender Buchstabe, ein Gedanke, eine Vorstellung. Dennoch zeugten X und Y O. Das ergibt Sinn, findest du nicht? X wie in Exfrau oder als Markierung eines Punktes, aber auch als Zeichen für einen Kuss unter einem Brief. Du siehst, sie liebt ihn. Und dann ist da Y, das große fehlende Y, wie in XYZ?» Bill lachte. Seine Stimme und sein Gesicht erinnerten mich an Dan, und ich erkundigte mich unvermittelt nach dem Befinden seines Bruders. «Wie immer», sagte Bill. Seine Augen verdüsterten sich einen Augenblick. «Wie immer.»

Bei jedem Besuch lagen mehr Figuren auf dem Tisch oder auf dem Fußboden. Eines Nachmittags im März nahm ich eine zweidimensionale Figur in die Hand, die aus Draht geformt und mit einem Stück dünnen Musselins bezogen war, der eher wie eine durchsichtige Haut als wie ein Kleid aussah. Das Mädchen kniete und hob mit flehender Geste die Arme. Als ich das auf ihre Brust geheftete C sah, dachte ich an die heilige Caterina. «Das ist eine von Os Freundinnen», sagte Bill. «Sie hungert sich zu Tode.» Gleich darauf entdeckte ich zwei kleine Stoffpuppen, die die Arme umeinander gelegt hatten. Ich nahm die Doppelfigur in die Hand und sah, dass die zwei kleinen Jungen – einer schwarzhaarig, der andere braun – an der Hüfte aneinander geheftet waren und dass beide Kinder ein M auf der Brust hatten. Die unverhohlene Anspielung auf Matthew und Mark irritierte mich einen Augenblick. Ich suchte die beiden gemalten Gesichter nach charakteristischen Zügen ab, doch die Kinder waren identisch.

«Du hast die Jungen eingebaut?», sagte ich.

Bill sah auf und lächelte. «Eine Version von ihnen. Sie sind Os kleine Brüder.»

Ich stellte sie sorgsam an ihren Standort auf dem Glaskubus zurück. «Hast du Marks kleinen Bruder schon gesehen?»

Bill runzelte die Augenbrauen. «War das jetzt freies Assoziieren, oder witterst du eine verborgene Bedeutung in meinen M?»

«Es fiel mir nur gerade so ein.»

«Nein. Ich habe nur einen Schnappschuss von einem faltigen roten Neugeborenen mit einem großen Mund gesehen.»

Obwohl *Os Reise* Bills Leben nicht in jedem Detail widerspiegelte, begriff ich die personifizierten Buchstaben und ihre Bewegungen von einem Kubus in den anderen allmählich als seine parabolische Autobiographie – eine Art Übersetzung aus der Sprache der Außenwelt in die Hieroglyphen des Innenlebens. Bill teilte mir mit, dass O am Ende der Installation verschwinden würde – dass er nicht tot, sondern einfach fort wäre. Im vorletzten Kubus würde er nur noch halb sichtbar sein – ein Gespenst seiner selbst. Im letzten wäre er dann fort, doch in seinem Zimmer würde der Betrachter ein halb vollendetes Gemälde sehen. Ich wusste nicht, was Bill auf diese Leinwand zu malen beabsichtigte, und ich glaube, er selbst wusste es auch nicht.

Irgendwann im Dezember dieses Jahres verschwand wirklich etwas. Etwas Kleines, aber auf umso mysteriösere Weise. Zu seinem elften Geburtstag hatte ich Matt ein Schweizer Messer mit seinen Initialen darauf geschenkt. Mit dem Messer einher ging ein kurzer Vortrag über den verantwortungsvollen Umgang damit, und Matt hatte jeder Einschränkung zugestimmt. Die wichtigste war, dass er es nicht mit in die Schule nehmen durfte. Matt liebte dieses Messer. Er befestigte es an einer kleinen Kette, die er an seinen Gürtel hängte. «Ich hab's gern griffbereit», sagte er. «Es ist so nützlich.» Sein Nutzwert wurde jedoch womöglich von seinem Symbolwert übertroffen. Er trug dieses Messer so, wie manche Hausmeister mit ihrem Schlüsselbund protzen – als

Emblem männlichen Stolzes. Wenn er nicht gerade überprüfte, ob ihm seine Waffe nicht heruntergefallen war, schwang das Messer wie ein zusätzliches Glied an seinem Gürtel. Vor dem Schlafengehen legte er es ehrfurchtsvoll auf sein Nachttischchen. Und dann, eines Nachmittags, konnte er es nicht finden. Er, Erica, Mark und Grace durchwühlten Schränke und Schubladen und suchten unter dem Bett. Als ich von der Arbeit nach Hause kam, war Matt in Tränen aufgelöst, und Grace hatte das Bett abgezogen, um nachzusehen, ob das Messer im Lauf der Nacht zwischen die Laken gerutscht war. War er ganz sicher, dass er es auf den Nachttisch gelegt hatte? Hatte er das Messer morgens gesehen? Matt glaubte ja, doch je länger er nachdachte, umso verwirrter wurde er. Wir suchten tagelang weiter, doch das Messer tauchte nicht wieder auf. Ich sagte ihm, wenn er sich zu seinem zwölften Geburtstag noch immer so ein Messer wünschte, würde ich ihm eins kaufen.

In jenem Jahr beschlossen Matt und Mark, dass sie zusammen in ein Sommerlager mit Übernachtung wollten. Ende Januar studierten Bill, Violet, Erica und ich ein dickes Verzeichnis mit Adressen solcher Camps. Im Februar hatten wir eine Vorauswahl getroffen und nahmen die Unterlagen von sieben Camps auseinander. Unsere gesamten interpretatorischen Talente kamen an den unschuldigen Broschüren und fotokopierten Faltblättern zum Einsatz. Was war wirklich mit «konkurrenzfreier Einstellung» gemeint? Bedeutete es den gesunden Mangel an einer Gewinnen-ist-alles-Mentalität, oder war es eine Ausrede für Laschheit? Bill untersuchte die Fotos auf Anhaltspunkte. Wenn ihr Stil zu glatt und künstlich war, erregten sie seinen Argwohn. Ich lehnte zwei Camps ab, weil ihr Text voller Grammatikfehler war, und Erica machte sich Sorgen um die Qualifikation der Betreuer. Am Ende gewann ein Camp namens Green Hill in Pennsylvania den Wettbewerb. Den Jungen gefiel das Bild auf dem Katalog – zwanzig Jungen und Mädchen in Green-Hill-T-Shirts, die den Leser unter einem Laubgewölbe grüner Bäume hervor übers ganze Gesicht anstrahlen. Das Sommerlager bot alles, was wir uns erhofft hatten: Baseball, Basketball, Schwimmen, Segeln, Kanufahren und ein Kunstprogramm mit Malen, Tanzen, Musik und Theater. Die Entscheidung war gefallen. Wir schickten unsere Schecks ein.

Im April, nicht lange bevor das Semester an der Columbia University endete, fuhren Bill, Mark, Matthew und ich an einem Freitagabend ins Shea Stadium, um ein Spiel der Mets zu sehen. Die Heimmannschaft lag zurück und riss sich im letzten Inning so zusammen, dass sie noch gewann. Matt verfolgte gebannt jeden Wurf und jede Bewegung. Nachdem er die Statistiken sämtlicher Spieler laut vor sich hin gemurmelt hatte, bot er seine Analyse der Aussichten des Batters feil. Im Verlauf des Spiels litt und verzweifelte er oder freute sich, je nachdem, wie es für die Mets gerade lief, und weil seine Emotionen so hochkochten, war ich ebenso erschöpft wie erleichtert, als es vorbei war.

Es war spät, als ich an jenem Abend mit einem Glas Wasser für den Nachttisch Matts Zimmer betrat. Erica war schon ins Bett gegangen. Ich beugte mich vor und küsste ihn auf die Wange, doch er erwiderte meinen Kuss nicht. Er blickte ein Weilchen an die Decke und sagte dann: «Weißt du, Dad. Ich denke immer darüber nach, dass es so viele Menschen auf der Welt gibt. Ich habe beim Spiel zwischen den Innings darüber nachgedacht, und ich hatte dieses irgendwie komische Gefühl, weißt du, dass jeder Einzelne gleichzeitig Gedanken denkt, Milliarden von Gedanken.»

«Ja», sagte ich. «Eine Flut von Gedanken, die wir nicht hören können.»

«Ja. Und dann kam ich auf diese ulkige Idee, dass all diese verschiedenen Leute das, was sie sehen, ein kleines bisschen anders sehen als alle anderen.»

«Meinst du, dass jeder Mensch eine andere Art hat, die Welt zu sehen?»

«Nein, Dad, ich meine wirklich und wahrhaftig. Ich meine, dass wir, weil wir heute Abend da saßen, wo wir saßen, ein Spiel gesehen haben, das ein bisschen anders war als für diese Leute mit dem Bier neben uns. Es war dasselbe Spiel, aber ich könnte etwas beobachtet haben, was diese Leute nicht beobachten konnten. Und dann dachte ich, wenn ich bei ihnen säße, würde ich etwas anderes sehen. Und nicht nur das Spiel. Ich meine, sie sahen mich, und ich sah sie, aber ich sah mich nicht, und sie sahen sich nicht. Verstehst du, was ich meine?»

«Ich weiß genau, was du meinst. Ich habe auch viel darüber nachgedacht, Matt. Die Stelle, wo ich bin, fehlt in meiner Sicht. So geht es jedem. Wir sehen uns selbst nicht in dem Bild, nicht wahr? Da ist so etwas wie ein Loch.»

«Und wenn ich dazu noch an die Leute denke, die ihre zig Milliarden Gedanken denken – auch jetzt gerade sind sie da und denken und denken –, dann kriege ich dieses schwummrige Gefühl.» Er schwieg eine Weile. «Im Auto, auf dem Heimweg, als wir alle still waren, habe ich darüber nachgedacht, dass sich die Gedanken jedes Einzelnen dauernd ändern. Die Gedanken, die wir beim Spiel hatten, wurden zu neuen Gedanken, als wir im Auto saßen. Das war eben, aber das hier ist jetzt, und dann ist dieses Jetzt vorbei, und es ist ein neues Jetzt. Jetzt gerade sage ich jetzt gerade, aber es ist vorbei, bevor ich es fertig gesagt habe.»

«Dieses Jetzt, von dem du sprichst, existiert so gut wie gar nicht. Wir spüren es, aber es lässt sich nicht messen. Die Vergangenheit ist ständig dabei, die Gegenwart aufzufressen.» Ich strich ihm übers Haar und schwieg eine Weile. «Ich glaube, deshalb habe ich Gemälde immer geliebt. Jemand bemalt irgendwann eine Leinwand, aber wenn er damit fertig ist, bleibt das Gemälde in der Gegenwart. Ergibt das für dich einen Sinn?»

«Ja», sagte Matthew. «Auf jeden Fall. Ich mag es, wenn Dinge ganz, ganz lange halten.» Er blickte zu mir auf. Dann atmete er tief ein. «Ich habe mich entschlossen, Dad. Ich will Künstler werden. Als ich klein war, dachte ich, ich würde versuchen, in die Major Leagues zu kommen. Ich werde immer Ball spielen, aber das wird nicht mein Beruf. Nein, ich möchte ein Atelier hier im Viertel haben und eine Wohnung nebenan, damit ich dich und Mom immer besuchen kann.» Er schloss die Augen. «Manchmal denke ich, dass ich große, breite Bilder male, und dann wieder, dass ich ziemlich kleine male. Ich weiß noch nicht, was von beiden.»

«Du hast noch Zeit, um dich zu entscheiden», sagte ich. Matt drehte sich auf den Bauch und zog die Decke hoch. Ich beugte mich hinunter und küsste ihn auf die Schläfe.

Nachdem ich an jenem Abend Matthews Zimmer verlassen hatte, blieb ich im Flur stehen und lehnte mich eine Weile an die Wand. Ich war stolz auf meinen Sohn. Wie ein Schwall Luft meine Lunge aufblies, schwoll das Gefühl an, und dann fragte ich mich, ob mein Stolz nicht eine Form gespiegelter Eitelkeit war. Matthews Gedanken waren ein Echo von meinen, und als ich ihm zuhörte, hörte ich mich selbst und wusste doch, als ich dort stand, dass ich an ihm auch eine Eigenschaft bewunderte, die ich nicht hatte. Als ich Erica von unserem Gespräch erzählte, sagte sie: «Wir haben Glück. Wir haben Glück, dass wir ihn haben. Er ist der beste Junge auf der Welt.» Mit dieser übertriebenen Feststellung drehte sie sich um und schlief ein.

Am siebenundzwanzigsten Juni zwängten wir sechs uns in einen gemieteten Kleinbus und fuhren nach Pennsylvania. Bill und ich trugen zwei bleischwere Matchsäcke in eine Hütte, die Matt und Mark mit sieben anderen Jungen teilen würden, und begrüßten ihre Betreuer Jim und Jason. Das Paar erinnerte mich an eine jugendliche Ausgabe von Laurel und Hardy – der eine dünn, der andere rund, und beide grinsten breit. Wir trafen kurz den Campleiter, einen behaarten Mann mit überschwänglichem Händedruck und heiserer Stimme. Wir schlenderten auf dem Gelände umher und sahen uns die Kantine, den See, die Tennisplätze und das Theater an. Wir zogen den Abschied in die Länge. Matt warf sich in meine Arme und drückte mich.

Sonst wurde ich nur noch abends so liebevoll behandelt, doch er hatte für dieses Lebewohl offensichtlich eine Ausnahme beschlossen. Ich spürte seine Rippen durch sein T-Shirt, als er sich an mich schmiegte, und sah in sein Gesicht hinunter. «Ich hab dich lieb, Dad», sagte er leise. Ich antwortete wie immer: «Ich dich auch, Matt. Ich dich auch.» Ich beobachtete, wie er Erica umarmte, und merkte, dass es ihm ein bisschen schwer fiel, sich von seiner Mutter loszureißen. Erica nahm seine Mets-Kappe ab und strich ihm das Haar aus der Stirn.

«Matty, ich werde dich jeden Tag mit einem Brief blamieren.»

«Das ist nicht blamabel, Mom», sagte er. Er hielt sie fest und schmiegte seine Wange an ihre. Dann hob er das Kinn und lächelte. «Das hier ist blamabel.»

Erica und Violet zögerten unsere Abfahrt mit unnötigen Mahnungen hinaus, Matt und Mark sollten ihre Zähne putzen, sich waschen und ausreichend schlafen. Als wir am Auto ankamen, drehte ich mich nach den Jungen um. Sie standen auf dem großen, frisch gemähten Rasen neben dem Hauptgebäude. Über ihnen breiteten sich die Äste einer ausladenden Eiche aus. Hinter ihnen schien die Nachmittagssonne auf den See, und ihr Licht verfing sich in der gekräuselten Wasseroberfläche. Bill fuhr die erste Etappe des Heimwegs, und nachdem ich mich hinten neben Violet gesetzt hatte, drehte ich mich wieder um, um die beiden Gestalten kleiner werden zu sehen, während der Van die lange Auffahrt hinunter zur Hauptstraße fuhr. Matthew hatte die Hand erhoben und winkte uns. Aus der Entfernung sah er wie ein sehr kleiner Junge aus, der zu große Kleidung trug. Mir fiel auf, wie dünn seine Beine unter den weiten Shorts waren und wie schmal sein Hals über seinem sich blähenden T-Shirt. Er hielt noch seine Kappe in der Hand, und ich sah, wie eine Haarsträhne vom Wind hoch- und aus seinem Gesicht geweht wurde.

Zwei

Acht Tage darauf starb Matt. Am 5. Juli gegen fünf Uhr nachmittags paddelte er mit drei Betreuern und sechs anderen Jungen auf dem Delaware. Sein Kanu stieß gegen einen Felsen und kenterte. Matt wurde hinausgeschleudert und schlug mit dem Kopf gegen einen Stein. Er wurde ohnmächtig und ertrank im seichten Wasser, ehe irgendjemand auch nur in seine Nähe gelangen konnte. Monatelang beleuchteten Erica und ich auf der Suche nach den Schuldigen den Ablauf der Ereignisse von allen Seiten. Zuerst gaben wir Matts Betreuer Jason die Schuld, der im Heck gesessen hatte, denn es war eine Sache von wenigen Zentimetern gewesen. Hätte Jason fünf oder zehn Zentimeter weiter nach rechts gesteuert, wäre der Unfall nicht geschehen. Fünf Zentimeter weiter links, und der Zusammenstoß hätte zwar stattgefunden, aber Matt wäre nicht mit dem Kopf auf den Stein im Wasser geschlagen. Wir machten auch einen Jungen namens Rusty verantwortlich. Ein paar Sekunden vor dem Aufprall hatte er sich von seiner Bank in der Mitte des Kanus erhoben und dem hinter ihm sitzenden Jason mit dem Hintern zugewackelt. In diesen Sekunden hatte der Betreuer die Sicht auf die seichten Schnellen vor ihm verloren. Zentimeter und Sekunden. Als Jim und ein Junge namens Cyrus Matthew aus dem Fluss zogen, wussten sie nicht, dass er tot war. Jim machte sich sofort an die Mund-zu-Mund-Beatmung, blies Luft in Matts regloses Körper und ließ sie wieder ausströmen. Sie hielten einen Wagen auf der Straße an, und der Fahrer, ein Mr. Hodenfield, raste über die Grenze zum nächstgelegenen Krankenhaus in Callicoon im Bundesstaat New York – dem Grover M. Hermann Community Hospital. Jim beatmete Matt unentwegt weiter. Er presste seinen Brustkorb zusammen und blies wieder und wieder Luft in seinen Mund, doch im Krankenhaus wurde Matthew für tot erklärt. «Erklärt» ist ein seltsames Wort. Gestorben war er schon vorher, aber erst in der Notaufnahme wurden diese Worte ausgesprochen, und es war vorbei. Die Erklärung machte seinen Tod wirklich.

Erica nahm den Anruf am späten Nachmittag entgegen. Ich stand nur wenige Meter von ihr entfernt in der Küche. Ich sah ihr Gesicht versteinern, sah sie die Arbeitsplatte umklammern und hörte sie das Wort «Nein» ausstoßen. Es war ein heißer Tag, doch wir hatten die Klimaanlage nicht eingeschaltet. Ich schwitzte. Bei ihrem Anblick schwitzte ich noch mehr. Erica kritzelte einige Worte auf den Notizblock. Ihre Hand zitterte. Sie rang nach Luft. Ich wusste, dass der Anruf mit Matthew zu tun hatte. Sie hatte mehrmals das Wort «Unfall» wiederholt und dann den Namen des Krankenhauses aufgeschrieben. Ich war bereit, loszustürzen. Adrenalin schoss durch meinen Körper. Ich lief meine Brieftasche und die Autoschlüssel holen. Als ich mit den Schlüsseln in der Hand in die Küche zurückkam, sagte Erica: «Leo, der Mann am Telefon hat gesagt, Matthew sei tot.» Mein Atem setzte aus, ich schloss die Augen und sprach stumm aus, was Erica laut gesagt hatte. Ich sagte Nein. Übelkeit wallte in meinen Mund. Mir schlotterten die Knie, und ich griff nach dem Tisch, um mich daran festzuhalten. Ich hörte die Schlüssel klimpern, als meine Hand auf die hölzerne Oberfläche traf. Dann setzte ich mich. Erica klammerte sich an die andere Seite des Tisches. Ich sah auf ihre weißen Fingerknöchel, dann auf ihr verzerrtes Gesicht. «Wir müssen zu ihm fahren», sagte sie.

Ich fuhr. Die weißen und gelben Streifen auf der schwarzen Fahrbahn vor mir nahmen meine gesamte Aufmerksamkeit in Anspruch. Ich konzentrierte mich völlig darauf und sah zu, wie sie unter den Rädern verschwanden. Die Sonne stach durch die Windschutzscheibe, und ab und zu kniff ich die Augen hinter meiner Sonnenbrille zusammen. Neben mir saß eine Frau, die ich kaum erkannte – blass, reglos, stumpf. Ich weiß noch, dass Erica und ich ihn im Krankenhaus sahen. Er sah dünn aus. Seine Beine waren sonnengebräunt, aber sein Gesicht war verfärbt, die Lippen blau, die Wangen grau. Es war Matthew und doch nicht Matthew. Erica und ich gingen Korridore entlang, sprachen mit dem Leichenbeschauer und organisierten inmitten der gedämpften, ehrfürchtigen Atmosphäre, die Trauernde umgibt, das Nötige, aber Tatsache ist, dass die Welt nicht mehr die Welt zu sein schien. Wenn ich an diese Woche zurückdenke, an die Beerdigung und den Friedhof und die Menschen, die kamen, dann erscheint mir das alles so flach, als hätte sich meine Perspektive verändert und alles, was ich sah, wäre zweidimensional geworden.

Vermutlich rührte der Verlust an Schärfentiefe von meiner Unfähigkeit her, das Geschehene zu glauben. Die Wahrheit zu wissen reicht nicht. Mein gesamtes Wesen sträubte sich gegen Matts Tod, und ich erwartete, ihn jeden Augenblick durch die Tür treten zu sehen. Ich hörte ihn in seinem Zimmer rumoren und die Treppe heraufkommen. Einmal hörte ich ihn «Dad» sagen. Seine Stimme war so deutlich, als stünde er unmittelbar vor mir. Nur allmählich sollte ich mir die Wahrheit eingestehen, und auch dann nur sporadisch, in Augenblicken, die Löcher in das seltsame Bühnenbild bohrten, das an die Stelle der Welt um mich getreten war. Zwei Tage nach der Beerdigung wanderte ich durch die Wohnung und hörte aus Matthews Zimmer Geräusche. Als ich hineinschaute, sah ich Erica auf Matts Bett liegen. Sie hatte sich unter seinem Laken zusammengerollt und wiegte sich hin und her. Dabei hielt sie sein Kopfkissen umklammert und biss hinein. Ich ging zu ihr und setzte mich auf die Bettkante. Sie wiegte sich weiter hin und her. Das Kissen war voller Speichel- und Tränenflecken. Ich legte die Hand auf ihre Schulter, aber sie drehte den Oberkörper abrupt zur Wand und schrie auf. Das Geheul kam tief aus ihrer Kehle – heiser und gutural.

«Ich will mein Baby! Geh weg! Ich will mein Baby!» Ich zog die Hand zurück. Sie trommelte mit den Fäusten gegen die Wand und schlug aufs Bett. Sie schluchzte und brüllte immer wieder dieselben Worte. Es kam mir vor, als meißelten ihre Schreie Löcher in meine Lungen, und ich hörte jedes Mal zu atmen auf. Als ich dasaß und Erica zuhörte, hatte ich Angst, nicht vor ihrer Trauer, sondern vor meiner eigenen. Ihre Laute rissen und schürften mich auf. Ich ließ es zu. Ja, sagte ich mir. Das hier ist wirklich. Diese Laute sind real. Ich schaute auf den Fußboden und sah mich darauf liegen. Aufhören, dachte ich, einfach aufhören. Ich fühlte mich ausgedörrt. Das war das Problem. Ich war so vertrocknet wie ein alter Knochen – und ich beneidete Erica um ihr Um-sich-Schlagen und Schreien. Ich kam in mir selbst nicht daran heran und ließ es stattdessen sie tun. Schließlich legte sie den Kopf auf meinen Schoß, und ich sah hinunter auf ihr verdrücktes Gesicht mit der roten Nase und den geschwollenen Augen. Ich legte vier Finger auf ihre Wange und strich hinunter bis zum Kinn. «Matthew», sagte ich zu ihr. Und noch einmal: «Matthew.»

Erica sah zu mir auf. Ihre Lippen zitterten. «Leo», sagte sie. «Wie sollen wir jetzt weiterleben?»

Die Tage zogen sich hin. Ich muss mir wohl irgendwelche Gedanken gemacht haben, aber ich erinnere mich nicht daran. Meist saß ich einfach nur da. Ich las nicht, weinte nicht, wiegte mich nicht, rührte mich nicht. Ich saß in dem Sessel, in dem ich auch heute oft sitze, und sah aus dem Fenster. Ich ließ den Verkehr und die Fußgänger mit ihren Einkaufstaschen vorüberziehen. Ich sah mir die gelben Taxis an und die Touristen in ihren Shorts und T-Shirts, und dann, nachdem ich stundenlang dort gesessen hatte, ging ich in Matthews Zimmer und befühlte seine Sachen. Nie nahm ich etwas in die Hand. Ich ließ meine Finger über seine Steinesammlung gleiten. Ich berührte seine T-Shirts in der Schublade. Ich legte meine Hände auf seinen Rucksack, in dem noch immer die Schmutzwäsche vom Camp war. Ich betastete sein ungemachtes Bett. Wir machten es den ganzen Sommer lang nicht und rührten keinen einzigen Gegenstand in seinem Zimmer an. Wenn der Morgen kam, lag Erica oft in Matthews Bett. Manchmal erinnerte sie sich daran, sich mitten in der Nacht hineingelegt zu haben, manchmal nicht.

Sie hatte wieder zu schlafwandeln begonnen, nicht jede Nacht, aber mehrmals die Woche. Während dieser schlafwandlerischen Trancen suchte sie immer etwas. Sie riss in der Küche Schubladen auf und kramte in Wandschränken. Sie nahm in ihrem Arbeitszimmer Bücher aus dem Regal und betrachtete das bloße Holz, auf dem sie gestanden hatten. Eines Nachts fand ich sie mitten im Flur. Ihre Hand drehte an einem unsichtbaren Türknauf, dann riss sie eine imaginäre Tür auf, begann nach der Luft zu greifen und sie festzuhalten. Ich ließ sie gewähren, denn ich hatte Angst, sie zu stören. Im Schlaf legte sie eine Entschlossenheit an den Tag, die ihr im Wachzustand fehlte, und wenn ich sie neben mir unruhig werden und sich im Bett aufsetzen hörte, stand ich mit ihr auf und folgte ihr pflichtschuldig durch den Loft, bis der rituelle Suchvorgang beendet war. Ich wurde zum nächtlichen Beobachter, ein wachsamer Sekundant von Ericas unbewussten Streifzügen. In manchen Nächten stand ich an der Wohnungstür und machte mir Sorgen, sie könnte hinausgehen und ihre Suche auf der Straße fortsetzen, doch was auch immer sie suchte, es befand sich innerhalb der Wohnung. Manchmal murmelte sie: «Ich weiß, dass ich es irgendwo hingelegt habe. Es war hier.» Doch nie nannte sie den Gegenstand beim Namen. Nach einer Weile gab sie auf, ging in Matthews Zimmer, stieg in sein Bett und schlief ein. In den ersten Wochen ihrer Streifzüge sprach ich sie darauf an, aber nach einer Weile hörte ich auf damit. Es gab nichts mehr dazu zu sagen, und meine Schilderungen ihres unbewussten Rumorens ließen sie nur noch mehr leiden.

Wir wussten nicht, wie wir ihn aufgeben, wie wir weiter existieren sollten. Wir fanden nicht mehr in den Rhythmus eines normalen Lebens zurück. Der schlichte Vorgang, aufzuwachen, die Zeitung hereinzuholen und sich zum Frühstück hinzusetzen, wurde zur grausamen Pantomime eines in der unüberwindlichen Abwesenheit unseres Sohnes vollzogenen Alltags. Und obwohl Erica mit ihrem Teller Cornflakes vor sich am Tisch saß, konnte sie nicht essen. Sie war immer dünn gewesen und nie eine gute Esserin, doch gegen Ende des Sommers hatte sie sieben Kilo abgenommen. Sie wurde hohlwangig, und wenn ich ihr gegenübersaß, konnte ich ihre Schädelknochen sehen. Ich redete ihr gut zu, doch meine Ermahnungen waren halbherzig, denn auch ich schmeckte nichts von dem, was auf meinem Teller lag, und musste mir das Essen in den Mund zwingen. Es war Violet, die uns ernährte. Sie begann gleich am Tag nach Matts Tod für uns das Abendessen zu kochen und hörte erst im Spätherbst damit auf. Anfangs klopfte sie noch, ehe sie eintrat. Später ließen wir ihr die Tür offen. Jeden Abend hörte ich ihre Schritte auf der Treppe und sah sie mit Schüsseln hereinkommen, die mit Alufolie abgedeckt waren. Violet sprach nie viel mit uns in der ersten Zeit nach Matts Tod, und ihr Schweigen war eine Erleichterung. Sie kündigte die mitgebrachten Speisen an – «Lasagne, Salat» oder «Hähnchenbrust mit grünen Bohnen und Reis» –, dann deckte sie den Tisch, entfernte die Folie und teilte aus. Von August an blieb sie sitzen, um Erica zum Essen zu bringen. Sie zerkleinerte ihre Speisen, und während Erica zaghaft ein paar Bissen zu sich nahm, massierte Violet ihre Schultern oder strich ihr über den Rücken. Mich berührte sie auch, aber anders. Sie packte meinen Oberarm und drückte ihn fest – um mich zu stützen oder zu schütteln, ich weiß es nicht.

Wir waren von ihr abhängig, und wenn ich heute an diese Zeit zurückdenke, wird mir bewusst, wie sehr sie sich anstrengte. Selbst wenn sie und Bill ausgingen, kochte sie und brachte uns vorher das Essen. Als sie im August zwei Wochen Urlaub machten, kam sie mit verpackten und nach Wochentagen etikettierten Mahlzeiten für unsere Tiefkühltruhe vorbei.

Pünktlich um zehn rief sie uns täglich aus Connecticut an, um sich nach uns zu erkundigen, und beendete die Unterhaltung mit der Ermahnung, das Essen für den jeweiligen Tag aus der Tiefkühltruhe zu nehmen. «Bis zum Abend ist es aufgetaut.»

Bill kam uns allein besuchen. Weder Violet noch Bill haben jemals darüber gesprochen, aber sie erfüllten ihre Pflicht wohl lieber einzeln als zusammen, damit Erica und ich insgesamt mehr Stunden Gesellschaft hatten. Etwa zwei Wochen nach der Beerdigung brachte Bill ein Aquarell mit, das Matt bei einem Besuch in seinem Atelier gemalt hatte. Es war eine seiner Stadtansichten. Als Erica es sah, sagte sie zu Bill: «Ich werde es mir später ansehen, wenn es dir nichts ausmacht. Ich kann jetzt nicht. Ich kann einfach nicht …» Sie ging aus dem Zimmer, und ich hörte, wie sich unsere Schlafzimmertür hinter ihr schloss. Bill zog einen Stuhl dicht zu mir heran, legte das Aquarell vor uns auf den Couchtisch und fing an zu reden. «Siehst du den Wind?», sagte er.

Ich betrachtete die Szene, die Matt gemalt hatte.

«Sieh dir diese Bäume an, die vom Wind zerzaust werden, und die Gebäude. Die ganze Stadt wird von ihm mitgerissen. Das Bild zittert. Elf Jahre alt, Leo, und so was hat er gemalt.» Bill strich mit dem Finger über die Figuren. «Sieh dir diese Frau an, die Dosen einsammelt, und das kleine Mädchen im Ballerinakostüm mit seiner Mutter. Sieh dir den Körper des Mannes da an, wie er sich bewegt, wie er gegen den Wind ankämpft. Und hier ist Dave, der Durango füttert …»

Durch ein Fenster sah ich den alten Mann. Er beugte sich hinunter und hatte eine Schüssel in der Hand. Wegen seiner vorgebeugten Haltung stand sein Bart vom Körper ab. «Ja», sagte ich, «Dave ist immer irgendwo drauf.»

«Dieses Bild hat er für dich gemalt. Hier.» Bill hob das Aquarell auf und legte es mir auf den Schoß. Ich nahm es sehr behutsam in die Hand und betrachtete die Straße mit den Menschen. Eine Plastiktüte und eine Zeitung flatterten im Wind über den

Bürgersteig. Dann hob ich den Blick und bemerkte eine winzige Gestalt auf dem Dach des Hauses, in dem Dave wohnte – die Umrisse eines Jungen.

Bill zeigte auf das Kind. «Er hat kein Gesicht. Matt hat mir gesagt, er habe es absichtlich so gezeichnet ...»

Ich hielt das Blatt näher an die Augen. «Und seine Füße stehen nicht auf dem Boden», sagte ich langsam. Das gesichtslose Kind hielt etwas in der Hand – ein Taschenmesser, die vielen Klingen geöffnet wie die Zacken eines Sterns. «Es ist der Geisterjunge», sagte ich, «mit dem Messer, das Matt verloren hat.»

«Es ist für dich», wiederholte Bill. Damals akzeptierte ich diese Erklärung, aber heute frage ich mich, ob er diese Geschenkgeschichte nicht erfunden hat. Er legte die Hand auf meine Schulter. Davor hatte ich mich gefürchtet. Ich wollte nicht von ihm berührt werden und blieb starr. Doch als ich mich ihm zuwandte, sah ich, dass er weinte. Tränen liefen ihm über die Wangen, und dann schluchzte er laut.

Danach kam Bill täglich, um mit mir am Fenster zu sitzen. Er kam früher als gewöhnlich aus dem Atelier nach Hause, immer zur selben Zeit: fünf Uhr nachmittags. Oft legte er seine Hand auf die Lehne meines Sessels und beließ sie dort, bis er eine Stunde später wieder ging. Er erzählte mir Geschichten über seine Kindheit mit Dan und Geschichten über die Zeit, als er als junger Künstler durch Italien gezogen war. Er beschrieb seinen ersten Job als Anstreicher: in einem Bordell, in dem die meisten Kunden chassidische Juden waren. Er las mir aus *Art Forum* vor. Er sprach über Philip Gustons Konversion, über Art Spiegelmans *Maus* und über Paul Celans Gedichte. Ich unterbrach ihn selten, und er erwartete auch keine Reaktion. Matthew als Thema sparte er nicht aus. Manchmal erzählte er von Gesprächen, die sie im Atelier geführt hatten. «Er interessierte sich für die Linie, Leo. Ich meine im metaphorischen Sinn, für die Begrenzung der Dinge, wenn man sie anschaut, dafür, ob Farbflächen Linien haben und ob Malen wertvoller ist als Zeichnen. Er erzählte mir, er habe mehrmals geträumt, dass er in die Sonne ging und nicht sehen konnte. Das Licht blendete ihn.»

Bill machte immer eine Pause, nachdem er Matt erwähnt hatte. Wenn sich Erica stark genug fühlte, bei uns zu sein, lag sie in einiger Entfernung auf dem Sofa. Ich weiß, dass sie zuhörte, denn manchmal hob sie den Kopf und sagte: «Sprich weiter, Bill.» Dann fuhr er immer mit seinem Monolog fort. Ich hörte alles, was er sagte, aber seine Worte klangen gedämpft, so als spräche er durch ein Taschentuch. Ehe er ging, nahm er die Hand von meinem Sessel, drückte meinen Arm und sagte: «Ich bin hier, Leo. Wir sind hier.» Bill kam jeden Tag, an dem er in New York war, ein ganzes Jahr lang. Wenn er auf Reisen war, rief er mich ungefähr um dieselbe Zeit an. Ohne Bill wäre ich, glaube ich, vollkommen vertrocknet und weggeblasen worden.

Grace blieb bis zum Ende der ersten Septemberwoche bei uns. Matts Tod hatte sie verstummen lassen, doch wenn sie ihn erwähnte, nannte sie ihn «mein kleiner Junge». Die Trauer schien sich ihr auf die Brust und den Atem gelegt zu haben. Sie schüttelte den Kopf, und ihre vollen Brüste hoben und senkten sich dabei. «Es ist unbegreiflich», sagte sie mir. «Es ist jenseits unserer Macht.» Sie fand eine neue Arbeit bei einer Familie in der Nachbarschaft, und an dem Tag, als sie uns verließ, ertappte ich mich dabei, dass ich ihren Körper betrachtete. Matt hatte ihre Fülle immer geliebt. Einmal hatte er zu Erica gesagt, wenn er auf ihrem Schoß sitze, spüre er keine störenden Knochen. Aber die Fülle dieser Frau war ebenso seelisch wie körperlich. Schließlich übersiedelte sie nach Sunrise, Florida, wo sie jetzt mit Mr. Thelwell in einer Eigentumswohnung lebt. Sie und Erica korrespondieren nach all den Jahren noch miteinander, und Erica hat mir berichtet, dass in Graces Wohnzimmer neben den Fotos ihrer fünf Enkelkinder auch ein Foto von Matt steht.

Kurz bevor Erica und ich im Herbst wieder zu arbeiten begannen, besuchte uns Laszlo. Wir hatten ihn seit der Beerdigung nicht gesehen. Er kam herein, nickte uns zum Gruß zu und stellte einen Pappkarton auf den Boden. Dann begann er den Gegenstand im Karton auszupacken und stellte ihn auf den Couchtisch. Die blauen Stäbe der kleinen Skulptur waren vollkommen anders als die anatomischen Skulpturen, die ich von ihm kannte. Zerbrechliche offene Rechtecke erhoben sich von einem flachen dunkelblauen Brett. Die Arbeit sah aus wie eine Zahnstocherstadt. Am Sockel hatte er mit Klebeband einen Titel befestigt: *In memoriam Matthew Hertzberg*. Laszlo war nicht in der Lage, uns anzusehen. «Ich sollte wieder gehen», murmelte er, doch ehe er einen Schritt machen konnte, streckte Erica die Hand nach ihm aus. Sie umfasste seine schmale Taille und umarmte ihn. Laszlos Arme schwangen nach oben. Einen Augenblick stand er mit seitwärts ausgestreckten Armen da, als überlege er, ob er flüchten solle oder nicht, doch dann führte er sie auf Ericas Rücken zusammen. Seine Finger blieben dort fast unmerklich ein paar Sekunden liegen, dann ließ er das Kinn auf ihren Kopf sinken. Ein kurzer Krampf durchfuhr sein Gesicht, ein leichtes Zucken um die Mundwinkel, dann war es vorbei. Ich schüttelte ihm die Hand, und als seine warmen Finger meine drückten, schluckte ich schwer und schluckte noch einmal. Die Kontraktionen donnerten in meinen Ohren wie fernes Geschützfeuer.

Nachdem Laszlo gegangen war, wandte sich Erica mir zu. «Du weinst nicht, Leo. Du hast noch nie geweint, kein einziges Mal.»

Ich betrachtete Ericas rote Augen, ihre feuchte Nase und den zitternden Mund. Sie stieß mich ab. «Nein», sagte ich. «Hab ich nicht.» Sie hörte den unterdrückten Zorn in meiner Stimme und stand mit offenem Mund da. Ich drehte mich um und ging steifen Schrittes durch den Flur davon. Ich betrat Matthews Zimmer und stellte mich an sein Bett. Dann schlug ich mit der Faust gegen die Wand. Die Rigipsplatte gab unter dem Schlag nach, und der Schmerz schoss mir in die Hand. Es fühlte sich gut an, nein – mehr als gut. Einen Augenblick spürte ich aufwallende Erleichterung, aber sie hielt nicht an. Ich spürte Ericas Augen in meinem Rücken, als sie in der Tür stand, und drehte mich um. «Was hast du gemacht?», sagte sie. «Was hast du mit Matts Wand gemacht?»

Erica und ich arbeiteten beide hart, doch die Gleichheit und Vertrautheit unserer Aufgaben ließ uns das eher als Imitation denn als Fortsetzung unseres alten Lebens empfinden. Ich kannte den Leo Hertzberg gut, der vor Matthews Tod im Fachbereich Kunstgeschichte gelehrt hatte, und konnte ihn mühelos darstellen. Schließlich brauchten meine Studenten nicht mich. Sie brauchten ihn: den Mann, der unterrichtete, ihre Arbeiten korrigierte und Sprechstunden abhielt. Wahrscheinlich erledigte ich meine Pflichten sorgfältiger denn je. Solange ich nicht die Arbeit einstellte, konnte man mir nichts vorwerfen, und weil meine Kollegen und Studenten wussten, dass mein Sohn verunglückt war, schützten sie mich mit einer Wand schweigsamen Respekts. Ich sah, dass Erica sich ähnlich verhielt. Noch etwa eine Stunde nachdem sie von der Uni nach Hause kam, bewegte sie sich abgezirkelt und mechanisch. Sie blieb lange auf, um Arbeiten zu korrigieren. Wenn sie mit Kollegen telefonierte, klang sie wie die Filmparodie einer tüchtigen Sekretärin. In ihrem verspannten, entschlossenen Gesicht erkannte ich mich selbst, aber dieses Spiegelbild gefiel mir nicht, und je öfter ich es ansah, umso hässlicher erschien es mir.

Der Unterschied zwischen uns war, dass Ericas Pose täglich zerbrach. Gegen Ende des Sommers hörte sie mit dem Schlafwandeln auf. Stattdessen ging sie in Matts Zimmer und weinte so lange auf seinem Bett, bis sie nicht mehr konnte. Ericas Elend nahm unberechenbare Formen an. Monatelang saß ich neben ihr auf Matts Bett, ohne zu wissen, was mich erwarten würde. In manchen Nächten packte sie mich und küsste meine Hände, mein Gesicht, meine Brust, in anderen bearbeitete sie meine Arme und meinen Körper mit Fäusten. In manchen Nächten flehte sie mich an, sie festzuhalten, und wenn ich sie dann in den Armen hielt, stieß sie mich zurück. Nach einer Weile merkte ich, dass ich wie ein Roboter auf sie reagierte. Ich tat meine Pflicht, hielt sie fest, und wenn sie mich nicht in der Nähe haben wollte, saß ich still in einem Sessel ein paar Meter von ihr entfernt, doch unsere Gesten und Wortwechsel schienen sich augenblicklich in Luft aufzulösen und nichts zu hinterlassen. Wenn Erica von Rusty oder Jason sprach, wäre ich am liebsten taub gewesen. Wenn sie mir vorwarf, «katatonisch» zu sein, schloss ich die Augen. Wir schliefen nicht mehr in einem Bett. Es gab keine Sexualität mehr zwischen uns, und ich berührte mich auch selbst nicht. Ich war versucht zu onanieren, doch die Erleichterung, die das versprach, drohte mich auch aus der Fassung zu bringen.

Im Dezember suchte Erica wegen ihres Untergewichts einen Arzt auf, der sie zu einer anderen Ärztin schickte, die auch Analytikerin war. Von da an ging sie jeden Freitag in Frau Dr. Trimbles Praxis am Central Park West. Die Therapeutin wollte auch mit mir sprechen, aber ich weigerte mich. Das Letzte, was ich brauchte, war irgendeine Fremde, die in meinem Kopf nach Kindheitstraumata stöberte und mich nach meinen Eltern ausfragte. Aber ich hätte es tun sollen. Heute sehe ich das ein. Ich hätte es tun sollen, weil Erica es wollte. Sie deutete meine Weigerung als Indiz für meinen unumkehrbaren Rückzug von ihr. Während Erica mit Dr. Trimble sprach, saß ich zu Hause und hörte eine Stunde lang Bill zu, und nachdem er gegangen war, sah ich aus dem Fenster. Mein ganzer Körper tat weh. Der Schmerz hatte sich in meinen Armen und Beinen eingenistet, und ich litt an chronischer Muskelversteifung. Meine rechte Hand, mit der ich die Wand durchschlagen hatte, brauchte lange, um zu heilen. Ich hatte mir den Mittelfinger gebrochen, und der Aufprall hinterließ eine große Schwellung am Knöchel.

Zusammen mit meinem schmerzenden Körper war diese kleine Blessur meine einzige Befriedigung, und in meinem Sessel sitzend, rieb ich mir oft den geschwollenen Finger.

Erica trank dosenweise eine Nährflüssigkeit namens Ensure. Abends nahm sie eine Schlaftablette. Mit der Zeit wurde sie viel freundlicher zu mir, aber ihre neue Fürsorglichkeit hatte etwas Unpersönliches, so als kümmere sie sich um einen Obdachlosen auf der Straße und nicht um ihren Mann. Sie schlief nicht mehr in Matts Bett und kehrte in unser Schlafzimmer zurück; ich aber zog es meist vor, in meinem Sessel zu schlafen. Eines Nachts im Februar wachte ich auf, als Erica mich mit einem Plaid zudeckte. Anstatt die Augen zu öffnen, stellte ich mich schlafend. Als sie meinen Kopf küsste, zog ich sie in meiner Vorstellung an mich und küsste sie auf den Hals und auf die Schultern, aber ich tat es nicht wirklich. Ich war damals wie einer, der in einer schweren Rüstung steckt. Und in dieser Körperfestung lebte ich mit einem einzigen monomanischen Wunsch: *Ich lasse mich nicht trösten.* So abwegig dieser Wunsch war, er fühlte sich doch wie ein Rettungsanker an, wie der einzige Fetzen Wahrheit, der mir geblieben war. Ich bin ziemlich sicher, dass Erica wusste, was ich empfand, und im März kündigte sie eine Veränderung an.

«Ich habe beschlossen, die Stelle in Berkeley anzunehmen, Leo. Sie wollen mich noch immer.»

Wir aßen chinesisches Essen aus der Schachtel. Ich blickte von meinem Huhn mit Brokkoli auf, um mir ihr Gesicht anzusehen. «Ist das deine Art, mir mitzuteilen, dass du die Scheidung willst?» Das Wort Scheidung klang seltsam. Mir wurde bewusst, dass ich noch nie daran gedacht hatte.

Erica schüttelte den Kopf und senkte den Blick auf den Tisch. «Nein, ich will keine Scheidung. Ich weiß nicht, ob ich dort bleiben werde. Ich weiß nur, dass ich nicht mehr an dem Ort leben kann, wo Matt war, und ich kann auch nicht mehr mit dir hier sein, weil ...» Sie machte eine Pause. «Du bist auch gestorben, Leo. Ich habe dir nicht geholfen. Ich weiß das. Ich war so lange verrückt, und ich war gemein zu dir.»

«Nein, du warst nicht gemein.» Ich konnte es nicht ertragen, sie anzusehen, deshalb wandte ich den Kopf ab und sprach die Wand an. «Bist du dir wirklich sicher, dass du weg möchtest? Umziehen ist auch nicht leicht.»

«Ich weiß.»

Wir schwiegen eine Weile, und dann fuhr sie fort: «Ich erinnere mich an das, was du über deinen Vater gesagt hast – wie er war, nachdem er von seiner Familie erfuhr. Du sagtest: ‹Er wurde leblos.›»

Ich rührte mich nicht und starrte weiter auf die Wand. «Er hatte einen Schlaganfall.»

«Vor dem Schlaganfall. Du hast gesagt, es passierte vor dem Schlaganfall.»

Ich sah meinen Vater in seinem Sessel. Er saß mit dem Rücken zu mir vor dem Kamin. Ich nickte, ehe ich Erica anschaute. Als sich unsere Blicke trafen, sah ich, dass sie zugleich lächelte und weinte. «Ich will nicht sagen, dass es mit uns vorbei ist, Leo. Ich möchte dich gern besuchen kommen, wenn du mich lässt. Ich möchte dir schreiben, was ich tue.»

«Ja.» Ich nickte und nickte wie eine dieser Puppen mit einer Sprungfeder im Hals. Dabei betastete ich mit beiden Händen meinen Zweitagebart und rieb mir das Gesicht.

«Außerdem», fuhr sie fort, «müssen wir Matthews Sachen durchgehen. Ich dachte, du könntest seine Zeichnungen sortieren. Wir können einige davon rahmen und die anderen in Mappen ablegen. Ich werde mir seine Kleider und Spielsachen vornehmen. Einiges davon kann Mark kriegen …»

Diese Tätigkeit füllte unsere Abende, und ich stellte fest, dass ich dazu imstande war. Ich kaufte Mappen und Kartons und machte mich daran, Hunderte von Zeichnungen zu sortieren, Kunstprojekte der Schule, Notizbücher und Briefe, die Matt gehört hatten. Erica legte seine T-Shirts, Hosen und Shorts sehr sorgfältig zusammen. Sie behielt sein *Art-Now*-Hemd und eine Hose aus Tarnstoff, die er besonders gern getragen hatte. Den Rest legte sie in Kartons für Mark oder für die Altkleidersammlung. Sie sammelte sein Spielzeug ein und trennte die guten Sachen vom Ausschuss. Während Erica, von Kartons umgeben, in Matts Zimmer auf dem Boden saß, sortierte ich an seinem Schreibtisch Zeichnungen. Wir gingen bedächtig vor. Erica betrachtete seine Kleider – seine Unterhemden, -hosen und Socken. Wie seltsam sie wirkten – zugleich schrecklich und banal. Eines Abends fing ich an, mit dem Finger die Striche seiner Zeichnungen nachzufahren – seine Menschen, Gebäude und Tiere. So empfand ich die Bewegung seiner lebendigen Hand nach, und als ich erst damit begonnen hatte, konnte ich nicht mehr aufhören. Eines Abends im April blieb Erica hinter mir stehen. Sie beobachtete, wie meine Hand über das Blatt glitt, dann langte sie über meine Schulter, legte einen Finger auf Dave und zeichnete die Konturen des alten Mannes nach. Schließlich begann sie zu weinen, und ich begriff, wie sehr mir ihre Tränen zuwider gewesen waren, weil sie mir in diesem Augenblick aus irgendeinem Grund nicht zuwider waren.

Ericas bevorstehende Abreise veränderte uns. Das Wissen, dass wir bald getrennt sein würden, machte uns beide nachsichtiger, nahm eine Last von uns, die ich noch immer nicht benennen kann. Ich wollte nicht, dass sie fortging, und doch lockerte die Tatsache, dass sie fortgehen würde, einen Bolzen im Mechanismus unserer Ehe. Sie war inzwischen ein Mechanismus geworden, eine mahlende, sich auf der Stelle drehende Trauermaschine.

In jenem Frühjahr hielt ich für zwölf Doktoranden ein Seminar über Stillleben ab, und im April hatte ich eine meiner letzten Stunden. Als ich an dem Tag den Raum betrat, öffnete einer meiner Studenten, Edward Paperno, gerade die Fenster, um die warme Luft hereinzulassen. Die Sonne, der sanfte Wind, die Tatsache, dass das Semester fast um war, all das trug zu einer konzentrierten Atmosphäre von Trägheit und Mattigkeit bei. Als ich mich setzte, um mit meinem Vortrag zu beginnen, gähnte ich und hielt mir die Hand vor den Mund. Auf dem Tisch lagen meine Notizen und eine Reproduktion von Chardins *Wasserglas mit Kaffeekanne*. Meine Studenten hatten die Essays Diderots, Prousts und der Brüder Goncourt über Chardin gelesen. Sie waren in der Frick-Galerie gewesen, um die Stillleben zu studieren. Wir hatten bereits mehrere Gemälde besprochen. Ich begann mit dem Hinweis, wie schlicht das Bild sei, zwei Gegenstände, drei Knoblauchzehen, ein Kräuterzweiglein. Ich erwähnte das Licht am Rand der Kanne und des Henkels, das Weiß des Knoblauchs und die silbrigen Farbtöne des Wassers. Dann starrte ich plötzlich auf das Glas Wasser auf dem Bild. Ich sah genauer hin. Die Pinselstriche waren sichtbar. Ich konnte sie eindeutig erkennen. Das Licht war durch ein präzises Beben des Pinsels entstanden. Ich schluckte, atmete schwer und rang nach Luft.

Ich glaube, es war Maria Livingstone, die fragte: «Geht es Ihnen nicht gut, Herr Professor?»

Ich räusperte mich, nahm die Brille ab und rieb mir die Augen. «Das Wasser», sagte ich leise. «Das Glas Wasser berührt mich sehr.» Ich blickte auf und sah in die überraschten Gesichter meiner Studenten. «Das Wasser ist ein Zeichen für ...» Ich machte eine Pause. «Das Wasser erscheint mir wie ein Zeichen für Abwesenheit.»

Ich verstummte und spürte, wie mir warme Tränen die Wangen hinunterliefen. Meine Studenten sahen mich weiter an. «Ich denke, das ist alles für heute», verkündete ich mit zittriger Stimme. «Geht hinaus und genießt das Wetter.»

Ich sah zu, wie meine zwölf Studenten schweigend den Raum verließen, und bemerkte mit einiger Überraschung, dass Letitia Reeves schöne Beine hatte, die wohl bis zu jenem Tag in Hosen versteckt gewesen sein mussten. Die Tür fiel ins Schloss. Ich hörte, wie die Studenten im Flur leise miteinander zu reden anfingen. Die Sonne erleuchtete das leere Klassenzimmer, ein Wind kam auf, wehte durch die Fenster und strich über mein Gesicht. Ich versuchte, kein Geräusch zu machen, aber ich weiß, dass es mir nicht gelang. Ich rang nach Luft und würgte; tiefe, hässliche Geräusche drangen aus meiner Kehle. Ich hatte den Eindruck, dass es sehr lange dauerte.

Wochen später fiel mir zufällig mein Kalender aus dem Jahr 1989 in die Hand, der kleine Taschenkalender, in den ich Termine und Ereignisse eintrug. Ich blätterte ihn durch, hielt bei Matts Baseballspielen, bei den Lehrerkonferenzen, bei einer Kunstausstellung an seiner Schule inne. Am 14. April hatte ich in großen Buchstaben «Mets-Spiel» notiert. Auf den Tag genau ein Jahr danach war ich im Seminar über dem Bild von Chardin zusammengebrochen. Ich erinnerte mich an das Gespräch, das ich an jenem Abend mit Matt geführt hatte. Ich wusste noch genau, wo auf seinem Bett ich gesessen hatte. Ich sah sein Gesicht vor mir, während er zu mir sprach, und wie er dabei zeitweise zur Zimmerdecke hinaufredete. Ich erinnerte mich an sein Zimmer, seine Strümpfe auf dem Fußboden, die Baumwolldecke, die er bis zur Brust hochgezogen hatte, das Mets-T-Shirt, das er statt eines Pyjamas trug. Ich sah seine Bettleuchte vor mir, deren Sockel einem Bleistift nachempfunden war, das Licht, das sie auf den Nachttisch warf, und das Glas Wasser, das darunter stand – und links daneben seine Armbanduhr. Ich hatte Matt Hunderte von Gläsern Wasser ans Bett gebracht, und nach seinem Tod hatte ich viele weitere getrunken, weil ich nachts immer ein Glas Wasser neben mir stehen habe. Ein echtes Glas Wasser hatte mich kein einziges Mal an meinen Sohn erinnert, aber das Bild eines Wasserglases, das vor zweihundertdreißig Jahren gemalt worden war, hatte mich plötzlich gepackt und mich unwiderruflich zu der schmerzlichen Erkenntnis geführt, dass ich noch am Leben war.

Nach jenem Tag im Seminarraum verwandelte sich mein Schmerz. Monatelang hatte ich in einem Zustand selbst auferlegter Totenstarre verharrt, unterbrochen nur von der Schauspielerei meiner Arbeit, die meine selbst gewählte Friedhofsexistenz nicht störte, doch ein Teil von mir hatte immer gewusst, dass der Zusammenbruch unvermeidlich war. Chardin wurde das Instrument für den Kollaps, weil mich das kleine Gemälde ohne Vorwarnung erwischte. Ich hatte mich nicht gegen seinen Angriff auf meine Sinne gewappnet und klappte zusammen. Die Wahrheit ist, ich habe mich vor dieser Wiedergeburt gedrückt, weil ich gewusst haben muss, dass sie eine Qual werden würde. In jenem Sommer war ich dem Reiz des Lichts, der Geräusche, der Farben, der Gerüche, der geringsten Luftbewegung schutzlos ausgesetzt. Ich trug ständig eine Sonnenbrille. Jede Lichtveränderung tat mir weh. Das Hupen der Autos zerrte mir an den Trommelfellen. Die Gespräche von Passanten, ihr Lachen, ihr Gejohle, ja sogar der Gesang einer einzelnen Person auf der Straße fühlte sich wie ein Angriff an. Ich konnte keine Rottöne ertragen. Rote Pullis und Hemden, der rote Mund eines hübschen Mädchens, das ein Taxi rief, veranlassten mich, den Kopf abzuwenden. Eine gewöhnliche Rempelei auf dem Bürgersteig – der Arm oder Ellbogen eines Menschen, der meinen Körper streifte, der Stoß der Schulter eines Fremden ließen mich erschauern. Der Wind blies eher durch mich hindurch als über mich hinweg, und ich hatte den Eindruck, mein Skelett klappern zu hören. Auf der Straße vergammelnder Abfall verursachte mir Ekelanfälle und Schwindel, ebenso aber auch Essensgerüche aus Restaurants – Hamburger, Brathähnchen und die scharfen Gewürze asiatischer Speisen. Meine Nasenlöcher fingen jeden Geruch der Menschen ein, künstlichen wie körperlichen, Gesichtswasser, Öle, Schweiß und die strengen, säuerlichen oder beißenden Ausdünstungen ihres Atems. Ich wurde bombardiert und konnte nicht flüchten.

Das Schlimmste aber war, dass ich während dieser Monate der Überempfindlichkeit manchmal Matthew vergaß. Minutenlang dachte ich nicht an ihn. Als er noch am Leben war, verspürte ich keine Notwendigkeit, ständig an ihn zu denken. Ich wusste, dass er da war. Vergesslichkeit war normal. Nachdem er starb, verwandelte ich meinen Körper in eine Gedenkstätte – in ein steinernes Grabmal für ihn. Wach zu sein bedeutet, dass es Augenblicke des Vergessens gibt, und diese Augenblicke schienen Matthew doppelt auszulöschen. Wenn ich ihn vergaß, war Matthew nirgends – weder auf der Welt noch in meinem Kopf. Meine Sammlung war wohl ein Ansatz, diese Leerstellen zu füllen. Während Erica und ich Matthews Sachen sortierten, suchte ich ein paar davon aus, die ich in meine Schublade legte, wo schon die Fotos von Eltern, Großeltern, Tante, Onkel und den Zwillingen lagen. Bei der Auswahl folgte ich ausschließlich meinem Instinkt. Ich wählte einen grünen Stein aus, die Roberto-Clemente-Baseball-Karte, die ihm Bill eines Sommers in Vermont zum Geburtstag geschenkt hatte, das Programm, das er in der vierten Klasse für die Produktion von *Horton Hears a Who* entworfen hatte, und ein kleines Bild von Dave mit Durango. Es war witziger als viele andere Bilder von Dave. Der alte Mann schlief auf einem Sofa mit einer Zeitung über dem Gesicht, und die Katze leckte seine nackten Zehen.

Anfang August, fünf Tage vor Matts Geburtstag, zog Erica um. Sie meinte, sie würde mehrere Wochen brauchen, um sich in ihrer Wohnung in Berkeley einzurichten. Ich half ihr beim Verpacken der Bücher, die wir per Post an ihre neue Adresse schickten. Sie musste Dr. Trimble zurücklassen, und manchmal hatte ich das Gefühl, dass ihr das schwerer fiel als der Abschied von Rutgers, von Bill und Violet, von mir. Aber Erica wusste von einem anderen Arzt in Berkeley, den sie schon ein paar Tage nach ihrer Ankunft aufsuchte. An jenem Morgen nahm ich ihren Koffer und begleitete sie hinunter auf die Straße. Es war ein bewölkter Tag, doch das Sonnenlicht war grell, und obwohl ich durch meine Brille geschützt war, ließ es mich zusammenzucken. Nachdem ich ein Taxi angehalten hatte, bat ich den Fahrer, den Zähler anzustellen und ein paar Minuten zu warten. Als ich mich zu ihr umdrehte, um mich zu verabschieden, begann Erica zu zittern.

«Es ist uns doch besser gegangen in letzter Zeit», sagte ich.

Erica blickte auf ihre Füße. Ich bemerkte, dass ihr Rock um die Taille schlackerte, obwohl sie zugenommen hatte. «Weil ich so ein Chaos produziert habe, hast du angefangen, mich zu hassen, Leo. Jetzt wird es besser werden.» Erica hob das Kinn und lächelte mich an. «Wir ... wir ... wir ...» Ihre Stimme kippte, und sie lachte. «Ich weiß nicht, was ich sage. Ich ruf dich an, wenn ich da bin.» Sie drückte sich an mich und schlang mir die Arme um den Rücken. Ich spürte ihren Körper an meinem – ihre kleinen Brüste und ihre Schultern. Ihr feuchtes Gesicht war an meinen Hals gepresst. Als sie sich von mir löste, lächelte sie wieder. Die Fältchen um ihre Augen kräuselten sich, und ich betrachtete das Muttermal über ihrer Lippe. Dann beugte ich mich vor und küsste es. Sie wusste, dass ich das Muttermal angepeilt hatte, und lächelte. «Das gefällt mir», sagte sie. «Tu's nochmal.»

Ich küsste sie wieder.

Als sie ins Taxi rutschte, schaute ich hinunter auf ihre Beine, die den ganzen Sommer über weiß geblieben waren. Ich hatte den Impuls, meine Hand zwischen ihre Schenkel zu schieben und die Haut dort zu ertasten. Der warme Strahl sexuellen Begehrens ließ mich innerlich erbeben. Ich hörte das dumpfe Zuschlagen der Wagentür und blieb auf dem Bürgersteig stehen, als das Taxi die Greene Street hinunterfuhr und dann links abbog. Jetzt willst du sie, nach all den Monaten, sagte ich mir, und als ich wieder ins Haus ging, wurde mir klar, wie gut Erica mich kannte.

Die Wohnung hatte sich nicht verändert. Auf den Bücherregalen klafften ein paar Lücken, und in unserem Wandschrank im Schlafzimmer war mehr Platz. Nachdem alles gesagt und getan war, hatte Erica sehr wenig mitgenommen. Als ich durch den Loft ging und mir die Lücken in den Regalen, die leeren Kleiderbügel und den kahlen Fußboden ansah, wo noch einen Tag zuvor Ericas Schuhe aufgereiht gestanden hatten, musste ich dennoch nach Luft ringen. Monatelang hatte ich mich auf den Augenblick ihrer Abreise vorbereitet, aber ich hatte nicht geahnt, dass ich empfinden würde, was ich empfand – eisige, quälende Angst. Nun klammerte ich mich an die Angemessenheit des Geschehens, an meine verdiente Strafe. Ich stapfte von einem Zimmer ins nächste und spürte, wie die kalte Verzagtheit meine Lungen zusammendrückte. Ich schaltete den Fernseher ein, um Stimmen zu hören. Ich schaltete ihn aus, um sie wieder loszuwerden. Eine Stunde verging und noch eine. Gegen vier Uhr war ich dann erschöpft davon, wie ein aufgescheuchter Vogel durch die Wohnung zu hetzen. Ich lief zwar weiter von Zimmer zu Zimmer, doch gebremst und langsamer. Im Bad öffnete ich den Spiegelschrank und betrachtete eine von Ericas alten Zahnbürsten und einen Lippenstift. Ich nahm ihn heraus und zog die Kappe ab. Ich drehte ihn auf und untersuchte die bräunlich rote Farbe. Nachdem ich ihn wieder zurückgedreht und die Kappe aufgesetzt hatte, ging ich an meinen Schreibtisch, zog die Schublade auf und legte den Lippenstift hinein. Ich wählte noch zwei weitere Gegenstände für die Schublade aus: ein kleines Paar schwarze Socken und zwei Haarspangen, die auf Ericas Nachttisch lagen. Die Absurdität dieser Sammelei war mir bewusst, aber sie kümmerte mich nicht. Das Schließen der Schublade mit diesen Dingen, die Erica gehörten, beruhigte mich. Als Bill kam, war ich ruhig. Er blieb allerdings länger als sonst, und ich bin mir sicher, dass er es tat, weil er die Panik unter meiner scheinbaren Gelassenheit spürte.

Am Abend rief Erica an. Ihre Stimme klang hoch und etwas

piepsig. «Als ich den Schlüssel ins Schloss steckte, habe ich mich gefreut», sagte sie, «aber als ich reinging, mich hinsetzte und mich umschaute, dachte ich, ich bin komplett verrückt geworden. Ich habe ferngesehen, Leo. Ich sehe nie fern.»

«Du fehlst mir», sagte ich.

«Ja.»

Das war ihre Reaktion. Sie sagte nicht, dass sie mich ebenfalls vermisste. «Ich schreibe dir. Ich telefoniere ungern.»

Der erste Brief kam Ende der Woche. Ein langer Brief voll häuslicher Details – die Grünlilie, die sie für die Wohnung gekauft hatte, das regnerische Wetter an jenem Tag, ihr Besuch in Cody's Buchladen, ihr Vorlesungsplan. Sie erklärte, warum sie Briefe vorzog. «Ich möchte nicht, dass die Worte nackt sind wie auf Faxen oder auf dem Computer. Ich möchte, dass sie von einem Umschlag bedeckt sind, den du aufreißen musst, um an sie heranzukommen. Ich möchte, dass es eine Wartezeit gibt – eine Pause zwischen dem Schreiben und dem Lesen. Ich möchte, dass wir vorsichtig sind mit dem, was wir einander sagen. Ich möchte, dass die Entfernung zwischen uns real und weit ist. Das soll unsere Regel sein: dass wir unseren Alltag und unser Leiden sehr, sehr vorsichtig aufschreiben. In Briefen kann ich dir von meiner Raserei erzählen. Es geht nicht um die Raserei an sich, aber ich <u>bin</u> rasend und impulsiv wegen Matts Tod. Briefe können nicht schreien. Telefone können es. Als ich heute von Cody's nach Hause kam, legte ich meine Bücher auf den Tisch und ging ins Badezimmer, stopfte mir ein Handtuch in den Mund und legte mich im Schlafzimmer aufs Bett, um schreien zu können, ohne allzu viel Lärm zu machen. Aber allmählich sehe ich ihn wieder, nicht tot, sondern lebendig. Ein ganzes Jahr lang habe ich ihn nur tot auf dieser Bahre gesehen. Weit voneinander entfernt, mit nichts als Briefen zwischen uns, finden wir vielleicht wieder einen Weg zueinander. Herzlich, Erica.»

Ich antwortete ihr noch am selben Abend, und so begannen

Erica und ich das Briefkapitel unserer Ehe. Ich befolgte unsere Vereinbarung und rief sie nicht an, aber ich schrieb ihr lange, dicke Briefe. Ich hielt sie auf dem Laufenden über meine Arbeit und die Wohnung. Ich schrieb ihr, dass mein Kollege Ron Bellinger ein neues Medikament gegen seine Narkolepsie ausprobierte, das ihn zwar etwas glupschäugig machte, dafür aber weniger anfällig dafür, bei Versammlungen wegzudösen, und dass Jack Newman noch immer mit Sara zugange war. Ich schrieb ihr, dass Olga, die neue Putzfrau, den Herd mit solcher Leidenschaft geschrubbt hatte, dass sich die Worte VORNE und HINTEN, die auf die Kochplatten verwiesen, unter ihrem kleinen Knäuel Stahlwolle aufgelöst hatten, und ich schrieb ihr, wie bestürzt ich gewesen sei, als ich begriff, dass sie fort war, wirklich fort. Sie antwortete mir, und so ging es hin und her. Keiner von uns beiden konnte wissen, was der andere ausließ. Jede Korrespondenz ist von unsichtbaren Perforationen durchzogen, den kleinen Löchern des Ungeschriebenen, aber nicht Ungedachten, und mit der Zeit begann ich inständig zu hoffen, dass es kein Mann war, der auf den Seiten fehlte, die ich Woche für Woche erhielt.

In den folgenden Monaten stieg ich abends zum Essen wieder und wieder die Treppe zu Bills und Violets Loft hinauf. Violet rief mich am frühen Abend an, um zu fragen, ob sie für mich mitdecken solle, und ich sagte ja. Es fiel mir schwer, ihr überzeugend vorzumachen, dass mir Rührei oder Cornflakes unten bei mir lieber wären. Ich ließ zu, dass Bill und Violet sich um mich kümmerten, und dabei begann ich, die beiden mit neuen Augen zu betrachten. Wie ein Mann, der nach Jahren eines Daseins in Schmutz und Dunkel aus seinem Verlies gekrochen kommt, war ich etwas geschockt von ihrer Lebendigkeit.

Violet küsste mich auf die Wangen und berührte meine Arme, Hände und Schultern. Ihr Lachen hatte ein raues Timbre, und manchmal stieß sie beim Essen kleine Lustgeräusche aus. Doch ich entdeckte auch Ausfälle bei ihr, die mir früher nicht aufgefallen waren – für fünf oder sechs Sekunden versenkte sie sich von Zeit zu Zeit in sich, um traurig über jemanden oder etwas nachzudenken. Wenn sie etwa eine Soße umrührte, hielt ihre Hand plötzlich inne, zwischen ihre Brauen schob sich eine Falte, und sie starrte blickleer auf den Herd, bis sie sich wieder fing und weiterrührte. Bills Stimme erschien mir heiserer und zugleich melodischer, als ich sie in Erinnerung hatte. Alter und Zigaretten vielleicht, aber ich lauschte mit erneuerter Aufmerksamkeit auf ihre Modulation und die häufigen Pausen. Ich spürte eine neue Ernsthaftigkeit in ihm, das fast greifbare Gewicht eines intensiver gewordenen Lebens. Violet und Bill kamen mir irgendwie anders vor, so als wäre ihr gemeinsames Leben von Dur nach Moll transponiert worden. Vielleicht hatte Matts Tod auch sie verändert. Vielleicht sah ich, weil Matt gestorben war, in ihnen etwas, was ich zuvor nie gesehen hatte. Und vielleicht würde meine Sicht der Dinge ohne Matt nie wieder dieselbe sein.

Der einzige Mensch, der unverändert schien, war Mark. Er hatte nie großen Raum in meinem Leben eingenommen, außer als Matts liebenswerter Kumpel, und als Matt starb, war auch Mark für mich verschwunden. Doch während dieser gemeinsamen Abendessen begann ich ihn mir genauer anzusehen. Er war etwas gewachsen, aber nicht sehr. Eben dreizehn geworden, hatte er noch immer ein weiches, rundes Kindergesicht, das ich bemerkenswert lieb fand. Mark war ein sehr gut aussehender Junge, aber seine Liebenswürdigkeit war unabhängig von seiner Schönheit. Sie rührte von seinem Gesicht her, das eine unendliche, unberührbare Unschuld vermittelte, nicht unähnlich der seines augenblicklichen Helden Harpo Marx. Bei Tisch kicherte er, kasperte herum und schnitt Harpos Doofmanngrimassen. Er las uns Passagen aus *Harpo spricht!* vor und sang «Heil, Fredonia» aus *Die Marx Brothers im Krieg*. Aber er sprach auch über sein Mitleid mit den New Yorker Obdachlosen, über die Idiotie des Rassismus und die Grausamkeit von Hühnerfarmern. Nie ging er tiefer auf die angesprochenen Themen ein, aber wenn er über Ungerechtigkeiten sprach, berührte mich seine noch hohe, jungenhafte Stimme durch die darin mitschwingende Einfühlung. Lebhaft, heiter und freundlich, wie Mark war, fühlte ich mich mit ihm zusammen leichter. Ich begann mich darauf zu freuen, ihn wieder zu sehen, und an den Wochenenden, wenn er zu seiner Mutter, seinem Stiefvater und dem kleinen Bruder Oliver nach Cranbury, New Jersey, fuhr, stellte ich fest, dass er mir fehlte.

Ein paar Tage bevor sie über Weihnachten zu den Bloms nach Minnesota flogen, veranstalteten Bill und Violet eine verspätete Geburtstagsparty für Mark. Er war schon vor Monaten dreizehn geworden, aber für Bill war dieser Geburtstag eine Art säkulare Bar-Mizwa, eine Möglichkeit, die Tradition ohne das Ritual zu bewahren. Bill und Violet schickten auch Erica eine Einladung, aber sie sagte ab. In einem Brief informierte sie mich, sie habe beschlossen, über die Ferien in Berkeley zu bleiben. Wochenlang dachte ich über ein Geschenk für Mark nach. Am Ende entschloss ich mich für ein Schachspiel, ein wunderschönes Brett mit geschnitzten Figuren, das mich an meinen Vater erinnerte, der mir das Spiel beigebracht hatte. Ich wusste, dass Mark es nicht gelernt hatte, und ich wollte die Karte, die dem Geschenk beiliegen sollte, sehr sorgfältig formulieren. In der ersten Version erwähnte ich Matthew, in der zweiten nicht. Dann schrieb ich einen dritten Text, kurz und zur Sache: «Alles Gute zum verspäteten dreizehnten Geburtstag.

Dieses Geschenk schließt Unterricht durch den Gratulanten ein. In Liebe, Onkel Leo.»

Ich hatte geplant, mich auf Marks Party am Riemen zu rei-ßen. Ich hatte es gewollt, aber am Ende war ich nicht dazu im-stande. Ich musste mehrmals ins Bad, nicht um mich zu erleich-tern, sondern um mich am Waschbecken festzuhalten und ein paar Minuten zu hyperventilieren, ehe ich mich wieder unter die Leute begeben konnte. Es müssen etwa sechzig Gäste bei der Party gewesen sein, aber ich kannte nur wenige. Violet lief von einem zum anderen und dann zurück in die Küche, wo sie den drei Kellnern Anweisungen gab. Bill schlenderte mit leicht ge-röteten Augen und leicht angestrengter Stimme herum, ein Glas Wein in der Hand, das er oft nachfüllte. Ich sagte Al und Regina guten Tag und begrüßte Mark, der sich in seinem blauen Blazer, seiner roten Krawatte und den grauen Flanellhosen erstaunlich wohl zu fühlen schien. Er grinste mich an und umarmte mich herzlich, ehe er Lise Bochart, einer Bildhauerin Anfang sechzig, die Hand schüttelte. «Ich finde Ihr Piece im Whitney echt cool», sagte er. Lise legte den Kopf zur Seite, und ihr Gesicht fal-tete sich zu einem breiten Lächeln. Dann beugte sie sich vor und gab ihm einen Kuss. Mark errötete nicht und sah auch nicht weg. Er warf ihr einen kecken Blick zu und spazierte nach ein paar Sekunden weiter zum nächsten Gast.

Ich hatte mich an Mark gewöhnt und mochte ihn immer lie-ber, doch unter den Gästen waren auch ein paar von Matts alten Schulfreunden, und als ich sie einen nach dem anderen er-kannte, wurde der beständige Druck in meiner Brust zu einem scharfen Schmerz. Lou Kleinman war mindestens fünfzehn Zentimeter gewachsen, seit ich ihn das letzte Mal gesehen hatte. Er stand in der Ecke mit Jason Loo, einem anderen Freund von Matt, und beide kicherten über eine Reklame für Telefonsex, die Lou wohl auf der Straße aufgehoben hatte, denn rechts oben war ein Fußabdruck. Ein anderer Junge, Tim Andersen, hatte sich überhaupt nicht verändert. Ich erinnerte mich, wie Matt das zurückgebliebene, blasse Kind bedauert hatte, das zu asthmatisch keuchte, um Sport treiben zu können. Ich sprach nicht mit Tim, sah ihn nicht einmal an, sondern setzte mich in einen Sessel hinter ihm. Von dort konnte ich ihn atmen hören. Ich hatte eigentlich nur einen Blick auf den Jungen werfen wollen; stattdessen saß ich nun mit dem Rücken zu ihm und horchte mit einer plötzlichen, schrecklichen Faszination auf seine Bronchien. Ich klammerte mich an jeden geräuschvollen Atemzug als Beweis dafür, dass er am Leben war – zwar schwächlich, zwergenhaft, krank, aber am Leben. Ich lauschte dem heiseren, gierigen Leben in seinem Körper und ließ mich davon quälen. Es gab so viele andere Geräusche – sich überlagernde Stimmen, die redeten und lachten, das Klappern von Besteck auf den Tellern –, aber ich wollte nichts anderes hören als das Geräusch von Tims Atem. Wie gern wäre ich ihm noch näher gekommen, hätte mich zurückgebeugt und mein Ohr an seinen Mund gelegt. Ich tat es nicht, aber ich merkte, dass ich mit geballten Fäusten im Sessel saß und hörbar schluckte, um einen bebenden Kummer und Zorn zu unterdrücken. Doch dann rettete mich Dan.

Zerzaust, schmutzig und mit großen Schritten steuerte er auf mich zu. Er stieß an den Ellbogen einer Frau, verschüttete ihren Wein, entschuldigte sich laut in ihr erschrockenes Gesicht hinein und ging weiter auf mich zu. «Leo!», brüllte er aus kaum einem Meter Entfernung. «Sie haben mir andere Medikamente verpasst, Leo! Von dem Haldol wurde ich steif wie ein Brett; ich konnte mich gar nicht mehr bücken.» Er streckte die Arme vor und beendete seinen Auftritt à la Frankensteins Monster. «Zu viel Auf-und-ab-Gehen, Leo. Zu viele Selbstgespräche. Also haben sie mich ins Saint Luke's geschleift, um mich neu einzustellen. Ich habe Sandy mein Stück vorgelesen. Sie ist Krankenschwester. Es heißt *Komischer Kauz und komischer Körper*.» Er machte eine Pause, beugte sich vor und vertraute mir an: «Leo, stell dir vor: Du kommst auch drin vor.»

Dan stand jetzt dicht bei mir und grinste mit offenem Mund, sodass ich seine stark verfärbten Zähne sehen konnte. Er hatte mich noch nie so angerührt, und noch nie war ich so dankbar dafür gewesen, in seiner Nähe zu sein. Zum ersten Mal schien seine Verrücktheit seltsam trostreich und vertraut.

«Ich komme in deinem Stück vor?», sagte ich. «Ich fühle mich geehrt.»

Dan schaute verlegen drein. «Deine Rolle hat keinen Text.»

«Keinen Text? Nur ein stummer Auftritt?»

«Nein, Leo muss das ganze Stück hindurch liegen.»

«Tot?»

«Nein!», ließ Dan seine Stimme erschallen. Er sah schockiert aus. «Schlafend.»

«Oh, ich bin also ein Schläfer.» Ich lächelte, aber Dan erwiderte mein Lächeln nicht.

«Nein, im Ernst, Leo. Du bist hier drin.» Er tippte sich mit dem Finger an die Schläfe.

«Ich bin froh», sagte ich, und es stimmte.

Nachdem alle gegangen waren, saßen Dan und ich mit einigem Abstand zwischen uns auf dem Sofa. Wir sprachen nicht, aber wir hatten uns einen gemeinsamen Platz abgesteckt. Der verrückte Bruder und der zusammengebrochene «Onkel» hatten ein vorübergehendes Bündnis geschlossen, um die Party zu überstehen. Bill setzte sich zwischen uns und legte einen Arm um jeden von uns, aber seine Augen ruhten auf Mark, der in der Küche stand und die Glasur von den Resten der Torte ablöste. Erst da fiel mir Lucille ein. «Hätten Lucille, Philip und Oliver nicht hier sein sollen?», fragte ich Bill.

«Sie wollten nicht kommen», sagte er. «Sie gab mir eine seltsame Begründung. Sie sagte, Philip wolle Oliver von der Stadt fern halten.»

«Warum denn bloß?»

«Ich weiß nicht», sagte er stirnrunzelnd. Das war alles, was an Bemerkungen über Lucille fiel. Selbst aus der Ferne, dachte ich, verfügt sie über die Fähigkeit, Gesprächen ein Ende zu setzen. Ihre eigenartigen Reaktionen auf eine normale Unterhaltung, oder in diesem Fall auf eine normale Einladung, ließen die anderen oft in verwirrtes Schweigen verfallen.

Ich stand neben Mark, als er die Verpackung meines Geschenks aufriss und das Schachspiel sah. Er sprang vom Boden auf und schlang mir die Arme um die Hüfte. Es war eine lange, anstrengende Geburtstagsparty gewesen, und ich war auf seine Aufregung nicht vorbereitet. Ich hielt ihn fest und sah hinüber zu Bill, Violet und Dan, die auf dem Sofa saßen. Dan war eingeschlafen, aber Bill und Violet lächelten beide mit Tränen in den Augen, und ihre Rührung machte es mir noch schwerer, die meine unter Kontrolle zu halten. Ich starrte unentwegt Dan an, um mich wieder zu fangen, aber Mark muss das Keuchen in meiner Brust gespürt haben, und als er sich aus der Umarmung löste, muss er bemerkt haben, wie mir das Gesicht entgleiste. Doch er schaute mich weiter glücklich an, und aus schwer erklärbaren Gründen war ich ungeheuer erleichtert darüber, auf meinem Kärtchen Matthew nicht erwähnt zu haben.

Mark lernte das Schachspiel rasch. Er wurde ein flinker, intelligenter Spieler, und ich fand sein Geschick aufregend. Ich sagte ihm die Wahrheit. Er verstand nicht nur die Züge, er hatte auch die nötige Unerschütterlichkeit, um gut zu spielen, diesen kalkulierten Gleichmut, den ich nie hinbekam und der sogar einen überlegenen Gegner nervös machen kann. Doch je größer meine Begeisterung, umso geringer Marks Interesse. Ich redete ihm gut zu, der Schachmannschaft seiner Schule beizutreten, und er versprach, es sich zu überlegen, aber ich glaube nicht, dass er es je getan hat. Ich spürte, dass er eher bestrebt war, mir zu Willen zu sein, als sich selbst einen Gefallen zu tun, und so zog ich mich taktvoll zurück. Wenn er spielen will, sagte ich zu Bill, kann er mich fragen. Er fragte nie.

Ich glitt in ein anderes Leben hinüber. In jenem Jahr galt alles, was ich schrieb, Erica. Ich schrieb keine Artikel, keine Aufsätze, dachte nicht über ein neues Buch nach, aber ich erzählte Erica alles in langen Briefen, die ich Woche für Woche abschickte. Ich schrieb ihr, dass mein Unterricht leidenschaftlicher geworden war, dass ich mehr Zeit mit meinen Studenten verbrachte. Ich schrieb, dass ich einigen erlaubte, in meiner Sprechstunde über ihr Privatleben zu reden, dass ich ihnen zwar nicht immer zuhörte, doch ihr Bedürfnis anerkannte, über alles Mögliche zu reden, und dass sie für meine distanzierte, aber wohlwollende Aufmerksamkeit dankbar waren. Ich schrieb über meine Abendessen mit Bill, Violet und Mark. Ich zählte ihr die Titel der Bücher über Stummfilmkomödien auf, die ich für Mark gefunden hatte, beschrieb ihr die Standfotos aus *Die Marx Brothers in der Oper* und *Blühender Blödsinn*, die ich in einem Laden in der 8th Street für ihn gekauft hatte, und ich schilderte sein glückliches Gesicht, wenn er meine Geschenke entgegennahm. Ich erzählte ihr auch, dass *Os Reise* seit Matts Tod ein Nachleben führte, das durch meine einsamen Stunden geisterte. Manchmal, wenn ich abends im Sessel saß, liefen in meinem Kopf Teile der Erzählung wie ein Film ab – Bs dicke, geflügelte Gestalt, wie sie rittlings auf O sitzt, die kräftigen Arme im Orgasmus ausgestreckt, ihr Gesicht eine parodistische Imitation von Berninis heiliger Theresa. Ich sah die beiden M, Os kleine Brüder, die sich hinter einer Tür aneinander klammern, während ein Einbrecher das Haus ausraubt und eines von Os Gemälden stiehlt – ein Porträt der beiden jungen M. Doch am häufigsten sah ich Os letztes Bild, jenes, das er nach seinem Verschwinden zurücklässt. Es enthält kein Motiv, nur den Buchstaben B – das Zeichen für Os Schöpfer und für die dicke Frau, die ihn in dem Werk verkörperte.

Was ich Erica nicht erzählte, war, dass ich an manchen Abenden, wenn ich vom Essen kam, Violet auf meinem Hemd roch – ihr Parfüm, ihre Seife und noch etwas, ihre Haut vielleicht, einen Duft, der die anderen verstärkte und das Blumenaroma körperlich machte, menschlich. Ich erzählte Erica nicht, dass es mir gefiel, diesen schwachen Duft einzuatmen, und ich sagte ihr nicht, dass ich zugleich versuchte, ihm zu widerstehen. An manchen Abenden zog ich das Hemd aus und warf es in den Wäschekorb.

Im März fragten mich Bill und Violet, ob ich ein langes Wochenende mit Mark verbringen könnte. Sie wollten nach Los Angeles, wo *Os Reise* in einer Galerie ausgestellt wurde. Auch Lucille war auf Reisen und wollte Philip nicht mit zwei Kindern belasten. Ich zog hinauf zu Mark. Wir fühlten uns wohl miteinander, und Mark war anstellig. Er spülte das Geschirr, trug den Müll hinunter und räumte seine Sachen auf. Am Samstagabend legte er eine Musikkassette ein und machte für mich zu einem Popsong die entsprechenden Lippenbewegungen. Dabei sprang er mit einer Luftgitarre durchs Wohnzimmer. Mitten im wildesten Tanz schnitt er gequälte Grimassen und brach schließlich auf dem Fußboden zusammen – eine Imitation der Agonie eines Rockstars, dessen Name mir entfallen ist.

Bei unseren Gesprächen merkte ich allerdings, dass Mark wenig von dem aufgenommen hatte, was üblicherweise in der Schule unterrichtet wird: Geographie, Politik, Geschichte. Und seine Ignoranz hatte etwas Gewolltes. Matthew war ein Maßstab gewesen, anhand dessen wir zwischen Jungen seines Alters vergleichen konnten, aber warum sollte Matt ein Barometer für Normalität sein? Bevor er starb, war sein Gehirn voll gepackt gewesen mit Informationen, Trivialem und Wichtigem, von Baseball-Statistiken zu den Schlachten des amerikanischen Bürgerkriegs. Matt kannte die Namen aller vierundsechzig Geschmacksrichtungen seiner Lieblingseismarke und konnte die Werke Dutzender zeitgenössischer Maler erkennen, von denen manche nicht einmal mir bekannt waren. Abgesehen von seiner Begeisterung für Harpo waren Marks Interessen gewöhnlicher – Popmusik, Action- und Horrorfilme –, und doch wandte er sich diesen Themen mit derselben geistigen Regheit zu, mit derselben Wendigkeit, die ich bei seinem Schachspiel beobachtet hatte. Was ihm an Gehalt fehlte, glich er durch Tempo aus.

Mark wollte nicht zu Bett gehen. Jeden Abend, den ich mit ihm verbrachte, stand er in der Tür zu Bills und Violets Schlafzimmer, in dem ich schlief, als könnte er sich nicht losreißen. Fünfzehn, zwanzig, fünfundzwanzig Minuten vergingen, und noch immer lehnte er am Türrahmen und plauderte. In jeder der drei Nächte musste ich ihm sagen, ich wolle nun schlafen und er solle es auch tun.

Die einzige Störung der Harmonie unseres gemeinsamen Wochenendes war die Sache mit den Donuts. Am Samstagnachmittag suchte ich die Packung Donuts, die ich am Vortag mitgebracht hatte. Ich durchsuchte alle Küchenschränke, konnte sie aber nicht finden. «Hast du die Donuts aufgegessen?», rief ich Mark im Nebenzimmer zu. Er kam in die Küche und sah mich an. «Donuts? Nein.»

«Ich könnte schwören, ich hätte sie in diesen Schrank gelegt, und jetzt sind sie nicht da. Seltsam.»

«Schade», sagte er. «Ich mag Donuts. Das ist wahrscheinlich eines dieser Haushaltsmysterien. Violet sagt immer, dass das Haus Sachen isst, wenn man nicht hinsieht.» Er schüttelte den Kopf, lächelte mich an und verschwand in sein Zimmer. Einen Augenblick später hörte ich ihn einen Popsong pfeifen – hoch, süß und melodisch.

Gegen drei Uhr am folgenden Nachmittag klingelte das Telefon. Eine Frau schrie mich durch den Hörer mit einer durchdringenden, wütenden Stimme an. «Ihr Sohn hat ein Feuer gelegt! Kommen Sie sofort her!» Ich vergaß, wo ich war, vergaß alles. Zu schockiert, um zu sprechen, atmete ich einmal in den Hörer und sagte: «Ich verstehe nicht. Mein Sohn ist tot.»

Stille.

«Sind Sie nicht William Wechsler?»

Ich erklärte. Sie erklärte. Mark und ihr Sohn hatten auf dem Dach ein Feuer gemacht.

«Das kann nicht sein», sagte ich. «Er ist in seinem Zimmer und liest.»

«Wetten?», sagte sie laut. «Er steht direkt vor mir.»

Nachdem ich mich vergewissert hatte, dass Mark nicht in seinem Zimmer war, ging ich hinunter, um ihn aus dem Nachbarhaus zu holen. Als die Frau mir die Tür öffnete, zitterte sie noch immer. «Woher haben die beiden die Streichhölzer?», kreischte sie mich beim Eintreten an. «Sie sind für ihn verantwortlich, oder? Oder etwa nicht?» Ich murmelte ja und sagte dann, dass Jungs fast überall an Streichhölzer herankommen. Was für eine Art Feuer es gewesen sei, wollte ich wissen. «Ein Feuer! Ein Feuer! Ist doch egal, was für eins!» Als ich Mark ansah, war sein Gesicht ausdruckslos. Ich konnte keinen Trotz darin entdecken – einfach gar nichts. Der andere Junge, der nicht älter als zehn sein konnte, hatte nasse rote Augen. Rotz tröpfelte aus seiner Nase, während er sich wiederholt Haarsträhnen aus der Stirn strich, die augenblicklich wieder hineinfielen. Ich entschuldigte mich lahm und nahm Mark schweigend mit nach Hause.

In seinem Zimmer sprachen wir uns aus. Er erzählte mir, er habe den Jungen, Dirk, auf dem Dach getroffen, als Dirk das Feuer bereits gelegt hatte. «Ich hab bloß dagestanden und zugeschaut.»

Ich fragte ihn, was sie verbrannt hätten.

«Nur ein bisschen Papier und so. Nichts.»

Ich warnte ihn, dass sich ein Feuer rasch ausbreiten kann. Ich sagte ihm, er hätte mir sagen sollen, dass er weggehen würde. Er hörte mir zu und nahm meine Bemerkungen ruhigen Blickes zur Kenntnis. Dann sagte er in einem Ton, der überraschend feindselig klang: «Die Mutter von dem Jungen spinnt ja!»

Marks Augen waren undurchdringlich. Sie waren Bills Augen sehr ähnlich, aber ihm fehlte die Energie seines Vaters. «Ich glaube, dass sie bloß Angst hatte», sagte ich. «Sie hatte wirklich Angst um ihren Sohn.»

«Wenn du meinst.»

«Mark, tu so was bitte nie wieder. Du hättest das Feuer löschen sollen. Du bist viel älter als dieser Junge.»

«Du hast ja Recht, Onkel Leo.» Er klang nun überzeugt, und das erleichterte mich.

Am Morgen machte ich French Toast für Mark und schickte ihn los zur Schule. Als wir uns verabschiedeten, reichte ich ihm die Hand, aber er umarmte mich. Als ich die Arme um ihn schloss, fühlte er sich klein an, und die Art, wie er seine Wange gegen mich drückte, erinnerte mich an Matthew, aber nicht mit elf Jahren, sondern mit vier oder fünf.

Nachdem Mark gegangen war, stieg ich die Treppen zum Dach hinauf, um nach Resten des Feuers zu suchen. Ich hatte gedacht, ich müsste auf das Nachbargebäude hinüberklettern, in dem Dirk wohnte, doch ich fand einen Haufen Asche und Abfall auf dem Dach unseres Hauses und ging in die Hocke, um ihn zu untersuchen. Ich kam mir sowohl hinterhältig als auch etwas lächerlich vor, während ich mit einem herumliegenden Drahtkleiderbügel in den verkohlten Resten stocherte. Das war kein Lagerfeuer gewesen, bloß ein kleines Feuerchen, das gewiss nicht lange hätte brennen können. Ich bemerkte ein paar teilweise versengte Textilfetzen und hob auf, was von einer Sportsocke übrig geblieben war. Grüne Glassplitter von einer zerbrochenen Flasche lagen zwischen Papierresten, und dann sah ich ein Stück einer unvollständig verbrannten Verpackung – die leere Donut-Schachtel. Ein paar Buchstaben der Marke waren noch lesbar: ENTE.

Mark hatte mich angelogen. Er hatte Violet so elegant zitiert.

Er hatte so mühelos gelächelt. Mir wäre nie in den Sinn gekommen, an seinen Worten zu zweifeln, aber noch kurioser war, dass es mir einerlei gewesen wäre, wenn er zugegeben hätte, die Donuts gegessen zu haben. Ich hatte sie ohnehin für ihn gekauft. Ich hielt das Stück Pappe in der Hand und schaute über die trostlose Dächerlandschaft der Südspitze von Manhattan mit ihren rostenden Wasserspeichern und ihrer abblätternden Teerpappe. Eine blasse Sonne versuchte, sich durch die Wolken zu drängen, und es war ein Wind aufgekommen. Ich kehrte die Asche und das Glas in eine alte Einkaufstüte, die jemand auf dem Dach liegen gelassen hatte, und als ich sah, wie meine Hände von der Asche grau wurden, empfand ich ein unerwartetes Schuldgefühl, so als wäre ich an Marks Lüge beteiligt. Die verbrannte Schachtel tat ich nicht in die Tüte mit dem anderen Müll. Ich ging hinunter in meine Wohnung und legte das, was davon übrig war, sorgfältig in meine Schublade.

Bill und Violet sagte ich nichts von dem Feuer. Mark muss froh darüber gewesen sein, er musste das Gefühl haben, dort unten in Onkel Leo einen Verbündeten zu besitzen, und das war es, was ich wollte. Der Vorfall mit dem Feuer verblasste allmählich, so wie es oft auch mit Träumen ist, die nichts hinterlassen als ein vages Unbehagen. Ich dachte selten daran, außer wenn ich meine Schublade öffnete, um meine Sammlung zu betrachten, und dann fragte ich mich, warum ich beschlossen hatte, dieses Stück Pappe aufzubewahren.

Doch ich rührte es nicht an und warf es auch nicht weg. Irgendetwas in mir muss gespürt haben, dass es dorthin gehörte.

Im Herbst 1991 veröffentlichte die University of Minnesota Press Violets Studie *Verschlossene Körper. Eine Untersuchung zeitgenössischer Körperbilder und Essstörungen.* Beim Lesen tauchten hin und wieder die verschwundenen Donuts und die verbrannte Schachtel in meinem Bewusstsein auf. Das Buch begann mit einfachen Fragen: Warum hungern heutzutage Tausende von Mädchen in den westlichen Ländern? Warum fressen und erbrechen andere? Warum ist Fettleibigkeit im Ansteigen? Warum sind diese einst seltenen Krankheiten epidemisch geworden?

«Essen», schrieb Violet, «ist unsere Lust und unsere Buße, unser Gut und unser Böse. Wie vor hundert Jahren die Hysterie ist es zum Brennpunkt einer kulturellen Obsession geworden, von der auch Menschen, die nie ernsthaft an Essstörungen erkranken, in großer Zahl angesteckt sind. Fanatisches Joggen, der Erfolg von Gesundheitsclubs und Reformhäusern, Rolfing, Massage, Vitamintherapien, Darmspülungen, Diätzentren, Bodybuilding und Schönheitsoperationen, moralischer Abscheu vor Rauchen und Zucker, panische Angst vor Umweltgiften, das alles verweist auf die Idee eines extrem verletzbaren, permanent bedrohten Körpers mit nicht funktionierenden Schutzmechanismen.»

So argumentierte sie fast vierhundert Seiten lang. Das erste Kapitel war eine historische Einführung. Es erwähnte kurz die alten Griechen und die idealen Körper ihrer Götter, verweilte eine Zeit lang beim mittelalterlichen Christentum mit seinen weiblichen Heiligen, dem Kult des physischen Leidens und dem weit verbreiteten Phänomen von Seuchen und Hungersnöten. Es streifte die neoklassischen Renaissance-Körper und dann die Abschaffung der Jungfrau und ihres mütterlichen Leibes durch die Reformation. Es galoppierte durch die medizinischen Zeichnungen des 18. Jahrhunderts mit seiner aufklärerischen Versessenheit auf Leichensektionen und arbeitete sich allmählich zu den Hungerkünstlern und den hungernden Mädchen des Dr.

Lasègue vor, des Arztes, der als Erster zur Beschreibung ihrer Krankheit das Wort Anorexie verwendet hatte. Auf ihrem Weg durch das 19. Jahrhundert und hinein ins 20. erwähnte Violet Lord Byrons Fastenkuren und Saufgelage, J. M. Barries störrische Selbstverleugnung, die zur Hemmung seines Wachstums geführt haben mochte, und Binswangers Fallstudie über Ellen West, eine selbstquälerische junge Altruistin, die sich 1930 zu Tode hungerte, als die Krankheit noch als äußerst selten galt.

Violet bestand darauf, dass unsere Körper ebenso aus Ideen wie aus Fleisch bestehen und dass der gegenwärtige Schlankheitswahn nicht der Mode angelastet werden kann – die ja nichts anderes ist als Ausdruck der jeweiligen Kultur. In einem Zeitalter, das die nukleare Bedrohung, die biologische Kriegführung und Aids zu verkraften hat, ist der perfekte Körper zu einer Rüstung geworden – hart, glänzend und undurchdringlich. Sie zitierte Beispiele aus Trainingsvideos und aus der Werbung für Fitnessprogramme und -geräte, einschließlich viel sagender Formulierungen wie «stahlharte Muskeln» und «Waschbrettbauch». Die heilige Caterina hungerte sich gegen den Willen der Kirche für Jesus zu Tode. Die jungen Mädchen im späten 20. Jahrhundert hungern für sich selbst, gegen den Willen der Eltern und den einer feindseligen, entgrenzten Welt. Magerkeit inmitten von Fülle signalisiert einen Triumph über den gewöhnlichen Trieb, Fettleibigkeit die Schutzpolsterung durch übermäßiges Essen gegen alle Angriffe von außen. Violet zitierte Psychologen, Analytiker und Ärzte. Sie setzte sich mit der weit verbreiteten Ansicht auseinander, dass vor allem Anorexie bei Mädchen einen fehlgeleiteten Wunsch nach Autonomie ausdrückt, indem ihr Körper zum Schauplatz einer Rebellion wird, die sie mit Worten nicht ausdrücken können. Aber persönliche Lebensgeschichten erklären keine Epidemien, und Violet argumentierte überzeugend, dass dahinter gesellschaftliche Umschichtungen liegen, einschließlich des Ausfalls von Ritualen der Annäherung und sexueller Codes, ohne die junge

Frauen formlos und verletzbar sind, und sie entwickelte ihre Idee der «Vermischung» – wobei sie entwicklungspsychologische Forschungen über «Bonding» und Untersuchungen über Säuglinge und Kleinkinder zitierte, für die das Essen zum greifbaren Schauplatz einer emotionalen Schlacht wird.

Aber der Großteil des Buches enthielt Geschichten, und je weiter ich las, umso packender fand ich die Einzelfälle. Raymond, ein ungeheuer dicker Siebenjähriger, sagte seiner Therapeutin, er glaube, sein Körper sei aus Gelatine, und wenn er die Haut durchsteche, fließe sein Inneres heraus. Nachdem Berenice die Lebensmittelmengen, die sie zu sich nahm, über Monate immer weiter reduziert hatte, bestand ihre Mahlzeit zuletzt aus einer einzigen Rosine. Sie zerschnitt sie mit einem Messer in vier Teile, saugte gut eineinhalb Stunden an den Vierteln und erklärte, nachdem sich das letzte Viertel in ihrem Mund aufgelöst hatte, sie sei «pappsatt». Naomi ging in das Haus ihrer Mutter, um sich voll zu fressen. Am Küchentisch sitzend, verschlang sie ungeheure Mengen Nahrung und erbrach dann den Mageninhalt in Plastiktüten, die sie zuschnürte und in verschiedenen Zimmern versteckte, damit ihre Mutter sie fand. Anita verabscheute Brocken in ihrem Essen. Sie löste das Problem mit flüssiger Kost. Nach einiger Zeit konnte sie auch Farbe nicht mehr ertragen. Die Flüssigkeit musste sowohl rein als auch klar sein. Nachdem sie einige Zeit nur Wasser und Sprite mit einer Kalorie zu sich genommen hatte, starb sie im Alter von fünfzehn Jahren.

Obwohl ich nicht den Verdacht hatte, dass Mark sich Exzessen hingab wie die, über die Violet berichtete, fragte ich mich, ob er wegen der Donuts gelogen hatte, weil er sich schuldig fühlte, sie gegessen zu haben. Violet betonte, dass auch Menschen, die ansonsten rigoros ehrlich sind, in Bezug auf das Essen lügen, wenn sie ein gestörtes Verhältnis dazu haben. Ich dachte an die braune Speise aus Bohnen und zerkochtem Gemüse, die Lucille uns an dem Abend, als ich sie kennen lernte, vorgesetzt hatte, und im selben Augenblick hatte ich das Bild ihres Couchtischs in der Nacht, in der wir miteinander schliefen, vor Augen. Auf einem Stapel anderer Zeitschriften lagen mehrere Ausgaben eines Magazins namens *Prevention*.

Erica beantwortete meine Briefe weniger prompt als am Anfang. Manchmal vergingen zwei Wochen, bis ein Brief von ihr kam, und mir wurde jeder Tag lang. Auch ihr Tonfall hatte sich geändert. Obwohl sie direkt und ehrlich schrieb, spürte ich einen Mangel an Dringlichkeit, sich mitzuteilen. Vieles von dem, was sie mir schrieb, muss sie auch Dr. Richter erzählt haben – ihrem Psychiater, Psychoanalytiker, Psychotherapeuten, den sie zweimal wöchentlich aufsuchte. Sie hatte sich auch eng mit einer jungen Kollegin namens Renata Doppler angefreundet, die, unter anderem, hermetische wissenschaftliche Aufsätze über Pornographie schrieb. Sie sprach wohl viel mit Renata, und ich wusste, dass sie auch Violet und Bill regelmäßig anrief. Ich versuchte, nicht an diese Telefonate zu denken, versuchte, mir nicht vorzustellen, wie Violet und Bill Ericas Stimme hörten. Die Welt meiner Frau hatte sich ausgedehnt, was, so ahnte ich, mit einer Verkleinerung meines Platzes in ihrer Welt einherging. Und doch gab es hier und da ein paar Sätze, an die ich mich als Hinweis auf irgendeine nachklingende Leidenschaft klammerte. «Ich denke nachts an dich, Leo. Ich habe nicht vergessen.»

Im Mai schrieb sie mir, dass sie im Juni eine Woche in New York sein würde. Sie würde bei mir wohnen, doch ihre Briefe stellten unmissverständlich klar, dass dieser Besuch nicht die Wiederaufnahme unseres alten Lebens bedeutete. Als der Tag näher rückte, wuchs meine Unruhe. Am Morgen ihrer Ankunft hatte sie einen Punkt erreicht, an dem sie sich anfühlte wie ein stummer Schrei. Der bloße Gedanke daran, Erica bald zu sehen, erregte mich nicht, vielmehr tat er mir weh. Während ich, um mich zu beruhigen, im Loft auf und ab ging, merkte ich, dass ich mir die Brust hielt wie ein Mann, der gerade mit einem Messer angegriffen worden ist. Ich setzte mich und versuchte dieses Gefühl einer Verletzung zu entwirren, aber ich schaffte es nicht – nicht ganz. Ich wusste nur, dass Matt plötzlich überall war. Die ganze Wohnung war von seiner Stimme erfüllt. Die Möbel schienen den Abdruck seines Körpers zu tragen. Sogar das Licht im Fenster beschwor ihn herauf. Es wird nicht funktionieren, sagte ich mir. Es wird nicht klappen. Sobald Erica zur Tür hereintrat, begann sie zu weinen.

Wir stritten nicht. Wir unterhielten uns im intimen Ton von Exgeliebten, die sich lange nicht gesehen haben, aber einander nichts vorwerfen. An einem Abend gingen wir mit Bill und Violet in ein Restaurant, und Erica lachte so sehr über einen Witz über einen im Schrank versteckten Mann, den Bill erzählte, dass sie fast erstickte und Violet ihr auf den Rücken klopfen musste. Mindestens einmal täglich stand Erica minutenlang in der Tür von Matts Zimmer und betrachtete, was davon übrig war – das Bett, seinen Schreibtisch und Stuhl und das Aquarell der Stadt, das Bill mir geschenkt hatte und das ich hatte rahmen lassen. Wir schliefen zweimal miteinander. Meine physische Einsamkeit hatte verzweifelte Züge angenommen, und als Erica sich einmal zu mir beugte, um mich zu küssen, sprang ich sie an. Sie ertrug meine Attacke zitternd und hatte keinen Orgasmus. Ihre Freudlosigkeit dämpfte meine Erleichterung, und danach fühlte ich mich leer. In der Nacht vor ihrer Abreise versuchten wir es noch einmal. Ich wollte behutsam mit ihr sein, sanft. Ich berührte vorsichtig ihren Arm und küsste ihn, aber meine Zurückhaltung schien sie zu irritieren. Sie langte nach mir, packte meine Hüften und kniff mich. Sie küsste mich gierig und setzte sich auf mich. Als sie kam, stieß sie einen würgenden Schrei aus und seufzte immerzu, auch nachdem ich ejakuliert hatte. Doch inmitten unserer Vereinigung spürte ich eine Öde, die wir nicht verscheuchen konnten. Die Trauer steckte uns beiden in den Knochen, und ich glaube, wir hatten in jener Nacht Mitleid miteinander, so als wären wir zwei andere, die auf das Paar hinunterschauten, das dort zusammen im Bett lag.

Am Morgen versicherte mir Erica, sie wünsche keine Scheidung, es sei denn, ich wollte sie. Ich sagte nein. «Ich liebe deine Briefe», sagte sie. «Sie sind wunderschön.»

Diese Bemerkung irritierte mich. «Ich glaube, du bist froh, wieder abzureisen.»

Erica näherte ihr Gesicht dem meinen und kniff die Augen zusammen. «Bist *du* nicht froh, dass ich abreise?»

«Ich weiß nicht», sagte ich. «Ich weiß es wirklich nicht.»

Sie streichelte meine Wange. «Wir sind gebrochen, Leo. Es ist nicht unsere Schuld. Als Matt starb, war es, als wäre unsere Geschichte zu Ende gegangen. Er hatte so viel von dir . . .»

«Man würde meinen, wir sollten wenigstens einander haben können», sagte ich.

«Ich weiß, ich weiß.»

Nachdem sie weg war, fühlte ich mich schuldig, weil ich, aufgewühlt, wie ich war, dennoch die Erleichterung spürte, die zu erwähnen Erica den Mut gehabt hatte. Um zwei Uhr nachmittags saß ich in meinem Sessel und trank ein Glas Scotch wie ein alter Säufer. Während ich mir vornahm, nicht mehr nachmittags zu trinken, spürte ich, wie mir der Alkohol in Kopf und Glieder sickerte. Ich lehnte mich zurück in die fadenscheinig werdenden Polster meines Sessels und wusste, was mit mir und Erica geschehen war. Wir hatten durchaus Sehnsucht nach anderen Menschen. Aber nicht nach neuen, sondern nach alten. Wir wollten uns so, wie wir gewesen waren, bevor Matthew starb, und nichts, was wir bis ans Ende unserer Tage taten, konnte diese Menschen zurückbringen.

In jenem Sommer begann ich über Goyas «schwarze Malerei» zu arbeiten. Das Studium seiner Ungeheuer, Ghule und Hexen beschäftigte mich tagsüber stundenlang, und seine Dämonen halfen mir, die meinen in Schach zu halten. Doch nach Einbruch der Nacht strich ich durch andere imaginäre Räume, unterirdische Reiche, in denen ich Matt beim Reden und Zeichnen sah, und Erica neben mir – unverändert. Diese Wachträume waren selbstquälerisch, doch ungefähr zur selben Zeit begann Matthew im Traum zu mir zu kommen, und dann war er genauso lebendig wie im wirklichen Leben. Sein Körper war ebenso wirklich, ebenso unversehrt und ebenso fühlbar wie eh und je. Ich hielt ihn im Arm, sprach mit ihm, berührte sein Haar, seine Hände, und ich hatte, was ich im Wachzustand nicht haben konnte – die unerschütterliche, frohe Gewissheit, dass Matthew lebte.

Goya nährte nicht meine Düsterkeit, seine wüsten Bilder gaben mir vielmehr Gedankenfreiheit – die Erlaubnis, Türen zu öffnen, die ich in meinem früheren Leben geschlossen gehalten hatte. Ich weiß nicht, ob die Gedanken an Violets Klavierstunde ohne Goyas glühende Bilder mit derselben überraschenden Wucht wiedergekommen wären. Der Tagtraum begann, nachdem ich mit Bill und Violet zu Abend gegessen hatte. Violet trug ein rosa Sommerkleid, das ihren Busen betonte. Ein langer Spaziergang in der Nachmittagssonne hatte ihre Wangen und ihre Nase etwas gerötet, und als sie mit mir über ihr nächstes Buch sprach, das etwas mit extremem Narzissmus, Massenkultur, Bildern, Spontankommunikation und einer neuen Krankheit im Spätkapitalismus zu tun hatte, musste ich mich anstrengen, ihr zu folgen. Meine Augen wanderten ständig von ihrem geröteten Gesicht über ihre nackten Arme zu ihren Brüsten und dann zu ihren Fingern mit dem rosa Nagellack. Ich ging an jenem Abend früh wieder hinunter, verbrachte einige Zeit mit den Gegenständen in meiner Schublade, blätterte einen großformatigen Band mit den Zeichnungen Goyas auf und landete bei den Skizzen für *Tauromaquia*. Ich gebe zwar zu, dass die Stierkampfskizzen des Künstlers wenig mit Violets Klavierstunde und ihrem Erlebnis mit Monsieur Renasse gemeinsam haben, aber dennoch wirkten die entfesselte Energie seines Strichs und seine wilden Darstellungen auf mich wie ein Aphrodisiakum. Ich blätterte immer weiter, begierig nach neuen Bildern von Unmenschen und Ungeheuern. Obwohl ich jede einzelne Zeichnung auswendig kannte, verbrannte in jener Nacht ihre fleischliche Raserei mein Denken wie Feuer, und als ich erneut die Zeichnung einer nackten jungen Frau betrachtete, die während eines Hexensabbats auf einer Ziege reitet, spürte ich, dass sie ganz Geschwindigkeit und Gier war und dass ihr versessener, aus Goyas sicherer, rascher Hand geborener Ritt Tusche war, die das Papier anätzt. Sein Tier läuft, aber seine Reiterin ist außer Kontrolle geraten. Ihr Kopf fällt zurück. Ihr Haar strömt hinter ihr her, und ihre Beine werden vielleicht nicht mehr lange den Körper des Tieres umschlingen. Ich berührte den schattigen Schenkel und das blasse Knie der Frau, und diese Geste versetzte mich nach Paris.

Ich änderte die Phantasie nach Belieben. In manchen Nächten begnügte ich mich damit, mir die Klavierstunde von der anderen Straßenseite aus durch ein Fenster anzusehen, in anderen wurde ich selbst Monsieur Renasse. In manchen Nächten war ich Jules, der durch ein Schlüsselloch lugt oder magisch über der Szene schwebt, aber Violet befand sich immer auf dem Bänkchen neben einem von uns, und einer von uns holte immer aus, packte mit einer abrupten, gewaltsamen Bewegung ihren Finger und flüsterte ihr mit heiserer, nachdrücklicher Stimme «Jules» ins Ohr. Beim Klang dieses Namens straffte sich Violets Körper immer vor Begierde, ihr Kopf fiel zurück, und einer von uns nahm sie gleich dort auf dem Klavierbänkchen, schob das rosa Kleid hinten hoch, streifte ihren in wechselnden Formen und Farben gehaltenen Slip hinunter und drang in sie ein, während sie laute Lustgeräusche von sich gab. Oder einer von uns zerrte sie unter eine Topfpalme, spreizte ihr auf dem Boden die Beine und vögelte sie wild, während sie sich auf den Orgasmus zu schrie. Ich entließ Unmengen von Samen in diese Phantasie und fühlte mich nachher jedes Mal ernüchtert. Meine Pornographie war nicht idiotischer als gemeinhin üblich, und ich wusste, dass ich nicht der einzige Mann war, der in harmlosen mentalen Orgien mit der Frau eines Freundes schwelgte, aber das Geheimnis machte mir dennoch zu schaffen. Oft dachte ich danach an Erica oder Bill. Manchmal versuchte ich Violet durch eine andere Figur zu ersetzen, durch ein namenloses Double, aber es klappte nie. Es musste Violet sein, und es musste diese Geschichte sein, nicht mit zwei Personen, sondern mit drei.

Bill arbeitete bis spätabends an einer Reihe von Einzelwerken zum Thema Zahlen. Wie bei *Os Reise* befanden sich die Objekte in Glaskuben, nur dass die diesmal doppelt so groß waren – etwa sechzig mal sechzig mal sechzig Zentimeter. Er bezog seine Inspiration aus so vielfältigen Quellen wie der Kabbala, der Physik, Baseballtabellen und Börsenberichten. Er nahm sich in jedem Objekt eine Zahl zwischen null und neun vor und spielte damit. In jeder Arbeit bemalte, beschnitt, behaute, verzerrte und zerbrach er die numerischen Zeichen bis zur Unkenntlichkeit. Er verwob sie mit Gestalten, Gegenständen, Büchern, Fenstern und immer mit dem ausgeschriebenen jeweiligen Zahlwort. Es war eine eigensinnige Kunst voller Anspielungen – auf Lücken, Leerstellen, Löcher, auf den Monotheismus und das Individuum, auf die Dialektik von Yin und Yang, auf die Dreifaltigkeit, die drei Schicksale und drei Wünsche, auf das goldene Rechteck, die sieben Himmel, die sieben unteren Sefirot, die neun Musen, die neun Kreise der Hölle, die neun Welten der nordischen Mythologie, aber auch durchsetzt mit volkstümlicheren Verweisen auf *Eine bessere Ehe in fünf einfachen Lektionen* und *Schlankere Oberschenkel in sieben Tagen*. Programme in zwölf Schritten wurden in Würfel EINS und Würfel ZWEI verarbeitet. Eine Miniaturausgabe eines Buches mit dem Titel *Sechs Fehler, die Eltern am häufigsten begehen* lag auf dem Grund von Würfel SECHS. Wortspiele tauchten auf, meist gut kaschiert – *one, won*; *two, too* und *Tuesday*; *four, for, fourth*; *ate, eight*. Bill liebte auch Reime, in Bildern wie in Wörtern. In Würfel NEUN – *nine* – war eine geometrische Linie – *line* – auf eine der Glaswände gemalt. In Würfel *three* hat ein winziger Mann in der in Comics üblichen schwarzweiß gestreiften Gefängniskluft, der eine Fußfessel hinter sich herschleift, die Tür seiner Zelle geöffnet. Der versteckte Reim ist «*free*». Wenn man aufmerksam durch die Wände des Kubus schaut, lässt sich der analoge Reim in einer anderen Sprache erkennen: Das deutsche Wort drei ist in eine Glaswand geritzt. Auf dem Grund desselben Würfels liegt eine kleine, aus einem Buch ausgeschnittene Schwarzweißfotografie, die das Tor von Auschwitz zeigt: ARBEIT MACHT FREI. Mit jeder Zahl ließ der Tanz freier Assoziationen eine kleine geistige Landschaft entstehen, die zwischen einem in Erfüllung gehenden Tagtraum und einem Albtraum changierte. Obwohl dicht gewebt, hatten die Kuben keine optisch desorientierende Wirkung. Jeder Gegenstand, jedes Bild, jede Zeichnung, jedes Stück Text und jede bildhauerisch gestaltete Figur fand ihren angemessenen Platz unter dem Glas, je nach der verrückten Logik der Verbindung von Zahlen, Bildern und Worten. Und die Farbgebung der einzelnen Objekte war frappierend. Jede Zahl erhielt eine thematische Grundfarbe. Bill hatte sich mit Goethes Farbenkreis und dessen Umsetzung in Alfred Jensens pastosen, halluzinierenden Zahlenbildern beschäftigt. Jede Zahl hatte ihre eigene Farbe. Wie Goethe schloss er Schwarz und Weiß ein, obwohl er sich nicht mit den Absichten des Dichters aufhielt. Eins war Weiß. Zwei war Blau. Drei war Rot, vier Gelb, und dann mischte er die Farben: Blassblau für fünf, Violetttöne für sechs, Orangetöne für sieben, Grüntöne für acht und Schwarz und Grautöne für neun. Obwohl andere Farben und allgegenwärtige Zeitungsdruckerschwärze in das Grundschema eindrangen, beherrschten jeden Würfel Myriaden von Schattierungen einer einzigen Farbe.

Die Arbeiten zum Thema Zahlen waren das Werk eines Mannes auf dem Höhepunkt seines Könnens. Als organische Weiterentwicklung all dessen, was bisher von Bill vorlag, hatten diese Symbolknoten eine explosive Wirkung. Je länger ich sie betrachtete, umso mehr erschien es mir so, als wären die Miniaturkonstruktionen kurz davor, durch ihren inneren Druck zu platzen. Es waren dicht orchestrierte semantische Bomben, durch die Bill die willkürlichen Wurzeln von Bedeutung als solcher bloßlegte – diesen von kleinen Schnörkeln, Strichen, Linien und Schleifen auf einem Blatt Papier erzeugten eigentümlichen Gesellschaftsvertrag.

In mehreren Arbeiten spielte Bill auf das oft mühsame Unterfangen an, sich die Zeichen anzueignen, die wir für das Verstehen benötigen – durch einen Ausschnitt aus Marks Rechenaufgaben, einen abgekauten Bleistift mit Radiergummi und meinen Lieblingsgegenstand in Würfel neun: die Gestalt eines an seinem Schreibtisch tief schlafenden Jungen, dessen Wange teilweise eine Seite mit Algebraproblemen verdeckt. Es stellte sich heraus, dass diese bildlichen Umsetzungen von Langeweile persönlicher gemeint waren, als ich dachte. Bill vertraute mir an, Mark sei in der Schule so schlecht, dass der Direktor ihm, Bill, höflich nahe gelegt habe, sich nach einer anderen Schule umzusehen. Es sei kein Rauswurf, betonte der Mann, bloß eine mangelnde Übereinstimmung von Schüler und Schule. Marks hoher IQ könne seinen Mangel an Konzentration und Disziplin nicht ausgleichen. Vielleicht werde er sich in einer Schule mit einem weniger kompakten Lehrplan wohler fühlen. Bill hatte am Telefon stundenlang mit Lucille über eine neue Schule diskutiert, und schließlich fand sie eine, die bereit war, Mark aufzunehmen, eine «progressive» Einrichtung in der Nähe von Princeton. Diese nahm ihn unter der Bedingung auf, dass er die achte Klasse wiederholte. Im Herbst nach seinem vierzehnten Geburtstag zog Mark zu seiner Mutter nach Cranbury und verbrachte die Wochenenden in New York.

In jenem Jahr wuchs er fünfzehn Zentimeter. Der kleine Junge, der mit mir Schach gespielt hatte, verwandelte sich in einen schlaksigen Teenager, doch sein Temperament blieb unverändert. Ich habe nie einen Jungen gesehen, der so frei war von der Last der Adoleszenz. Sein Körper war ebenso leicht wie sein Geist, sein Schritt schwerelos, seine Bewegungen elegant. Aber Bill machte sich unentwegt Sorgen über die saumselige schulische Einstellung seines Sohnes. Seine Zeugnisse irrlichterten zwischen sehr gut und mangelhaft. Seine Lehrer verwendeten Adjektive wie «verantwortungslos» und «unmotiviert». Ich beruhigte Bill mit Platituden. Er ist etwas unreif, sagte ich, aber das geht vorbei. Ich führte große Männer an, die erbärmliche Schüler gewesen waren, und Klassenbeste, die später nur Mittelmäßiges hervorbrachten. Meine aufmunternden Worte verfehlten selten ihre Wirkung. «Er wird schon noch Tritt fassen», sagte Bill dann. «Wart's ab. Er wird seinen Weg schon finden, auch in der Schule.»

Mark begann mich an den Wochenenden zu besuchen, meist am Sonntagnachmittag, ehe er zu seiner Mutter zurückkehrte. Ich freute mich auf das Geräusch seiner Füße auf der Treppe, auf sein Klopfen, auf sein offenes, sorgloses Gesicht, wenn ich ihn einließ. Oft zeigte er mir eines seiner Kunstwerke. Er hatte angefangen, aus Zeitschriften kleine Collagen herzustellen, manche durchaus interessant. Eines Nachmittags im Frühling erschien er mit einer großen Einkaufstüte an meiner Tür. Nachdem ich ihn hereingelassen hatte, bemerkte ich, dass er gewachsen war, seit wir uns das letzte Mal gesehen hatten. «Jetzt kann ich dir direkt in die Augen schauen. Ich glaube, du wirst noch größer als dein Vater.»

Mark hatte mich angelächelt, doch auf meine Worte reagierte er missmutig. «Ich will nicht weiter wachsen», sagte er. «Bin schon groß genug.»

«Wie groß bist du jetzt, eins fünfundsiebzig? Das ist nicht zu groß für einen Mann.»

«Ich bin kein Mann», sagte er mürrisch.

Ich muss erstaunt dreingesehen haben, denn Mark zuckte die Achseln. «Ach was. Ist doch egal.» Er hielt mir die Einkaufstüte hin und sagte: «Dad meint, ich soll dir das zeigen.»

Nachdem er sich neben mich aufs Sofa gesetzt hatte, zog er ein großes Stück Pappkarton heraus, das in der Mitte gefaltet war und sich wie ein Buch öffnen ließ. Beide Hälften waren mit aus Zeitschriften ausgeschnittenen Werbefotos bedeckt, lauter Abbildungen von jungen Menschen. Er hatte auch ein paar Wörter und Buchstaben aus der Werbung ausgeschnitten und über die Bilder geklebt: BEGEHREN, TANZEN, GLAMOUR, DEIN GESICHT und SCHLAGEN. Ich fand die Bilder ehrlich gesagt etwas langweilig, eine Collage der Schicken und Schönen, und dann bemerkte ich dasselbe kleine Foto eines Babys in der Mitte beider Seiten. Ich beugte mich über die dicken, herabhängenden Wangen des Kleinkinds. «Bist du das?», sagte ich lachend.

Mark schien meine Belustigung nicht zu teilen. «Von diesem Foto gibt es zwei Abzüge. Mom hat sie mir gegeben.»

Rechts von dem einen Foto und links von dem anderen bemerkte ich zwei weitere Fotos, beide durch mehrere Schichten durchsichtigen Klebestreifens undeutlich gemacht. Ich sah sie mir genauer an. «Was sind das für Fotos? Noch einmal zwei gleiche, nicht wahr?»

Durch die Klebestreifen hindurch erkannte ich die vage Kontur eines Kopfes mit einer Baseballkappe und einen langen dünnen Körper. «Wer ist das?»

«Niemand.»

«Warum ist er mit Klebestreifen verdeckt?»

«Ich weiß nicht. Ich hab's einfach so gemacht. Hab nicht drüber nachgedacht. Dachte, es sieht cool aus.»

«Aber sie sind nicht aus der Zeitschrift. Du musst sie irgendwoher haben.»

«Stimmt, aber ich weiß nicht, wer es ist.»

«Dieser Teil des Bildes ist auf beiden Seiten gleich. Das Übrige nicht. Man muss allerdings genau hinschauen, bis man es merkt. Es ist so viel los drum herum, aber die Fotos sind unheimlich.»

«Findest du das schlecht?»

«Nein, ich finde es gut.»

Mark klappte den Karton zu und steckte ihn wieder in die Tüte. Er lehnte sich auf dem Sofa zurück und legte die Füße auf den Couchtisch. Seine Turnschuhe waren riesig – Größe vierundvierzig oder fünfundvierzig. Ich stellte fest, dass er eine dieser Clownshosen in Übergröße trug, die Jungen in seinem Alter gefielen. Wir schwiegen eine Weile, und dann stellte ich ihm die Frage, die mir unvermittelt in den Sinn kam: «Mark, vermisst du Matthew?»

Mark wandte sich mir zu. Seine Augen waren weit aufgerissen, und einen Augenblick presste er die Lippen aufeinander, bevor er sagte: «Immer. Jeden Tag.»

Ich tastete nach seiner Hand auf dem Sofa und atmete geräuschvoll ein. Ich hörte mich vor Rührung ächzen, und meine Sicht trübte sich. Als ich seine Hand ergriffen hatte, spürte ich, wie er meine fest druckte.

Mark Wechsler wurde in ein paar Monaten fünfzehn. Ich war zweiundsechzig. Ich kannte ihn sein Leben lang, doch bis dahin hatte ich ihn nicht als Freund betrachtet. Plötzlich begriff ich, dass seine Zukunft auch die meine war, dass ich, wenn ich wollte, eine dauerhafte Beziehung zu diesem Jungen haben könnte, der bald ein Mann sein würde, und dieser Gedanke wurde zu einem Vorsatz: Mark wird meine Zuwendung und Fürsorge bekommen. Ich habe seither diesen Augenblick viele

Male durchlebt, doch in den letzten paar Jahren versuche ich, ihn, wie andere Ereignisse meines Lebens, vom Standpunkt eines Dritten aus zu betrachten. Ich sehe, wie ich nach meinem Taschentuch greife, meine Brille abnehme und mir die Augen auswische, bevor ich mich lautstark in den weißen Stoff schnäuze. Mark betrachtet den alten Freund seines Vaters mitfühlend. Jeder informierte Zuschauer hätte die Szene verstanden. Er hätte gewusst, dass die durch Matthews Tod hinterlassene Leere niemals durch Mark gefüllt werden konnte. Er hätte klar erkannt, dass es nicht darum ging, einen Jungen durch einen anderen zu ersetzen, sondern dass eine Brücke zwischen zwei Menschen entstanden war, die einen gemeinsamen Verlust zu verkraften hatten. Und doch hätte sich jener Zuschauer genauso geirrt wie ich. Ich missverstand sowohl mich selbst als auch Mark. Das Problem ist, dass meine Auseinandersetzung mit der Szene aus jedem erdenklichen Blickwinkel keinen einzigen Hinweis ergibt. Ich habe keine Worte oder Gesten ausgelassen, auch nicht dieses emotional Ungreifbare, das zwischen Menschen vorgeht. Ich irrte mich, weil ich mich unter den gegebenen Umständen irren musste.

Die Idee kam mir in der folgenden Woche. Mark sagte ich nichts, schrieb aber Erica, um sie nach ihrer Meinung zu fragen. Ich schlug vor, sie solle Mark erlauben, Matthews Zimmer als Atelier zu benutzen, damit er ungestört an seinen Collagen arbeiten konnte. Sein Zimmer oben war klein, und er konnte etwas mehr Platz gut gebrauchen. Diese Neuerung würde bedeuten, dass das Zimmer, in dem Matt gelebt hatte, nicht mehr ein Mausoleum wäre, ein unbewohnter, unbenutzter Raum. Mark, Matthews bester Freund, würde es mit Leben erfüllen. Ich brachte alle der Sache dienlichen Argumente vor und schrieb Erica, dass Mark Matt jeden Tag vermisste und dass es mir sehr viel bedeuten würde, wenn sie mir ihre Zustimmung gäbe. Ich gestand offen ein, dass ich mich oft einsam fühlte und dass Marks Anwesenheit meine Stimmung aufhellte. Erica antwortete umgehend. Sie schrieb, dass ein Teil von ihr nicht bereit sei, das Zimmer aufzugeben, dass sie sich aber nach einigem Nachdenken einverstanden erkläre. Im selben Brief teilte sie mir mit, dass Renata ein kleines Mädchen namens Daisy geboren habe und dass sie Patin geworden sei.

Am Tag bevor Mark das Zimmer übernahm, öffnete ich die Tür, ging hinein und saß lange auf dem Bett. Meine Begeisterung über die bevorstehende Veränderung war der schmerzhaften Einsicht gewichen, dass es nun zu spät war, es mir anders zu überlegen. Ich betrachtete Matts Aquarell. Es würde hier hängen bleiben müssen. Ich beschloss, Mark das zur einzigen Auflage zu machen. Ich brauche keine Gedenkstätte für Matt, sagte ich mir. Er lebte in mir fort, doch sobald ich diese Worte gedacht hatte, kam mir das tröstliche Klischee makaber vor. Ich stellte mir Matt in seinem Sarg vor, seine kleinen Knochen, sein Haar und seinen Kopf unter der Erde, und ich begann zu zittern. Die alte Stellvertreter-Phantasie drängte sich mir auf, und ich verwünschte den Umstand, dass ich nicht in der Lage gewesen war, seinen Platz einzunehmen.

Mark brachte Papier, Zeitschriften, Scheren, Klebstoff, Draht und einen nagelneuen Ghettoblaster in sein «Atelier» mit. Das ganze Frühjahr über verbrachte er sonntags ein oder zwei Stunden in dem Zimmer mit dem Ausschneiden von Bildern, die er auf Karton klebte. Selten arbeitete er länger als eine Viertelstunde am Stück. Andauernd unterbrach er sich, um herauszukommen und mir einen Witz zu erzählen, einen

Anruf zu machen oder hinunter an die Straßenecke zu laufen und «ein paar Chips» zu kaufen.

Schon bald nachdem Mark sich eingerichtet hatte, kam Bill vorbei und bat, sich das Zimmer ansehen zu dürfen. Er nickte zufrieden, als er die Magazinausschnitte, den Karton, den Berg Notizbücher und die Tasse voller Stifte und Federn sah.

«Ich bin froh, dass er diesen Platz hat», sagte er. «Das hier ist ein neutraler Ort. Weder das Haus seiner Mutter noch meines.»

«Er spricht nie über sein Leben bei Lucille», sagte ich, und mir ging schlagartig auf, wie wahr das war.

«Uns erzählt er auch nichts.» Bill schwieg ein paar Sekunden. «Und wenn ich mit Lucille spreche, tut sie nichts anderes, als sich zu beschweren.»

«Worüber?»

«Geld. Ich bezahle alles für Mark, seine Kleider, seine Schule, seine Arztrechnungen – alles außer dem Essen bei ihr, aber erst neulich hat sie über ihre hohen Lebensmittelrechnungen geklagt, weil er so viel isst. Sie versieht tatsächlich bestimmte Sachen im Kühlschrank, die er nicht essen soll, mit einem Etikett. Sie zählt jeden Groschen.»

«Vielleicht muss sie das. Verdienen die beiden so wenig?»

Bill warf mir einen scharfen, wütenden Blick zu. «Selbst als ich jede Münze zweimal umdrehen musste, habe ich meinem Kind doch nicht sein Essen missgönnt.»

Als es Juni geworden war, klopfte Mark nicht mehr an. Er hatte seinen eigenen Schlüssel. Matts fast leeres Zimmer war zu einer unordentlichen Teenagerbehausung geworden. Schallplatten, CDs, T-Shirts und weite Hosen füllten den Wandschrank. Notizbücher, Fliers und Zeitschriften türmten sich auf dem Schreibtisch. Mark lebte zwischen oben und unten, kam und ging, so als gehörten die zwei Lofts zusammen. Manchmal erschien er als Harpo und stürmte mit einer Hupe, die er auf einem privaten Flohmarkt bei Princeton gekauft hatte, durch mein Wohnzimmer. Oft spielte er die Rolle noch weiter, dann durfte ich plötzlich feststellen, dass er neben mir stand und sein Bein durch meinen Arm gefädelt hatte. Sollte Mark in jenem Sommer Collagen angefertigt haben, dann behielt er sie für sich. Er ruhte sich aus, las und hörte Musik, die ich nicht verstand, doch wenn sie im Wohnzimmer meine Ohren erreichte, war sie ohnehin nur noch ein mechanisches Wummern, das dem Bassrhythmus eines Discosongs ähnelte – schnell, monoton, endlos. Er kam und ging. Sechs Wochen verbrachte er in einem Camp in Connecticut, dann noch eine Woche mit seiner Mutter auf Cape Cod. In den vier Wochen, die Mark im Camp verbrachte, mieteten Bill und Violet sich irgendwo in Maine ein, und das Haus war wie ausgestorben. Erica beschloss, mich doch nicht zu besuchen. «Ich will die Wunde nicht wieder aufreißen», schrieb sie. Ich lebte allein mit Goya und vermisste sie alle.

Im Herbst nahm Mark seinen alten Rhythmus der Wochenendbesuche wieder auf. Meist stieg er Freitagabend in Princeton in den Zug und tauchte am Samstag in meinem Loft auf. Oft kam er auch sonntags für ein oder zwei Stunden vorbei. Meine Mahlzeiten bei Bill und Violet fanden nur noch etwa zweimal monatlich statt, und ich war auf Marks treue Besuche angewiesen, um mich von mir selbst zu erholen. Irgendwann im Oktober sprach er zum ersten Mal von den «Raves» – riesigen Ansammlungen junger Menschen, die die ganze Nacht andauerten. Mark zufolge erforderte das Auffinden eines Raves Verbindungen zu Insidern. Anscheinend gehörten Zehntausende andere Teenager auch zu den Eingeweihten, was Marks Begeisterung keineswegs dämpfte. Allein das Wort «Rave» bewirkte, dass sich sein Gesicht erwartungsvoll verklärte.

«Es ist eine Art Massenhysterie», klärte Violet mich auf. «Eine Erweckung ohne Religion, ein Love-in der neunziger Jahre. Die Kids steigern sich in eine Raserei des Wohlbefindens. Ich habe gehört, es spielten auch Drogen eine Rolle dabei, aber ich habe noch nie bemerkt, dass Mark high ist, wenn er nach Hause kommt. Alkohol ist verboten.» Violet seufzte und rieb sich den Hals. «Er ist fünfzehn. Diese ganze Energie muss irgendwie raus.» Sie seufzte wieder. «Trotzdem mache ich mir Sorgen. Ich habe das Gefühl, dass Lucille …»

«Lucille?», sagte ich.

«Spielt keine Rolle», erwiderte sie. «Wahrscheinlich bin ich einfach paranoid.»

Im November las ich in der *Village Voice* einen Hinweis darauf, dass Lucille keine sechs Straßen entfernt in der Spring Street eine Lesung machen würde. Seit Matthews Beerdigung hatte ich nicht mehr mit ihr gesprochen, und als ich ihren Namen gedruckt sah, erwachte in mir das Bedürfnis, sie lesen zu hören. Mark war ein Teilzeitbewohner meiner Wohnung geworden, und diese Intimität erzeugte in mir den Wunsch nach mehr Nähe zu Lucille; ich denke aber auch, dass meine Entscheidung hinzugehen etwas mit Violets unfertigem Satz und Bills früherer Bemerkung über Lucilles Geiz zu tun hatte. Er war sonst nicht so erbarmungslos, und ich wollte mir wohl selbst ein Bild machen.

Der Ort von Lucilles Lesung war eine Bar mit viel Holz und schlechter Beleuchtung. Sobald ich den Raum betreten hatte und meine Augen sich an die Düsternis gewöhnten, sah ich Lucille mit einem Bündel Papier an der hinteren Wand stehen. Sie trug das Haar zurückgebunden, und eine kleine Lampe über ihr beleuchtete ihr blasses Gesicht, was die Ringe unter ihren Augen noch tiefer erscheinen ließ. Aus dieser Entfernung fand ich sie reizvoll – heimatlos und einsam. Ich ging zu ihr. Sie hob den Kopf, und nach einem Augenblick lächelte sie steif, ohne den Mund zu öffnen. Doch als sie sprach, war ihre Stimme ruhig und gelassen. «Leo, was für eine Überraschung!»

«Ich wollte dich lesen hören», sagte ich.

«Danke.»

Wir schwiegen beide.

Lucille sah verlegen aus. Ihr «Danke» hing zwischen uns wie etwas Abschließendes.

«Das war die falsche Reaktion, nicht wahr?», sagte sie kopfschüttelnd. «Ich hätte nicht ‹Danke› sagen sollen. Ich hätte sagen sollen: ‹Wie nett von dir›, oder: ‹Danke, dass du gekommen bist.› Wenn du mich nach der Lesung angesprochen und gesagt hättest: ‹Deine Gedichte gefallen mir›, hätte ich einfach schlicht ‹Danke› sagen können, und wir würden nicht hier stehen und uns fragen, was eben passiert ist.»

«Die Tretminen gesellschaftlichen Verkehrs», sagte ich. Das Wort Verkehr ließ mich eine Sekunde innehalten. Schlechte Wortwahl, dachte ich.

Sie überhörte die Bemerkung und sah auf ihre Papiere. Ihre Hände zitterten. «Lesungen fallen mir schwer», sagte sie. «Ich werde mich ein paar Minuten vorbereiten.» Sie ging davon, setzte sich auf einen Stuhl und begann halblaut zu lesen. Ihre Lippen bewegten sich, und ihre Hände zitterten weiter.

Etwa dreißig Leute kamen zur Lesung. Wir saßen an Tischen, und einige Gäste tranken Bier und rauchten, während sie las. In einem Gedicht mit dem Titel «Küche» zählte Lucille Gegenstände auf, einen nach dem anderen. Die Liste wurde immer länger und bildete allmählich ein dichtes verbales Stillleben. Ich schloss hin und wieder die Augen, um mich dem Rhythmus der gelesenen Silben hinzugeben. In einem anderen Gedicht nahm sie einen Satz auseinander, den ein namenloser Freund zu ihr gesagt hatte: «Das meinst du doch nicht wirklich.» Es war eine geistreiche, logische und verschlungene Analyse der in einer solchen Bemerkung mitschwingenden Einschüchterung. Ich glaube, dass ich das ganze Gedicht hindurch gelächelt habe. Während sie weiterlas, wurde mir deutlich, dass sich der Ton ihrer Werke nie änderte. Übergenau, prägnant und voller Witz, der aus emotionaler Distanz entstand, erlaubten die Gedichte keinem Gegenstand, keiner Person und keiner Einsicht, sich über die anderen zu erheben. Das Erfahrungsspektrum der Dichterin wurde in einem Maße demokratisiert, dass es zu einem einzigen, riesigen Feld genauestens beobachteter Einzelheiten eingeebnet wurde – materieller wie geistiger. Ich wunderte mich, dass mir das vorher nie aufgefallen war. Ich dachte daran zurück, wie ich neben ihr gesessen hatte, meine Augen auf ihre Texte gerichtet, und ich erinnerte mich an ihre Stimme, während sie mir die ihren klaren, sparsamen Sätzen zugrunde liegende Überlegung erläuterte, und dachte wehmütig an die entschwundene Kameraderie zwischen uns zurück.

Nach der Lesung kaufte ich ihr Buch *Category* und wartete in der Schlange, dass sie es signierte. Ich war der Letzte von sieben. Sie schrieb «Für Leo» und blickte zu mir auf.

«Ich würde gern etwas Amüsantes schreiben, aber mein Kopf ist leer.»

Ich lehnte mich über den Tisch, an dem sie saß. «Schreib einfach ‹Von deiner Freundin Lucille›.»

Als ich zusah, wie sich ihre Feder über das Blatt bewegte, fragte ich sie, ob ich ihr ein Taxi rufen oder sie irgendwohin begleiten sollte. Sie sagte, sie wolle zur Penn Station, und wir traten hinaus in die kalte Novembernacht. Der Wind blies von hinten und brachte den Geruch von Benzin und asiatischem Essen mit sich. Beim Gehen betrachtete ich ihren langen beigen Regenmantel und bemerkte, dass an dem abgetragenen Kleidungsstück ein Knopf fehlte. Der Anblick des losen Fadens, der von ihrem offenen Mantel hing, weckte ein Gefühl der Sympathie für sie, dem sofort die Erinnerung an ihr graues, bis zur Taille hochgeschobenes Kleid folgte, und an ihr Haar, das ihr übers Gesicht fiel, als ich sie bei den Schultern gepackt und aufs Sofa gestoßen hatte.

Im Gehen sagte ich: «Ich bin froh, dass ich gekommen bin. Die Gedichte sind gut, sehr gut. Ich finde, wir sollten in Kontakt bleiben, besonders jetzt, wo ich Mark so oft sehe.»

Sie wandte den Kopf und sah fragend zu mir auf. «Siehst du ihn häufiger als früher?»

Ich blieb stehen. «Wegen des Zimmers, weißt du nicht?»

Lucille blieb ebenfalls stehen. Unter der Straßenlaterne bemerkte ich die tiefen Falten um ihren Mund, als sie mich erneut fragend ansah. «Das Zimmer?»

Ich spürte einen wachsenden Druck auf der Lunge. «Ich habe ihm Matthews Zimmer als Atelier gegeben. Er benutzt es seit vergangenem Frühjahr. Er kommt jedes Wochenende.»

Lucille ging weiter. «Das habe ich nicht gewusst», sagte sie seelenruhig.

Im Kopf begann ich mehrere Fragen zu formulieren, doch ich merkte, dass sie den Schritt beschleunigt hatte. Sie winkte ein Taxi herbei und wandte sich mir zu. «Danke, dass du gekommen bist», sagte sie und sprach damit den Satz aus, den sie vorher verpatzt hatte, aber nur ihre Augen blickten amüsiert.

«War mir ein Vergnügen», sagte ich und nahm ihre Hand. Einen Augenblick überlegte ich, ob ich sie auf die Wange küssen sollte, doch ihr fest geschlossener Mund und die zusammengepressten Lippen hielten mich davon ab, und so schüttelte ich ihr stattdessen die Hand.

Wir waren inzwischen am West Broadway angelangt, und als ich dem nordwärts fahrenden Taxi hinterherschaute, bemerkte ich den Mond am Himmel über dem Washington Park. Es war noch früh. Die zunehmende Mondsichel mit einem verwehten

Stück Wolke darüber entsprach fast genau dem gemalten Mond, den ich mir am Nachmittag in einem von Goyas frühen Hexenbildern angesehen hatte. Pan, in Gestalt einer Ziege, ist von einem Hexenreigen umgeben. Trotz des makabren Ränkespiels um ihn sieht der heidnische Gott ziemlich unschuldig aus mit seinen leeren Augen und dem blöden Blick. Zwei der Hexen bieten ihm Kleinkinder dar. Das eine ist grau und abgemagert, das andere pummelig und rosig. Aus der Stellung seines Hufes wird ersichtlich, dass Pan das dicke Baby haben möchte. Beim Überqueren der Straße dachte ich an Bills Hexe und an Violets Kommentare über verhexte Mutterschaft, und dann fragte ich mich, was sie damit über Lucille hatte sagen wollen. Ich wunderte mich auch über Marks Schweigen. Was hatte das zu bedeuten? Ich stellte mir vor, wie ich ihn fragte, aber die Frage ‹Warum hast du deiner Mutter nichts von Matthews Zimmer erzählt?› klang irgendwie absurd. Als ich in die Greene Street einbog und auf dem Bürgersteig auf mein Haus zuging, wurde mir bewusst, dass meine Stimmung plötzlich gesunken war und eine wachsende Traurigkeit mir nach Hause folgte.

In den folgenden Monaten eskalierte Marks Nachtleben. Ich hörte seine Schritte auf der Treppe, wenn er hinunterjagte, um für den Abend abzurauschen. Die Mädchen lachten und kreischten. Die Jungen brüllten und fluchten mit tiefen Männerstimmen. Marks Vorliebe für Harpo wurde von DJs und Techno abgelöst, und seine Hosen wurden weiter und weiter, doch sein glattes, jugendliches Gesicht verlor nie den Ausdruck kindlichen Staunens, und er schien immer Zeit für mich zu haben. Wenn wir uns unterhielten, lehnte er an der Wand meiner Küche und spielte mit einem Spatel, oder er hing buchstäblich in meiner Tür, die Hände auf dem Türrahmen, während die Beine vor und zurück schwangen. Seltsam, wie wenig ich von dem, was wir einander sagten, behalten habe. Der Inhalt von Marks Konversation war meist langweilig und dürftig, doch wie er ihn vorbrachte, war einzigartig, und daran erinnere ich mich auch am besten – an seinen ernsten, wehmütigen Ton, sein lautes Lachen und die trägen Bewegungen seines schlaksigen Körpers.

An einem Samstagmorgen Ende Januar nahm meine Beziehung zu Mark eine unerwartete kleine Wendung. Ich saß in der Küche, las die *Times* und trank eine Tasse Kaffee, als ich ein leises Pfeifen vernahm, das von irgendwo hinten in der Wohnung zu kommen schien. Ich erstarrte, horchte und hörte es wieder. Ich folgte dem Geräusch in Matthews Zimmer, öffnete die Tür und fand Mark auf dem Bett ausgestreckt und im Schlaf durch die Nase pfeifend. Er trug ein T-Shirt, das entzweigerissen und dann mit – so schien es – mehreren hundert Sicherheitsnadeln wieder zusammengefügt worden war. Durch den Schlitz zeigte sich ein Streifen nackte Haut. Seine überweite gürtellose Hose war ihm auf die Schenkel gerutscht, wodurch eine Unterhose mit dem Firmennamen auf dem Gummiband sichtbar wurde. Zwischen seinen Beinen kamen geringelte Schamhaare zum Vorschein, und zum ersten Mal erkannte ich, dass Mark ein Mann war – zumindest körperlich. Aus irgendeinem Grund stieß mich diese Erkenntnis ab.

Ich hatte nie gesagt, er könne in dem Zimmer schlafen, und die Vorstellung, dass er ohne meine Einwilligung mitten in der Nacht gekommen war, ärgerte mich. Ich sah mich im Zimmer um. Marks Rucksack und Mantel lagen auf einem Haufen am Boden neben einem seiner Turnschuhe. Als ich mich Matts Bild zuwandte, sah ich, dass auf das Glas Bilder von fünf blassen, dünnen Mädchen in kurzen Röcken und Plateauschuhen geklebt waren. Über ihren Köpfen standen die Worte *Die Mädels vom Club USA*. Aus meinem Ärger wurde Zorn. Ich ging zum Bett, packte Mark an den Schultern und schüttelte ihn. Stöh-

nend öffnete er die Augen und sah mich an, ohne mich zu erkennen. «Geh weg», sagte er.

«Was machst du hier?», sagte ich.

Er blinzelte. «Onkel Leo.» Er lächelte matt, stützte sich auf
die Ellbogen und blickte um sich. Sein Mund stand offen. Sein
Gesicht sah schlaff aus, schwachsinnig. «Mann», sagte er. «Ich
hätte nicht gedacht, dass dich das so aufregt.»

«Mark, das ist meine Wohnung. Du hast hier ein Zimmer,
wo du künstlerisch arbeiten oder Musik hören kannst, aber du
musst mich fragen, ob du hier auch schlafen darfst. Bill und
Violet machen sich bestimmt schreckliche Sorgen.»

Marks Augen stellten sich allmählich scharf. «Ja», sagte er.
«Aber ich konnte oben nicht rein. Ich wusste nicht, was ich tun
sollte, also bin ich hierher gekommen. Ich wollte dich nicht wecken, weil es spät war. Außerdem», fügte er mit zur Seite geleg-
tem Kopf hinzu, «weiß ich, dass du manchmal Schlafprobleme
hast.»

Ich sagte etwas leiser: «Hast du deinen Schlüssel verloren?»

«Ich weiß nicht, wie es passiert ist. Er muss irgendwie von
meinem Schlüsselring gerutscht sein. Ich wollte auch Dad und
Violet nicht wecken, und deinen Schlüssel hatte ich noch, also
habe ich ihn benutzt.» Marks Augen wurden größer, während er
mit mir sprach. «Das war wohl ein Fehler.» Er seufzte.

«Du solltest lieber sofort raufgehen und deinem Vater und
Violet sagen, dass alles in Ordnung ist.»

«Bin schon unterwegs.»

Ehe er ging, legte Mark die Hand auf meinen Arm und sah
mir direkt in die Augen. «Onkel Leo, du sollst wissen, dass du
ein echter Freund für mich bist, ein echter Freund.»

Nachdem Mark gegangen war, kehrte ich zu meinem kalten
Kaffee zurück. Innerhalb von Minuten bereute ich meinen
Zorn. Marks Verstoß war durch eine falsche Einschätzung der
Lage verursacht worden – sonst nichts. Hatte ich ihm eigentlich
je gesagt, er dürfe nicht hier übernachten? Das Problem war

nicht Mark, sondern Matthew. Der Anblick von Marks erwachsenem Körper auf dem Bett meines Sohnes hatte mich durcheinander gebracht. Hatte der eins achtzig große Kind-Mann die unsichtbaren, aber heiligen Konturen des elfjährigen Jungen entweiht, der in meiner Vorstellung noch immer in jenem Bett schlief? Vielleicht, aber ich war nicht wirklich wütend gewesen, bis ich diese Aufkleber sah. Ich hatte ihm gesagt, dass das Aquarell der einzige Gegenstand im Zimmer sei, der unangetastet bleiben musste. Mark hatte mir zugestimmt: «Das ist cool. Matt war ein großer Künstler.» Er hat einfach nicht daran gedacht, sagte ich mir. Er mag gedankenlos sein, aber er ist gewiss nicht bösartig. Reue ließ meinen selbstgerechten Zorn verrauchen, und ich beschloss, nach oben zu gehen und mich sofort bei ihm zu entschuldigen.

Violet öffnete die Tür. Sie hatte nur ein langes weißes T-Shirt an, wahrscheinlich eines von Bill, und ich konnte durch den Stoff ihre Brustwarzen sehen. Ihre Wangen waren gerötet. Mehrere verschwitzte Haarsträhnen hingen ihr in die Stirn. Sie lächelte und sagte meinen Namen. Bill stand einen Meter hinter ihr. Er trug einen weißen Bademantel und rauchte eine Zigarette. Da ich nicht wusste, wohin ich schauen sollte, sah ich zu Boden und sagte: «Eigentlich bin ich wegen Mark gekommen. Ich wollte ihm etwas sagen.»

Bill antwortete. «Tut mir Leid, Leo. Er wollte dieses Wochenende kommen, hat sich aber in letzter Minute entschieden, bei seiner Mutter zu bleiben. Sie geht mit ihm und Oliver reiten, irgendwo dort in der Nähe gibt es einen Reitstall.»

Ich sah Bill an und dann Violet, die lächelte und sagte: «Wir leisten uns ein ausschweifendes Wochenende.» Sie ließ ihren Kopf in den Nacken fallen und streckte sich. Das T-Shirt wanderte ihre Schenkel hinauf.

Ich entschuldigte mich. Auf Violets Brüste unter dem T-Shirt war ich nicht gefasst gewesen. Auch nicht auf den Anblick des schwachen Dunkels ihrer Schamhaare unter dem dünnen weißen Stoff und nicht auf ihr Gesicht, das nach dem Sex etwas weich und stupide wirkte. Ohne mich lange aufzuhalten, ging ich hinunter, holte mir eine Rasierklinge und schabte die Aufkleber ab, die Matts Bild verdeckten.

Als ich Mark am folgenden Wochenende wegen der Lüge zur Rede stellte, sah er überrascht aus. «Ich habe nicht gelogen, Onkel Leo. Ich habe nur meine Pläne mit Mom geändert. Ich habe Dad angerufen, aber es war keiner zu Hause. Dann bin ich trotzdem nach New York gefahren, um ein paar Freunde zu treffen, und schließlich hatte ich das Problem mit dem Schlüssel.»

«Aber warum hast du Bill und Violet nicht gesagt, dass du hier warst?»

«Ich wollte ja, aber irgendwie war es kompliziert, und dann fiel mir ein, dass ich gleich den Bus zurück nehmen musste, weil ich Mom versprochen hatte, am Nachmittag auf Ollie aufzupassen.»

Ich hielt die Geschichte aus zwei Gründen für glaubwürdig. Mir wurde klar, dass die Wahrheit oft verworren ist, ein Mischmasch aus Missgeschicken und Schnitzern, die zusammengenommen unwahrscheinlich erscheinen, und als ich Mark ansah, wie er mir mit seinen großen blauen Augen direkt ins Gesicht sah, war ich absolut davon überzeugt, dass er die Wahrheit sagte.

«Ich weiß, dass ich manchmal Mist baue», sagte er. «Aber ich mach es nicht absichtlich.»

«Wir bauen alle Mist», sagte ich.

Das Bild von Violet an jenem späten Samstagmorgen drang mir ins Gedächtnis wie ein starker Fleck, der sich nicht wegreiben ließ, und wenn ich an sie dachte, dachte ich immer auch an Bill, der mit seiner Zigarette hinter ihr stand, die Augen auf mich gerichtet, sein großer Körper träge von erschöpfter Lust. Dieses Bild der beiden ließ mich nachts nicht schlafen. Ich lag mit aufgepeitschten Nerven im Bett, während mein Körper mehr über den Laken schwebte, als sich zwischen ihnen zurechtzulegen. Manchmal stand ich auf, ging an meinen Schreibtisch und überprüfte den Inhalt meiner Schublade, indem ich jedes einzelne Stück langsam und methodisch herausnahm. Ich berührte Ericas Socken und betrachtete Matts Bild von Dave und Durango. Ich schaute mir das Hochzeitsbild meines Onkels und meiner Tante an. Eines Nachts zählte ich die Rosen unter den Blumen in Martas Bouquet. Es waren sieben. Die Zahl ließ mich an Bills Kubus für die Zahl Sieben denken und an die dicke Schicht Schmutz, die dessen Boden bedeckte. Hielt man den Kubus hoch, konnte man die weiße Zahl von unten sehen, nicht vollständig, sondern zerstückelt, wie ein zerfallender Leichnam. Ich betastete das gewachste Stück Pappe, das ich aus dem niedergebrannten Feuer auf dem Dach gerettet hatte, und dann starrte ich auf meine Hände und auf die blauen Venen, die über den Knochen unterhalb der Knöchel vorstanden. Lucille hatte sie einmal Hellseherhände genannt, und ich fragte mich, wie es wäre, in die Gehirne anderer eindringen zu können. Ich wusste wenig genug über mich selbst. Je länger ich meine Hände ansah, umso fremder wurden sie mir, so als gehörten sie einer anderen Person. Ich fühlte mich schuldig. Das wenigstens war die Bezeichnung, die ich dem Ziehen zwischen meinen Rippen gab. Ich hatte mich der Gier schuldig gemacht – eines verzehrenden Sehnens, das ich Tag für Tag bekämpfte und dessen Objekt nicht eindeutig war. Violet war nur ein Strang im dichten Knäuel meiner Begierden. Die ganze Geschichte war von meiner Schuld durchzogen. Ich sah mir mein Bild von Violet an. Ich ging hinüber, stellte mich vor ihr Abbild und tastete nach dem Schatten des Mannes, den Bill auf die Leinwand gemalt hatte – seinem Schatten. Ich dachte daran, dass ich den Schatten, als ich ihn zum ersten Mal sah, für meinen gehalten hatte.

Erica schrieb mir, sie mache sich Sorgen um Violet. «Sie quält sich mit irrationalen Ängsten wegen Mark. Ich glaube, dass sie kein Kind bekommen konnte, fordert jetzt seinen Tribut. Sie hasst es, Mark mit Lucille zu teilen. Am Telefon hat sie mir kürzlich mehrmals gesagt: ‹Wenn er nur mein Sohn wäre. Ich habe Angst.› Aber als ich sie fragte, was ihr Angst mache, konnte sie es nicht sagen. Wenn Bill in Japan und Deutschland unterwegs ist, solltest du dich um sie kümmern. Du weißt, wie viel sie mir bedeutet, und vergiss nicht, was sie nach Matts Tod für uns getan hat.»

Zwei Tage darauf luden Bill und Violet mich zum Abendessen ein. Mark war bei seiner Mutter, und wir blieben lange zusammensitzen. Das Gespräch schweifte von Goya über Violets Analyse der Alltagskultur zu Bills neuem Projekt – der Anfertigung von hundertundeiner Tür, die sich in Räume öffnete – und zu Mark. Mark würde in Chemie ein Ungenügend bekommen. Er hatte sich die Lippe piercen lassen. Er lebte für die Raves. Nichts davon war außergewöhnlich, aber an jenem Abend merkte ich, dass Violet ihre Sätze nicht beenden konnte, wenn sie von Mark sprach. Über jedes andere Thema plauderte sie munter und flüssig wie immer und beendete ihre Kommentare mit Punkten; doch Mark ließ sie zögern, und ihre Sätze blieben unvollendet in der Luft hängen.

Bill trank viel an jenem Abend. Gegen Mitternacht schlang er auf dem Sofa die Arme um Violet und erklärte sie zur wunderbarsten und schönsten Frau aller Zeiten. Violet entzog sich seiner Umarmung und sagte: «Es ist so weit. Wenn du mit deiner nie versiegenden Liebe zu mir anfängst, weiß ich, dass du zu viel getrunken hast. Zeit, den Abend zu beenden.»

«Mir geht's aber gut», sagte Bill. Seine Stimme war schwer und brummig.

Violet wandte sich ihm zu. «Du bist ja auch gut», sagte sie und strich mit dem Finger über seine unrasierte Wange. «Niemand ist besser als du.» Ich beobachtete die Bewegung ihrer

Hand, als sie ihn anlächelte. Ihr Blick war so direkt und klar wie nie zuvor.

Bill entspannte sich unter ihrer Berührung. «Ein letzter Toast», sagte er.

Wir hoben unsere Gläser.

«Auf die Menschen, die mir am liebsten sind. Auf Violet, meine geliebte und unbezähmbare Frau, auf Leo, meinen engsten und loyalsten Freund, und auf Mark, meinen Sohn. Möge er die quälenden Jahre der Adoleszenz gut überstehen.»

Violet lächelte über seinen schweren Zungenschlag.

Bill fuhr fort: «Mögen wir immer eine Familie sein wie jetzt. Mögen wir einander lieben, solange wir leben.»

In jener Nacht gab es keine Klavierstunde. Als ich die Augen schloss, war Bill der einzige Mensch, den ich sah.

Ich besuchte ihn erst wieder im Herbst in seinem Atelier. Bill zeichnete und plante, begann aber erst im September mit der Anfertigung der Türen. Es war ein Sonntagnachmittag Ende Oktober. Der Himmel war bewölkt und das Wetter auf einmal sehr kalt. Nachdem ich meinen Schlüssel im Schloss der Stahltür umgedreht hatte, betrat ich das schmuddelige, dunkle Treppenhaus und hörte rechts von mir das Geräusch einer sich öffnenden Tür. Aufgeschreckt von dem unvermuteten Leben in diesen seit langem verlassenen Räumen, drehte ich mich um und sah zwischen mehreren Ketten zwei Augen, ein Paar weiße Brauen und die dunkelbraune Nase eines Mannes. «Wer ist da?», rief er mit einer Stimme, die so laut, tief und voll klang, dass ich ein Echo erwartete.

«Ich bin ein Freund von Bill Wechsler», sagte ich und fragte mich gleich darauf, warum ich mich eigentlich bemüßigt fühlte, diesem Fremden meine Anwesenheit zu erklären.

Statt mir zu antworten, schloss er die Tür. Lautes Rasseln und zweimaliges Klacken folgten auf sein Verschwinden. Während ich die Treppe hinaufstieg und mir Gedanken über den neuen Mieter machte, kam mir Laszlo entgegen, und mein Blick fiel auf seine orange Vinylhose und spitze schwarze Schuhe. Als wir uns begegneten, grüßte er mich mit einem cool gedehnten «Hey, Leo», lächelte, und ich sah seine Zähne. Ein Schneidezahn stand leicht über dem anderen, nichts Außergewöhnliches, aber mir wurde erst in dem Augenblick bewusst, dass ich noch nie seine Zähne gesehen hatte. Er blieb auf einer Stufe stehen.

«Ich hab dein Buch über Veduten gelesen», sagte er. «Hab's von Bill bekommen.»

«Wirklich?»

«Super, Mann.»

«Danke, Laszlo. Ich fühle mich geschmeichelt.»

Laszlo bewegte sich nicht. Er schaute auf die Treppenstufe. «Ich dachte, ich lad dich mal zum Essen ein, weißt du.» Er machte eine Pause, bewegte den Kopf auf und ab und hämmerte einen kurzen Rhythmus auf seine orangen Schenkel, so als hätte plötzlich eine unhörbare Jazzmelodie seine Rede unterbrochen. «Du und Erica, ihr habt mir weitergeholfen.» Fünf weitere Beats auf seinen Schenkel. «Weißt du.»

Das gemurmelte «Weißt du» schien für «Würde dir das passen?» zu stehen. Ich sagte, ich würde liebend gern mit ihm essen gehen. Laszlo sagte: «Cool», und setzte seinen Weg die Treppe hinunter fort. Unterwegs trommelte er aufs Geländer und bewegte den Kopf im Rhythmus der Musik, die irgendwo in den unsichtbaren Korridoren seines Hirns spielen musste.

«Was ist mit Laszlo los?», sagte ich zu Bill. «Zuerst hat er mich angelächelt, und dann hat er mich zum Essen eingeladen.»

«Er ist verliebt», sagte Bill. «Er ist maßlos, leidenschaftlich verliebt in ein Mädchen namens Pinky Navatsky. Eine toll aussehende Tänzerin, die in einer Truppe mit dem Namen ‹Broken› auftritt. Viel Geschüttel und Verrenkungen und jähe, heftige Tritte. Vielleicht hast du mal was über sie gelesen.»

Ich schüttelte den Kopf.

«Es tut auch seiner Arbeit gut. Er hat seine Steckteile digitalisiert. Sie bewegen sich jetzt, und ich glaube, das Zeug ist interessant. Er ist bei einer Gruppenausstellung in der P. S. 1 dabei.»

«Und die Stentorstimme im Erdgeschoss?»

«Mister Bob.»

«Ich wusste gar nicht, dass die Räume vermietet worden sind.»

«Sind sie auch nicht. Er hat sie besetzt. Er ist noch nicht lange hier. Ich weiß nicht, wie er reingekommen ist, aber jetzt ist er drin. Er hat sich mir als ‹Mister Bob› vorgestellt. Wir haben abgemacht, dass ich dem Vermieter nichts sage. Mister Aiello kommt ohnehin fast nie aus Bayonne hierher.»

«Ist er verrückt?», sagte ich.

«Wahrscheinlich. Stört mich aber nicht. Ich habe mein ganzes Leben mit Verrückten zugebracht, und er braucht einfach ein Dach überm Kopf. Ich habe ihm ein paar alte Küchensachen gegeben, und Violet hat eine Decke, ein bisschen Geschirr und eine Kochplatte aus ihrer alten Wohnung hergebracht. Er mag Violet. Er nennt sie ‹Beauty›.»

Das Atelier war eine gigantische Baustelle geworden, voll gestellt mit Materialien, die den Raum kleiner erscheinen ließen, als er war. Türen verschiedener Größen lagen am Fenster gestapelt neben einem Haufen Gipsplatten. Der Fußboden war mit Sägemehl und Holzwolle übersät. Direkt vor mir befanden sich drei unterschiedlich hohe Eichentüren, an die kleine Zimmer montiert waren, nicht breiter und nicht höher als die Türen selbst, allerdings unterschiedlich tief.

«Probier mal die mittlere», sagte Bill. «Du musst reingehen und die Tür hinter dir schließen. Du leidest doch nicht an Klaustrophobie, oder?»

Ich schüttelte den Kopf.

Die Tür war nur etwa eins siebzig hoch, sodass ich mich bücken musste, um den Raum zu betreten. Nachdem ich die Tür hinter mir zugezogen hatte, befand ich mich gebückt in einer einfachen weißen Kiste, die etwa zwei Meter tief war, eine Glasdecke hatte, durch die Licht drang, und einen wolkigen verspiegelten Fußboden. Zu meinen Füßen bemerkte ich etwas, was wie ein kleiner Haufen Lumpen aussah. Das Stehen war so unbequem, dass ich mich niederkniete, um die Lumpen zu untersuchen, doch als ich sie berührte, stellte ich fest, dass sie aus Gips waren. Zuerst sah ich nur die trübe Spiegelung meines eigenen grauen, schnabelartigen Gesichts, das mich vom Fußboden anstarrte, doch dann bemerkte ich, dass im Gips ein Loch war. Ich legte meine Wange daran und lugte hinein. Das zerstückelte Bild eines Kindes war auf die Unterseite des Gipses gemalt und spiegelte sich im Spiegel. Der kleine Junge schien zu schweben – und seine Arme und Beine waren abgetrennt. Es war kein Bild von Gewalt oder Krieg, sondern etwas Traumartiges, gespenstisch Verschwommenes – ein Bild, das ich nicht betrachten konnte, ohne auch mein eigenes verwirrtes Gesicht zu sehen. Ich schloss die Augen. Als ich sie wieder öffnete, sah der Spiegel wässrig aus, wie in einem Uterus, und der Junge hatte sich von mir entfernt. Ich merkte, dass ich ihn nicht mehr sehen wollte. Ich fühlte mich etwas schwindlig, und dann wurde mir übel. Ich stand zu schnell auf, stieß mit dem Kopf gegen die Decke und griff nach dem Türknauf. Er klemmte. Plötzlich hatte ich das verzweifelte Bedürfnis hinauszugelangen. Als ich ungestüm an der Tür zerrte, ging sie auf, und ich fiel fast gegen Bill.

«Geht's dir nicht gut?», sagte er. «Du schwitzt ja.»

Er musste mir zu einem Stuhl helfen. Schwer atmend und verlegen stammelte ich eine Entschuldigung und fragte mich, was hinter der Tür mit mir passiert war. Wir schwiegen mindestens eine Minute, während ich mich von meinem Schwächeanfall erholte. Ich dachte noch einmal über die Spiegelung und den Gipsklumpen nach. Vielleicht hatte er doch eher einem

Haufen Bandagen geglichen. Der zerstückelte Junge schien in einer schweren, öligen Flüssigkeit zu treiben. Nie würde er heil daraus auftauchen.

Ich redete atemlos. «Matt. Ertrinkend. Ich hab's erst jetzt begriffen.»

Als ich zu Bill aufblickte, sah er mich erschrocken an. «Ich hatte nicht vor ...»

Ich unterbrach ihn. «Ich weiß. Es hat mich bloß an einer schwachen Stelle getroffen.»

Bill legte die Hände auf meine Schultern und drückte sie. Dann ging er zur einzigen freien Fläche am Fenster und sah hinaus. Er schwieg eine Weile, ehe er sagte: «Ich habe Matthew geliebt, weißt du.» Er sprach ganz leise. «In dem Jahr bevor er starb, habe ich begriffen, wer er war und was in ihm steckte.» Bill legte die Hand auf die Fensterscheibe.

Ich stand vom Stuhl auf und ging zu ihm.

«Ich habe dich beneidet», sagte er. «Ich wünschte ...» Er machte eine Pause und atmete schwer durch die Nase. «Ich wünsche mir noch immer, Mark wäre mehr wie er, und ich habe Schuldgefühle, weil ich mir das wünsche. Matt war offen für alles. Er war nicht immer mit mir einig.» Bill lächelte bei der Erinnerung. «Er hat sich mit mir gestritten. Ich wünschte, Mark ...»

Ich sagte nichts. Nach einer weiteren kurzen Pause fuhr er fort. «Es wäre so viel besser für Mark gewesen, wenn Matthew am Leben geblieben wäre. Für uns alle natürlich, aber Matt hatte Boden unter den Füßen.» Bill schaute hinunter auf die Bowery. Ich sah Grau in seinem Haar. Er altert schnell, dachte ich. «Matt wollte erwachsen werden. Er wäre ein Künstler geworden. Davon bin ich überzeugt. Er hatte die Begabung. Er hatte den Drang. Er hatte Lust an der Arbeit.» Bill fuhr sich durchs Haar. «Mark ist immer noch ein Baby. Er hat viele Talente, aber irgendwie ist er nicht dazu gerüstet, sie zu nutzen. Ich habe Angst um ihn, Leo. Er ist wie Peter Pan aus Nimmerland vertrieben.» Bill schwieg ein Weilchen. «Die Erinnerungen an meine eigene Teenagerzeit helfen mir nicht. Ich mochte Menschenmengen noch nie. Moden interessierten mich nicht. Wenn alle von etwas begeistert waren, fand ich es langweilig. Drogen, Flower Power, Rock 'n' Roll. Das war nichts für mich. Ich sah mir Ikonen an, kopierte Caravaggio und Zeichnungen aus dem 17. Jahrhundert. Ich war nicht einmal ein guter Rebell. Natürlich war ich gegen den Krieg, nahm an Protestdemos teil, aber in Wirklichkeit ging mir viel von der damaligen Rhetorik auf die Nerven. Das Einzige, was ich wirklich wollte, war malen.» Er drehte sich zu mir um und zündete sich eine Zigarette an, wobei er das brennende Streichholz mit beiden Händen schützte, als stünden wir draußen im Wind. Er presste die Lippen aufeinander und sagte: «Er lügt, Leo. Mark lügt.»

Ich blickte in Bills sorgenvolles Gesicht. «Ja», sagte ich. «Darüber habe ich mir auch schon Gedanken gemacht.»

«Ich erwische ihn bei kleinen Lügen, Lügen, die sinnlos sind. Ich glaube, er lügt einfach um des Lügens willen.»

«Vielleicht ist es eine Phase», sagte ich.

Bill wandte den Blick ab. «Er lügt schon lange. Seit er klein war.»

Bills unumwundene Feststellung erschütterte mich. Mir war nicht klar gewesen, dass die Sache mit dem Lügen so weit zurückging. Er hatte mich wegen der Donuts belogen und wahrscheinlich auch an dem Morgen, nachdem er in Matts Zimmer übernachtet hatte, aber von mehr Lügen wusste ich nicht.

«Gleichzeitig hat er ein gutes Herz. Er ist ein lieber Mensch, mein Sohn.» Bill deutete mit der Zigarette auf mich. «Dich mag er, Leo. Er hat mir gesagt, dass er sich bei dir frei fühlt, dass er mit dir sprechen kann.»

Ich trat neben Bill ans Fenster. «Ich bin gern mit ihm zusammen. In den letzten paar Monaten haben wir häufiger miteinander gesprochen.» Ich sah auf die Straße hinunter. «Er hat sich meine Geschichten angehört. Und ich mir seine. Er hat mir erzählt, dass er, als er in Texas lebte, so tat, als wäre Matt bei ihm. Er nannte ihn ‹Phantasie-Matt›. Er hat mir erzählt, dass er mit Phantasie-Matt Zwiegespräche im Badezimmer führte, bevor er zur Schule ging.» Ich schaute über die Dächer der Bowery und dann hinunter auf einen Mann, der, die Füße in braune Papiertüten gesteckt, auf dem Bürgersteig lag.

«Das wusste ich nicht», sagte Bill.

Ich stand neben ihm, bis er ausgeraucht hatte. Er schien abwesend. «Phantasie-Matt», sagte er einmal und verfiel dann wieder in Schweigen. Er trat die Zigarette mit dem Fuß aus und wandte sich wieder zum Fenster. «Mein Vater hielt mich für verrückt; er dachte, ich würde mir meinen Lebensunterhalt nie selbst verdienen.»

Bald darauf ging ich. Unten angekommen, öffnete ich die Tür zur Straße und hörte wieder die Stimme von Mr. Bob, diesmal hinter mir, klangvoll und schön. Die vollen Basstöne zwangen mich hinzuhören, und ich blieb auf der Schwelle stehen. «Möge Gott dir leuchten. Möge Gott mit strahlendem Wohlgefallen deinen Kopf und deine Schultern, deine Arme und Beine und deinen ganzen Körper erleuchten. Möge er dich erretten und dich in seiner Gnade und Güte vor Satans schändlichen Wegen bewahren. Gott sei mit dir, mein Sohn.» Ich drehte mich nicht um, aber ich war mir sicher, dass Mr. Bob seinen Segen durch einen winzigen Spalt in der Tür verkündet hatte. Draußen blendete mich die Sonne, die sich gerade ihren Weg durch die Wolken gebahnt hatte, und als ich in die Canal Street einbog, merkte ich, dass die seltsame Segnung des Hausbesetzers meinen Schritt beflügelt hatte.

Im Januar des folgenden Jahres stellte Mark mir Teenie Gold vor. Sie war etwa eins fünfzig groß, bedenklich untergewichtig, und ihre weiße Haut war unter den Augen und auf den Lippen leicht grau verfärbt. Ein Büschel Blau brachte Farbe in ihr ansonsten platinblondes Haar, und in ihrer Nase glitzerte ein goldener Ring. Sie trug ein mit rosa Teddybären gemustertes Hemd, das so aussah, als hätte es einmal einer Zweijährigen gehört. Als ich ihr die Hand hinstreckte, ergriff sie sie mit einem Ausdruck der Überraschung, wie eine Fremde, die sich auf einer entlegenen Insel einem bizarren Begrüßungsritual unterzieht. Nachdem sie mir ihre schlaffe Hand entzogen hatte, starrte sie zu Boden. Während Mark in Matts Zimmer lief, um etwas zu holen, das er dort liegen gelassen hatte, stellte ich Teenie höfliche Fragen, die sie ängstlich und kurz angebunden beantwortete, ohne auch nur einmal die Augen zu heben. Sie besuchte die Nightingale School. Sie wohnte in der Park Avenue. Sie wollte Modedesignerin werden. Als Mark wiederkam, sagte er: «Ich werde Teenie bitten, dir mal einige ihrer Zeichnungen zu zeigen. Sie ist total begabt. Stell dir vor, sie hat heute Geburtstag.»

«Herzlichen Glückwunsch, Teenie», sagte ich.

Sie starrte zu Boden, nickte und errötete, gab aber keine Antwort.

«Hey», sagte Mark. «Wann ist eigentlich dein Geburtstag, Onkel Leo?»

«Neunzehnter Februar.»

Mark nickte. «1930, stimmt's?»

«Stimmt», erwiderte ich etwas verdutzt, doch ehe ich noch etwas sagen konnte, waren sie schon fort.

Teenie Gold hinterließ bei mir einen seltsamen Eindruck – irgendwie wehmütig und unheimlich, ähnlich dem Gefühl, das ich einst in London gehabt hatte, als ich im Bethnal Green Museum of Childhood an Hunderten von Puppen vorbeigeschlendert war. Teils Baby, teils Clown, teils Frau mit gebrochenem Herzen, sah Teenie beschädigt aus, so als hätten sich ihre Neurosen in ihren Körper eingeschrieben. Obwohl auch Mark allmählich etwas absurd aussah in seinem Teenager-Outfit – den überweiten Hosen, dem kleinen goldenen Knopf in der Unterlippe, den Plateauturnschuhen, die er sich zugelegt hatte und die ihn auf gigantische eins dreiundneunzig anwachsen ließen –, hoben sich seine Schlaksigkeit und sein offenes, freundliches Wesen doch stark von Teenies fliehendem Blick und starrem Körper ab.

An sich ist Kleidung unwichtig, aber mir fiel auf, dass Marks neue Freunde eine kränkliche, unterernährte Ästhetik kultivierten, die mich an die Art erinnerten, wie die Romantiker die Tuberkulose verherrlichten. Mark und seine Freunde hatten durchaus eine Vorstellung von sich, und Krankheit spielte dabei eine Rolle, aber welche, konnte ich nicht sagen. Abgezehrte Gesichter, dünne, gepiercte Körper, gefärbtes Haar und Plateauschuhe waren an und für sich harmlos. Schließlich waren schon seltsamere Moden gekommen und gegangen. Ich erinnerte mich an die Geschichten von jungen Männern, die sich in gelben Jacken aus Fenstern stürzten, nachdem sie den *Werther* gelesen hatten. Eine Selbstmordmode. Goethe verabscheute am Ende diesen Roman, aber seinerzeit war das Buch unter den Jungen und Verletzbaren ein Knüller gewesen. Nicht nur weil Teenie kränker aussah als Marks andere Freunde, fielen mir modische Todesarten ein, sondern weil mir inzwischen klar geworden war, dass es in diesem Kreis als anziehend galt, ungesund auszusehen.

In jenem Frühjahr war ich selten mit Bill und Violet zusammen. Ich aß noch immer ab und zu oben bei ihnen zu Abend, und Bill rief mich von Zeit zu Zeit an, doch das Leben, das sie führten, entfernte sie von mir. Im März reisten sie zur Eröffnung der Zahlen-Ausstellung für eine Woche nach Paris und von dort weiter nach Barcelona, wo Bill eine Gastvorlesung an der Kunsthochschule hielt. Auch wenn sie zu Hause waren, gingen sie abends oft zu Dinners und Vernissagen. Bill stellte zwei weitere Assistenten an, einen pfeifenden Tischler namens Damion Dapino, der ihm half, die Türen herzustellen, und eine trübsinnige junge Frau namens Mercy Banks, die seine Post beantwortete. Bill lehnte regelmäßig Einladungen zu Vorlesungen, Diskussionen und Vorträgen in aller Welt ab, und Mercy brachte seine «Nein danke»-Briefe zu Papier.

Eines Nachmittags, als ich an der Grand Union in der Schlange wartete, blätterte ich im *New York*-Magazin und stieß auf ein kleines Foto von Bill und Violet bei einer Vernissage. Bill hatte den Arm um seine Frau gelegt und sah zu ihr hinunter, während Violet in die Kamera lächelte. Das Foto zeugte von Bills sich veränderndem Status, von einem schwachen Ruhmesglanz sogar in seiner kritischen Heimatstadt. Er hatte lange auf sich warten lassen – dieser Übergang in die dritte Person, der seinen bloßen Namen zu einem verkäuflichen Produkt gemacht hatte. Ich erstand die Zeitschrift. Zu Hause schnitt ich das Foto aus und legte es in meine Schublade. Ich wollte es dort haben, weil die geringe Größe des Fotos die Distanz veranschaulichte – zwei sehr weit von mir entfernte Gestalten. Ich hatte noch nie zuvor etwas in die Schublade gelegt, was mich an Bill und Violet erinnerte, und ich wusste, warum. Sie war nur für das bestimmt, was ich vermisste.

Trotz dieser Morbidität benutzte ich meine Schublade nicht zu Zwecken der Trauer oder des Selbstmitleids. Ich hatte begonnen, sie als Ort einer geisterhaften Anatomie zu betrachten, in der jeder Gegenstand für ein Stück eines größeren Ganzen stand, das noch unvollendet war. Jedes Ding war ein Knochen, der Abwesenheit bedeutete, und es machte mir Freude, diese Fragmente nach unterschiedlichen Prinzipien anzuordnen. Die Chronologie ergab eine Logik, aber selbst die konnte sich je nach meiner Deutung des jeweiligen Gegenstands ändern. Waren Ericas Socken ein Zeichen für ihre Abreise nach Kalifornien, oder erinnerten sie in Wahrheit an den Tag, als Matt starb und unsere Ehe zu zerbrechen begann? Tagelang überlegte ich mir mögliche zeitliche Strukturen und verwarf sie wieder zugunsten von geheimeren, assoziativeren Systemen, wobei ich jede mögliche Verbindung in Betracht zog. An einem Tag legte ich Ericas Lippenstift neben Matts Eintrittskarte zum Baseballspiel, an einem anderen schob ich ihn in die Nähe der Donut-Schachtel. Die Verbindung zwischen den letzteren beiden war betörend undurchsichtig, doch sonnenklar, sobald ich sie bemerkte. Der Lippenstift beschwor Ericas gefärbten Mund herauf, die Donut-Schachtel Marks hungrigen Mund. Die Verbindung war oral. Eine Zeit lang legte ich das Foto meiner Zwillingscousinen Anna und Ruth neben das Hochzeitsbild ihrer Eltern, doch dann verschob ich es, sodass es zuerst neben Matts Spielprogramm und dann neben dem Foto von Bill und Violet lag. Ihre Bedeutung hing von ihrer Platzierung ab, die ich mir als bewegliche Syntax vorstellte. Dieses Spiel betrieb ich nur nachts vor dem Schlafengehen. Nach einigen Stunden ermüdete mich die geistige Anstrengung des Verschiebens der Gegenstände. Meine Schublade erwies sich als wirkungsvolles Beruhigungsmittel.

Am ersten Freitag im Mai wurde ich durch Geräusche im Treppenhaus vor meiner Wohnung aus dem Tiefschlaf gerissen. Ich schaltete das Licht an und sah, dass es vier Uhr fünfzehn war. Ich stand auf, ging ins Wohnzimmer, und als ich mich der Tür näherte, hörte ich jemanden vom Treppenabsatz her lachen und dann das unverkennbare Geräusch eines Schlüssels im Schlüsselloch.

«Wer ist da?», sagte ich laut.

Jemand kreischte. Ich öffnete die Tür und sah Mark von der Schwelle zurückspringen. Ich trat vor. Die Lampe auf dem Treppenabsatz muss defekt gewesen sein, denn es war dunkel, und die einzige Beleuchtung kam von der Etage darüber. Ich bemerkte, dass Mark zwei Freunde bei sich hatte. «Was ist los, Mark?», sagte ich und blinzelte ihn an. Er war zurückgewichen, und ich konnte sein Gesicht nicht deutlich sehen.

«Hi», sagte er.

«Es ist vier Uhr morgens», sagte ich. «Was machst du hier?»

Einer der anderen trat vor – eine gespenstische Gestalt unbestimmten Alters. Im trüben Licht wirkte seine Haut sehr blass, aber ich konnte nicht sagen, ob das auf einen schlechten Gesundheitszustand oder auf das Auftragen von Bühnenschminke zurückzuführen war. Der Mann stand auf wackeligen Beinen, und als ich auf seine Füße hinunterschaute, sah ich, dass er sehr hohe Plateauschuhe trug. Er wedelte mit einer kleinen Hand in meine Richtung. «Onkel Leo, vermute ich», winselte er mit Falsettstimme und begann zu kichern. Seine Lippen sahen blau aus, und ich bemerkte, dass seine Hände zitterten. Doch die Augen des Mannes waren scharf, wachsam sogar, und sie sahen mich unverwandt an. Ich zwang mich, seinem Blick standzuhalten. Nach ein paar Sekunden schaute er zu Boden, und ich wandte mich der dritten Person zu, die auf der Treppe saß. Dieser Junge sah sehr jung aus. Wäre er nicht in Gesellschaft der beiden anderen gewesen, hätte ich ihn für kaum älter als elf oder zwölf gehalten. Dieses zarte, weibliche Persönchen mit sehr langen Wimpern und einem kleinen rosa Mund umklammerte auf seinen Knien eine grüne Handtasche. Der Verschluss hatte sich geöffnet, und drinnen sah ich ein Durcheinander von winzigen Würfeln – rote, weiße, gelbe, blaue. Der Junge trug Legosteine mit sich herum. Er gähnte laut.

Von oben kam eine Mädchenstimme. «Armer Kerl, du bist müde.» Ich hob den Kopf und sah Teenie Gold auf der Treppe stehen.

Sie trug Flügel aus Straußenfedern, die flatterten, als sie, einen unsicheren Fuß vor den anderen setzend, die Treppe herunterkam. Sie hielt ihre mageren Arme von sich wie eine Seiltänzerin und merkte offenbar nicht, dass sich das Geländer gleich neben ihrer Hand befand. Sie starrte hinunter, das Kinn fest auf die Brust gepresst.

«Brauchst du Hilfe, Teenie?», sagte ich und trat ins Treppenhaus.

Der blasse Mann wich nervös vor mir zurück, und ich sah, wie er etwas in seiner Hosentasche befingerte. Ich wandte mich wieder Mark zu, der mich mit aufgerissenen Augen ansah. «Alles okay, Leo», sagte er. «Tut mir Leid, dass wir dich geweckt haben.» Seine Stimme klang anders – tiefer, aber vielleicht war es auch nur sein Tonfall, der sich geändert hatte.

«Ich denke, wir sollten uns unterhalten, Mark.»

«Ich kann nicht. Wir gehen gerade. Ich muss los.» Er löste sich von der Wand, und ehe er sich umdrehte, sah ich eine Sekunde lang sein T-Shirt von vorn. Etwas stand darauf: RO-HYP… Er begann, die Treppe hinunterzugehen. Der blasse Mann und das Kind trabten hinterher. Teenie tappte noch immer die Treppe über mir herunter. Ich zog die Tür zu, schloss ab und hängte die Kette ein, was selten vorkam. Und dann tat ich etwas, was ich noch nie getan hatte. Ich machte das Licht aus und machte ein paar Schritte, so als ob ich zu Bett ginge. Wie glaubhaft dieser Trick wirkte, weiß ich nicht, aber ich legte das Ohr an die Tür und hörte, wie der blasse Mann laut sagte: «Kein K heute Nacht, hm, M & M?»

Die Ironie daran entging mir nicht. Ich hatte mich in einen Spion verwandelt, hatte an der Tür gelauscht, nur um festzustellen, dass ich eine Sprache aufschnappte, die ich nicht verstand. Doch das Wort M & M ließ mich erstarren. Ich wusste nur zu gut, dass es ein Spitzname für einen von ihnen sein konnte, nach den gleichnamigen Süßigkeiten, aber Bills zwei Kinderfiguren in *Os Reise* waren auch M gewesen, und der mögliche Bezug beunruhigte mich. Dann hörte ich ein Poltern, gefolgt von einem Keuchen von der Treppe her, und ich lief hinaus, um zu sehen, was passiert war.

Teenie lag auf dem Treppenabsatz unter mir. Ich ging hinunter und half ihr auf. Sie sah mich kein einziges Mal an, während ich sie beim Arm nahm und die Treppe hinunterführte. Lächerliche Schuhe schienen ein notwendiges Zubehör der Adoleszenz. Teenie trug Riemchenpumps aus schwarzem Lackleder mit absurd hohen Absätzen, Schuhe, die auch in stocknüchternem Zustand eine Herausforderung gewesen wären, und Teenie war völlig zugedröhnt. Als ich sie am Arm festhielt, schwankte sie aus den Hüften heraus, erst in eine Richtung, dann in die andere. Unten angekommen, machte ich ihr die Tür auf. Ich hatte keinen Schlüssel bei mir und war im Pyjama, was mich daran hinderte, sie weiter zu begleiten. Als ich zur Grand Street hinaufschaute, sah ich Mark und seine beiden Kumpane an der Straßenecke stehen.

«Wird's denn gehen, Teenie?», sagte ich und sah zu ihr hinunter.

Sie nickte zum Bürgersteig hin.

«Du musst sie nicht begleiten», sagte ich plötzlich. «Du kannst mit mir ins Haus kommen, und ich ruf dir eine Taxe.»

Ohne mich anzusehen, schüttelte sie den Kopf. Dann begann sie auf die anderen zuzugehen. Ich blieb in der Tür stehen und sah ihr nach. Schwankend und im Zickzack lief sie die Straße hinunter zu ihren Freunden – ein kleines geflügeltes Geschöpf mit umknickenden Fußknöcheln, das nie abheben und fliegen würde.

Am nächsten Morgen rief ich Bill an. Vorher zögerte ich ein wenig, aber der Vorfall hatte mich beunruhigt. Für einen Sechzehnjährigen schien Mark ziemlich uneingeschränkte Freiheiten zu genießen, und ich fand allmählich, dass Bill und Violet ihm zu viel durchgehen ließen. Doch dann stellte sich heraus, dass Bill gar nicht gewusst hatte, dass Mark in der Stadt war. Er dachte, er sei noch bei seiner Mutter und würde mit dem Zug am frühen Nachmittag eintreffen. Lucille wiederum dachte, er hätte bei einem seiner Schulfreunde in Princeton übernachtet. Als Mark nachmittags ankam, rief Bill an und bat mich nach oben.

Mark starrte auf seine Knie, während Bill und Violet ihn ausfragten. Er behauptete, alles wäre ein «Durcheinander» gewesen. Er habe nicht gelogen. Er habe ja vorgehabt, über Nacht bei Jake zu bleiben, aber dann habe Jake beschlossen, nach New York zu fahren, um einen Freund zu besuchen, und da sei er eben mitgekommen. Wo dann Jake vorige Nacht geblieben sei?, wollte Bill wissen. Leo habe ihn nicht im Treppenhaus gesehen. Mark sagte, Jake sei mit ein paar anderen Leuten weggegangen. Bill erklärte Mark, Lügen unterminiere das Vertrauen, und er müsse damit aufhören. Mark leugnete vehement, gelogen zu haben. Alles, was er gesagt habe, sei wahr. Dann erwähnte Violet Drogen.

«Ich bin doch nicht blod», sagte Mark. «Ich weiß, dass Drogen einen kaputtmachen. Ich hab mal einen Dokumentarfilm über Heroin gesehen, der hat mir voll Angst gemacht. Auf so was steh ich überhaupt nicht.»

«Teenie war gestern Nacht high», sagte ich. «Und der blasse Typ hat gezittert wie Espenlaub.»

«Nur weil Teenie sich ruiniert, heißt das nicht, dass ich es auch tue.» Mark sah mir starr in die Augen. «Teddy zittert, weil das Teil seines Acts ist. Er ist Künstler.»

«Welcher Teddy?», sagte Bill.

«Teddy Giles, Dad. Du hast bestimmt schon von ihm gehört.

Er macht Performances und verkauft diese echt coolen Skulpturen. Über ihn ist massenhaft in Zeitschriften und so geschrieben worden.»

Als ich Bill ansah, meinte ich, die Spur eines Wiedererkennens in seinem Gesicht zu bemerken, aber er sagte nichts.

«Wie alt ist Giles?», fragte ich.

«Einundzwanzig», antwortete Mark.

«Warum hast du versucht, in Leos Wohnung zu gehen?», fragte Violet.

«Hab ich gar nicht!» Mark klang verzweifelt.

«Ich habe den Schlüssel im Schloss gehört, Mark», sagte ich.

«Nein! Das war Teddy. Er hatte keinen Schlüssel. Er hat den Türknauf gedreht, weil er dachte, es wäre unsere Wohnung oben.»

Ich sah Mark fest in die Augen, und er erwiderte meinen Blick. «Du hast gestern Nacht nicht meinen Schlüssel benutzt?»

«Nein», sagte er, ohne zu zögern.

«Was wolltest du dann in unserer Wohnung?», sagte Violet. «Du bist doch erst vor einer Stunde nach Hause gekommen.»

«Ich wollte meine Kamera holen, um Fotos zu machen.»

Bill rieb sich das Gesicht. «Für den Rest des Monats hast du Hausarrest, wenn du hier bist.»

Mark fiel die Kinnlade herunter. «Aber was hab ich denn getan?»

Bill klang erschöpft. «Hör zu: Selbst wenn du deine Mutter und mich nicht belogen hast, musst du deine Schulaufgaben machen. Du wirst nie die Schule abschließen, wenn du nicht bald anfängst zu arbeiten. Außerdem», fuhr er fort, «möchte ich, dass du Leo seinen Schlüssel zurückgibst.»

Mark schob die Unterlippe vor und schmollte. Der Ausdruck auf seinem weichen jungen Gesicht erinnerte mich an einen unzufriedenen Zweijährigen, dem man gerade gesagt hat, dass es keine zweite Portion Eis gibt. In diesem Augenblick schienen sein Kopf mit den kindlichen Zügen und sein langer, aufschießender Körper nicht zusammenzupassen, so als hätte der obere Teil mit dem unteren nicht Schritt gehalten.

Als Mark mich am Samstagnachmittag darauf besuchen kam, fragte ich ihn nach Teddy Giles aus. Obwohl er Hausarrest hatte, konnte ich keine Veränderung in Marks Stimmung erkennen. Ich merkte wohl, dass er sein Haar grün gefärbt hatte, aber ich beschloss, nichts dazu zu sagen.

«Wie geht's deinem Freund Giles?», sagte ich.

«Gut.»

«Du hast gesagt, dass er Künstler ist?»

«Stimmt. Er ist berühmt.»

«Wirklich?»

«Zumindest bei den Kids. Aber er hat jetzt eine Galerie und alles.»

«Wie sehen seine Arbeiten aus?»

Mark lehnte an der Wand im Flur und gähnte. «Cool. Er zerschneidet Sachen.»

«Was für Sachen?»

«Das ist schwer zu erklären.» Mark lächelte in sich hinein.

«Vorige Woche hast du gesagt, dass er zittert, weil das Teil seines Acts ist. Das verstehe ich nicht.»

«Er will eben gern kaputt aussehen.»

«Und der kleine Junge? Wer war das?»

«Ich?»

«Nein, nicht du. Du bist doch kein kleiner Junge, oder?»

Mark lachte. «Nein, so heißt der, Ich.»

«Ist das eine Abkürzung?», fragte ich.

«Nein, er heißt einfach I-C-H, wie ‹ich›.»

«Seine Eltern haben ihm ein Pronomen als Namen gegeben?»

«Nee», sagte Mark. «Er hat ihn geändert. Jeder nennt ihn Ich.»

«Er sieht aus wie zwölf», sagte ich.

«Er ist neunzehn.»

«Neunzehn? Ist er der Geliebte von Giles?», fragte ich unverblümt.

«Wow!», rief Mark aus. «Ich hab nicht erwartet, dass du mich so was fragen würdest. Nein, nein, sie sind einfach bloß Freunde. Wenn du's genau wissen willst: Teddy ist bi, nicht schwul.»

Mark sah mich einen Augenblick forschend an, ehe er fortfuhr. «Teddy ist geil. Alle bewundern ihn. Er ist echt arm in Virginia aufgewachsen. Seine Mutter war Prostituierte, und seinen Vater kannte er nicht. Mit vierzehn ist er von zu Hause weggelaufen und eine Weile im Land rumgezogen. Dann kam er nach New York und arbeitete im Odeon als Hilfskellner. Danach stieg er in die Kunst ein – Performances. Für einen, der erst vierundzwanzig ist, hat er schon eine Menge gemacht.» Ich erinnerte mich, dass Mark gesagt hatte, Giles sei einundzwanzig, aber ich beließ es dabei. Er schwieg ein paar Sekunden und sah mir in die Augen. «Ich hab noch nie jemand getroffen, der mir mehr ähnelt. Wir reden andauernd darüber, wie ähnlich wir uns sind.»

Zwei Wochen danach kam Teddy Giles bei einem von Bernie Weeks' Essen im Anschluss an eine Vernissage wieder aufs Tapet. Ich war schon lange nicht mehr mit Bill und Violet aus gewesen und hatte mich auf das Essen gefreut, doch dann wurde ich zwischen Bernies Partnerin des Abends, eine junge Schauspielerin namens Lola Martini, und Jillian Downs gesetzt, die Künstlerin, deren Ausstellung soeben eröffnet worden war, und ich hatte wenig Gelegenheit, mit Bill oder Violet zu sprechen. Bill saß an Jillians anderer Seite, und sie waren in ein Gespräch vertieft. Jillians Mann, Fred Downs, unterhielt sich mit Bernie. Bevor Giles erwähnt wurde, hatte mir Lola über ihre Karriere als Spielshow-Hostess im italienischen Fernsehen erzählt. Ihre Garderobe für den Job bestand aus Bikinis, die sich auf das Obstthema des Spiels bezogen. «Zitronengelb», sagte sie, «erdbeerrot, limettengrün, verstehen Sie?» Sie deutete auf ihren Kopf. «Und ich musste diese Obsthüte tragen.»

«À la Carmen Miranda», sagte ich.

Lola sah mich verständnislos an. «Die Show war ziemlich dumm, aber ich habe dabei Italienisch gelernt und ein paar Filmrollen bekommen.»

«Ohne Obst?»

Sie lachte und zog ihr Bustier hoch, das seit einer halben Stunde langsam nach unten rutschte. «Ohne Obst.»

Als ich sie fragte, wie sie Bernie kennen gelernt habe, sagte sie: «Ich habe ihn vorige Woche kennen gelernt, in dieser Galerie – bei der Teddy-Giles-Ausstellung. Mein Gott, war die eklig.» Lola schnitt eine Grimasse, um ihren Abscheu zu zeigen, und hob die nackten Schultern. Sie war sehr jung und sehr hübsch, und wenn sie sprach, stießen ihre Ohrringe gegen ihren langen Hals. Sie deutete mit der Gabel auf Bernie und sagte laut: «Wir unterhalten uns gerade über die Ausstellung, in der wir uns kennen gelernt haben. War die nicht abstoßend?»

Bernie wandte sich ihr zu: «Ich will dir ja nicht widersprechen, aber er hat viel Aufsehen erregt. Am Anfang hat er in Clubs ausgestellt. Larry Finder hat ihn dort gesehen und seine Arbeit in die Galerie gebracht.»

«Aber was macht er denn?», sagte ich.

«Zerstückelte Körper – Frauen, Männer und sogar Kinder», sagte Lola, legte die Stirn in Falten und dehnte die Lippen, um ihren Ekel zu bekunden. «Überall Blut und Eingeweide, und dann waren da Fotos von seiner Performance in irgendeinem

Club – beim Spritzen mit einem Klistier. Ich nehme an, es war rotes Wasser, aber es sah aus wie Blut. O Gott, ich musste mir die Augen zuhalten. Es war soooo abartig.»

Jillian sah Bill an und hob die Augenbrauen. «Du weißt, wer Giles unter seine Kritikerfittiche genommen hat?»

Bill schüttelte den Kopf.

«Hasseborg. Er hat diesen langen Artikel über ihn in *Blast* geschrieben.»

Ein schmerzlicher Ausdruck huschte über Bills Gesicht.

«Was hat er denn geschrieben?», fragte er.

«Dass Giles die Zelebrierung der Gewalt in der amerikanischen Kultur bloßlegt», sagte Jillian. «Der dekonstruierte Hollywood-Horror – oder so ähnlich.»

«Jillian und ich waren auch in der Ausstellung», sagte Fred. «Für mich waren das billige Mätzchen, belangloses Zeug. Die Sachen sollen schockieren, aber sie tun es nicht wirklich. Das ist alles ziemlich zahm, wenn man an die Künstler denkt, die wirklich etwas gewagt haben. Diese Frau, die sich ihr Gesicht operieren lässt, um wie ein Picasso, ein Manet oder ein Modigliani auszusehen. Ich kann mir ihren Namen nicht merken. Und erinnerst du dich daran, wie Tom Otterness den Hund erschoss?»

«Den Welpen», sagte Violet.

Lola stand das Entsetzen ins Gesicht geschrieben. «Er hat einen Welpen erschossen?»

«Er hat alles auf Video aufgenommen», erklärte Fred. «Das kleine Kerlchen springt überall herum, und dann: peng!» Er machte eine Pause. «Aber ich glaube, es hatte Krebs.»

«Sie meinen, es war krank und musste ohnehin sterben?»

Niemand antwortete Lola.

«Chris Burden hat sich in den Arm schießen lassen», warf Jillian ein.

«In die Schulter», korrigierte Bernie. «Es war die Schulter.»

«Arm, Schulter», lächelte Jillian, «ist doch ein und dasselbe. Schwartzkogler, das ist radikale Kunst.»

«Was hat der gemacht?», fragte Lola.

«Nun», sagte ich zu ihr, «etwa sich der Länge nach den Penis aufgeschlitzt und sich dabei fotografieren lassen. Ziemlich makaber und blutig.»

«Gab es da nicht noch einen anderen, der das getan hat?», sagte Violet.

«Bob Flanigan», sagte Bernie. «Aber da waren es Nägel. Er hat sich Nägel reingehämmert.»

Lola stand der Mund offen. «Das ist krank», sagte sie. «Ich meine geisteskrank. Ich glaube nicht, dass das Kunst ist. Das ist einfach nur krank.»

Ich wandte mich Lola zu, um mir ihr Gesicht mit den perfekt gezupften Augenbrauen, der kleinen Nase und dem leuchtenden Mund anzusehen. «Wenn ich Sie nähme und in eine Galerie stellen würde, wäre das Kunst», sagte ich. «Bessere Kunst als vieles, was ich in meinem Leben gesehen habe. Es gibt keine vorgefertigten Maßstäbe mehr.»

Lola rollte die Schultern. «Meinen Sie damit, dass alles Kunst ist, wenn die Leute es nur dazu erklären. Sogar ich?»

«Genau. Was zählt, ist die Perspektive, nicht der Inhalt.»

Violet beugte sich vor und legte die Ellbogen auf den Tisch. «Ich bin in der Ausstellung gewesen», sagte sie. «Lola hat Recht. Wenn man es überhaupt ernst nimmt, ist es grässlich. Gleichzeitig wirkt es wie ein Witz – ein Kalauer.» Sie schwieg einen Augenblick. «Schwer zu sagen, ob es bloß zynisch ist oder ob dahinter etwas anderes steckt – eine sadistische Lust beim Zerhacken dieser nachgemachten Körper ...»

Das Gespräch driftete von Giles zu anderen Künstlern. Bill unterhielt sich weiter mit Jillian. Er beteiligte sich nicht an dem lebhaften Disput über das beste Brot in New York und auch nicht am Diskurs über Schuhe und Schuhgeschäfte, der irgendwie aufkam und Lola dazu veranlasste, ihr langes Bein zu heben, um eine Sandale mit Pfennigabsätzen vorzuführen, entworfen von einem Designer mit einem überaus seltsamen Namen, den ich augenblicklich vergaß. Auf dem Heimweg war Bill schweigsam. Violet hakte sich bei uns beiden ein.

«Ich wünschte, Erica wäre hier», sagte sie.

Ich antwortete nicht gleich. «Sie will nicht hier sein, Violet. Ich weiß nicht, wie oft wir ihren Besuch schon geplant haben. Alle sechs Monate schreibt sie, dass sie nach New York kommt, und dann macht sie einen Rückzieher. Dreimal hatte ich schon Flugtickets nach Kalifornien, und jedes Mal schrieb sie, sie könne mich nicht sehen. Sie sei noch nicht stark genug. Sie meinte, sie führe in Kalifornien ein postumes Leben, und sie wolle es so.»

«Für jemand, der nicht am Leben ist, hat sie erstaunlich viele Artikel geschrieben», sagte Violet.

«Sie mag Papier», sagte ich.

«Sie liebt dich noch», sagte Violet. «Ich weiß es.»

«Vielleicht liebt sie auch die Vorstellung, dass ich am anderen Ende des Landes lebe.»

In diesem Augenblick blieb Bill stehen. Er ließ Violet los, schaute hinauf in den nächtlichen Himmel, breitete die Arme aus und sagte laut: «Wir wissen nichts. Wir wissen absolut nichts über irgendetwas.» Seine laute Stimme hallte durch die Straße. «Gar nichts!» Mit offensichtlicher Befriedigung ließ er das Wort noch einmal erschallen.

Violet griff nach Bills Hand und zerrte an ihm. «Jetzt, wo wir das geklärt haben, können wir ja nach Hause gehen», sagte sie. Er leistete keinen Widerstand. Violet hielt seine Hand, während er mit gesenktem Kopf und gebeugten Schultern die Straße hinunter schlurfte. Er kam mir vor wie ein Kind, das von seiner Mutter nach Hause gebracht wird. Später fragte ich mich, was Bills Ausbruch ausgelöst haben mochte. Vielleicht das Gespräch über Erica, aber vielleicht hatte es auch mit dem zu tun, was vorher offenbar geworden war: Mark hatte sich zufällig einen Freund ausgesucht, dessen ergebenster Förderer der Mann war, der die bislang grausamste Kritik der Arbeit seines Vaters geschrieben hatte.

Bill besorgte Mark einen Sommerjob bei einem Bekannten, einem Künstler namens Harry Freund. Freund benötigte eine Crew von Arbeitern für ein großes Kunstprojekt in Tribeca über die Kinder von New York, das sowohl mit privaten als auch mit öffentlichen Geldern finanziert wurde. Das riesige Werk sollte für die Dauer einer Festveranstaltung im September zum «Monat des Kindes» errichtet werden. Der Entwurf umfasste riesige Fahnen, einige Umhüllungen von Laternenpfählen à la Christo und vergrößerte Zeichnungen von Kindern aus jedem Bezirk. «Fünf Tage die Woche von neun bis fünf, körperliche Arbeit», sagte mir Bill. «Das wird ihm gut tun.» Der Job begann Mitte Juni. Wenn ich morgens bei meinem Kaffee saß und mich an mein tägliches Pensum machte, das darin bestand, einige weitere Absätze über Goya auszubrüten, hörte ich Mark unterwegs zur Arbeit die Treppe hinunterlaufen. Danach begab ich mich an meinen Schreibtisch, um zu schreiben, aber ein paar Wochen lang wurde ich von Gedanken an Teddy Giles und seine Arbeit abgelenkt.

Bevor seine Ausstellung in der Finder-Galerie Ende Mai zu Ende ging, schaute ich sie mir an. Lolas Beschreibung war nicht abwegig gewesen. Die Ausstellung ähnelte dem Schauplatz eines Massakers. Neun Leichen aus Polyesterharz und Glasfaser lagen auf dem Boden der Galerie, entleibt, die Glieder abgehackt, geköpft. Auf dem Boden Flecken wie von getrocknetem Blut. Die Werkzeuge der simulierten Folter waren auf Sockeln ausgestellt: eine Kettensäge, mehrere Messer, ein Gewehr. An den Wänden hingen vier riesige Fotografien von Giles. Auf dreien war er bei einer seiner Performances zu sehen. Auf der ersten trug er eine Hockeymaske und hielt eine Machete in der Hand. Auf der zweiten war er eine aufgedonnerte Tunte im Abendkleid und mit blonder Marilyn-Perücke. Auf der dritten spritzte er mit seinem Klistier. Das vierte Foto war vermutlich Giles als «er selbst». Er saß in normaler Kleidung auf einem breiten blauen Sofa und hielt eine Fernbedienung in der linken Hand. Seine

Rechte schien sein Geschlecht zu massieren. Er sah blass aus, gelassen und keineswegs so jung, wie Mark behauptet hatte. Ich hätte ihn auf mindestens dreißig geschätzt.

Die Ausstellung stieß mich ab, aber ich fand sie auch schlecht. Um fair zu sein, musste ich mich fragen, warum. Goyas Bild von Saturn, der seinen Sohn frisst, war genauso gewalttätig. Giles verwendete klassische Horrorbilder, vermutlich, um ihre Rolle in der Kultur zu kommentieren. Die Fernbedienung war eine offensichtliche Anspielung auf das Fernsehen und Videos. Auch Goya bezog sich auf weit verbreitete volkstümliche Bilder des Übernatürlichen, die jeder, der seine Arbeit sah, sofort erkennen konnte, und auch sie waren als Kommentar zur Gesellschaft gemeint. Warum also empfand man Goyas Arbeit als lebendig und die von Giles als tot? Das Medium war ein anderes. Bei Goya spürte ich die körperliche Gegenwart der Hand des Malers. Giles heuerte Handwerker an, die für seine Leichen Abgüsse von lebenden Modellen machten und sie dann für ihn anfertigten. Und doch bewunderte ich Künstler, die ihre Arbeit ebenfalls von anderen erledigen ließen. Goya war tiefsinnig. Giles war seicht. Andererseits ist das Seichte ja manchmal gerade die Aussage. Warhol widmete sich der Oberfläche – der leeren Tünche unserer Kultur. Ich mochte Andy Warhols Werk nicht besonders, aber ich konnte verstehen, was daran interessant ist.

Im Sommer vor dem Tod meiner Mutter reiste ich allein durch Italien und fuhr ins Piemont nach Varallo, um mir in den Kapellen über der Stadt den *Sacro Monte* anzusehen. In der Kapelle des Massakers an den Unschuldigen sah ich die Gestalten von weinenden Müttern und ermordeten Säuglingen mit echtem Haar und echten Kleidern, und sie machten einen erschütternden Eindruck auf mich. Wenn ich durch die Finder-Galerie ging und mir Giles' Opfer aus Polyurethan ansah, schauderte ich zwar, konnte aber kaum eine Verbindung zu ihnen herstellen. Zum Teil vielleicht deshalb, weil die Figuren hohl waren.

Eine Anzahl künstlicher Organe – Herzen, Mägen, Nieren und Gallenblasen – lagen zwischen den zerstückelten Leichen, doch wenn man in einen abgeschnittenen Arm schaute, war er innen leer.

Dennoch war es nicht einfach, Giles' Arbeit zu erklären. Als ich Hasseborgs Artikel in *Blast* las, sah ich, dass er den leichten Weg gewählt hatte – indem er behauptete, der Akt, Horrorbilder vom flachen Bildschirm in die Dreidimensionalität einer Galerie zu transferieren, zwinge den Betrachter, ihre Bedeutung neu zu überdenken. Hasseborg sabberte mehrere Seiten lang und reicherte seine Prosa mit vollmundigen Adjektiven an: «brillant», «fesselnd», «erstaunlich». Er zitierte Baudrillard, erging sich hechelnd über Giles' unstete Identitäten und erkor ihn in einem langen, großspurigen Schlusssatz zum «Künstler der Zukunft».

Hasseborg berichtete auch, dass Giles in Baytown, Texas, geboren wurde, nicht in Virginia, wie Mark mir gesagt hatte, und in Hasseborgs Version von Giles' Leben war seine Mutter keine Prostituierte, sondern eine hart arbeitende Kellnerin, die ihren Sohn vergötterte. Giles wurde mit der Aussage «Meine Mutter ist meine Inspiration» zitiert. In den nächsten Wochen kam ich zu der Überzeugung, dass Hasseborg zwar richtig feststellte, Giles würde die schaurigen Bilder von Horrorvideoclips und billigen Gewaltpornos reproduzieren, dass er sich aber in Hinblick auf ihre Wirkung auf den Betrachter irrte – zumindest in meinem Fall. Sie kritisierten nichts und deckten nichts auf. Das Werk war ein aus den Eingeweiden der Kultur ausgeschiedener Abklatsch – steriler, kommerzieller Kot, einzig und allein zum Aufreizen gedacht. Und obwohl ich gegen Hasseborg voreingenommen war, spürte ich, dass er auf Giles hereingefallen war, weil dessen Werk die visuelle Verkörperung seiner eigenen Stimme war – dieses gezierten, zynischen, freudlosen Tons, den er für gewöhnlich in seinen Artikeln über Kunst und Künstler anschlug. Hasseborg war nicht der Einzige. Es gab viele Zeitgenossen, die genauso schrieben – wenn auch mit weniger Intelligenz –, andere Kulturjournalisten, die den angesagten glatten Palaverstil übernommen hatten. Es ist eine Sprache, die mir verhasst geworden ist, weil sie kein Geheimnis und keine Zweideutigkeit in ihr selbstgefälliges Vokabular einlässt, das anmaßend unterstellt, man könnte alles erfahren.

Obwohl ich nicht vorschnell über Giles' Werk urteilte, urteilte ich doch darüber, und dass sich Mark von diesen inhaltsleeren Gemetzelszenen und von dem, der sie geschaffen hatte, angezogen fühlte, machte mir Sorgen. Jedes Mal wenn Giles seinen Geburtsort und sein Alter angab, sagte er etwas anderes. Hasseborg schrieb, Giles sei achtundzwanzig. Zweifelsohne wollte Giles seine Herkunft verschleiern, vielleicht, um sich mit einem Geheimnis zu umgeben, aber seine Winkelzüge konnten nicht gut sein für Mark, der, um es milde auszudrücken, ohnehin die Angewohnheit hatte, die Wahrheit allzu oft zu verdrehen.

An einem Vormittag Anfang Juli begegnete ich Mark auf dem West Broadway. Er hockte auf dem Gehsteig, tätschelte einen Cockerspaniel und unterhielt sich mit dem Hundehalter. Er näherte sein Gesicht der Schnauze des Hundes und sprach leise und freundlich zu ihm. Als ich ihn grüßte, sprang er auf und rief: «Hi, Onkel Leo.» Dann wandte er sich an den Hund und sagte: «Bye, Talulah.» Ich fragte ihn, warum er nicht bei der Arbeit sei.

«Harry braucht mich heute erst mittags», sagte er. «Ich bin auf dem Weg zu ihm.»

Als Mark und ich zusammen die Straße hinuntergingen, steckte eine junge Frau den Kopf aus einem Kleidergeschäft und winkte Mark zu. «Hi, Marky. Wie geht's, mein Herz?»

«Darien», rief Mark zurück. Er schenkte ihr ein süßes Lächeln, hob eine Hand und wackelte mit den Fingern. Die Geste erschien mir irgendwie unpassend, doch als ich ihn ansah, grinste er mich breit an und sagte: «Sie ist wirklich nett.»

Bevor wir die nächste Straßenecke erreicht hatten, wurde Mark erneut angesprochen, diesmal von einem jüngeren Jungen. Er kam von der anderen Straßenseite angelaufen und schrie: «The Mark!»

«The Mark?», murmelte ich.

Mark drehte sich zu mir um und zog die Augenbrauen hoch, wie um zu sagen: Was sich die Leute so alles an Namen einfallen lassen!

Der Junge nahm keine Notiz von mir. Schwer atmend von seinem Sprint, blickte er zu Mark auf. «Ich bin's, Freddy. Erinnerst du dich? Vom Club USA?»

«Klar», sagte Mark. Er klang gelangweilt.

«Heute Abend wird diese echt coole Fotoausstellung eröffnet, gleich hier um die Ecke. Ich dachte, du würdest vielleicht gern hingehen.»

«Tut mir Leid», sagte Mark mit gleich bleibender Lakonie. «Kann nicht.»

Ich beobachtete, wie Freddy erfolglos versuchte, seine Enttäuschung zu verbergen, indem er die Lippen zusammenpresste. Dann hob er das Kinn und lächelte zu Mark hinauf. «Ein andermal, okay?»

«Klar, Freddy», sagte Mark.

Freddy flitzte wenige Zentimeter vor einem Taxi auf die andere Straßenseite zurück. Der Fahrer hupte, und das Geräusch schallte zwei oder drei Sekunden durch die Straße.

Während Mark Freddys waghalsiges Manöver beobachtete, knickte er in der Hüfte ein und ließ die Schultern in einer Haltung sinken, die vermutlich lässig wirken sollte. Dann wandte er sich mir zu, richtete sich kerzengerade auf und warf die Schultern zurück. Als sich unsere Blicke kreuzten, muss er in meinem Gesicht eine Spur von Verwirrung bemerkt haben, denn er zögerte einen Augenblick. «Ich muss mich beeilen, Onkel Leo. Ich möchte nicht zu spät zur Arbeit kommen.»

Ich sah auf meine Uhr. «Halt dich ran.»

«Mach ich.» Mark sprintete den Block hinunter. Seine weiten Hosenbeine flatterten wie zwei Fahnen zu beiden Seiten seiner Knöchel, das Gummiband und gut zehn Zentimeter seiner Unterhose waren zu sehen. Die Hosenbeine waren so lang, dass der Saum ausgefranst und zerrissen war. Ich blieb eine Weile stehen und schaute ihm nach. Seine Gestalt wurde kleiner und kleiner, und dann bog er um die Ecke.

Auf dem Heimweg wurde mir bewusst, dass sich zwei Geschichten von Mark in mir überlagert hatten. Die oberflächliche hörte sich ungefähr so an: Wie Tausende andere Teenager hielt Mark Teile seines Lebens vor seinen Eltern geheim. Ohne Zweifel hatte er mit Drogen experimentiert, mit Mädchen geschlafen und vielleicht, dachte ich inzwischen, auch mit ein paar Jungen. Er war intelligent, aber ein sehr schlechter Schüler, was auf eine Haltung passiver Rebellion schließen ließ. Er hatte seine Eltern belogen. Er hatte seiner Mutter nichts von seinem Zimmer in meiner Wohnung erzählt und hatte einmal ohne meine Erlaubnis dort übernachtet. Ein andermal hatte er vorgehabt, sich um vier Uhr morgens in dieses Zimmer einzuschleichen. Er fühlte sich vom gewaltsamen Inhalt von Teddy Giles' Kunst angezogen, aber das galt auch für zahllose andere junge Menschen. Und schließlich probierte er, wie so viele Kinder in seinem Alter, verschiedene Persönlichkeiten aus, um herauszufinden, welche zu ihm passte. Er benahm sich auf eine Art mit seinen Altersgenossen und auf eine andere mit Erwachsenen. Diese Version von Marks Geschichte war normal, eine Geschichte wie Millionen andere einer durchschnittlich schwierigen Adoleszenz.

Die andere Geschichte ähnelte der sie überlagernden, und auch der Inhalt unterschied sich nicht: Mark war beim Lügen ertappt worden. Er hatte sich mit einem zwielichtigen Menschen angefreundet, den ich insgeheim «das Gespenst» nannte, und Marks Körper und Stimme veränderten sich je nachdem, mit wem er gerade zu tun hatte. Doch diese zweite Geschichte war weniger glatt als die erste. Sie enthielt Löcher, und diese Zwischenräume erschwerten das Erzählen. Sie stützte sich nicht auf Gemeinplätze über das Leben von Teenagern, womit die ausgefransten Leerstellen gefüllt werden konnten, sondern ließ sie weit offen und unbeantwortet. Und anders als die beruhigende Geschichte obenauf begann sie nicht an Marks dreizehntem Geburtstag, sondern an irgendeinem unbekannten früheren Datum. Statt in die Zukunft katapultierte sie mich in die Vergangenheit, und zwar durch bruchstückhafte Einzelbilder und -geräusche. Ich erinnerte mich an den kleinen Mark, der, als Lucille noch oben wohnte, mit einer Gruselmaske aus Gummi vor dem Gesicht bei uns zur Tür hereingekommen war. Ich sah das Porträt, das sein Vater von ihm gemalt hatte, mit einem Lampenschirm auf dem Kopf – ein kleiner Körper, der im Nirgendwo der Leinwand kauerte –, und dann hörte ich Violet zögern, atmen und ihren Satz unbeendet lassen.

Ich unterdrückte diese untergründigen Bilder und hielt mich an die kohärente Oberflächengeschichte. Sie war sowohl bequemer als auch vernünftiger. Schließlich war ich ein Trauerkloß geworden. Der Verlust von Matthew hatte mich ungewöhnlich aufmerksam für Nuancen in Marks Charakter gemacht, die sich am Ende womöglich als unerheblich erweisen würden. Ich hatte den Glauben an voraussehbare Geschichten verloren. Mein Sohn war tot, und meine Frau lebte in einem selbst auferlegten Exil. Dass mein eigenes Leben durch einen Unfall aus den Fugen geraten war, sagte ich mir, musste doch nicht bedeuten, dass andere Leute keines führen konnten, das einem vorgeschriebenen Verlauf folgte und über die Jahre so ziemlich zu dem wurde, was sie sich immer schon vorgestellt hatten.

In jenem Sommer kehrte Bill zu mir zurück. Er rief mich fast täglich an, und ich verfolgte den Fortschritt der Türen, die in der Bowery angefertigt wurden. Obwohl Bill bis spätabends im Atelier arbeitete, hatte er mehr Zeit für mich, und ich ahnte, dass sein Wunsch, mich zu sehen, teilweise mit dem neuen Optimismus zu tun hatte, den er Mark gegenüber verspürte. Wenn Bill sich Sorgen machte, führte das bei ihm immer zum Rückzug, und über die Jahre hatte ich gelernt, dessen äußere Anzeichen zu deuten. Bills ausladende Gesten verschwanden. Seine Augen konzentrierten sich auf einen Gegenstand am anderen Ende des Raumes, doch er nahm das Gesehene nicht wahr. Er rauchte eine Zigarette nach der anderen und hatte immer eine Flasche Scotch unter seinem Schreibtisch. Ich verstand Bills innere Wetterlage, den Druck, der sich in ihm aufbaute und dann still und heimlich ausbrach. Diese Unwetter begannen und endeten gewöhnlich mit Mark, doch während sie tobten, fiel es Bill schwer, mit mir oder sonst jemandem zu sprechen. Vielleicht mit Ausnahme von Violet. Ich weiß nicht, aber ich spürte, dass Bills innerer Tumult sich nicht gegen Mark und dessen Lügen und Verantwortungslosigkeit richtete, sondern dass sein brodelnder Zorn und seine Zweifel ihm selbst galten. Zugleich war er nur allzu bereit, daran zu glauben, dass Mark sich ändern würde, und er nahm zwanghaft jede Nuance im Verhalten seines Sohnes als Anzeichen für eine Wende zum Besseren. «Er hat den Job noch», sagte er mir. «Und er macht ihm richtig Spaß. Er trifft sich nicht mehr mit Giles und dieser Clubclique und hängt mehr mit Kids seines Alters rum. Ich bin so erleichtert, Leo. Ich wusste, er würde sein Leben irgendwann in den Griff bekommen.» Da Violet unterwegs war und für ihr Buch recherchierte, sah ich sie weit seltener als Bill und Mark, und ihre Abwesenheit half mir, ihre phantasierte Zwillingsschwester zu unterdrücken – die Frau, die ich im Geiste mit ins Bett nahm. Doch Erica telefonierte regelmäßig mit ihr und schrieb mir, es gehe Violet besser, sie sei weniger ängstlich, und auch sie entdecke bei Mark eine neue Entschlossenheit, die sie mit seinem Job bei Freund in Verbindung bringe. «Sie hat mir erzählt, Mark sei aufrichtig davon berührt, dass es bei dem Projekt um Kinder geht. Sie glaubt, das spricht etwas in ihm an.»

Mr. Bob wohnte weiter in der Bowery, und immer wenn ich Bill besuchen kam, beäugte er mich argwöhnisch durch seine mit Ketten gesicherte Tür, und immer wenn ich wieder ging, segnete er mich. Ich wusste, dass Mr. Bob sich Bill und Violet gegenüber in voller Gestalt zeigte, doch ich selbst sah von ihm nie mehr als einen Teil seines düsteren Gesichts. Obwohl Bill nichts dazu sagte, wurde mir klar, dass der alte Mann von ihm abhängig geworden war. Bill hinterließ unten auf der Treppe Lebensmittel für ihn, und einmal sah ich auf Bills Schreibtisch eine in winziger, ordentlicher Handschrift verfasste Notiz: «Erdnussbutter *mit Stückchen*, keine glatte!» Doch soweit ich erkennen konnte, hatte Bill seinen Mitbewohner einfach als eine Verpflichtung in sein Leben aufgenommen. Er schüttelte den Kopf und lächelte, wenn ich den alten Hausbesetzer erwähnte, klagte aber nie über Mr. Bobs meiner Vermutung nach wachsende Forderungen.

Mitte August fragten mich Bill und Violet, ob ich Mark zwei Wochen zu mir nehmen könnte, während sie auf Martha's Vineyard Urlaub machten. Mark konnte seinen Job nicht einfach aufgeben, und sie hatten Bedenken, ihn allein in der Wohnung zu lassen. Ich erklärte mich bereit und gab Mark einen neuen Schlüssel. «Das ist ein Zeichen des Vertrauens zwischen uns, und ich möchte, dass du ihn behältst, auch wenn die zwei Wochen um sind.» Er streckte die Hand aus, und ich ließ den Schlüssel hineinfallen. «Du verstehst mich doch, Mark, oder?»

Er sah mich fest an und nickte. «Ja, Onkel Leo.» Seine Unterlippe zitterte vor Rührung, und so begannen wir unsere gemeinsamen zwei Wochen.

Mark sprach voller Begeisterung von seiner Arbeit für Freund, über die großen bunten Fahnen, die er aufziehen half, über die anderen jungen Männer und Frauen, die mit ihm dort arbeiteten – Rebecca und Laval, Shaneil und Jesus. Mark wuchtete, kletterte, hämmerte und sägte, und nach Feierabend taten ihm die Arme weh, und er hatte zittrige Beine, wie er sagte. Wenn er um fünf oder sechs nach Hause kam, musste er sich oft hinlegen und ausruhen. Gegen elf Uhr abends ging er dann aus und kam meist erst gegen Morgen wieder. «Ich bin bei Jake», ließ er mich wissen und gab mir eine Nummer. «Ich übernachte bei Louisa. Ihre Eltern lassen mich im Gästezimmer schlafen.» Noch eine Telefonnummer. Zwischen sechs und acht Uhr morgens kam er nach Hause und schlief bis Arbeitsbeginn. Seine Arbeitszeiten wechselten täglich. «Ich muss erst gegen Mittag dort sein», oder: «Heute braucht Harry mich nicht», und dann verfiel er bis vier Uhr nachmittags in ein Koma.

Manchmal holten seine Freunde ihn ab. Die meisten von ihnen waren bleiche Mädchen in Babykleidung, das Haar zu Zöpfchen geflochten und Glitzer auf den Wangen. Eines Abends stand eine Brünette vor der Tür, mit einem Schnuller an einem rosa Band um den Hals. Mit Stimmen, die zu ihrer infantilen Aufmachung passten, gurrten, piepsten und zwitscherten Marks Freundinnen in hohen, dünnen Tönen, in denen unangebracht übertriebene Gefühle mitschwangen. Bot ich ihnen eine Limonade an, hauchten sie ihren gelispelten Dank, so als hätte ich ihnen soeben die Unsterblichkeit offeriert. Obwohl Mark bei Freddy den starken Mann gespielt hatte, tat er bei den Mädchen nicht groß oder gelangweilt. Zu Marina, Sissy, Jessica und Moonlight (der Tochter eines Brooklyner Glasbläsers) war er gleich bleibend sanft und ernst. Wenn er sich zu ihnen hinunterbeugte, um mit ihnen zu sprechen, wurde sein schönes Gesicht gefühlvoll weich.

Eines Abends, als Mark mit Freunden unterwegs war, ging ich mit Laszlo und Pinky ins Omen in der Thompson Street essen. Pinky war die Erste, die die Geschichte mit den toten Katzen erwähnte. Obwohl ich Pinky Navatsky schon mehrmals getroffen hatte, hatte ich bis zu jenem Abend noch nie längere Zeit mit ihr verbracht. Sie war ein hoch gewachsenes Mädchen Anfang zwanzig mit rotem Haar, grauen Augen, einer ausdrucksvollen, leicht gebogenen Nase, die ihrem Aussehen Gewicht verlieh, und einem sehr langen Hals. Wie viele Tänzerinnen drehte sie die Fußspitzen immer nach außen, was ihr einen leicht watschelnden Gang verlieh, aber den Kopf trug sie wie eine Königin bei der Krönung, und ich beobachtete gern, wie sie beim Sprechen Arme und Hände bewegte. Wenn sie gestikulierte, setzte sie oft ihren ganzen Arm ein, von der Schulter bis zu den Händen. Dann wieder winkelte sie in einer einzigen sicheren Bewegung den Ellbogen ab und öffnete die Hand in meine Richtung. Dennoch waren ihre Bewegungen nicht affektiert. Sie hatte nur einfach eine Beziehung zu ihrer eigenen Muskulatur, die für die meisten von uns unvorstellbar wäre. Als sie auf die Katzen zu sprechen kam, beugte sie sich zu mir, drehte die Handflächen nach oben und sagte: «Gestern Nacht habe ich von den ermordeten Katzen geträumt. Ich glaube, das kam von diesem Foto in der *Post*.»

Als ich sagte, dass ich nichts von ermordeten Katzen wisse, erklärte mir Pinky, in der ganzen Stadt seien erschlagene und aufgespießte Tiere mit abgeschnittenen Gliedmaßen gefunden worden: an Mauern genagelt, in Türöffnungen aufgehängt oder einfach mitten auf einer Gasse, einem Fußweg oder einem U-Bahnhof.

Die Tiere seien alle teilweise bekleidet, erzählte Laszlo, sie trügen Windeln, Babykleidung, Pyjamas oder Sport-BHs und seien alle mit den Buchstaben S. M. signiert. Diese Buchstaben hätten vielleicht die Gerüchte verursacht, Teddy Giles könnte dafür verantwortlich sein. Giles nannte seine Tuntenidentität das «She-Monster», und die Initialen dieser Wörter verwiesen dezent, aber nicht sehr subtil auch auf Sadomasochismus. Obwohl Giles jede Beteiligung an den Taten leugnete, habe er, sagte Laszlo, die Zweideutigkeit und den Schock am Kochen gehalten, indem er die Tierleichen «Guerillakunst in furioser Reinkultur» nannte. Er sagte auch, er beneide den Künstler und hoffe, dem namenlosen «Täter-Schöpfer» eine Inspiration gewesen zu sein. Schließlich gab er allen künftigen Nachahmern seinen Segen. Diese Kommentare brachten die Tierschutzvereine in Rage, und als Larry Finder eines Morgens ins Geschäft kam, fand er die Worte «Mordgehilfe» mit roter Farbe an die Galerietür gepinselt. Ich hatte den Sturm der Entrüstung in den Zeitungen und den Bericht im lokalen Fernsehen verpasst.

Laszlo kaute nachdenklich und schnaufte durch die Nase. «Du bist völlig out, wusstest du das, Leo?»

Ich gab es zu.

«Laszlo», sagte Pinky. «Nicht jeder ist wie du ständig dabei, alles zu checken. Leo hat über Wichtigeres nachzudenken.»

«War nicht bös gemeint», sagte Laszlo.

Nachdem ich den beiden klar gemacht hatte, dass ich nicht im Geringsten beleidigt war, nahm Laszlo den Faden wieder auf: «Giles würde alles sagen, nur um in die Medien zu kommen.»

«Stimmt», sagte Pinky. «Vielleicht hat er mit diesen Katzen überhaupt nichts zu tun.»

«Wissen Bill und Violet von der Geschichte?»

Laszlo nickte. «Aber sie glauben, dass Mark sich nicht mehr mit Giles trifft.»

«Und ihr wisst, dass er es doch tut.»

«Wir haben sie zusammen gesehen», sagte Pinky.

«Vorigen Dienstag im Limelight.» Nach einem kräftigen Atemzug durch die Nase sagte Laszlo: «Ich tue es furchtbar ungern, aber ich muss es Bill sagen. Der Junge steckt bis zum Hals da drin.»

«Auch wenn Giles keine Katzen umbringt», sagte Pinky und beugte sich über den Tisch, «ist er mir nicht geheuer. Ich hatte ihn vorher noch nie gesehen, und es war auch nicht sein Make-up oder die Kleidung, von denen ich Gänsehaut bekam, es war etwas in seinen Augen.»

Bevor wir uns trennten, reichte mir Laszlo einen Umschlag. Ich hatte mich an diese Abschiedsgeschenke gewöhnt. Er gab sie auch Bill. Meist war es ein abgetipptes Zitat, das mich zum Nachdenken anregen sollte. Von Thomas Bernhards Bosheit hatte ich schon eine Kostprobe bekommen: «Velázquez, Rembrandt, Giorgione, Bach, Händel, Mozart, Goethe … ebenso Pascal, Voltaire, lauter solche aufgeblasenen Ungeheuerlichkeiten.» Oder ein Zitat von Philip Guston, das mir besonders gefiel: «Zu wissen und dennoch nicht zu wissen ist das allergrößte Rätsel.» An diesem Abend öffnete ich den Umschlag und las: «Der Kitsch befindet sich auf der Flucht, er befindet sich ständig auf der Flucht ins Rationale.» Hermann Broch.

Ich fragte mich, ob die toten Katzen eine Form von Kitsch sein sollten, ein Gedanke, der mich über Tieropfer nachgrübeln ließ, über die Nahrungskette, über gewöhnliche Schlachthöfe und schließlich über Haustiere. Mir fiel ein, dass Mark als kleiner Junge weiße Mäuse, Meerschweinchen und einen Wellensittich namens Peeper gehalten hatte. Eines Tages war die Käfigtür auf Peepers Hals gefallen und hatte ihn getötet. Nach dem Unfall waren Mark und Matt mit einer Schuhschachtel, in dem die steife kleine Leiche lag, durch unseren Loft marschiert und hatten das einzige ihnen bekannte Lied gesungen, das als Grabgesang geeignet schien: «Swing Low Sweet Chariot».

Als Mark am nächsten Tag von der Arbeit kam, brachte ich es nicht über mich, Giles oder die Katzen zu erwähnen, und beim Abendessen hatte er mir so viel über seinen Tag zu erzählen, dass ich keinen guten Ansatzpunkt für das Thema fand. Am Morgen hatte er geholfen, seine vergrößerte Lieblingszeichnung von einem sechsjährigen Mädchen aus der Bronx aufzuziehen – ein Selbstporträt mit ihrer Schildkröte, die einem Dinosaurier zum Verwechseln ähnlich sah. Am Nachmittag war sein Freund Jesus von der Leiter gefallen, aber von einem großen Haufen Segeltuchfahnen gerettet worden, die unter ihm auf dem Boden gestapelt lagen. Bevor Mark sich für den Abend verabschiedete, verzog er sich ins Bad, und ich hörte ihn pfeifen. Er legte eine Telefonnummer mit einem Namen auf den Tisch: Allison Fredericks: 677-8451. «Du kannst mich bei Allison erreichen.»

Nachdem er weg war, regte sich in mir ein unbestimmter Verdacht. Ich hörte mir Janet Baker an, die Berlioz sang, aber die Musik konnte das Unbehagen, das mir auf der Brust lag, nicht vertreiben. Ich studierte den Namen und die Telefonnummer, die Mark auf dem Tisch gelassen hatte. Nach zwanzigminütigem Zaudern hob ich den Hörer ab und wählte. Ein Mann antwortete. «Ich möchte gern Mark Wechsler sprechen», sagte ich.

«Wen?»

«Er ist ein Freund von Allison.»

«Hier gibt's keine Allison.»

Ich blickte auf die Nummer. Vielleicht hatte ich mich verwählt. Sehr sorgfältig drückte ich erneut die einzelnen Tasten. Derselbe Mann meldete sich, und ich legte auf.

Als ich Mark am Morgen darauf mit der falschen Nummer konfrontierte, schien er vor einem Rätsel zu stehen. Er wühlte in seiner Tasche, holte eine Nummer heraus und legte sie neben den Zettel, den er am Vorabend beschrieben hatte. «Ich sehe schon, was passiert ist.» Seine Stimme war lebhaft und klar. «Ich hab diese beiden Ziffern vertauscht. Sieh mal: Es heißt 4 8, nicht 8 4. Tut mir Leid. Wahrscheinlich hatte ich es zu eilig.»

Sein unschuldiges Gesicht ließ mich dumm dastehen. Dann gab ich zu, dass ich beunruhigt gewesen sei, weil Laszlo ihn mit Giles gesehen hatte, und wegen der Katzengerüchte.

«Ach, Onkel Leo, du hättest gleich mit mir drüber reden sollen. Ich hab Teddy getroffen, als ich mit ein paar anderen Freunden unterwegs war, aber wir sind nicht mehr so gute Freunde. Trotzdem muss ich dir was sagen. Teddy macht es Spaß, Leute zu schockieren. Das ist sein Ding, aber er würde keiner Fliege was zuleide tun. Ehrlich. Ich hab gesehen, wie er Fliegen so aus der Wohnung trug.» Er legte die hohlen Hände aufeinander. «Die armen Katzen. Da wird mir ja ganz schlecht. Du weißt doch, dass ich bei Mom zwei Katzen habe, Mirabelle und Esmeralda. Sie sind so ungefähr meine besten Freunde.»

«Das Gerücht ist wahrscheinlich entstanden, weil Giles' Arbeiten so gewaltsam sind», sagte ich.

«Aber das ist doch alles nur fake! Ich dachte, Violet wäre die Einzige, die den Unterschied nicht mitkriegt.» Mark rollte die Augen.

«Violet kriegt den Unterschied nicht mit?»

«Na ja, sie tut so, als wär das alles echt oder so. Sie erlaubt ja nicht mal, dass ich mir Horrorfilme ansehe. Was glaubt sie denn? Dass ich hingehe und jemand zerstückele, nur weil ich es mal im Fernsehen gesehen habe?»

In der zweiten Woche unserer gemeinsamen Zeit sah Mark sehr blass aus, aber er musste ja auch ziemlich erschöpft sein. Seine Freunde riefen den ganzen Tag und die halbe Nacht an und fragten nach Mark, Marky und The Mark. Um überhaupt noch zum Arbeiten zu kommen, ging ich nicht mehr ans Telefon und hörte mir später am Tag die Nachrichten an. Am Dienstag, gegen zwei Uhr morgens, wurde ich vom Telefon aus dem Tiefschlaf geweckt und hörte eine tiefe Männerstimme fragen: «M&M?» – «Nein», sagte ich, «meinen Sie Mark?» Ich hörte ein Klicken, und die Leitung war tot. Die ständigen Anrufe, Marks unregelmäßiges Kommen und Gehen, seine über die ganze Wohnung verstreuten Sachen brachten mich allmählich durcheinander. Ich war es nicht mehr gewohnt, mit jemandem zusammenzuleben, und ich merkte, dass ich manche Dinge verlegte und andere verlor. Einige Tage lang war mein Füllfederhalter verschwunden, dann fand ich ihn hinter einem Sofakissen. Ein Küchenmesser verschwand. Ich konnte meinen silbernen Brieföffner nicht finden, ein Geschenk meiner Mutter. Wenn ich am Schreibtisch saß, wurde ich oft durch unbestimmte Sorgen über Mark abgelenkt.

Eines Nachmittags stand ich von meinem Schreibtisch auf und ging in Matts Zimmer. Schallplatten und CDs lagen stapelweise auf dem Boden. Die Regale waren voller Fliers. Werbung mit Namen wie Starlight Techno und Machine Paradise darauf pflasterte die Wände. Überall lagen Turnschuhe herum. Er musste zwanzig Paar besitzen. Hosen, Pullis, Socken und T-Shirts lagen verstreut auf dem Bett, über dem Stuhl und in Haufen auf dem Fußboden. Bei manchen Kleidungsstücken hingen noch die Preisschildchen am Kragen oder am Gurt. Ich nahm eine Videokassette, die auf dem Schreibtisch lag: *Killers Unleashed*. Ich hatte den Film nicht gesehen, aber darüber gelesen. Er basierte auf der wahren Geschichte eines Jungen und eines Mädchens, die zuerst ihre Eltern ermorden und dann durchs Land ziehen und Diebstähle und Morde begehen. Der Film war von einem angesehenen Regisseur gedreht worden und hatte einige Kontroversen verursacht. Ich legte das Video zurück und bemerkte gleich daneben eine ungeöffnete Lego-Schachtel. Auf dem Deckel war ein fröhlicher kleiner Polizist abgebildet, einen steifen Arm zum Salut erhoben. Auf dem Schreibtisch lagen Kaugummipapier, eine grüne Kaninchenpfote, irgendwelche Schlüssel, ein Trinkhalm, alte Star-Wars-Figuren, Aufkleber mit einem Comic-Hund darauf und seltsamerweise mehrere zerbrochene Puppenhausmöbel. Ich fand auch einen fotokopierten Flier, den ich aufhob und las. Er war ganz in Großbuchstaben gesetzt:

WARUM BIST DU BEI DIESEM EVENT? IN DER RAVE-SZENE GEHT ES NICHT NUR UM TECHNO. ES GEHT NICHT NUR UM DROGEN. ES GEHT NICHT NUR UM MODE. ES GEHT UM DAS BESONDERE VON EINHEIT UND GLÜCK. ES GEHT DARUM, DU SELBST ZU SEIN UND DAFÜR GELIEBT ZU WERDEN. HIER SOLLTE EIN HAFEN SEIN, DER DICH VOR UNSERER GESELLSCHAFT SCHÜTZT. DOCH UNSERE SZENE WIRD GERADE ZERSETZT. WIR BRAUCHEN IN UNSERER SZENE KEINE FRONTEN UND POSITIONEN. DIE AUSSENWELT IST HART GENUG. ÖFFNET EURE HERZEN UND LASST DIE GUTEN GEFÜHLE FLIESSEN. SEHT EUCH UM, SUCHT EUCH EINEN MENSCHEN, FRAGT IHN NACH SEINEM NAMEN UND FINDET EINEN FREUND. REISST GRENZEN NIEDER. ÖFFNET EURE HERZEN UND KÖPFE. RAVER VEREINIGT EUCH UND ERHALTET UNSERE SZENE AM LEBEN!

Rund um das Papier hatte der namenlose Autor handschriftlich kleine Slogans gesetzt: «Du musst echt sein!» – «Sei du selbst!» – «Sei glücklich!» – «Gruppenumarmung!» und «Du bist schön!».

Es war etwas Bemitleidenswertes an dem ungeschlachten Idealismus des Flugblatts, doch die darin ausgedrückten Gefühle waren gänzlich rein. Der Text ließ mich an die längst erwachsen gewordenen Blumenkinder denken. Selbst in den sechziger Jahren war ich schon zu alt gewesen, um noch zu glauben, das «Niederreißen von Grenzen» könnte die Welt verändern. Nachdem ich den Flier vorsichtig an seinen Platz zurückgelegt hatte, hob ich den Kopf vom Schreibtisch und sah mir Matts Aquarell an. Man sollte es mal abstauben, dachte ich. Dann schaute ich durch das Fenster von Daves Wohnung, studierte ein paar Minuten lang die Gestalt des alten Mannes und überlegte mir, wie Matthew mit fünfzehn gewesen wäre. Wäre er auch zu Raves gegangen und hätte sich das Haar grün, rosa oder blau gefärbt? Noch Stunden nachdem ich das Zimmer verlassen hatte, dachte ich daran, dass ich das Aquarell hatte abstauben wollen, doch dann war ich zu willenlos, noch einmal dieses chaotische Zimmer zu betreten, mit all dem Müll, den grellen Zeichen und dem Mitleid erregenden kleinen Manifest.

Die letzten Tage meines Zusammenlebens mit Mark waren durch ein Gefühl der Beklommenheit getrübt, das mich überkam, sobald er die Wohnung verließ, sich aber im Nu zerstreute, sobald ich ihn wieder sah. Allmählich bekam ich den Eindruck, dass Marks körperliche Anwesenheit etwas fast Magisches hatte. Wenn ich ihn ansah, glaubte ich ihm stets. Die offene Ehrlichkeit seines Gesichts bannte schlagartig alle meine Zweifel, doch sobald er außer Sichtweite war, stieg die dumpfe Angst wieder in mir auf. Am Freitagabend kam er aus dem Bad, und ich bemerkte grünen Glitzer auf seinem weißen Gesicht und seinem Hals.

«Ich mache mir Sorgen um dich, Mark. Du überanstrengst dich. Eine ruhiger Abend zu Hause würde dir mal gut tun.»

«Ich bin okay. Ich häng doch nur mit meinen Freunden rum.» Mark tätschelte meinen Arm. «Wirklich. Wir hören nur Musik und sehen uns Filme an und so. Die Sache ist, dass ich *jetzt* jung bin. Ich bin jung, und ich will Spaß haben und was erleben, solange ich es bin.» Er sah mich mitfühlend an, als wäre ich ein lebendes Beispiel für das Motto «zu wenig, zu spät».

«Als ich in deinem Alter war», sagte ich, «gab mir meine Mutter einen Rat, den ich nie vergessen habe: ‹Tu nichts, was du nicht wirklich tun willst.›»

Mark riss die Augen auf.

«Sie meinte, wenn dich dein Gewissen von etwas abhält, wenn es die Reinheit deines Begehrens trübt, wenn du ein ungutes Gefühl dabei hast, dann tu's nicht.»

Mark nickte feierlich und nickte dann noch ein paar Mal. «Das ist cool. Das werd ich mir merken.»

Samstagnacht ging ich mit dem Wissen zu Bett, dass Mark am nächsten Tag wieder ausziehen würde. Bills und Violets unmittelbar bevorstehende Rückkehr hatte auf mich die Wirkung einer Schlaftablette, und nicht lange nachdem Mark gegen elf das Haus verlassen hatte, schlief ich ein. Irgendwann während der Nacht hatte ich einen langen Traum, der als erotisches Abenteuer mit Violet begann, die gar nicht wie sie selbst aussah, und dann in einen Traum überging, in dem ich durch lange Flure in einem Krankenhaus lief, wo ich Erica in einem der Betten fand und entdeckte, dass sie ein kleines Mädchen geboren hatte. Die Vaterschaft des Kindes stand allerdings nicht eindeutig fest, und als ich neben Ericas Bett kniete und ihr versicherte, dass es mich nicht interessiere, wer der Vater sei, dass ich der Vater sein wolle, verschwand das Baby aus der Kinderstation. Erica reagierte seltsam gleichmütig auf den Verlust des Kindes, doch ich war verzweifelt, und plötzlich war ich derjenige, der im Krankenhausbett lag, und Erica saß neben mir und kniff mich in den Arm, eine Geste, die mich wohl trösten sollte, es aber nicht tat. Ich wachte mit dem eigenartigen Gefühl auf, dass mich wirklich jemand kniff. Ich öffnete die Augen und schnellte vor Überraschung hoch. Mark stand über mich gebeugt, sein Kopf war nur wenige Zentimeter von meinem Gesicht entfernt. Er wich ruckartig zurück und ging auf die Tür zu.

«Großer Gott», sagte ich, «was machst du hier?»

«Nichts», flüsterte er. «Schlaf weiter.» Er hatte die Türöffnung meines Schlafzimmers erreicht, und die Deckenlampe im Flur beleuchtete sein Profil. Seine Lippen sahen sehr rot aus, als er sich von mir abwandte.

Mein Arm brannte noch immer. «Wolltest du mich wecken?»

Mark sprach, ohne sich umzudrehen. «Ich habe dich schreien hören und wollte nachsehen, ob du in Ordnung bist.» Seine Worte klangen wohl überlegt, mechanisch. «Schlaf weiter.» Er schloss leise die Tür hinter sich.

Ich machte die Lampe neben meinem Bett an und untersuchte meinen Unterarm. Ein rötlicher Fleck befand sich darauf. Die Farbe, die wie Spuren von Pastellkreide aussah, hatte einige der Härchen niedergedrückt. Ich hielt meinen Arm näher an die Augen und sah ein kreisrundes Muster von winzigen, unregelmäßigen Einkerbungen wie Pockennarben, die in meine Haut gedrückt waren. Das Wort, das mir in den Sinn kam, beschleunigte meinen Atem: Zähne. Ich sah auf die Uhr. Es war fünf Uhr morgens. Ich berührte noch einmal das Rot und sah, dass es keine Kreide war, sondern wachsartiger und weicher – Lippenstift. Ich stand auf, ging zur Tür und schloss sie ab. Nachdem ich ins Bett zurückgekehrt war, hörte ich Mark im Zimmer am anderen Ende des Flurs rumoren. Ich starrte meinen Arm an und untersuchte den Abdruck. Ich ging so weit, mir selbst sanft in den Arm zu beißen und die Spuren in meiner Haut zu vergleichen. Ja, sagte ich mir, er hat mich gebissen. Der in meinen Arm gekerbte gerötete Kreis verblasste sehr langsam, obwohl der Druck die Haut nicht aufgeschürft hatte und kein Blut ausgetreten war. Was hatte das nur zu bedeuten? Mir wurde bewusst, dass ich nicht auf die Idee gekommen war, hinter Mark herzulaufen und eine Erklärung zu verlangen. Zwei Wochen lang hatte ich wegen Mark zwischen Vertrauen und Furcht hin- und hergeschwankt, doch in meiner Sorge war ich nie so weit gegangen, Wahnsinn in Betracht zu ziehen. Diese plötzliche, unerklärliche, absolut irrationale Handlung warf mich komplett aus der Bahn. Was würde er mir nur zu sagen haben, wenn ich ihn später darauf ansprach?

Ich wachte und schlief und schlief und wachte, stundenlang. Als ich endlich gegen zehn aus dem Bett kroch und zur Kaffeemaschine schlurfte, saß Mark am Tisch mit einer Schale Müsli vor sich.

«Mensch, du hast aber lang geschlafen», sagte er. «Ich war schon früh auf.»

Ich holte die Kaffeetüte aus dem Kühlschrank und löffelte ihren dunklen Inhalt in den Filter. Eine Antwort schien unmöglich. Während ich auf den Kaffee wartete, starrte ich Mark an, der sich bunte Körner mit Marshmallows in den Mund schaufelte. Er mampfte zufrieden den abstoßenden Fraß und lächelte mich an. Plötzlich hatte ich das Gefühl, ich sei derjenige, der über Nacht verrückt geworden war. Ich sah meinen Arm an. Von dem Biss keine Spur. Es ist wirklich passiert, sagte ich mir, aber vielleicht erinnerte Mark sich nicht daran. Vielleicht hatte er unter Drogen gestanden oder sogar geschlafen. Erica hatte sich mit mir unterhalten, wenn sie schlafwandelte. Ich trug meine Tasse Kaffee zum Tisch hinüber.

«Onkel Leo, du zitterst ja», sagte Mark. Seine klaren blauen Augen sahen besorgt aus. «Ist alles in Ordnung?»

Ich nahm meine zitternde Hand vom Tisch. Die Frage, die mir im Hals steckte – Erinnerst du dich, dass du heute Nacht in mein Zimmer gekommen bist und mich in den Arm gebissen hast? –, wollte mir einfach nicht über die Lippen kommen.

Er legte seinen Löffel hin. «Stell dir vor», sagte er. «Ich habe heute Nacht ein Mädchen kennen gelernt. Sie heißt Lisa. Sie ist echt hübsch, und ich glaube, sie mag mich. Ich möchte sie dir vorstellen.»

Ich hob meine Kaffeetasse. «Das ist nett», sagte ich. «Ich würde sie gern kennen lernen.»

In der zweiten Septemberwoche begegnete Bill in der White Street zufällig Harry Freund. Bill erkundigte sich nach der Enthüllung des Kinderprojekts, die in einer Woche stattfinden sollte, und fragte dann, wie Mark sich als Arbeiter gemacht habe. «Nun», sagte Freund, «in der einen Woche, die er für mich gearbeitet hat, war er großartig, aber dann ist er verschwunden. Seitdem habe ich ihn nicht mehr gesehen.»

Bill zitierte mir mehrmals Freunds Worte, so als wollte er sich vergewissern, dass der Mann sie tatsächlich ausgesprochen hatte. Dann sagte er: «Mark muss verrückt sein.»

Ich konnte es nicht fassen. Zwei Wochen lang war Mark jeden Tag nach Hause gekommen und hatte seinen Arbeitstag bis ins kleinste Detail beschrieben. «Es ist so toll, dass es bei dem Projekt um Kinder geht, vor allem um arme Kinder, die keinen haben, der für sie eintritt.» Das hatte er mir erzählt. «Und was hat Mark dazu gesagt?», fragte ich Bill.

«Er sagte, dass der Job langweilig war, dass er ihn nicht mochte, also ist er nicht mehr hingegangen und hat sich einen anderen gesucht. Er hat bei irgendeiner Zeitschrift namens *Split World* als Laufbursche gearbeitet und dort sieben Dollar die Stunde verdient statt des Mindestlohns.»

«Aber warum hat er dir das nicht einfach gesagt?»

«Er murmelte irgendwas von wegen, er hätte gedacht, es würde mir nicht gefallen, wenn er aufhört.»

«Aber all diese Lügen», sagte ich. «Weiß er denn nicht, dass es viel schlimmer ist zu lügen, als den Job zu wechseln?»

«Das habe ich ihm ja auch immer wieder gesagt.»

«Er braucht Hilfe.»

Bill tastete nach seinen Zigaretten. Er zog eine heraus, zündete sie an und blies den Rauch von mir weg. «Ich hatte ein langes Gespräch mit Lucille. Meistens habe ich geredet. Sie hörte mir zu, und nachdem ich mich eine Weile abreagiert hatte, kam sie mir mit irgendeiner Information, die sie aus einem Artikel in einem Elternmagazin hatte. Der Autor behauptete, viele Teenager lögen, das sei Teil des Reifungsprozesses. Ich sagte ihr, dass es sich hier nicht bloß um Lügen handele. Marks Auftritte seien oscarverdächtig. Völlig verrückt! Sie antwortete nicht, und ich stand da mit dem Hörer in der Hand, wutschnaubend, und dann habe ich einfach aufgelegt. Das hätte ich nicht tun sollen, aber es ist, als würde sie das Ausmaß dieser Sache überhaupt nicht verstehen.»

«Er braucht Hilfe», wiederholte ich. «Psychiatrische Hilfe.»

Bill kniff die Lippen zusammen und nickte bedächtig. «Wir suchen einen Arzt, einen Therapeuten, irgendeinen. Es wird nicht der erste sein, Leo. Er war schon vorher in Therapie.»

«Das wusste ich nicht.»

«In Texas war er bei einem Mann, einem Dr. Mussel, und dann ein Jahr lang bei einem in New York. Die Scheidung, weißt du. Wir dachten, es würde ihm helfen ...» Bill vergrub das Gesicht in den Händen, und ich sah seine Schultern einen Augenblick zittern. Er saß in meinem Sessel am Fenster. Ich saß neben ihm und hielt in einer tröstlichen Geste seinen Unterarm umfasst. Während ich dem Rauch nachblickte, der von der locker zwischen seinen zwei Fingern hängenden Zigarette aufstieg, dachte ich an Marks ernstes Gesicht, als er mir erzählt hatte, wie Jesus von der Leiter gefallen war.

Lügen haben immer zwei Seiten: Was man sagt, existiert zusammen mit dem, was man nicht gesagt hat, aber hätte sagen können. Wenn man zu lügen aufhört, schließt sich die Kluft zwischen den eigenen Worten und dem, was man innerlich glaubt, und man versucht, seine gesprochenen Worte in Zukunft mit der Sprache der eigenen Gedanken in Einklang zu bringen, zumindest jener, die geeignet sind, von anderen gehört zu werden. Marks Lüge ging über gewöhnliches Lügen hinaus, weil sie die sorgfältige Aufrechterhaltung einer ausgewachsenen Fiktion erforderte. Sie stand morgens auf, ging zur Arbeit, kam nach Hause und berichtete von ihrem Tag, und das über neun lange Wochen. Im Rückblick auf meine vierzehn Tage mit Mark erkannte ich, dass die Lüge bei weitem nicht perfekt gewesen war. Hätte Mark den ganzen Sommer über im Freien gearbeitet, wäre er nicht weiß wie ein Leintuch, sondern sonnengebräunt gewesen. Außerdem hatte sich seine Arbeitszeit etwas zu häufig geändert und etwas zu günstig für ihn. Doch spektakuläre Lügen müssen nicht perfekt sein. Sie stützen sich weniger auf das Geschick des Lügners als auf die Erwartungen und Wünsche des Zuhörers. Nachdem Marks Unehrlichkeit auf der Hand lag, wurde mir klar, wie sehr ich gewünscht hatte, das, was er mir erzählte, möge wahr sein.

Nun da seine Lügen aufgeflogen waren, sah Mark wie eine leicht gestauchte Version seines früheren Ichs aus. Seine Haltung verströmte Weltschmerz – Kopf gesenkt, hängende Schultern, große, wehmütige Augen –, aber direkt auf seinen ausgeklügelten Betrug angesprochen, konnte er nur mit dumpfer Stimme antworten, er habe geglaubt, sein Vater wäre enttäuscht, wenn er den Job hinschmeißen würde. Er teilte die Meinung, dass die Lügerei «blöd» gewesen sei, und sagte, sie sei ihm «peinlich». Als ich ihm sagte, durch die Geschichten, die er mir aufgetischt hatte, seien all unsere anderen Gespräche entwertet, bestand er mit Nachdruck darauf, dass er nur bei dem Job gelogen hatte, sonst nicht. «Du bist mir echt wichtig, Onkel Leo. Wirklich. Ich war nur dumm.»

Bill und Violet gaben ihm drei Monate Hausarrest. Als ich Mark fragte, ob Lucille ihn auch bestrafte, warf er mir einen überraschten Blick zu und sagte: «Der hab ich doch gar nichts getan.» Er fügte hinzu, Princeton sei ohnehin «langweilig». Niemals passiere dort etwas «Gutes», ob er Hausarrest habe oder nicht, mache bei der Suche nach Amüsement kaum einen Unterschied. Er saß auf meinem Sofa, als er das sagte, die Ellbogen auf die Knie und das Kinn in die Hände gestützt. Er wackelte gedankenlos mit den Knien und starrte geradeaus. Plötzlich fand ich ihn abstoßend, seicht, fremd. Doch dann wandte er mir das Gesicht zu, die Augen groß vor Schmerz, und er tat mir Leid.

Ich sah Mark erst gegen Ende Oktober wieder, als er einen Abend freibekam, um die Vernissage seines Vaters von *Hundertundeine Tür* in der Weeks Gallery zu besuchen. Die kleinste Tür war keine fünfzehn Zentimeter hoch, sodass sich der Betrachter auf den Boden legen musste, um etwas zu sehen. Die größte Tür war drei Meter sechzig hoch und berührte fast die Decke der Galerie. Die überfüllte Eröffnung war laut, nicht nur wegen der Gespräche, sondern auch wegen der Geräusche sich öffnender und schließender Türen. Die Leute standen Schlange, um durch die großen zu gehen und durch die kleineren zu lugen.

Jeder Raum war anders. Manche waren gegenständlich, andere abstrakt, und manche enthielten dreidimensionale Figuren und Objekte, wie jener Raum, den ich zuerst gesehen hatte, mit dem Jungen, der unter dem Gipshäufchen in dem Spiegel schwebte. Hinter einer Tür stellte der Betrachter fest, dass drei Seitenwände und der Fußboden Wiedergaben desselben viktorianischen Zimmers waren, jede in einem radikal anderen Stil gemalt. Hinter einer anderen waren die Wände und der Fußboden so bemalt, als wären es weitere Türen, jede mit einem Schild «EINTRITT VERBOTEN» darauf. Ein kleiner Raum war ganz in Rot ausgemalt. Die winzige Skulptur einer Frau saß auf dem Boden, mit vor Lachen nach oben gerecktem Kinn. Um ihre Erheiterung zu bändigen, hielt sie sich den Bauch, und wenn man genau hinsah, konnte man glitzernde Polyurethan-Tränen auf ihren Wangen erkennen. Ein lebensgroßes Baby in Windeln weinte auf dem Boden hinter einer der hohen Türen. Eine weitere Tür, nur fünfundvierzig Zentimeter hoch, öffnete sich auf einen grünen Mann, dessen Kopf an die Decke des Raumes stieß. In seinen ausgestreckten Händen hielt er ein verpacktes Geschenk mit einer großen Karte daran, auf der «FÜR DICH» stand. Manche der Figuren hinter den Türen waren flach wie Farbfotografien. Andere waren aus Leinwand ausgeschnitten, wieder andere Comic-Figuren. In einer schlief ein zweidimensionaler, schwarzweißer Comic-Mann mit einer drei-dimensionalen Frau, die einem Gemälde von Boucher entstiegen schien. Ihre volantreichen Röcke waren hochgeschoben und ihre übernatürlich blassen, makellosen Schenkel gespreizt, um den absurd großen Papierpenis des Mannes einzulassen. Ein Interieur ähnelte einem Aquarium samt Acrylfischen, die hinter dickem Plastik schwammen. Auf anderen Wänden tauchten Zahlen und Buchstaben auf, manchmal in menschlichen Haltungen. Eine Fünf saß auf einem kleinen Stuhl an einem Tisch mit einer Teetasse darauf. Ein riesiges B lag nicht zugedeckt auf einem Bett. Hinter anderen Türen entdeckte der Betrachter nur Teile einer Person – den Latexkopf eines alten Mannes mit schütterem Haar, der zu ihm hinaufgrinste, wenn er die Tür öffnete, oder eine kleine Frau ohne Arme und Beine mit einem Malerpinsel zwischen den Zähnen. Hinter einer Tür befanden sich vier Fernsehschirme, alle schwarz. Abgesehen von der Größe, waren von außen alle Türen identisch. Sie waren aus gebeizter Eiche und hatten einen Türknauf aus Messing, und die Außenwände aller Räume waren weiß.

Wenn ich Bill an jenem Abend ansah, war ich erleichtert, dass er das Werk bereits vor Freunds Enthüllung fast vollendet gehabt hatte. Die Aufmerksamkeit, die ihm bei der Vernissage geschenkt wurde, schien ihn zu schmerzen, so als wäre jeder herzliche Glückwunsch ein weiterer Dolchstich für ihn. Er war immer schüchtern gewesen, wenn er sich der Öffentlichkeit und Menschenmengen stellen musste, aber bei anderer Gelegenheit hatte ich gesehen, wie er gezielte Fragen mit einem Witz abwehrte oder wie er sich Small Talk entzog, indem er jemanden, den er mochte, in ein langes Gespräch verwickelte. An jenem Abend sah er aus, als wäre er wieder kurz davor, ins Fanelli's zu verschwinden. Aber er blieb. Violet, Laszlo und ich sahen regelmäßig nach ihm. Einmal hörte ich, wie Violet ihm zuflüsterte, er solle sich beim Wein etwas bremsen. «Liebling», sagte sie. «Du wirst schon vor dem Essen völlig blau sein.»

Mark hingegen sah gut aus. Der Arrest hatte sein Verlangen nach irgendeiner Form von gesellschaftlichem Leben wahrscheinlich heftig verstärkt, und ich sah ihn mit einem nach dem anderen plaudern. Während er mit jemandem sprach, war er ganz Ohr. Er beugte sich vor oder neigte den Kopf, so als wollte er besser hören, und manchmal kniff er beim Zuhören die Augen zusammen. Er lächelte, und seine Augen entfernten sich nie vom Gesicht seines Gegenübers. Die Technik war einfach, die Wirkung enorm. Eine Frau in einem teuren schwarzen Kostüm tätschelte seinen Arm. Ein älterer Mann, in dem ich einen von Bills französischen Sammlern erkannte, lachte über etwas, was Mark gesagt hatte, und ein paar Sekunden später umarmte er ihn.

Gegen sieben sah ich Teddy Giles mit Henry Hasseborg die Galerie betreten. Giles sah vollkommen anders aus als bei unserem letzten Zusammentreffen. Er trug Jeans und eine Lederjacke und kein Make-up im Gesicht. Ich beobachtete, wie er eine Frau anlächelte, sich dann Hasseborg zuwandte und ernst und aufmerksam mit ihm zu reden begann. Ich machte mir schon Sorgen, dass Bill ihn sehen würde, und gerade als mir die lächerliche Idee kam, mich vor ihnen aufzubauen, um Bill die Sicht zu verstellen, hörte ich ein Kind schreien: «Nein! Nein! Ich will hier drin beim Mond bleiben! Nein, Mommy, nein!» Ich drehte mich nach der Stimme um und sah vor einer der Türen eine Frau auf allen vieren mit einer kleinen Person dahinter sprechen. Das Kind hatte sich beglückt in einem Raum niedergelassen, der gerade groß genug für es war. «Die Leute warten, Schätzchen. Sie wollen den Mond auch sehen.»

Hinter der Tür waren viele Monde – eine Landkarte des Mondes, ein Foto des Mondes, Neil Armstrong, wie er den Fuß auf den Mond setzt, van Goghs Mond aus seinem *Sternenhimmel*, Halbmonde und Mondscheiben in Weiß, Rot, Orange, Gelb, insgesamt fünfzig Darstellungen des Mondes, einschließlich eines aus Käse und eines anderen als Sichel mit Nase, Mund und Augen. Während ich zusah, wie die Mutter hineinfasste und das Kind herauszog, das sich als ein tretendes, heulendes kleines Mädchen entpuppte, hielt ich Ausschau nach Giles und Hasseborg und fand sie nicht mehr. Ich machte einen raschen Rundgang durch die Galerie. Als ich an dem Kind vorbeikam, das nun in den Armen der Mutter unter Tränen das Wort «Mond» murmelte, schätzte ich sein Alter auf nicht über zweieinhalb. «Wir kommen wieder», sagte die Mutter und streichelte den dunklen Kopf ihrer Tochter. «Wir kommen wieder, und dann besuchen wir den Mond.»

Ich ging auf Bernies Büro zu und sah Giles und Mark an der Tür gelehnt stehen. Mark war viel größer als Giles und musste sich bücken, um ihm zuzuhören. Eine große, in eine Stola gehüllte Frau stand vor mir und verdeckte mir teilweise die Sicht, aber ich beugte mich zur Seite und sah gerade noch, wie ein kleiner Gegenstand vom einen zum anderen zu wandern schien. Mark steckte die Hand in die Hosentasche und grinste glücklich. Drogen, dachte ich. Ich ging auf sie zu, und Mark hob das Kinn, um mich anzusehen. Er lächelte, zog die Hand aus der Tasche und sagte strahlend: «Sieh mal, was Teddy mir geschenkt hat. Es hat seiner Mutter gehört.»

Er machte die Hand auf und zeigte mir ein kleines rundes Medaillon. Er öffnete es, und darin waren zwei winzige Fotos.

«Das bin ich im Alter von sechs Monaten und das im Alter von fünf Jahren», sagte Giles und zeigte auf die Bilder. Er streckte die Hand aus. «Sie erinnern sich vielleicht nicht. Theodore Giles.»

Ich gab ihm die Hand. Er hatte einen festen Griff.

«Ich muss heute Abend noch zu einer anderen Party», sagte er kurz angebunden. «Es war sehr nett, Sie wieder zu sehen, Professor Hertzberg. Ich bin sicher, es war nicht das letzte Mal.»

Während er mit langen, selbstsicheren Schritten auf den Ausgang zueilte, wandte ich mich wieder Mark zu. Die Veränderungenrung in Giles' Verhalten, das zuckersüße Geschenk des Medaillons mit Babybildern von sich selbst, die Wiederkehr der geheimnisvollen Mutter, Prostituierten, Kellnerin oder Gott weiß was vermischten sich in meinem Kopf auf so verwirrende Weise, dass ich Mark stupide anstarrte.

Er lächelte mich an. «Was ist los, Onkel Leo?»

«Er ist vollkommen anders.»

«Ich hab dir doch gesagt, dass es ein Act war. Du weißt schon, Teil seiner Kunst. Das da ist der echte Teddy.»

Mark sah auf das Medaillon. «Ich glaub, das ist das tollste Geschenk, das ich je bekommen habe. Was für ein netter Typ.» Er machte eine kurze Pause und starrte zu Boden. «Ich wollte mit dir über was sprechen», sagte er. «Ich hab nachgedacht. Ich habe zwar Hausarrest, aber ich hatte gehofft, dass ich dich vielleicht samstags und sonntags besuchen könnte wie früher.» Er ließ den Kopf hängen. «Du fehlst mir. Ich würde dabei das Haus nicht verlassen, und ich glaube, Dad und Violet haben nichts dagegen, wenn wir sie vorher fragen.» Er biss sich auf die Lippe und legte die Stirn in Falten. «Was meinst du?»

«Ich denke, das lässt sich machen.»

Der Herbst verlief ruhig. Absatz für Absatz kam das Goya-Buch voran. Ich freute mich auf eine Reise nach Madrid im Sommer und auf die langen Stunden, die ich im Prado verbringen wollte. Ich arbeitete eng mit Suzanna Fields zusammen, die ihre Doktorarbeit über Davids Porträts und deren Zusammenhang mit der Revolution, der Gegenrevolution und der Rolle der Frauen in beiden schrieb. Suzanna war ein ernsthaftes, schwerfälliges Mädchen mit Nickelbrille und strengem Haarschnitt, aber mit der Zeit begann ich ihr schlichtes rundes Gesicht mit den dicken Augenbrauen recht attraktiv zu finden. Natürlich hatte meine Entbehrung viele Frauen reizvoll für mich gemacht. Auf der Straße, in der U-Bahn, in Cafés und Restaurants musterte ich Frauen jeden Alters und jeder Gestalt. Ob sie saßen und an ihrem Kaffee nippten, die Zeitung oder ein Buch lasen oder zu einer Verabredung hasteten, stets entkleidete ich sie im Geiste langsam und stellte sie mir nackt vor. Nachts spielte Violet in meinen Träumen noch immer Klavier.

Die reale Violet hörte ihre Tonbandsammlung ab – Hunderte von Stunden mit Leuten, die auf die immer gleichen Fragen antworteten: «Wie sehen Sie sich?», und: «Was wollen Sie?» Wenn ich tagsüber zu Hause war, drangen ihre Stimmen aus Violets Arbeitszimmer durch die Decke zu mir herunter. Selten konnte ich verstehen, was sie sagten, aber ich hörte Gemurmel und Gewisper, Gelächter, Husten, Gestammel und von Zeit zu Zeit kehlige Schluchzlaute. Ich hörte auch das Geräusch des zurückspulenden Tonbands und bekam mit, dass Violet denselben Satz oder Satzfetzen immer wieder von neuem abhörte. Sie sprach nicht mehr mit mir über das Buch, und Erica berichtete, Violet sei auch ihr gegenüber etwas geheimnistuerisch in Bezug auf den Inhalt geworden. Sie wusste nur mit Gewissheit, dass Violet ihr Projekt vollständig überdacht hatte. «Sie will noch nicht darüber sprechen», schrieb sie. «Aber ich habe das Gefühl, das neue Konzept hat etwas mit Mark und seinen Lügen zu tun.»

Mark hatte bis zur ersten Dezemberwoche jedes Wochenende Hausarrest. Bill und Violet erlaubten ihm, mich zu besuchen, wenn er in New York war, und er schaute verlässlich jeden Samstag für ein paar Stunden vorbei. Sonntags kam er vor seiner Abfahrt nach Cranbury noch einmal auf ein kurzes Gespräch. Anfangs war ich misstrauisch und behandelte ihn etwas streng, doch im Lauf der Wochen fiel es mir immer schwerer, verärgert zu sein. Wenn ich das, was er sagte, offen anzweifelte, sah er so gekränkt drein, dass ich ihn nicht mehr fragte, ob ich ihm glauben könne. Jeden Freitag ging er zu Dr. Monk, einer Ärztin und Psychotherapeutin, und ich spürte, dass ihn diese wöchentlichen Gespräche stabilisierten und ernüchterten. Ich lernte auch Marks Freundin Lisa kennen, und allein schon dass sie ihn mochte, stimmte mich nachsichtiger ihm gegenüber. Obwohl seine Freunde ihn besuchen durften, kamen Teenie, Giles und der seltsame Junge namens «Ich» nie in die Greene Street, und Mark erwähnte sie auch nie. Er trug auch nicht das Medaillon, das Giles ihm geschenkt hatte. Lisa jedoch kam. Sie war siebzehn, hübsch, blond und begeisterungsfähig. Sie legte die Hände ans Gesicht, wenn sie über ihre vegetarischen Essgewohnheiten, die Erderwärmung oder eine vom Aussterben bedrohte Tigerart sprach. Wenn die beiden mich besuchten, fiel mir auf, dass Lisa häufig Marks Arm berührte oder seine Hand nahm. Diese Gesten erinnerten mich an Violet, und ich fragte mich, ob Mark die Ähnlichkeit spürte. Lisa war sichtlich verliebt in Mark, und wenn ich an die gebrochene Teenie dachte, freute ich mich über seinen verbesserten Geschmack. Lisas «Lebensziel», wie sie es nannte, war es, Lehrerin für autistische Kinder zu werden. «Mein jüngerer Bruder Charlie ist Autist, und ihm geht es viel besser, seit er diese Musiktherapie macht. Die Musik löst irgendwie seine Blockierungen.»

«Sie ist sehr moralisch», sagte Mark an dem Samstag, als seine Strafe zu Ende ging. «Mit vierzehn hatte sie eine Weile mit Drogen zu tun, aber dann ist sie in ein Therapieprogramm gegangen, und seither ist sie clean. Sie trinkt nicht mal ein Bier. Es bringt ihr nichts.»

Als ich ihre ehrenvolle Abstinenz mit einem Nicken würdigte, rückte Mark auch noch mit einer Information über ihr Sexualleben heraus, auf die ich gern verzichtet hätte. «Wir haben noch nicht miteinander geschlafen. Wir meinen beide, dass man so was planen sollte, weißt du, dass man vorher drüber reden muss. Das ist eine große Sache, das kann man nicht einfach so überstürzen.»

Ich wusste nicht, was ich sagen sollte. «Überstürzt» war ein Wort, das auf so ziemlich jede erste sexuelle Begegnung in meinem Leben zutraf, und dass diese beiden jungen Menschen es für notwendig hielten, erst einmal darüber zu verhandeln, stimmte mich ein wenig traurig. Ich habe Frauen gekannt, die im letzten Augenblick kniffen, und Frauen, die ihre Leidenschaft am nächsten Morgen bereuten, doch eine präkoitale Komiteesitzung war mir noch nie untergekommen.

Bis in den Frühling hinein besuchte Mark mich weiter jeden Samstag und Sonntag. Er kam pünktlich am Samstag um elf und begleitete mich oft bei meinen üblichen Besorgungen – zur Bank, zum Lebensmittelladen und ins Weingeschäft. Sonntags kam er vorbei, um sich zu verabschieden. Ich war gerührt von Marks Loyalität und erfreut über seine Berichte aus der Schule. Stolz erzählte er mir, dass er beim Vokabeltest 98 Punkte erzielt hatte, dass er für seinen Aufsatz über den *Scharlachroten Buchstaben* ein «Sehr gut» bekommen hatte, und mehr über Lisa, das ideale Mädchen.

Im März rief Violet eines späten Nachmittags an und fragte mich, ob sie herunterkommen könne, um mit mir allein zu sprechen. Ihre Bitte war so ungewöhnlich, dass ich sie gleich beim Hereinkommen fragte: «Ist alles in Ordnung? Hast du was?»

«Mir geht's gut, Leo.» Violet setzte sich an meinen Tisch, bedeutete mir, ihr gegenüber Platz zu nehmen, und sagte: «Was hältst du von Lisa?»

«Ich mag sie sehr.»

«Ich auch.» Violet blickte auf den Tisch. «Hast du manchmal den Eindruck, dass damit etwas nicht stimmt?»

«Womit? Mit Lisa, meinst du?»

«Nein, mit Mark und Lisa. Mit der ganzen Sache.»

«Ich glaube, sie ist wirklich in Mark verliebt.»

«Ich auch», sagte sie.

«Was dann?»

Violet stützte die Ellbogen auf den Tisch und beugte sich zu mir herüber. «Hast du als Kind mal ‹Was stimmt auf diesem Bild nicht?› gespielt? Man sah sich die Zeichnung eines Zimmers, einer Straße oder eines Hauses an, und wenn man genau hinsah, merkte man, dass ein Lampenschirm verkehrt herum hing, ein Vogel Pelz statt Federn hatte oder in einem Osterschaufenster ein Weihnachtsmann stand. So ein Gefühl habe ich bei Mark und Lisa. Sie sind das Bild, und je länger ich es ansehe, umso deutlicher spüre ich, dass da etwas nicht stimmt, aber ich weiß nicht, was.»

«Was meint Bill dazu?»

«Ich habe ihm nichts davon erzählt. Es ging ihm so schlecht. Er konnte nach Marks Lüge wegen des Jobs nicht mehr arbeiten, und jetzt kommt er gerade wieder zu sich. Er ist beeindruckt von Marks Besserung, von Lisa und der Therapie bei Dr. Monk. Ich bringe es nicht übers Herz, etwas anzusprechen, was nur ein Gefühl ist.»

«Es ist sehr schwer, jemandem zu vertrauen, der so spektakulär gelogen hat», sagte ich. «Aber ich habe keine offensichtlichen Lügen mehr bemerkt. Du?»

«Nein.»

«Dann verdient er wohl einen Vertrauensvorschuss.»

«Ich hoffte, du würdest das sagen. Ich hatte solche Angst, dass etwas im Busch ist.» Violets Augen füllten sich mit Tränen. «Nachts liege ich wach und denke darüber nach, wer er eigentlich ist. Ich glaube, er versteckt erschreckend viel von sich. Schon lange, Leo. Ich meine, seit Mark ein Kind war …» Sie brachte den Satz nicht zu Ende.

«Sprich weiter, Violet. Erzähl es mir.»

«Ab und zu, nicht … nicht immer, nur dann und wann, rede ich mit ihm, und dann bekomme ich dieses unheimliche Gefühl, dass …»

«Dass ...»

«Dass ich mit jemand anderem rede.»

Ich runzelte die Augenbrauen. Violet hing über den Tisch gebeugt. «Das alles hat mich schrecklich aus dem Gleichgewicht gebracht, und Bill, tja, Bill musste sich aus einer Depression herauskämpfen. Er setzt große Hoffnungen in Mark, große Hoffnungen, und ich möchte nicht, dass er enttäuscht wird.» Sie ließ ihren Tränen freien Lauf und begann zu zittern. Ich stand auf, ging um den Tisch und legte ihr die Hand auf die Schulter. Ein Schauer durchlief ihren Körper, und dann hörte sie ganz plötzlich auf zu weinen. Sie dankte mir flüsternd, dann umarmte sie mich. Stunden danach spürte ich noch ihren warmen Körper an meinem und ihr nasses Gesicht an meinem Hals.

Am dritten Samstag im Mai ging ich viel früher als sonst zur Bank. Das Semesterende und das sonnige Wetter lockten mich hinaus. Die noch leeren Straßen und die Morgensonne hoben meine Stimmung, als ich nach Norden, zur Citibank oberhalb der Houston Street, lief. Es war noch keine Schlange in der Bank, und ich ging direkt zum Geldautomaten, um mein Geld für die kommende Woche abzuheben. Als ich meine Brieftasche aus der Tasche zog und öffnete, konnte ich meine Scheckkarte nicht finden. Verwirrt versuchte ich mich daran zu erinnern, wann ich sie zuletzt benutzt hatte. Am vorigen Samstag. Ich hatte sie wieder eingesteckt – wie immer. Der Bildschirm des Automaten fragte: «Kann ich Ihnen helfen?», und ich begann über das Wort «ich» in diesem Satz nachzudenken. Verdiente der Geldautomat das Pronomen? Das Ding schickte Botschaften und führte Transaktionen durch. Genügte das, um das Privileg der ersten Person zu beanspruchen? Und dann, so als hätte mir der Text auf dem Bildschirm die Antwort geliefert, wusste ich Bescheid. Die eindeutige, schmerzliche Wahrheit traf mich jäh, und sie traf mich hart. Zu Hause legte ich meine Brieftasche und die Schlüssel immer in den Flur neben das Telefon. Diese Gewohnheit half mir, nicht diverse Jacken und Mäntel durchsuchen zu müssen, wenn ich zur Arbeit ging. Ich erinnerte mich, wie Mark mich nach meinem Geburtstag gefragt hatte. 21930. Meine PIN-Nummer. Mark hatte sich nie um meinen Geburtstag gekümmert. Wie oft hatte er mich zur Bank begleitet? Oft. Ging er nicht immer allein ins Badezimmer oder in Matts Zimmer, vorbei an meiner Brieftasche, die offen dalag? Inzwischen hatten mehrere Leute die Bank betreten, und hinter mir begann sich eine Schlange zu bilden. Eine Frau warf mir einen fragenden Blick zu, als sie sah, wie ich auf meine offene Brieftasche starrte. Ich stürzte an ihr vorbei und eilte halb laufend, halb gehend nach Hause.

In meiner Wohnung zerrte ich meine Bankauszüge hervor und holte die Schecks heraus. Die einen wie die anderen sah ich mir selten an. Kamen die Auszüge mit der Post, legte ich sie ab und vergaß sie bis zum Augenblick der Steuererklärung. Mein Girokonto war unangetastet, aber ein Sparkonto, auf dem ich siebentausend Dollar angelegt hatte – Honorare für Artikel und der kleine Vorschuss für mein Goya-Buch –, war praktisch auf null geschrumpft. Es war das Geld, das ich für Spanien gespart hatte. Ich hatte Mark von meinen Reiseplänen erzählt, hatte sogar das Konto erwähnt. Alles, was davon übrig war, waren 6,31 Dollar. Seit Dezember waren in der ganzen Stadt Abbuchungen getätigt worden, manche bei Banken, von denen ich noch nie zuvor gehört hatte, oft in den frühen Morgenstunden, und alle festgehaltenen Daten waren Samstage.

Ich rief Bill und Violet an, aber ich hörte nur Bills weiche Stimme, die mich aufforderte, eine Nachricht zu hinterlassen. Ich bat sie, mich sofort nach ihrer Rückkehr anzurufen. Dann rief ich Lucille an, mit der ich seit der Lesung nicht gesprochen hatte. Sobald sie sich meldete, fing ich mit meiner Geschichte an. Als ich ausgeredet hatte, schwieg sie mindestens fünf Sekunden lang. Dann sagte sie mit schwacher, tonloser Stimme: «Wie kannst du sicher sein, dass es Mark war?»

Ich wurde laut. «Die PIN. Er hat mich nach meinem Geburtstag gefragt! Die meisten Leute verwenden ihre Geburtstage! Und die Daten! Die Daten stimmen alle mit seinen Besuchen überein. Er hat mich seit Monaten ausgeraubt! Ich könnte zur Polizei gehen! Mark hat ein Verbrechen begangen. Verstehst du nicht?»

Lucille schwieg.

«Er hat mir fast siebentausend Dollar gestohlen!»

«Leo, beruhige dich», sagte Lucille mit fester Stimme.

Ich sei nicht ruhig, sagte ich ihr, und ich hätte auch nicht die Absicht, mich zu beruhigen, und sollte Mark aus irgendeinem Grund bei ihr aufkreuzen, bevor er seinen regelmäßigen Besuch bei mir abstattete, dann solle sie ihm die Karte sofort abnehmen.

«Aber was, wenn er sie gar nicht genommen hat?», sagte sie mit derselben unaufgeregten Stimme.

«Du weißt, dass er sie genommen hat!», brüllte ich und knallte den Hörer auf die Gabel. Fast auf der Stelle bedauerte ich meine Wut. Lucille hatte mir ja kein Geld gestohlen. Sie wollte nur Mark nicht ohne handfeste Beweise verurteilen. Was für mich sonnenklar war, lag für sie keineswegs auf der Hand, und doch wirkte Lucilles kühle, distanzierte Stimme angesichts meiner Wut wie ins Feuer gegossenes Öl. Hätte sie Schock, Mitleid, ja sogar Schrecken ausgedrückt, ich hätte nicht gebrüllt.

Weniger als eine Stunde später klopfte Mark an meiner Tür. Ich öffnete, er lächelte mich an und sagte: «Hi. Wie geht's?» Dann machte er eine Pause. «Was ist los, Onkel Leo?»

«Gib mir meine Karte. Gib mir sofort meine Karte.»

Mark blinzelte mich verwirrt an. «Wovon sprichst du? Was für eine Karte?»

«Gib mir augenblicklich meine Scheckkarte, oder ich hole sie mir.» Ich hielt ihm die Faust vors Gesicht, und er wich zwei Schritte zurück.

Er sah sehr erstaunt aus. «Du spinnst, Onkel Leo. Ich hab deine Karte nicht. Und selbst wenn, was sollte ich damit anfangen? Reg dich ab.»

Marks schönes Gesicht und die erschrockenen Augen, seine dunklen Locken und sein entspannter Körper, der keine Reaktion zeigte, wirkten auf mich wie eine Aufforderung zur Gewalt. Ich packte ihn an seinem silbernen Lurexpulli und stieß ihn gegen die Wand. Zehn Zentimeter größer, vierzig Jahre jünger und mit Sicherheit stärker als ich, ließ Mark sich von mir an die Wand drücken und dort festnageln. Er sagte nichts. Sein Körper war so schlaff wie der einer Stoffpuppe.

«Hol sofort die Karte raus», knurrte ich zwischen zusammengebissenen Zähnen hervor. «Und gib sie mir. Wenn nicht, schlag ich dich blutig. Ich schwör's dir.»

Mark sah mich weiter mit blanker Verwunderung an. «Ich hab sie nicht.»

Ich schüttelte meine Faust vor seinem Gesicht. «Das ist deine letzte Chance.»

Mark fasste in seine Gesäßtasche, und ich ließ ihn los. Er zog eine Brieftasche heraus, öffnete sie und holte meine blaue Karte heraus. «Okay, ich war versucht, dein Geld zu nehmen, Onkel Leo, aber ich schwöre, ich hab sie nicht benutzt. Ich hab nichts genommen, keinen Penny.»

Ich wich zurück. Der Junge ist verrückt, dachte ich. Furcht packte mich, uralte Furcht, Kindheitsfurcht vor Ungeheuern, Hexen und Menschenfressern in der Finsternis. «Du hast mich monatelang bestohlen, Mark. Du hast fast siebentausend Dollar von meinem Geld genommen.»

Mark blinzelte. Er schien unangenehm berührt.

«Es ist alles dokumentiert. Jede Abbuchung ist ausgedruckt. Du hast meine Karte immer samstags gestohlen, nachdem ich bei der Bank war, und hast sie dann am Sonntagvormittag wieder zurückgebracht. Setz dich!», brüllte ich.

«Ich kann mich nicht setzen. Ich hab Mom versprochen, ich würde heute früher kommen.»

«Nein. Du wirst nirgends hingehen. Du hast ein Verbrechen begangen. Ich könnte die Polizei rufen und dich festnehmen lassen.»

Mark setzte sich. «Die Polizei?», sagte er kleinlaut und verwirrt.

«Du musst doch gewusst haben, dass ich es irgendwann mal herausfinden würde, wie dumm und geistesabwesend ich auch sein mag. Ich meine, das sind ja nicht nur ein paar Dollars.»

Mark wurde vor meinen Augen zu Stein. Nur sein Mund bewegte sich. «Nein, ich dachte nicht, dass du es rausfinden würdest.»

«Du hast gewusst, dass dieses Geld für meine Reise nach Madrid war. Was hast du dir denn vorgestellt, was passieren würde, wenn ich das Geld für die Flugtickets und das Hotel abheben würde?»

«Daran hab ich nicht gedacht.»

Ich konnte es nicht fassen. Ich weigerte mich, es zu glauben. Ich quälte, bedrängte, verhörte ihn, aber er gab mir immer nur dieselben toten Antworten. Es sei ihm «peinlich», dass ich den Diebstahl entdeckt hatte. Als ich ihn fragte, ob er das Geld für Drogen ausgegeben habe, erklärte er mir mit offenkundiger Aufrichtigkeit, Drogen könne er umsonst bekommen. Er habe sich Sachen gekauft, sagte er. Er sei in Restaurants gegangen. Geld ist schnell ausgegeben, erklärte er mir. Seine Antworten kamen mir völlig abwegig vor, aber heute glaube ich, dass die erstarrte Person in dem Sessel mir gegenüber die Wahrheit sagte. Mark wusste, dass er mir das Geld gestohlen hatte, und er wusste, dass das nicht richtig gewesen war, aber ich bin auch davon überzeugt, dass er weder Schuldgefühle noch Scham empfand. Er konnte für den Diebstahl keine rationale Erklärung geben. Er war nicht drogenabhängig. Er war nicht verschuldet. Nach einer Stunde sah er mich an und sagte rundheraus: «Ich hab das Geld eben genommen, weil ich gern Geld habe.»

«Ich habe auch gern Geld», schrie ich ihn an. «Aber ich raube nicht die Bankkonten meiner Freunde aus, um es mir zu beschaffen.»

Mark hatte zu dem Thema nichts mehr zu sagen. Er hörte allerdings nicht auf, mich anzusehen. Er fixierte mich mit seinen Augen, und ich schaute in sie hinein. Ihre klaren blauen Iris und glänzend schwarzen Pupillen ließen mich plötzlich an Glas denken, so als sei hinter diesen Augen nichts und Mark wäre blind. Zum zweiten Mal an diesem Tag verwandelte sich meine Wut in Furcht. Was ist er?, fragte ich mich – nicht *wer*, sondern *was*. Ich sah ihn an und er sah mich an, bis ich mich von diesen toten Augen abwandte, zum Telefon ging und Bill anrief.

Am nächsten Morgen bot Bill mir einen Scheck über siebentausend Dollar an, aber ich lehnte ab. Ich sagte ihm, es sei nicht seine Schuld. Ich sagte, Mark könne mir das Geld im Lauf der Jahre zurückzahlen. Bill versuchte, mir den Scheck aufzudrängen. «Leo, bitte.» Im Licht, das durch mein Fenster schien, sah seine Haut fahl aus, und er roch stark nach Zigaretten und Schweiß. Er trug dieselben Sachen wie am Abend zuvor, als er und Violet heruntergekommen waren, um sich meine Geschichte anzuhören. Ich schüttelte den Kopf. Bill begann, auf und ab zu gehen. «Was habe ich nur getan, Leo? Ich rede mit ihm und rede mit ihm, aber es ist, als ob es ihn nicht erreichen würde.» Bill ging auf und ab. «Wir haben Dr. Monk angerufen. Wir gehen alle gemeinsam zu ihr. Sie will, dass Lucille kommt, und sie bat auch darum, dich zu treffen, allein, wenn es dir nichts ausmachen würde. Wir greifen jetzt hart durch. Er darf nicht ausgehen. Keine Anrufe. Wir gehen überallhin mit – holen ihn vom Zug ab, bringen ihn nach Hause, begleiten ihn zur Therapie. Wenn er die Schule abgeschlossen hat, wird er hier wohnen, sich einen Job suchen und anfangen, dir das Geld zurückzuzahlen.» Bill blieb stehen. «Wir glauben, dass er auch Violet bestohlen hat, aus ihrem Portemonnaie. Sie achtet nicht auf ihr Geld. Es hat lange gedauert, bis sie was gemerkt hat, aber …» Er sprach nicht weiter. «Leo, es tut mir so Leid.» Er schüttelte den Kopf und streckte die Hände aus. «Deine Reise nach Spanien.» Er schloss die Augen.

Ich stand auf und legte die Hände auf seine Schultern. «Du hast es doch nicht getan, Bill. Du warst es nicht. Mark hat mich bestohlen.»

Bill ließ das Kinn auf die Brust sinken. «Man würde meinen, so etwas könnte nicht passieren, wenn man sein Kind wirklich liebt.» Er sah mit brennenden Augen zu mir auf. «Wie ist es nur dazu gekommen?»

Ich konnte ihm nicht antworten.

Dr. Monk war eine rundliche kleine Frau mit grauem Kraushaar, sanfter Stimme und sparsamen Gesten. Sie begann das Gespräch mit einer schlichten Feststellung. «Ich werde Ihnen sagen, was ich auch Mr. und Mrs. Wechsler gesagt habe. Kinder wie Mark sind schwer zu heilen. Es ist sehr mühsam, zu ihnen durchzudringen. Nach einer Weile geben die Eltern normalerweise auf, und die Kinder gehen allein hinaus in die Welt, wo sie sich entweder fangen, im Gefängnis landen oder sterben.»

Ihre Direktheit schockierte mich. Gefängnis. Tod. Ich murmelte etwas über Versuche, ihm zu helfen. Er sei noch jung, noch jung.

«Möglicherweise ist seine Persönlichkeit noch nicht gefestigt. Sie verstehen, dass Marks Probleme charakterologisch sind.»

Ja, dachte ich. Es ist eine Frage des Charakters. So ein altmodisches Wort – Charakter.

Ich sprach über meine Wut, über das Gefühl, betrogen worden zu sein, und über die unheimliche Wirksamkeit von Marks Charme. Ich erwähnte das Feuer und die Donuts. Durch das Fenster konnte ich einen Strauch sehen, dessen Blätter gerade hervorbrachen. Auf seinen langen Zweigen waren die Knospen, die sich zu großen Blüten entwickeln würden, noch geschlossen. Ich hatte den Namen des Strauchs vergessen. Ich sah ihn schweigend an, nachdem ich Dr. Monk von der Freundschaft zwischen Matt und Mark erzählt hatte, und starrte ihn weiter an, um ihn zu identifizieren, so als wäre sein Name von Bedeutung. Dann fiel er mir ein: Hortensie.

«Ich glaube», sagte ich, «Matthew hat sich noch vor seinem Tod von Mark zurückgezogen. Wenn ich heute daran denke, waren die beiden im Auto auf dem Weg zum Camp sehr still, und dann, mitten auf der Fahrt, sagte Matt laut: ‹Hör auf, mich zu kneifen.› Es schien damals so normal – Jungs, die sich gegenseitig ärgern.» Über das Kneifen kam ich auf den Biss, und als ich meine Geschichte beendet hatte, hob Dr. Monk die Augenbrauen und sah mich scharf an.

Sie sagte nichts zu dem Biss, und ich redete weiter. «Ich habe Mark von der Familie meines Vaters erzählt, an die ich mich kaum erinnere. Ich habe meine Cousinen gar nicht gekannt. Sie sind in Auschwitz-Birkenau umgekommen. Mein Onkel David hat das KZ überlebt, starb aber auf dem Marsch aus dem Lager. Ich habe ihm erzählt, wie mein Vater an einem Schlaganfall gestorben ist. Wenn er mir zuhörte, war sein Gesicht so ernst. Ich glaube, er hatte sogar Tränen in den Augen …»

«Das ist sicher nichts, was Sie vielen Leuten erzählen.»

Ich schüttelte den Kopf und schaute auf die Hortensie. In jenem Augenblick hatte ich das Gefühl, mich verloren zu haben, das Gefühl, dass da ein anderer Mensch redete. Ich heftete meine Augen auf den Strauch, und dann war etwas Rotes in meinem Kopf; es war sehr rot und kam durchs Fenster.

«Wissen Sie, warum Sie es ausgerechnet Mark erzählt haben?»
Ich wandte mich ihr zu und schüttelte den Kopf.

«Haben Sie es Matthew erzählt?»

Meine Stimme zitterte. «Ich habe Mark viel mehr erzählt als Matt. Matt war erst elf, als er starb.»

«Elf ist sehr jung», sagte sie sanft.

Ich nickte, und dann begann ich zu weinen. Ich weinte vor einer Frau, die ich überhaupt nicht kannte. Nachdem ich mich von ihr verabschiedet hatte, trocknete ich mein Gesicht in ihrem ordentlichen kleinen Bad mit der üppigen Auswahl von Kleenex-Tüchern und stellte mir all die anderen Menschen vor, die vor mir hier gewesen waren und neben der Toilette ihren Rotz und ihre Tränen abgewischt hatten. Als ich dann vor dem Gebäude den Central Park West entlangging, schaute ich hinüber zu den Bäumen, deren Blätter sich bereits voll entfaltet hatten, und empfand ein Gefühl unsäglicher Fremdheit. Am Leben zu sein ist unerklärlich, dachte ich. Das Bewusstsein ist unerklärlich. Nichts auf der Welt ist normal.

Eine Woche später unterschrieb Mark vor meinen, Violets und Bills Augen einen Vertrag. Das Dokument war Dr. Monks Idee. Ich glaube, sie hoffte, Mark würde, wenn er sich mit schwarz auf weiß festgehaltenen Bedingungen einverstanden erklärte, allmählich begreifen, dass Moral letzten Endes ein Gesellschaftsvertrag ist, eine Übereinkunft über grundlegende menschliche Gesetze, ohne die zwischenmenschliche Beziehungen ins Chaos abgleiten. Das Schriftstück las sich wie eine verkürzte, individualisierte Version der Zehn Gebote:

Ich werde nicht lügen.

Ich werde nicht stehlen.

Ich werde das Haus nicht ohne Erlaubnis verlassen.

Ich werde nicht ohne Erlaubnis telefonieren.

Ich werde den vollen Betrag, den ich Leo gestohlen habe, von meinem Taschengeld und dem Geld, das ich in diesem Sommer, nächstes Jahr und in Zukunft verdienen werde, zurückzahlen.

Ich habe noch immer eine Kopie davon bei meinen Papieren. Ganz untenhin hat Mark mit kindlichen Buchstaben seine Unterschrift gekritzelt.

Den ganzen Sommer über kam Mark jeden Samstag mit seiner Rate an meine Tür. Ich wollte ihn nicht in der Wohnung haben, also blieb er im Treppenhaus stehen, öffnete den Umschlag und zählte mir die Scheine in die Hand. Nachdem er gegangen war, schrieb ich die Summe in ein kleines Notizbuch, das griffbereit auf meinem Schreibtisch lag. Mark zahlte seine Schulden bei mir von seinem Verdienst als Kassierer in einer Bäckerei im Village ab. Bill brachte ihn jeden Morgen zur Arbeit, und Violet holte ihn um fünf Uhr nachmittags wieder ab. Täglich fragte sie seinen Boss, wie Mark sich anstelle, und die Antwort fiel immer gleich aus: «Er macht sich gut. Er ist ein guter Junge.» Mr. Viscuso muss Mark wegen seiner überängstlichen Mutter bemitleidet haben. Abgesehen von seiner Familie, mir und seinen Kollegen in der Bäckerei traf Mark nur Lisa. Sie kam ihn zwei- oder dreimal die Woche besuchen und brachte oft ein Buch mit, das Mark lesen sollte. Violet sagte mir, diese Bücher seien gewöhnlich den Regalen für Vulgärpsychologie der umliegenden Buchläden entnommen und enthielten Rezepte für «inneren Frieden», wobei den Lesern eingebläut werde, «zu lernen, sich zunächst einmal selbst zu lieben» und «die tief sitzenden Überzeugungen zu bekämpfen, die uns davon abhalten, das beste und glücklichste Ich zu entwickeln». Lisa hatte sich mit uns der Aufgabe von Marks Besserung verschrieben, und sie brachte viele Stunden damit zu, ihm den Weg zur Erleuchtung zu erklären. Wenn Mark nicht arbeitete, aß oder mit Lisa Zwiesprache über seinen Seelenfrieden hielt, dann schlief er, sagte Violet. «Das ist alles, was er tut. Schlafen.»

Ende August flog Bill nach Tokio, um eine Ausstellung der Türen vorzubereiten. Violet blieb mit Mark zu Hause. Am Donnerstag nach Bills Abreise kam Violet morgens um neun im Bademantel zu mir herunter. «Mark ist fort», sagte sie auf dem Weg zur Küche. Sie goss sich eine Tasse Kaffee ein und setzte sich zu mir an den Tisch.

«Er ist durchs Fenster abgehauen, über die Feuerleiter aufs Dach geklettert und von da über die Treppe runter zur Haustür. Ich dachte, die Tür zum Dach sei abgeschlossen, aber als ich heute Morgen nachsah, war sie offen. Ich glaube, er hat das schon die ganze Zeit gemacht, nur dass er sonst vor dem Morgen zurückkommt. Er schläft so viel, weil er die ganze Nacht ausgeht und davon erschöpft ist. Ich hätte nie etwas gemerkt, wenn nicht heute Nacht so gegen zwei das Telefon geklingelt hätte. Ich weiß nicht, wer dran war. Irgendein Mädchen. Sie wollte mir ihren Namen nicht nennen, aber sie fragte mich, wo Mark sei. Ich sagte, er schlafe und ich wolle ihn nicht wecken. ‹Ach Quatsch›, sagte sie. ‹Ich hab ihn doch gerade noch gesehen.› Im Hintergrund hörte man viel Lärm, wahrscheinlich ein Club. Dann sagte sie, sie wolle mir mal auf die Sprünge helfen. ‹Sie sind seine Mutter›, sagte sie. ‹Sie sollten es wissen.› Komisch, aber ich habe ihr nicht gesagt, dass ich nicht seine Mutter bin. Ich hörte bloß zu. Dann sagte sie, dass sie mir etwas sagen müsse.» Violet holte tief Atem und nippte an ihrem Kaffee. «Vielleicht ist es ja nicht wahr, aber das Mädchen sagte, dass

Mark jede Nacht mit Teddy Giles verbringt. Sie sagte: ‹Das She-Monster ist aus seiner Höhle›, aber ich habe nicht verstanden, was sie damit meinte. Ich versuchte, sie zu unterbrechen, aber sie redete immer weiter und sagte, Giles habe in Mexiko einen Jungen gekauft.»

«Gekauft?»

«So hat sie es gesagt. Dass die Eltern des Jungen ihn für ein paar hundert Dollar an Giles verkauft hätten, dass er sich danach in Giles verliebte und dass Giles ihn wie ein Mädchen kleidete und ihn eine Zeit lang überallhin mitnahm. Ihre Geschichte war ziemlich verworren, aber sie sagte, dass sie sich eines Nachts gestritten hätten, und da habe Giles dem Jungen den kleinen Finger abgeschnitten. Er brachte ihn dann in die Notaufnahme und ließ den Finger wieder annähen, aber nicht lange danach verschwand der Junge, Rafael hieß er. Sie sagte, dass es Gerüchte gebe, Giles habe ihn ermordet und seine Leiche in den East River geworfen. ‹Er ist völlig durchgeknallt›, sagte sie. ‹Und er hat seine Klauen auf Ihrem Jungen. Ich dachte, Sie sollten das wissen.› Genau das waren ihre Worte. Dann hat sie aufgelegt.»

«Hast du es Bill erzählt?»

«Ich hab's versucht. Ich habe in seinem Hotel Nachrichten hinterlassen, aber keine dringenden. Was soll der arme Kerl denn von Tokio aus machen?» Violet sah nachdenklich aus. «Das Problem ist, dass ich Angst habe.»

«Tja, wenn nur einiges von dem, was sie gesagt hat, wahr ist, hast du allen Grund dazu. Giles ist ein Furcht erregender Mensch.»

Violet öffnete den Mund, als wollte sie etwas sagen, aber dann schloss sie ihn wieder. Sie nickte, wandte den Kopf ab, und ich bewunderte ihren Hals und ihr Profil. Sie ist noch immer schön, dachte ich, vielleicht schöner nun, da sie älter ist. Sie und ihr Gesicht harmonieren auf eine Weise, wie sie es in ihrer Jugend nicht getan hatten.

Am folgenden Sonntag tauchte Mark in der Wohnung seiner Mutter auf. Bill und Violet sagten, er habe darauf beharrt, das Haus vorher nie verlassen zu haben. Die Geschichte mit Rafael deklarierte er zu «totalem Mist». Er erklärte, er sei abgehauen, um ein paar Freunde zu treffen, weil er sich «gelangweilt» habe. Eine Woche später war er wieder in der Wohnung seiner Mutter und ging zur Schule. Jeden Freitag holten Bill oder Violet ihn von der Bahn ab, fuhren mit ihm mit der U-Bahn zur Therapie zu Dr. Monk, warteten auf ihn und brachten ihn zurück in die Greene Street. Sein Hausarrest wurde fortgesetzt.

In den folgenden Monaten nahm Marks Verhalten ein erkennbares Muster an, für das ich die Bezeichnung «Kreislauf des Schreckens» erfand. Wochenlang schien alles gut zu gehen. Er bekam hervorragende Noten in der Schule, war kooperativ, hilfsbereit und nett und zahlte mir seine wöchentliche Rate von seinem Taschengeld. Bill und Violet berichteten, dass ihre langen Gespräche mit ihm über Vertrauen, Ehrlichkeit und das Einhalten des Vertrages Wirkung zu zeigen schienen, ihm halfen, «bei der Stange» zu bleiben. Er erleichterte sich bei Dr. Monk, die mit seinem «Fortschritt» zufrieden war. Und dann, gerade als die Leute um ihn herum so weit eingelullt waren, dass sie sich einen vorsichtigen Optimismus erlaubten, machte Mark alles zunichte. Im Oktober fand Violet sein Bett mitten in der Nacht leer vor, und in ihrem Portemonnaie fehlte das gesamte Bargeld. Am Sonntagvormittag tauchte er wieder auf. Im November bemerkte sein Stiefvater Philip, als er zur Arbeit fahren wollte, eine große Delle in seinem Auto. Im Dezember lud Bill Mark zum Mittagessen ein. Nachdem sie Hamburger bestellt hatten, entschuldigte sich Mark, um zur Toilette zu gehen, und tauchte drei Tage später bei Lucille wieder auf. Im Februar fand ihn sein Geschichtslehrer in der Jungentoilette, als er sich übergab; in seinem Rucksack fand sich ein Liter Wodka, und in seiner Hosentasche hatte er Valium.

Jeder Zwischenfall spielte sich nach derselben Vorlage ab. Erstens: das Entdecken der Tat; zweitens: der Wutausbruch der geschädigten Person; drittens: Marks Wiederauftauchen und leidenschaftliches Leugnen. Ja, er sei durchgebrannt, aber er habe nichts wirklich Schlimmes getan. Er habe in der Stadt herumgelungert. Sonst nichts. Er habe allein sein müssen. Er habe Philips Auto nicht mitten in der Nacht genommen. Wenn die Tür eingedrückt sei, dann müsse jemand anders den Kombi gestohlen haben. Ja, er sei in jener Nacht von zu Hause abgehauen, aber er habe kein Geld gestohlen. Violet müsse sich irren. Sie habe es vielleicht selbst ausgegeben oder sich verrechnet. Marks empörte Unschuldsbeteuerungen waren erstaunlich irrational. Erst wenn er mit eindeutigen Beweisen konfrontiert wurde, gab er seine Schuld zu. Rückblickend waren Marks Handlungen zum Erbrechen vorhersehbar, aber keiner von uns blickte damals zurück, und obwohl sein Verhalten zyklisch verlief, merkten wir nichts. Der Tag des nächsten Ausbruchs konnte nicht vorhergesagt werden.

Mark wurde zu einem schwer deutbaren Rätsel. Es gab nach meinem Empfinden zwei Möglichkeiten, sein Verhalten zu erklären, beide dualistisch geprägt. Die erste war manichäisch. Marks Doppelleben ähnelte einem Pendel, das zwischen Hell und Dunkel hin- und herschwang. Ein Teil von ihm hatte die ehrliche Absicht, gut zu sein. Er liebte seine Eltern und seine Freunde, doch in regelmäßigen Abständen wurde er von einem plötzlichen Drang überwältigt und handelte danach. Bill glaubte fest an diese Version der Geschichte. Das andere Modell für Marks Verhalten könnte mit geologischen Schichten verglichen werden. Die so genannten guten Impulse bildeten eine hoch entwickelte Oberfläche, die das, was darunter lag, größtenteils verbarg. Von Zeit zu Zeit drängten die darunter liegenden ruhelosen Kräfte vulkanartig hervor und brachen aus. Ich gewann den Eindruck, dass das Violets Theorie war, oder vielmehr die Theorie, die sie ängstigte.

Wie immer man sie interpretieren wollte, Marks kriminelle Ausbrüche waren eine grausame Strafe für Bill und Violet. Indem er mein Geld stahl, machte er zugleich die Beziehung zwischen mir, seinem Vater und seiner Stiefmutter noch enger. Wir waren alle Opfer, und die vor Marks Diebstahl noch aufrechterhaltenen Tabus wurden nun umgestoßen. Die Ängste, die Bill und Violet zu Marks Schutz einst unausgesprochen gelassen hatten, wurden Teil unserer Gespräche. Violet tobte über seinen Verrat und verzieh ihm wieder, nur um erneut zu toben und erneut zu verzeihen. «Ich befinde mich auf einer Gefühlsachterbahn zwischen Hass und Liebe», sagte sie. «Es ist immer dieselbe Fahrt, immer wieder.» Doch trotz ihrer Frustration widmete sie sich Mark mit missionarischem Eifer. Ich sah auf ihrem Schreibtisch neben mehreren anderen Büchern zum Thema ein Werk mit dem Titel *Aggression: Versagende Umwelt und antisoziale Tendenzen*, von D. W. Winnicott. «Wir werden ihn nicht verlieren», sagte sie zu mir. «Wir werden um ihn kämpfen.» Das Problem war, dass Violet ihren verzweifelten Kampf gegen einen unsichtbaren Feind führte. Sie bewaffnete sich mit Leidenschaft und Informationen, doch wenn sie zum Angriff vorstürmte, fand sie auf dem Schlachtfeld nichts als einen angenehmen jungen Mann vor, der keinerlei Widerstand leistete.

Bill war kein Kämpfer, und er las kein einziges Buch über Störungen in der Adoleszenz. Er litt. Von Tag zu Tag sah er älter, fahler, gebeugter und geistesabwesender aus. Er kam mir vor wie ein großes weidwundes Tier, dessen mächtiger Körper immer mehr in sich zusammensackte. Violets Wutanfälle gegen Mark hielten sie bei Kräften. Sollte Bill Zorn empfunden haben, so kehrte er ihn gegen sich selbst, und ich konnte zusehen, wie er sich langsam, aber sicher verzehrte. Es war nicht so sehr der Charakter von Marks Verbrechen, was Bill so verletzte – dass er abhaute, Wodka und Valium mixte, sich den Wagen seines Stiefvaters nahm, ja nicht einmal dass er log und stahl. All das wäre unter anderen Umständen zu verzeihen gewesen. Offene

Rebellion hätte Bill viel eher akzeptieren können. Wäre Mark ein Anarchist gewesen, hätte Bill verstanden. Hätte er seinen Hedonismus verteidigt oder wäre gar von zu Hause weggelaufen, um sein Leben nach seinen eigenen idiotischen Vorstellungen zu führen, Bill hätte ihn ziehen lassen. Aber Mark tat nichts dergleichen. Er verkörperte alles, wogegen Bill sich sein Leben lang mit Leidenschaft gewehrt hatte: seichten Kompromiss, Heuchelei und Feigheit. Wenn er mit mir sprach, schien Bill wegen seines Sohnes vor allem verwirrt. Mit Verwunderung in der Stimme erzählte er mir, er habe Mark gefragt, was er sich am meisten im Leben wünsche, und der Junge habe anscheinend aufrichtig geantwortet: gemocht zu werden.

Bill ging täglich in sein Atelier, aber er arbeitete nicht. «Ich gehe rüber», sagte er, «und hoffe, dass mir etwas einfällt, aber es kommt nichts. Ich lese die Baseballergebnisse. Dann lege ich mich auf den Boden und denke mir Spielverläufe aus, wie als Kind. Die Spiele nehmen kein Ende. Ich spiele eins nach dem anderen, und dann schlafe ich ein. Ich schlafe und träume stundenlang, dann stehe ich auf und gehe nach Hause.»

Ich konnte Bill nicht viel mehr bieten als meine Gegenwart, aber die bekam er. An manchen Tagen ging ich von der Arbeit direkt in die Bowery. Dort saßen wir dann auf dem Boden und redeten, bis es Zeit fürs Abendessen war. Mark war nicht unser einziges Thema. Ich klagte über Erica, deren Briefe es immer wieder fertig brachten, in mir ein Fünkchen Hoffnung für uns am Leben zu erhalten. Wir erzählten einander Geschichten aus unserer Kindheit und redeten über Bilder und Bücher. Gegen fünf gestattete er sich, eine Flasche Wein zu öffnen oder sich einen Scotch einzugießen. In den folgenden benebelten Stunden schien das Licht der länger werdenden Tage durch das Fenster über unseren Köpfen, und vom Alkohol belebt, zitierte Bill mit zur Decke erhobenem Zeigefinger Samuel Beckett oder seinen Onkel Mo. Er beteuerte mit feuchten, rot unterlaufenen Augen seine Liebe zu Violet und bekräftigte trotz allem seine

Hoffnungen für Mark. Er brüllte vor Lachen über schlechte Witze, schmutzige Limericks und dumme Wortspiele. Er ereiferte sich über die Kunstwelt als einen papierenen Turm aus Dollar, Mark und Yen und bekannte feierlich, er sei ausgetrocknet, als Künstler erledigt. Die Türen seien sein Abgesang «auf all das» gewesen. Doch eine Minute später sagte er, er denke in letzter Zeit viel über die Farbe von nasser Pappe nach. «Sie ist wunderschön auf der Straße nach dem Regen, lose in einem Rinnstein oder zu diesen ordentlichen Bündeln geschnürt.»

Es gab dramatische Nachmittage – Bills Drama –, die mich nie langweilten, weil ich in seiner Nähe sein Gewicht spürte. Der Mann war schwer von Leben. So oft bewundern wir die Leichtigkeit. Menschen, die schwerelos und ohne Bürde scheinen, die schweben, statt zu gehen, ziehen uns an, weil sie der normalen Schwerkraft zu trotzen scheinen. Ihre Sorglosigkeit täuscht Glück vor, doch davon hatte Bill nichts. Er war immer ein Fels gewesen, massiv und ungeschlacht, von innen her mit magnetischer Kraft aufgeladen. Ich fühlte mich mehr denn je zu ihm hingezogen. Weil er litt, gab ich meinen Selbstschutz und meinen Neid auf. Ich hatte dieses Gefühl nie einer Prüfung unterzogen, hatte es mir nie eingestanden, aber nun tat ich es. Ich hatte ihn beneidet – den potenten, sturen, lustvollen Bill, der produziert und produziert und produziert hatte, bis er spürte, dass es damit vorbei war. Ich hatte ihm Lucille geneidet. Und Violet. Und ich hatte ihm Mark geneidet, wenn auch nur, weil der Junge am Leben war. Die Wahrheit war bitter, aber Bills Schmerz hatte seinen Charakter um eine neue Zerbrechlichkeit bereichert, und diese Schwäche machte uns gleicher.

Eines Abends Anfang März kam Violet und schloss sich uns mit einer braunen Tüte mit Thai-Essen an, das wir auf dem Fußboden sitzend verzehrten. Wir verschlangen das Mahl wie drei ausgehungerte Flüchtlinge und blieben dann im Atelier und redeten und tranken bis spät in die Nacht. Violet kroch auf die Matratze, legte sich auf den Rücken und sprach in dieser

Position weiter mit uns. Nach einer Weile fanden wir alle ein Fleckchen auf dem Bett – Violet in der Mitte, Bill und ich zu beiden Seiten –, drei zufriedene Trunkenbolde, die ein etwas planloses Gespräch führten. Gegen ein Uhr morgens sagte ich, ich müsse nach Hause, sonst würde ich es am nächsten Tag nicht zur Arbeit schaffen. Violet ergriff Bills Arm und dann meinen. «Noch fünf Minuten», bettelte sie. «Heute Nacht bin ich glücklich. So glücklich bin ich schon sehr, sehr lange nicht mehr gewesen. Es tut so gut, an nichts zu denken und frei und dumm zu sein.»

Eine halbe Stunde später steuerten wir die Canal Street entlang auf die Greene Street zu. Wir gingen noch immer untergehakt, und Violet war noch immer zwischen mir und Bill. Sie sang uns ein norwegisches Volkslied vor – etwas von einem Geiger und seiner Fiedel. Bill fiel mit seiner tiefen, lauten, monotonen Stimme ein. Auch ich sang und ahmte die Laute der bedeutungslosen Worte nach. Beim Singen hob Violet das Kinn, und ihr Gesicht fing das Licht der Straßenlampen über uns ein. Die Luft war kalt, aber klar und trocken, und als sie meinen Arm fest an sich drückte, spürte ich den Schwung in ihrem Schritt. Bevor sie mit der zweiten Strophe begann, atmete sie tief ein und lächelte in den Himmel hinauf, und dann sah ich, wie sie für ein paar Sekunden die Augen schloss, um sich vollkommen dem überbordenden Glück hinzugeben, das in unseren Stimmen mitschwang. Wir spürten es alle in jener Nacht – die grundlose Rückkehr der Freude. Als ich meine Tür schloss, nachdem ich mich von Bill und Violet verabschiedet hatte, wusste ich, dass das Gefühl am nächsten Morgen fort sein würde. Das Vergängliche daran war Teil seiner Schönheit.

Monatelang hielt Laszlo die Ohren offen. Ich weiß nicht genau, woher er seine Informationen bezog. Er streifte durch die Galerien, und er und Pinky gingen abends oft aus. Ich wusste nur, dass, wenn Klatsch und Gerüchte herumschwirrten, sie in seine Richtung zu schwirren schienen. Der große, dünne junge Mann mit dem auffallenden Haar, den schrillen Kleidern und der großen Sonnenbrille nahm wesentlich mehr auf, als er abgab. Ideale Spione sollten unauffällig sein, und doch lernte ich Laszlo allmählich als ideale Spürnase schätzen. Sein schillerndes Äußeres wirkte wie ein Leuchtturm inmitten der Unmengen von schwarz gekleideten New Yorkern, doch ebendiese Grellheit machte ihn unauffällig. Auch er hatte Geschichten über das Verschwinden eines Jungen gehört und Geraune über einen Mord, aber Laszlo hielt dieses Gerede für einen Teil von Teddy Giles' Underground-Publicity, die grausige Geschichten ausspuckte, um seinen Status als jüngstes Enfant terrible der Kunstwelt zu festigen. Anderes Gerede beunruhigte Laszlo mehr – dass Giles junge Leute «sammelte», Jungs wie Mädchen, und dass Mark eines seiner Lieblingsobjekte war. Es hieß, Giles führe kleine Gruppen von Kids bei Streifzügen nach Brooklyn und Queens an, wo die Banden bedeutungslose vandalistische Akte begingen oder in Keller einbrachen und Gegenstände wie Teetassen und Zuckerdosen stahlen. Laszlos Quellen zufolge verkleideten sich die Teenager vor solchen Streifzügen, änderten die Farbe ihrer Haut und ihrer Haare. Jungen gingen als Mädchen und Mädchen als Jungen. Es gab Geschichten über Belästigungen Obdachloser im Tompkins Square Park, deren Einkaufswagen sie umwarfen und deren Decken und Essen sie stahlen. Laszlo hörte auch eigenartige Berichte über «Branding» – irgendwelche Körpermarkierungen, die den inneren Kreis um Giles auszeichneten.

Ob etwas davon tatsächlich stattfand, war schwer zu eruieren. Was mit einiger Gewissheit verifiziert werden konnte, war, dass Teddy Giles ein aufsteigender Star in der Kunstwelt war. Der jüngst für eine riesige Summe erfolgte Verkauf eines Werkes mit dem Titel «Tote Blondine in einer Badewanne» an einen englischen Sammler erhöhte sein Ansehen, da er nun nicht mehr nur umstritten, sondern auch teuer war. Giles hatte den neuen Ausdruck «Entertainment Art» geprägt, mit dem er in jedem Interview hausieren ging. Er wiederholte das alte Argument, die Unterscheidung zwischen Hochkultur und Popkultur sei nicht mehr gültig, fügte aber hinzu, dass Kunst nicht mehr und nicht weniger als Unterhaltung sei – und dass sich Unterhaltungswert in Dollar bemesse. Die Kritiker fassten diese Bemerkungen entweder als hochintelligente ironische Volte auf oder als das Heraufdämmern von Wahrheit in der Werbung – das Einläuten einer neuen Ära, die zugab, dass es in der Kunst, wie bei allem anderen auch, um nichts als Geld ging. Giles gab seine Interviews in wechselnden Identitäten. Manchmal verkleidete er sich als Frau und sprach in einem absurden Falsett. Bei anderer Gelegenheit trat er in Anzug und Krawatte auf und klang wie ein Broker, der seine Deals abhandelt. Ich verstand, warum die Leute von Giles fasziniert waren. Seine unersättliche Gier nach Aufmerksamkeit zwang ihn, sich regelmäßig neu zu erfinden. Veränderung hat Nachrichtenwert, und er entzückte die Presse ungeachtet dessen, dass seine Kunst aus Bildern konstruiert war, die in populäreren Medien längst als abgedroschen galten.

Ende März begann Bill wieder zu arbeiten. Angeregt wurde sein neues Projekt durch eine Frau und ihr Baby in der Greene Street. Auch ich sah sie aus dem Fenster von Bills und Violets Wohnung, aber nie hätte ich geahnt, dass sie Bills Arbeit eine völlig neue Richtung geben würde. Es war nichts Außergewöhnliches an dem, was wir sahen, aber ich glaube, ebendas wollte Bill – den Alltag in seiner ganzen dichten Besonderheit. Dafür begann er, mit Film beziehungsweise mit Video zu arbeiten. Ich war so konservativ, zu glauben, ein Künstler von so großer technischer Brillanz verrate sein Talent, wenn er sich der Videokamera bediene, aber nachdem ich die Bänder gesehen hatte, änderte ich meine Meinung. Die Kamera befreite Bill von der erschöpfenden Last seiner Gedanken, indem sie ihn auf die Straße schickte, wo er Tausende von Kindern und die visuellen Fragmente ihrer sich entfaltenden Lebensgeschichten vorfand. Er brauchte diese Kinder für seine eigene geistige Gesundheit, und mit ihnen sollte er beginnen, eine Elegie über all das zu komponieren, was wir alle, die wir lange genug leben, verloren haben – unsere Kindheit. Bills Lamento sollte unsentimental sein. In seiner Arbeit gab es keinen Platz für den viktorianischen Weichzeichner, der unsere Vorstellung von der Kindheit noch immer vernebelt. Aber vor allem hatte er, glaube ich, einen Weg gefunden, sich mit seiner Angst um Mark ohne Mark auseinander zu setzen.

Wir sahen die Frau an einem frühen Sonntagnachmittag, als Mark bereits im Zug nach Cranbury saß. Bill und ich standen am Fenster, als Violet sich Bill von hinten näherte und die Arme um seine Taille schlang. Sie drückte die Wange in seinen Pullover, stellte sich neben ihn und zog seinen Arm über ihre Schulter. Zu dritt betrachteten wir eine Minute lang schweigend die Fußgänger unter uns. Ein Taxi blieb stehen, die Tür ging auf und heraus stieg eine Frau in einem langen braunen Mantel mit einem Kind auf der Hüfte, mehreren Päckchen in beiden Armen und einem Buggy. Wir beobachteten, wie sie das Kind von einer Hüfte auf die andere nahm, in ihrer Handtasche kramte, einen Geldschein herauszog, den Fahrer bezahlte und dann den Kinderwagen mit der linken Hand und dem rechten Fuß aufklappte. Sie setzte das dick vermummte Baby in den Untersatz und schnallte es an. Im selben Augenblick fing das Kind an zu weinen. Die Frau kauerte sich auf den Gehsteig, zog ihre Handschuhe aus, steckte sie eilig in die Manteltaschen und kramte in einer großen gepolsterten Tasche. Sie zog einen Schnuller heraus und steckte ihn dem Kleinkind in den Mund. Dann lockerte sie die Bänder, die die Kapuze seines Schneeanzugs festhielten, schob den Wagen mit einer Hand hin und her und näherte ihr Gesicht dem des Kindes. Sie lächelte und sagte etwas. Das Baby lehnte sich im Wagen zurück, nuckelte kräftig und schloss die Augen. Die Frau warf einen Blick auf ihre Uhr, stand auf, hängte ihre vier Taschen über die Griffe und begann, den Buggy die Straße hinaufzuschieben.

Als ich mich vom Fenster abwandte, sah Bill der Frau noch immer nach. Er sagte kein Wort über sie an jenem Nachmittag, doch während wir Violets Frittata aßen und uns fragten, ob Mark das letzte Halbjahr schaffen und seinen High-School-Abschluss machen würde, spürte ich, dass Bill abgelenkt war. Er hörte Violet und mir zu und antwortete uns, aber zugleich nahm er nicht wirklich an der Unterhaltung teil, so als wäre ein Teil von ihm schon hinuntergegangen und spazierte den Bürgersteig entlang.

Am folgenden Morgen kaufte er sich eine Videokamera und begann zu arbeiten. In den nächsten drei Monaten zog er frühmorgens los und kam erst spätnachmittags wieder. Hatte er mit dem Filmen aufgehört, ging er ins Atelier und zeichnete bis zum Abendessen. Nach dem Essen kehrte er oft zu seinen Notizbüchern zurück und zeichnete weiter bis tief in die Nacht. Doch an den Wochenenden verbrachte er jede Minute mit Mark. Bill sagte, sie redeten miteinander, sähen sich Leihvideos an und redeten wieder. Mark war Bills behindertes Kind geworden, das er wie ein Baby pflegen musste, ein Kind, das er nie aus den Augen lassen durfte. Selbst mitten in der Nacht schaute Bill nach seinem Sohn, um sich zu vergewissern, dass er nicht aus dem Fenster geklettert und verschwunden war. Seine väterliche Wachsamkeit, einst eine Art Strafe, wurde zu einem Mittel, dem unvermeidbaren Ausbruch zuvorzukommen, der, so fürchtete er, den Jungen zerreißen würde.

Obwohl Bill durch das neue Projekt seine Energie wiederge-funden hatte, haftete seiner Erregung etwas Manisches an. Wenn ich ihn ansah, spürte ich, dass seine Augen nicht ihre alte Schärfe wiedererlangt hatten, sondern eher lustvoll zu brennen schienen. Er schlief wenig, nahm mehrere Kilo ab und rasierte sich noch seltener als sonst. Seine Kleidung stank nach Rauch, und gegen Ende des Tages roch sein Atem nach Wein und Scotch. Trotz seines vollen Arbeitsprogramms sah ich ihn häufig in jenem Frühling, manchmal jeden Nachmittag. Er rief mich zu Hause oder im Büro an. «Leo, ich bin's, Bill. Wie wär's mit einem Besuch in der Bowery?» Ich sagte zu, auch an Tagen, an denen es für mich bedeutete, dass ich bis spätnachts an meinen Vorträgen oder Vorlesungsvorbereitungen würde arbeiten müs-sen, denn etwas in seiner Stimme vermittelte mir sein Bedürfnis nach Gesellschaft. Wenn ich während seiner Arbeit hinein-schneite, hörte er immer damit auf, klopfte mir auf den Rücken oder packte mich an den Schultern und schüttelte sie, während er mir von den Kindern auf dem Spielplatz erzählte, die er an jenem Nachmittag gesehen und gefilmt hatte. «Ich hatte ganz vergessen, wie irre kleine Kinder sind. Sie sind völlig plem-plem.»

Eines Nachmittags Mitte April begann Bill plötzlich über den Tag zu sprechen, als er zu Lucille zurückgekehrt war, um ihrer Ehe noch eine Chance zu geben.

«Als ich zur Tür hereinkam, ging ich zuallererst in die Hocke und versprach Mark, dass ich nie wieder fortgehen würde, dass wir von nun an alle zusammenbleiben würden.» Bill drehte den Kopf und betrachtete das Bett, das er vor Jahren für seinen Sohn gebaut hatte. Es stand noch immer in einer hinteren Ecke des Raumes, nicht weit vom Kühlschrank. «Und dann habe ich ihn verraten. Ich erzählte ihm den üblichen Mist – dass ich ihn liebe, aber nicht mehr mit seiner Mutter zusammenleben könne. Am Tag als der fünfte Brief kam und ich aus der Woh-nung ging, schrie er: ‹Dad!› Ich hörte ihn vor der Wohnungstür. Ich hörte ihn die ganze Treppe hinunter, und ich hörte ihn auf der Straße, während ich mich vom Haus entfernte. Ich werde seine Stimme nie vergessen. Es hörte sich an, als würde er umgebracht. Es war das Schlimmste, was ich je gehört habe.»

«So können kleine Kinder auch wegen einer Tafel Schokolade schreien oder weil sie nicht ins Bett wollen – wegen allem Möglichen.»

Bill wandte sich mir zu. Seine Augen waren schmal, und als er sprach, war seine Stimme leise, aber schneidend. «Nein, Leo. Das ist es ja gerade. Es war nicht diese Art von Geschrei. Es war anders. Es war schrecklich. Es klingt mir heute noch in den Ohren. Nein, ich habe mich für mich und gegen ihn entschieden.»

«Du bereust das doch wohl nicht?»

«Wie könnte ich? Violet ist mein Leben. Ich habe mich dafür entschieden zu leben.»

Am Nachmittag des siebten Mai ging ich Bill nicht besuchen. Er rief mich nicht an, und ich blieb zu Hause. Als das Telefon klingelte, las ich gerade zum zweiten Mal einen Brief von Erica, den ich einige Stunden zuvor in der Post gefunden hatte. Die Sätze, über die ich nachdachte, waren: «Etwas ist mit mir geschehen, Leo. Ich habe einen Schritt getan, nicht in meinem Kopf, der mir schon immer vorausgeeilt ist, sondern in meinem Körper, dessen Schmerz es mir unmöglich gemacht hatte, mich zu bewegen, mich irgendwohin zu bewegen außer im Kreis um Matt herum. Mir ist klar geworden, dass ich dich sehen will. Ich möchte in ein Flugzeug steigen, nach New York fliegen und dich besuchen. Ich könnte verstehen, wenn du mich nicht sehen willst, wenn es dir reicht. Ich würde dir nicht übel nehmen, wenn es so wäre; ich teile dir nur mit, wonach mir ist.»

Ich zweifelte nicht an Ericas Ehrlichkeit. Ich bezweifelte nur, dass ihre Überzeugung von Dauer sein würde. Nachdem ich die Worte erneut gelesen hatte, dachte ich, sie würde vielleicht tatsächlich kommen. Die Vorstellung machte mich nervös, und als das Telefon läutete und ich abhob, war ich in Gedanken noch bei Ericas möglicher Entscheidung, mich zu besuchen.

«Leo?»

Die Person in der Leitung sprach in einem eigenartigen Flüsterton, und ich erkannte die Stimme nicht. «Wer ist da?»

Eine Sekunde antwortete niemand. «Violet», sagte die Frau dann etwas lauter. «Ich bin's, Violet.»

«Was ist? Was ist los?»

«Leo?»

«Ja, ich höre dich.»

«Ich bin im Atelier.»

«Was ist?»

Wieder antwortete sie nicht. Ich hörte sie in den Hörer atmen, und dann wiederholte ich meine Frage.

«Ich habe Bill auf dem Fußboden gefunden ...»

«Ist er verletzt? Hast du einen Krankenwagen gerufen?»

«Leo.» Jetzt flüsterte Violet wieder, langsam, methodisch. «Er war tot, als ich ihn fand. Er ist schon seit einer Weile tot. Er muss bald nachdem er hereinkam, gestorben sein, weil er noch seine Jacke anhat, und die Kamera liegt neben ihm auf dem Boden.»

Ich wusste, es konnte nicht anders sein, dennoch fragte ich: «Bist du dir sicher?»

Violet holte tief Atem. «Ja, bin ich. Er ist kalt, Leo.» Sie hatte aufgehört zu flüstern, doch während sie mit dieser fremden, tonlosen Stimme weitersprach, erschreckte mich ihre Gefasstheit. «Mister Bob war hier, aber jetzt ist er gegangen. Ich glaube, ich höre ihn beten.» Sie formte jedes Wort sorgfältig, sprach jede einzelne Silbe so aus, als strenge sie sich furchtbar an, sie richtig hinzubekommen. «Ich bin zum Zug gegangen, um

Mark abzuholen, aber er ist mir entwischt. Darauf rief ich im Atelier an und hinterließ eine Nachricht. Ich dachte, Bill wäre noch unterwegs und würde zurück sein, wenn ich ankomme. Ich war stinksauer auf Mark, so wütend, dass ich Bill sehen musste. Komisch, aber jetzt spielt meine Wut keine Rolle mehr. Jetzt ist es mir einfach egal. Bill reagierte nicht auf mein Klingeln, also habe ich mir selbst aufgeschlossen. Wahrscheinlich habe ich geschrien, als ich ihn sah, und deshalb kam Mr. Bob herauf, aber daran erinnere ich mich nicht. Leo, ich möchte, dass du kommst und die Leute anrufst, die man anrufen muss, wenn jemand stirbt. Ich weiß nicht, warum, aber ich kann es nicht. Und danach möchte ich wieder mit ihm allein sein. Verstehst du, was ich sage?»

«Ich komme sofort.»

Durch das Fenster des Taxis sah ich die vertrauten Straßen, die Reklame und die Menschenmengen auf der Canal Street, und während ich das alles mit ungewöhnlicher Klarheit wahrnahm, spürte ich, dass es mir nicht mehr gehörte, dass es nicht mehr greifbar war und dass ich, wenn das Taxi hielte und ich ausstiege, nicht imstande wäre, irgendetwas davon zu berühren. Ich kannte das Gefühl. Ich hatte es schon einmal gehabt, und es ging auch nicht weg, als ich das Haus betrat und Mr. Bob hinter der Tür der alten Schlosserei beten hörte. Seine Stimme dröhnte nicht mit dem gewohnten Shakespeare'schen Hall. Er leierte einen undeutlichen, mal lauten, mal leisen Singsang herunter, der schwächer wurde, je höher ich die Treppen hinaufstieg und eine andere Stimme zu hören begann – Violets geflüstertes Murmeln aus dem Raum ein paar Stufen über mir. Die Ateliertür stand offen, aber nicht ganz. Violets leise Stimme sprach weiter, doch ich verstand nichts. Ich blieb vor der Tür stehen, und einen Augenblick zögerte ich, weil ich wusste, dass ich dahinter Bill sehen würde. Es war nicht so sehr Angst, was ich verspürte, als vielmehr der Widerwille, in die unantastbare Fremdheit des Todes einzudringen, aber das Gefühl hielt nicht lange an, und ich machte die Tür auf. Es brannte kein Licht, doch die Spät-nachmittagssonne erhellte die Fenster und warf einen dunstigen Schimmer auf Violets Haar. Sie saß im Schneidersitz auf dem Boden am anderen Ende des Raumes, nahe dem Schreibtisch. Sie hielt Bills Kopf im Schoß und sprach, über ihn gebeugt, mit derselben kaum hörbaren Stimme wie vorher mit mir am Tele-fon. Sogar aus dieser Entfernung sah ich, dass Bill tot war. Die Reglosigkeit seines Körpers konnte nicht mit Entspannung oder Schlaf verwechselt werden. Ich kannte diese unerbittliche Ruhe von meinen Eltern und von meinem Sohn, und als ich nun zu Bill hinübersah, wusste ich sofort, dass Violet einen Leichnam im Arm hielt.

Sie hörte mich nicht eintreten, und ein paar Sekunden rührte ich mich nicht. Ich stand in der Tür des vertrauten großen Rau-mes und betrachtete die vielen Reihen gegen die Wand gelehnter Leinwände, die in den Regalen darüber gelagerten Kästen, die mit Tausenden von Zeichnungen gefüllten, unter den Fenstern hoch aufgeschichteten Mappen, die vertrauten durchhängenden Bücherregale, die hölzernen Werkzeugkisten. Ich nahm all das in mich auf und sah die Staubpartikel im schwächer werdenden Sonnenlicht tanzen, das in drei lang gezogenen Rechtecken auf den Boden fiel. Ich ging auf Violet zu, und beim Geräusch mei-ner Schritte hob sie den Kopf, und ihr Blick begegnete meinem. Für den Bruchteil einer Sekunde verzerrte sich ihr Gesicht, doch dann legte sie die Hand auf den Mund, und als sie sie wegnahm, waren ihre Züge wieder ruhig.

Ich blieb neben ihr stehen und sah auf Bill hinunter. Seine Augen waren offen und leer. Es war nichts dahinter, und ihre Leere tat mir weh. Sie sollte sie schließen, dachte ich im Stillen. Sie sollte ihm die Augen schließen. Ich hob die Hände zu einer sinnlosen Geste.

«Ich möchte nicht, dass sie ihn fortbringen, aber ich weiß, dass es sein muss. Ich bin schon eine Weile hier.» Ihre Augen wurden schmal. «Wie spät ist es?»

Ich sah auf meine Armbanduhr. «Zehn nach fünf.»

Bills Gesicht war friedlich. Es verriet nichts von einem Kampf oder von Schmerzen, und seine Haut sah jünger und glatter aus, als ich sie in Erinnerung hatte, so als habe ihm der Tod Jahre aus dem Gesicht gestohlen. Er trug ein blaues Arbeitshemd mit Flecken, vielleicht Ölflecken, und der Anblick dieser dunklen Flecken auf seiner Brusttasche ließ mich erzittern. Ich spürte, wie sich plötzlich mein Mund bewegte und sich mir ein kurzer, unwillkürlicher Laut entrang – ein Stöhnen, das ich rasch unterdrückte.

«Ich war so gegen vier hier», sagte Violet. «Mark hatte heute früh Schulschluss.» Sie nickte. «Ja, ungefähr um vier war ich hier.» Dann blickte sie zu mir auf und sagte heftig: «Nun mach schon! Ruf an!»

Ich ging zum Telefon und wählte 911. Das war die einzige Nummer, die ich kannte. Ich gab ihnen die Adresse. Ich glaube, er hatte einen Herzinfarkt, sagte ich, aber ich weiß es nicht. Die Frau sagte, sie würden eine Streife vorbeischicken. Als ich protestierte, sagte sie, das sei das übliche Verfahren. Die Streife würde so lange bleiben, bis der Amtsarzt kam, um die Todesursache festzustellen. Als ich auflegte, sah Violet mich an und sagte schroff: «Und jetzt will ich, dass du gehst, damit ich bei ihm sein kann. Warte unten, bis die Leute kommen.»

Ich wartete nicht unten. Ich setzte mich auf den Treppenabsatz gleich vor der Tür, die ich offen ließ. Als ich dort saß, bemerkte ich einen großen Riss in der Wand, den ich noch nie zuvor gesehen hatte. Ich legte den Finger darauf und ließ ihn daran entlanggleiten, während ich wartete und Violet dabei zuhörte, wie sie Bill im Flüsterton Dinge sagte, die ich gar nicht erst zu verstehen versuchte. Ich hörte auch Bobs Singsang unten, und ich hörte den Straßenlärm draußen und ungeduldiges Gehupe von der Manhattan Bridge. Es gab sehr wenig Licht im Treppenhaus, doch die Stahltür unter mir, die auf die Straße führte, war von einem schwachen Glanz erhellt, der wohl von einer Lampe in Mr. Bobs Zimmer stammte. Ich legte den Kopf in die Hände und atmete den vertrauten Geruch ein, der aus dem Atelier drang – Farbe, schimmlige Lumpen, Sägemehl. Wie sein Vater war Bill tot umgefallen, dachte ich, einfach hingeschlagen und gestorben, und ich fragte mich, ob Bill, als die Schmerzen oder der Krampf eintraten, wusste, dass dies sein Tod war. Aus irgendeinem Grund stellte ich mir vor, er habe es gewusst und sein friedliches Gesicht drücke sein Einverständnis damit aus. Aber vielleicht machte ich mir nur etwas vor, um das Bild seiner Leiche auf dem Fußboden zu verkraften.

Ich versuchte, mir unser Gespräch am Vortag über das Montieren der Videobänder ins Gedächtnis zu rufen. Er hatte vorgehabt, in ein paar Monaten damit anzufangen, und erklärte mir die Maschine, den Prozess des Schneidens. Als unübersehbar wurde, dass ich nur sehr wenig davon verstand, hatte er lachend gesagt: «Ich langweile dich zu Tode, nicht wahr?» Aber das stimmte nicht. Ich hatte mich überhaupt nicht gelangweilt und ihm das auch gesagt. Dennoch quälte ich mich, während ich dort auf der Treppe saß, mit der Frage, ob ich vielleicht nicht hartnäckig genug gewesen war, ob, als ich mich am Vortag verabschiedete, ein kleines unausgesprochenes Unbehagen zwischen uns geblieben sein mochte, erkennbar nur an einem Anflug von Enttäuschung in Bills Augen. Vielleicht hatte er meine Vorbehalte gegenüber seiner plötzlichen Begeisterung für Video gespürt und war etwas gekränkt gewesen. Ich wusste, es war töricht, mich auf diesen unbedeutenden Austausch am Ende einer zwanzig Jahre alten Freundschaft zu konzentrieren, aber die Erinnerung daran versetzte mir dennoch einen Stich, und zugleich wurde mir schmerzlich bewusst, dass ich nie wieder mit ihm würde sprechen können, weder über die Videobänder noch über sonst etwas.

Nach einer Weile fiel mir auf, dass Violet nicht mehr redete. Auch Mr. Bob war nicht mehr zu hören. Von der Stille beunruhigt, stand ich auf und schaute durch die Tür in den Raum.

Violet hatte sich neben Bill ausgestreckt und den Kopf auf seine Brust gelegt. Einer ihrer Arme lag unter seinem Oberkörper, den anderen hatte sie um seinen Hals geschlungen. Sie sah klein aus neben ihm, und lebendig, obwohl sie sich nicht bewegte. Das Licht hatte sich in den Minuten meiner Abwesenheit verändert, und obwohl ich beide noch sehen konnte, lagen ihre Körper jetzt im Schatten. Ich sah die Konturen von Bills Profil und Violets Hinterkopf, und dann sah ich, wie sie den Arm von seinem Hals löste und zu seiner Schulter bewegte. Während ich zusah, begann sie, wieder und wieder über seine Schulter zu streichen, und dabei wiegte sie sich gegen seinen großen, reglosen Körper.

In diesen letzten Jahren gab es Zeiten, in denen ich mir wünschte, diesen Augenblick nicht miterlebt zu haben. Schon damals, als ich die beiden dort zusammen auf dem Boden liegen sah, schloss sich die Wahrheit meines eigenen einsamen Lebens wie eine große Glasglocke über mir. Ich war der Mann im Treppenhaus, der Betrachter einer Schlussszene, gespielt in einem Raum, in dem ich unzählige Stunden verbracht hatte, aber ich erlaubte mir nicht, die Schwelle zu übertreten. Und doch bin ich heute froh, gesehen zu haben, wie Violet sich an ihre verbleibenden Minuten mit Bill klammerte, und ich muss gewusst haben, dass es wichtig für mich war, die beiden anzusehen, denn ich sah nicht weg und kehrte auch nicht ins Treppenhaus zurück. Ich stand in der Tür und bewachte sie, bis ich die Klingel hörte und die beiden jungen Polizisten einließ, die gekommen waren, ihre seltsame Pflicht zu erfüllen – herumzustehen, bis eine andere Amtsperson eintraf, die Bill für tot erklärte, gestorben eines natürlichen Todes.

Drei

Mein Vater hat mir einmal eine Geschichte über das Verlorengehen erzählt. Es war in dem Sommer, als er zehn geworden war, auf dem Lande, bei Potsdam, wo seine Eltern ein Ferienhaus besaßen. Er hatte von Geburt an jeden Sommer dort verbracht und kannte die Wälder, Hügel und Wiesen in der Umgebung dieses Hauses in- und auswendig. Mein Vater betonte, dass er sich mit seinem Bruder David gestritten hatte, kurz bevor er in den Wald lief. Der damals dreizehnjährige David hatte den Jüngeren aus dem gemeinsamen Zimmer ausgesperrt und gerufen, er müsse allein sein. Auf diesen Streit hin rannte mein Vater davon, kochend vor Wut und Empörung, doch nach einer Weile legte sich sein Zorn, und er fand Spaß daran, durchs Unterholz zu streifen, hier und da Tierfährten zu untersuchen und dem Zwitschern der Vögel zu lauschen. Er ging weiter und weiter, und auf einmal wusste er nicht mehr, wo er war. Er irrte umher, versuchte, seine Fußspuren zurückzuverfolgen, aber keine Lichtung, kein Stein, kein Baum kam ihm bekannt vor. Schließlich gelangte er aus dem Wald hinaus und fand sich auf einem Hügel wieder, an dessen Fuß er ein Haus und eine Wiese sah. Er sah ein Auto, einen Garten, doch er erkannte nichts. Es dauerte mehrere Sekunden, bis er begriff, dass es das eigene Haus war, der Garten und das dunkelblaue Automobil der Familie. Am Ende der Geschichte schüttelte mein Vater den Kopf und sagte, er habe dieses Erlebnis nie vergessen, es veranschauliche für ihn die Geheimnisse der Erkenntnis und des menschlichen Gehirns. Er nannte solche Lücken weiße Flecken auf der Landkarte und ließ der Geschichte einen Vortrag über neurologische Schädigungen folgen, die ihre Opfer unfähig machen, noch irgendetwas oder irgendjemanden zu erkennen.

Viele Jahre nach dem Tod meines Vaters machte ich in New York eine ähnliche Erfahrung. Ich wollte dort einen in Paris lehrenden Kollegen auf einen Drink in der Bar seines Hotels treffen, und nachdem ich einen Angestellten nach dem Weg dorthin gefragt hatte, ging ich zielstrebig durch einen langen glänzenden Korridor mit Marmorboden. Von der anderen Seite kam mir ein Mann im Mantel entgegen. Es verstrichen mehrere Sekunden, bis ich merkte, dass der Mann, den ich für einen Fremden gehalten hatte, mein eigenes Spiegelbild am Ende der Halle war. Solche kurzen Augenblicke der Desorientierung sind nicht ungewöhnlich, doch sie interessieren mich mehr und mehr, weil sie zeigen, dass der Vorgang des Erkennens viel unschärfer ist, als wir annehmen. Erst vorige Woche goss ich mir etwas in ein Glas, was ich für Orangensaft hielt, aber es war Milch. Sekundenlang konnte ich nicht sagen, dass ich Milch geschmeckt hatte, nur dass der Saft abscheulich war. Ich mag Milch sehr gern, aber das spielt keine Rolle. Es lag nur daran, dass ich etwas anderes bekam als erwartet.

Die verwirrende Befremdlichkeit solcher Augenblicke, in denen das Vertraute absolut unbekannt erscheint, ist nicht bloß ein Streich, den das Gehirn uns spielt, sondern ein Verlust der äußeren Anhaltspunkte, die das Sehen strukturieren. Hätte sich mein Vater nicht verirrt, hätte er das Haus seiner Eltern auf der Stelle wieder erkannt. Hätte ich gewusst, dass sich vor mir ein Spiegel befand, hätte ich sofort mich selbst gesehen, und hätte ich die Milch als Milch identifiziert, hätte sie mir auch wie Milch geschmeckt. In jenem Jahr nach Bills Tod fühlte ich mich ständig verloren – entweder wusste ich nicht, was ich sah, oder ich wusste nicht, wie ich entziffern sollte, was ich sah. Diese Erfahrungen haben ihre Spuren in mir hinterlassen, eine nahezu fortwährende Unruhe. Obwohl es Zeiten gibt, in denen sie mehr oder weniger verschwindet, spüre ich sie meist, so als lauere sie mir auf Schritt und Tritt in meinem Alltagsleben auf – ein innerer Schatten des einmal empfundenen Gefühls vollständiger Verlorenheit.

Es ist schon eine Ironie, dass ich mich, nachdem ich jahrelang in den konventionellen Kategorien der Malerei gedacht und mich damit beschäftigt hatte, wie sie die Wahrnehmung beeinflussen, plötzlich in der gleichen Lage fand wie Dürer beim Zeichnen des Rhinozerosses, das er nur vom Hörensagen kannte. Die berühmte Kreatur des Künstlers besitzt zwar starke Ähnlichkeit mit dem wirklichen Tier, doch in einigen wesentlichen Einzelheiten hat sich Dürer geirrt, genau wie ich, als es darum ging, die Personen und Ereignisse zu rekonstruieren, die in jenem Jahr Teil meines Lebens gewesen waren. Gewiss, mein Gegenstand waren Menschen, die bekanntlich schwer und kaum «richtig» wiederzugeben sind, aber ich machte eine Reihe von Fehlern, die so schwerwiegend waren, dass man von einem falschen Bild sprechen muss.

Die Schwierigkeit, klar zu sehen, verfolgte mich schon lange, bevor meine Augen schlecht wurden, sowohl im Leben als auch in der Kunst. Alles hängt von der Perspektive des Betrachters ab – das hatte Matt so gut erkannt, als er an jenem Abend in seinem Zimmer sagte, dass einem sein eigenes Bild entgeht, wenn man andere Leute oder Dinge ansieht. Der Betrachter ist der eigentliche Fluchtpunkt, der Nadelstich in der Leinwand, die Null. Für mich selbst bin ich nur im Spiegel ganz, auf Fotos oder in einigen wenigen Amateurfilmen. Ich habe mich oft danach gesehnt, dieser Beschränkung zu entrinnen und mich selbst einmal aus der Ferne zu betrachten, von der Spitze eines Hügels – weniger ein «Ich» als ein kleiner «Er», der unten im Tal von einem Punkt zum anderen läuft. Und doch, auch die Entfernung garantiert keine Genauigkeit, obwohl sie manchmal hilft. Über die Jahre war Bill ein beweglicher Bezugspunkt für mich geworden, ein Mensch, den ich immer im Auge behielt. Zugleich war er mir oft entgangen. Weil ich so viel über ihn wusste und ihm nahe gewesen war, konnte ich die vielfältigen Bruchstücke meiner Erfahrungen mit ihm nicht zu einem einzigen, einheitlichen Bild zusammenfügen. Die Wahrheit war beweglich, voller Widersprüche, und ich wollte damit leben.

Doch die meisten Leute halten Ambiguität schlecht aus. Das Zusammenbasteln eines geschlossenen Bildes vom Leben und Werk des Künstlers begann fast unmittelbar nach Bills Tod mit dem Nachruf in der *New York Times*. Es war ein ziemlich langer, aber zusammengeschusterter Artikel, der neben Schmeichelhafterem auch ein Zitat aus einem früheren Verriss derselben Zeitung enthielt. Bill wurde darin zum «Kultmaler» gestempelt, dem es auf mysteriöse Weise gelungen war, in Europa, Südamerika und Japan eine große Anhängerschaft zu gewinnen. Violet hasste den Artikel. Sie schimpfte auf den Verfasser und das Blatt, wedelte mir mit der Seite vor dem Gesicht herum und sagte, sie habe Bills Foto erkannt, könne ihn selbst in den sieben Absätzen, die ihm gewidmet waren, aber nirgendwo entdecken, er fehle in seinem eigenen Nachruf. Es half nichts, sie daran zu erinnern, dass die meisten Journalisten nur der Allgemeinheit nach dem Mund reden und die Schreiber von Nachrufen selten etwas anderes zustande bringen als eine langweilige, aus ähnlich hirnlosen Artikeln über die oder den Verstorbenen abgeschriebene Zusammenfassung. Doch im Lauf der folgenden Wochen fand Violet Trost in den Briefen, die sie aus aller Welt erreichten, von Menschen, die Bills Werke gesehen und darin für sich selbst etwas Bleibendes gefunden hatten. Viele waren jung, keine Künstler oder Sammler, sondern gewöhnliche Menschen, die irgendwie über seine Kunst gestolpert waren, oft nur in Reproduktionen.

Das Phänomen der Blindheit gegenüber Werken, die später zu «großer Kunst» erhoben werden, kommt in der Geschichte so häufig vor, dass es zum Klischee geworden ist. Van Gogh wird heute ebenso für das Martyrium verehrt, das er wegen «Nichtanerkennung zu Lebzeiten» erlitten hat, wie für seine Gemälde.

Nach einer Ewigkeit in der Versenkung hat Botticelli im neunzehnten Jahrhundert eine Wiedergeburt erlebt. Ihre späte Anerkennung war schlicht und einfach das Ergebnis einer Umorientierung, einer Erneuerung der Konventionen, die ein Verstehen möglich machten. Bills Werk war kompliziert und durchgeistigt genug, um Kunstkritiker zu verschrecken, doch es besaß auch eine einfache, oft erzählerische Kraft, die das ungeschulte Auge faszinierte. Ich glaube, dass beispielsweise *Os Reise* Bestand haben wird, dass die Modegags und blitzenden Absurditäten, die sich jetzt in den Galerien breit machen, ihren Platz an der Sonne nicht mehr lange behalten werden, dass sie vergehen werden wie vor ihnen so vieles andere, während die Glaswürfel mit den Buchstaben des Alphabets bleiben werden. Wer weiß, ob ich Recht habe, aber ich glaube fest daran, und bisher deutet nichts auf das Gegenteil hin. In den fünf Jahren seit Bills Tod ist sein Ruhm stetig gewachsen.

Bill hinterließ eine Menge Arbeiten, darunter viele, die noch nie zuvor ausgestellt worden waren. Violet, Bernie und mehrere Assistenten der Galerie machten sich daran, die Leinwände, Kästen, Skulpturen, Drucke, Zeichnungen, Notizbücher, doch auch die unfertigen Videobänder, die Bestandteil seines letzten Projekts gewesen waren, zu sortieren. Am Anfang, beim ersten Sichten, hatte Violet mich gebeten mitzukommen, weil sie «jemand zum Anlehnen» brauchte. Innerhalb eines Monats verwandelte sich das mit dem Leben eines Mannes angefüllte Atelier in einen gespenstisch kahlen Raum mit einem Tisch, einem Stuhl, meist leeren Regalen und Kisten, beleuchtet vom wechselnden Sonnenlicht, das niemand fortnehmen konnte. Es gab Entdeckungen: feine Zeichnungen von Mark, als er noch ein Baby war, mehrere Gemälde von Lucille, von deren Existenz niemand etwas wusste. Auf einem dieser Bilder schreibt sie in ein Notizbuch, und obwohl ein Teil ihres Gesichts verborgen ist, kann man ihr das, was sie in die Zeilen hineinlegt, von den Augen und der Stirn ablesen. Ein großer Schriftzug mit den

Worten «Es schrie und schrie» zieht sich schräg über die Leinwand, durchschneidet Lucilles Brust und Schultern, doch wie auf eine andere Ebene gehoben als sie selbst. Die Leinwand war Oktober 1977 datiert. Es gab auch eine Zeichnung von Erica und mir, die Bill aus dem Kopf gemacht haben muss, weil wir nie dafür posiert hatten und ich sie nicht kannte. Wir sitzen auf Adirondack-Stühlen vor dem Haus in Vermont. Die Hand auf meine Armlehne gelegt, beugt sich Erica zu mir herüber. Violet schenkte mir das Blatt, gleich nachdem sie es entdeckt hatte, und schon am nächsten Tag brachte ich es zum Rahmen. Inzwischen war Erica gekommen und wieder abgefahren. Der Trip nach New York, den sie sich ausgemalt hatte – und an dessen Ende nach ihren vorsichtigen Andeutungen die Versöhnung mit mir hätte stehen können –, wurde zum traurigen letzten Geleit für einen Freund. Wir fanden keine Gelegenheit, über uns zu sprechen. Ich hängte Bills Zeichnung an die Wand neben meinem Schreibtisch und betrachtete sie oft. In die schnell gestrichelten Linien von Ericas Hand schien Bill die Nervosität der Finger meiner Frau gebannt zu haben, und wenn ich die Skizze ansah, fiel mir unweigerlich ein, wie Erica bei seiner Beerdigung gezittert und ihr ganzer Körper sich unter einer leichten, aber sichtbaren Lähmung verkrampft hatte. Mir fiel ein, wie ich ihre kalte Hand in meine genommen hatte und wie, obwohl ich sie fest gedrückt hielt, das von irgendwo tief in ihren Nervenbahnen kommende Zittern nicht aufgehört hatte.

Immer wenn ein Künstler stirbt, tritt das Werk langsam an die Stelle seines Körpers und wird ein leibhaftiger Ersatz für ihn in dieser Welt. Ich glaube, man kommt nicht dagegen an. Gebrauchsgegenständen wie Stühlen oder Tellern, von einer Generation an die nächste weitergegeben, mag kurzfristig etwas vom Geist ihrer ehemaligen Besitzer anhaften, doch diese Eigenschaft verliert sich relativ schnell bei ihrem praktischen Gebrauch. Die Kunst, nutzlos, wie sie ist, widersteht der Einverleibung in den Alltag, und sofern sie irgendeine Kraft besitzt, scheint sie das Leben des Menschen, der sie geschaffen hat, zu atmen. Die Kunsthistoriker sprechen nicht gern darüber, weil es an das mit Ikonen und Fetischen verbundene magische Denken erinnert. Doch ich habe es wieder und wieder empfunden, und ich spürte es in Bills Atelier. Als die Kunstspediteure kamen und die mit peinlicher Sorgfalt verpackten und beschrifteten Kisten und Kartons unter Violets, Bernies und meinen Blicken hinaustrugen, musste ich an die beiden Männer vom Bestattungsinstitut denken, die zwei Monate zuvor Bills Körper in einen Kunststoffsack gesteckt und aus demselben Raum geschleppt hatten.

Obwohl ich besser wusste als die meisten, dass Bill und sein Werk nicht identisch waren, verstand ich das Bedürfnis, seiner Hinterlassenschaft eine bestimmte Aura zu verleihen, eine Art spirituellen Strahlenkranz, der sich der kruden Wahrheit von Zerfall und Verwesung widersetzt. Als Bills Sarg in die Erde gelassen wurde, stand Dan am Grab und wiegte sich vor und zurück. Die Arme über der Brust verschränkt, beugte er sich ein ums andere Mal aus der Hüfte vor, um den Oberkörper dann zurückzuwerfen. Wie ein orthodoxer Jude beim Gebet schien er Trost in der physischen Wiederholung zu finden, und ich beneidete ihn fast um diese Freiheit. Doch als ich zu ihm hinging und ihm ins Gesicht sah, waren seine Züge gramentstellt, und er hatte einen wilden, stieren Blick. Später, in der Greene Street, schenkte ihm Violet ein winziges Gemälde, das Bill aus dem Buchstaben W gemacht hatte, mit einem echten Schlüssel in der Mitte. Dan steckte es unter sein Hemd und presste es den ganzen Nachmittag an sich. Es war heiß, und ich fürchtete, er würde es völlig durchschwitzen, aber ich wusste, warum er das kleine Objekt auf seine Haut drückte. Er wollte keine Trennung zwischen sich und dem kleinen Bild, weil er sich vorstellte, irgendwo in dieser Mischung aus Holz, Leinwand und Metall seinen Bruder zu berühren.

In meinen Träumen holte ich Bill ins Leben zurück. Er kam durch die Tür zu mir herein oder tauchte neben meinem Schreibtisch auf, und ich sagte jedes Mal: «Ich dachte, du wärst tot.» Und er sagte: «Das bin ich auch. Ich wollte nur mit dir sprechen», oder: «Ich wollte nur mal schauen, ob es dir gut geht.» In einem Traum aber sagte er auf meine immer gleiche Frage: «Ja, ich bin tot. Ich bin jetzt bei meinem Sohn.» Da fing ich an, mit ihm zu streiten. «Nein, Matthew ist *mein* Sohn. *Dein* Sohn ist Mark.» Doch Bill wollte es nicht zugeben. Im Traum wurde ich wütend, und von der Qual dieses Missverständnisses wachte ich auf.

Auch nachdem kaum etwas von Bills Arbeiten im Atelier zurückgeblieben war, setzte Violet ihre täglichen Besuche in der Bowery fort. Sie sagte mir, sie habe noch zu tun, Kleinigkeiten aufzuräumen und Bills persönliche Sachen durchzusehen, vor allem Briefe und Bücher. Oft sah ich sie morgens mit einer schweren Ledertasche über der Schulter aus dem Haus gehen. Wenn sie abends – nicht vor sechs, manchmal sieben – zurückkam, blieb sie meist zum Essen bei mir. Ich kochte für sie, und obwohl meine Kochkünste nicht an ihre heranreichten, bedankte sie sich jedes Mal lautstark. Irgendwann fiel mir auf, dass sie nach ihrer Ankunft etwa eine halbe Stunde lang einen seltsamen Eindruck machte. Ihre Augen waren glasig, mit einem schrägen, glänzenden Blick, der mich beunruhigte, vor allem in den ersten Minuten, wenn sie gerade zur Tür hereingekommen war. Ich sagte nichts, weil ich das, was ich sah, kaum in Worte fassen konnte. Stattdessen plauderte ich über das Essen oder ein Buch, das ich gerade las, und ganz langsam nahm ihr Gesicht wieder einen vertrauteren, präsenteren Ausdruck an, so als kehre sie allmählich ins Hier und Jetzt zurück. Seit Bill gestorben war, hatte ich Violet mehrfach weinen hören, hatte ihrem qualvollen Schluchzen durch die Decke meines Schlafzimmers gelauscht, doch sie zeigte mir ihre Tränen nicht. Ihre Stärke war bewundernswert, hatte aber etwas wild Entschlossenes an sich, das ich nach einer Weile als ungut empfand. Ich hielt ihre Härte für das Blom'sche Erbe, eine skandinavische Eigenart, überliefert von einer langen Kette von Menschen, die daran geglaubt hatten, dass man Leid mit sich selbst abmachen müsse.

Vielleicht war es derselbe Stolz, der Violet dazu veranlasste, Mark bei sich aufzunehmen. Sie sagte Lucille, von Juli an könne er bei ihr wohnen und sich eine Arbeit in der Stadt suchen. Mark hatte glücklich die High School abgeschlossen, sich aber keinen Studienplatz besorgt, und seine Zukunft lag vor ihm wie eine große unbekannte Wüste. Als ich Violet fragte, ob sie überhaupt in der Verfassung sei, sich um Mark zu kümmern, fuhr sie mich an, Bill würde sich gewünscht haben, dass sie es täte. Mit zusammengekniffenen Augen und zusammengepresstem Mund gab sie mir zu verstehen, dass ihr Entschluss feststand, dass sich jede Diskussion erübrigte.

Am Abend vor Marks Einzug kehrte Violet nicht aus dem Atelier zurück. Sie hatte mich vormittags angerufen, weil sie mich abends im Viertel zum Essen einladen wollte. «Kauf nichts ein», hatte sie gesagt, «ich komme gegen sieben.» Um acht rief ich sie an. Die Leitung war besetzt. Eine halbe Stunde später war sie noch immer besetzt. Ich machte mich auf den Weg in die Bowery.

Die Haustür stand weit offen, und als ich hineinsah, erblickte ich Mr. Bob zum ersten Mal in voller Leibesgröße – ein Mann unbestimmten Alters mit verkrümmtem Rückgrat und dünnen Beinen, die schlecht zu seinen muskulösen Armen passten. Er fegte den Eingang und schob einen Haufen Dreck an meinen Füßen vorbei auf den Bürgersteig. «Mr. Bob?», sagte ich.

Ohne zu reagieren, starrte er finster auf den Boden.

«Ich mache mir Sorgen um Violet», sagte ich. «Wir wollten zusammen essen gehen.»

Er gab keine Antwort und rührte sich nicht. Ich machte einen Bogen um ihn, dann ging ich die Treppe hinauf.

«Pass auf!», donnerte er. Und als ich oben angekommen war, setzte er nach: «Pass auf mit Beauty!»

Auch die Tür zum Atelier stand offen. Ich holte tief Luft, bevor ich hineinging. Das einzige Licht im Raum kam von einer Lampe, die auf Bills Tisch stand und einen Stapel Papiere beleuchtete. Obwohl ich den kahlen Loft bei Tageslicht schon gesehen hatte, verstärkte der düstere Abend den Eindruck gähnender Leere, zumal meine Augen keinen Rahmen fanden, an dem sie sich festmachen konnten. Erst sah ich niemanden, doch als ich mich den Fenstern zuwandte, glaubte ich, Bill in den fahlen Lichtschein treten zu sehen, der von draußen hereinfiel. Gebannt von der Erscheinung, hielt ich den Atem an. Da stand er, eine Zigarette rauchend, vor der Fensterscheibe, Bills verkümmerter Geist, mit dem Rücken zu mir – Baseballkappe, blaues Arbeitshemd, schwarze Jeans. Ich ging auf ihn zu, doch beim Geräusch meiner Schritte fuhr der deformierte, geschrumpfte Bill herum, und es war Violet. Ich hatte sie noch nie zuvor rauchen sehen. Sie hielt die Zigarette zwischen Daumen und Zeigefinger, so wie Bill seine Kippen zu halten pflegte, wenn kaum mehr als der Filter übrig war. Sie kam näher.

«Wie spät ist es?», sagte sie.

«Nach neun.»

«Neun?», wiederholte sie, so als versuche sie, die Zahl in ihr Denken einzuordnen. «Du hättest nicht kommen sollen.» Sie ließ die Zigarette fallen und trat sie aus.

«Wir wollten doch essen gehen.»

Violet sah flüchtig zu mir auf. «Ach ja.» Sie schien verwirrt. «Das habe ich ganz vergessen.» Dann, einige Sekunden später: «Gut, nun bist du also hier.» Sie sah an sich herunter, strich mit einer Hand über den Ärmel von Bills Hemd. «Du siehst besorgt aus. Mach dir keine Sorgen. Mit mir ist alles in Ordnung. Einen Tag nachdem Bill gestorben war, kam ich hierher zurück. Ich wollte mich allein umsehen. Seine Kleider lagen in der Ecke, die Schachtel Zigaretten fand ich auf dem Tisch. Ich legte sie weg, in den Schrank unter dem Waschbecken. Ich sagte Bernie, es seien nur persönliche Sachen darin, er solle die Finger davon lassen. Als Bernie mit dem Ordnen der Kunstobjekte fertig war, kam ich regelmäßig wieder. Das ist jetzt meine Arbeit – herkommen und bleiben. Eines Nachmittags ging ich an den Schrank und nahm seine Hose, das Hemd und die Zigaretten heraus. Zuerst nur, um sie anzuschauen, zu berühren. Seine andere Kleidung habe ich noch immer zu Hause, doch das meiste ist sauber, und was sauber ist, ist tot. Die Sachen hier sind mit Farbe beschmiert, er hat darin gearbeitet, und nach einer Weile wollte ich sie nicht mehr nur berühren. Das war nicht mehr genug. Ich wollte sie anhaben, sie auf meinem Körper spüren und die Camels rauchen. Jeden Tag eine. Das hilft.»

«Violet», sagte ich.

Sie ließ den Blick durch den Raum wandern, als hätte ich nichts gesagt. Auf dem Boden stand eine einzige offene Kiste, daneben lagen Farbtuben, sortiert und aufgereiht. «Ich finde hier Trost», sagte sie.

Matts Zeichnung von Jackie Robinson hing noch an der Wand, nicht weit von Bills Arbeitstisch. Einen Augenblick wollte ich danach fragen, tat es aber nicht.

Violet lehnte sich an mich und legte die Hand auf meinen Arm. «Ich hatte Angst, dass er sterben würde. Ich habe noch nie darüber gesprochen, weder mit dir noch mit sonst jemand. Schließlich fürchten wir alle, die liebsten Menschen zu verlieren. Das will nichts heißen. Doch irgendwie hatte ich allmählich das Gefühl, dass etwas nicht in Ordnung war. Er atmete zu schwer. Er konnte nicht schlafen. Einmal sagte er, es sei ihm unangenehm, die Augen zu schließen, weil er meinte, er könnte in der Nacht sterben. Nachdem Mark dein Geld gestohlen hatte, blieb er abends lange auf und trank Whiskey, statt ins

Bett zu gehen. Manchmal fand ich ihn um drei Uhr morgens, bei laufendem Fernseher auf dem Sofa eingedöst. Ich zog ihm die Schuhe und die Hose aus und deckte ihn zu oder brachte ihn in unser Bett.» Sie senkte den Blick. Nach einer kurzen Pause fuhr sie fort: «Er war in einer schlechten Verfassung, immer bedrückt. Er sprach viel von seinem Vater. Auch von Dans Krankheit und davon, wie er versucht hatte, ihm zu helfen, aber alles umsonst gewesen war. Er fing an, sich Gedanken über das Kind zu machen, das wir nie bekommen haben. Manchmal meinte er, wir sollten ein Baby adoptieren, aber dann sagte er wieder, das sei zu riskant. Er habe versucht, ein guter Vater zu sein, aber er habe alles falsch gemacht. Wenn es wirklich schlimm war, zitierte er jeden miesen Satz, den irgendwer irgendwann über ihn geschrieben hatte. Früher schien ihm dieser Dreck nicht viel auszumachen, aber es summierte sich, Leo. Die Kritiker haben ihm übel mitgespielt. Ihre Gehässigkeit kam offenbar daher, dass es andere Leute gab, die seine Arbeit so fanatisch verehrten – aber er vergaß all das Gute, das er erlebt hatte.» Violet starrte in den Raum, wieder strich sie über den Ärmel. «Nur mich – mich hat er nie vergessen. Wenn ich ihm ins Ohr flüsterte: ‹Komm jetzt, komm ins Bett›, legte er die Hände an mein Gesicht und küsste mich. Meist war er noch etwas betrunken und sagte: ‹Darling, ich liebe dich so›, oder andere schnulzige Dinge. Die letzten Monate ging es besser. Er schien glücklich mit den Kids und seinen Videoaufnahmen. Ich dachte wirklich, das Filmen würde ihn am Leben erhalten.» Violet drehte den Kopf zur Wand. «Jeden Tag fällt es mir etwas schwerer, nach Hause zu gehen. Ich will nur noch hier bleiben und bei ihm sein.»

Violet zog das Päckchen Camel aus Bills Hemdtasche, zündete sich eine Zigarette an und wedelte das Streichholz aus. «Heute gönne ich mir noch eine», sagte sie und blies eine lange Rauchfahne aus ihrem Mund. Danach waren wir still, mindestens eine Minute lang. Meine Augen hatten sich an die Dunkelheit gewöhnt, und der Raum wirkte freundlicher. Ich betrachtete die Tuben Ölfarbe auf dem Boden.

Violet brach das Schweigen. «Da ist etwas … ich möchte, dass du es dir anhörst. Es ist auf dem Anrufbeantworter. Ich habe ihn am selben Tag abgehört, als ich die Kleider fand.» Violet ging zum Tisch, stellte das Gerät an und drückte mehrmals auf die Taste. Eine Mädchenstimme sagte: «M&M weiß, dass ich umgebracht wurde.» Das war alles.

Einen Augenblick hörte ich noch Bernies Stimme mit der nächsten Nachricht, dann schaltete Violet ab. «Bill hat es an dem Tag gehört, als er starb. Das Lämpchen blinkte nicht. Er muss das Band abgehört haben, als er ins Atelier kam.»

«Aber es ist Unsinn.»

Violet nickte. «Ich weiß, aber ich glaube, es ist dasselbe Mädchen, das mich in der Nacht wegen Giles anrief. Er konnte das nicht wissen, weil er nicht mit ihr gesprochen hat.» Sie sah mich an und legte ihre Hand auf meine. «Sie nennen Mark M&M, wusstest du das?»

«Ja.»

Violet begann, meinen Handrücken zu drücken. Ihr Griff wurde hart, und ich spürte, wie sie zitterte.

«Ach Violet», sagte ich.

Meine Stimme schien sie zu brechen. Ihre Lippen zuckten, ihre Knie knickten ein, und sie sank mir in die Arme. Während sie meine Hüften umschlang und ihre Wange an meinen Hals presste, schob ich die Baseballkappe zurück und küsste einmal ihren Kopf, ein einziges Mal. Ich hielt ihren bebenden Körper, hörte ihr Schluchzen, und ich roch Bill – Zigaretten, Terpentin und Sägemehl.

Bei Mark sah Trauern aus wie ein Erschlaffen. Sein Körper erinnerte mich an einen Reifen, dem man die Luft abgelassen hat. Er schien unfähig, den Kopf oder die Hand zu heben, ohne sich ungeheuer anstrengen zu müssen. Wenn er nicht seinem Job als Verkäufer in einer nahe gelegenen Buchhandlung nachging, lag er an seinen Walkman angeschlossen auf dem Sofa oder wanderte lustlos von einem Raum zum anderen, immer eine Schachtel Cracker in der Hand oder ein Twixx knabbernd. Er kaute, mampfte und schmatzte ohne Unterlass, den ganzen Tag bis in die Nacht hinein, wobei er eine Spur aus Zellophan, Plastik und Pappe hinter sich ließ. Das Abendessen hatte für ihn keinen besonderen Reiz. Er stocherte darin herum und ließ das meiste auf dem Teller. Violet sprach ihn nie mit einem Wort auf seine Essgewohnheiten an. Vermutlich wollte sie ihn nicht abhalten, wenn er glaubte, sich auf diese Weise über den Verlust seines Vaters hinwegfressen zu müssen.

Obwohl auch Violet abends nicht viel aß, wurde die gemeinsame Mahlzeit eine Gewohnheit, die wir lange bis ins folgende Jahr hinein beibehielten. Sie war für jeden von uns dreien ein wichtiges Ritual, das den Tag bestimmte. Ich kaufte die Lebensmittel ein und kochte, während Violet Gemüse schnippelte und Mark versuchte, sich so lange aufrecht zu halten, bis er die Teller in der Spülmaschine verstaut hatte. Wenn dieses mühsame Geschäft erledigt war, richtete er sich meist zum Fernsehen auf dem Sofa ein. Oft setzten wir uns zu ihm, doch nach ein paar Wochen hatte ich die schwachsinnigen Sitcoms und die grellen Serien mit Vergewaltigern und Serienkillern satt, sodass ich mich entweder entschuldigte und nach unten ging oder mich in eine stille Ecke des großen Raumes setzte und las.

Von meinem Sessel aus konnte ich die beiden beobachten. Mark hielt Violets Hand oder ließ seinen Kopf an ihrer Brust ruhen. Er legte seine Beine über ihre oder rollte sich an sie geschmiegt zusammen. Wären seine Gesten nicht so infantil gewesen, hätte ich sie vielleicht anstößig gefunden, aber wenn Mark sich an seine Stiefmutter kuschelte, sah er aus wie ein riesiges, von einem langen Tag im Hort erschöpftes Kleinkind. Ich interpretierte diese Anhänglichkeit an Violet als eine weitere Reaktion auf Bills Tod, obwohl mir ein ähnliches Anlehnungsbedürfnis gegenüber beiden, seinem Vater und ihr, schon früher aufgefallen war. Ich selbst hatte mir, als mein Vater starb, große Mühe gegeben, vor meiner Mutter den Mann zu spielen. Was als Spiel begann, schien mit der Zeit real, und dann war es tatsächlich real. Ungefähr ein Jahr nach seinem Tod kam ich einmal von der Schule nach Hause und fand meine Mutter im Wohnzimmer, zusammengesunken auf einem Sessel, die Hände vors Gesicht geschlagen. Als ich zu ihr ging, sah ich, dass sie geweint hatte. Außer an dem Tag, als mein Vater starb, hatte ich meine Mutter noch nie weinen hören oder sehen, und als sie mir ihr rot verschwollenes Gesicht entgegenhob, kam sie mir vor wie eine Fremde, so als wäre sie gar nicht meine Mutter. Dann bemerkte ich das Fotoalbum neben ihr auf dem Tisch. Ich fragte sie, was mit ihr sei. Sie ergriff meine Hände und sagte erst auf Deutsch, dann auf Englisch: «Sie sind alle tot. *They are all dead.*» Sie zog mich zu sich hin und schmiegte ihre Wange an mich, genau auf der Höhe meines Gürtels. Ich erinnere mich, wie sich mir durch den Druck ihres Kopfes die Gürtelschnalle in die Haut bohrte und mich zwickte. Es war eine unbequeme Umarmung, aber ich stand still und war froh, dass sie nicht weinte. Während sie mich etwa eine Minute lang an sich gepresst hielt, fühlte ich mich ungewöhnlich klarsichtig, so als hätte ich plötzlich alles unter Kontrolle, in unserem Wohnzimmer und auch sonst. Mit einem kurzen Drücken ihrer Schultern gab ich meiner Mutter zu verstehen, dass ich sie beschützen würde, und als sie sich von mir löste, lächelte sie.

Ich war damals achtzehn, ein Junge, der sich mit nichts und niemandem auskannte und zwar fleißig lernte, aber von einem

Tag auf den anderen lebte. Dennoch hatte meine Mutter meinen Willen erkannt, mehr und Besseres zu taugen, und es stand alles in ihrem Gesicht – Stolz, Trauer und eine Spur Belustigung über meine Anwandlung von Männlichkeit. Ich fragte mich, ob Mark es schaffen würde, seine Stumpfheit abzuschütteln und Violet zu trösten, doch in Wirklichkeit verstand ich nicht, was sich unter seiner Lethargie verbarg. Er war bedürftig, aber nicht fordernd, und seine permanente Müdigkeit wirkte eher wie Langeweile als wie die Lähmung eines Menschen, der ein Trauma erlitten hat. Manchmal fragte ich mich auch, ob er wirklich verstanden hatte, dass sein Vater nicht wiederkommen würde. Möglicherweise hatte er diese Wahrheit irgendwo in seinem Innern vergraben, unzugänglich für sein Bewusstsein. Sein Gesicht war so unberührt von jedem Kummer, dass ich dachte, er habe sich gegen den Gedanken der Sterblichkeit selbst immunisiert.

Nach ihrem Zusammenbruch im Atelier sprach Violet offener über ihre Traurigkeit, und ihr Körper begann sich aus seiner Erstarrung zu lösen. Sie ging weiter jeden Morgen in die Bowery, und obwohl sie nicht darüber sprach, was sie dort tat, sagte sie zu mir: «Ich tue, was ich tun muss.» Ich war mir sicher, dass sie Bills Kleider anzog, ihre tägliche Zigarette rauchte und tat, was immer sie sonst noch in diesem Raum tun mochte, um den Tod ihres Mannes zu begehen. Ich glaube, dass Violet, wenn sie sich im Atelier aufhielt, intensiv und bewusst trauerte, doch sobald sie nach Hause kam, tat sie ihr Bestes, sich um Mark zu kümmern. Sie räumte ihm hinterher, wusch seine Kleider und putzte die Wohnung. Abends, wenn mein Blick zu ihr hinüberglitt und sie neben ihm vor dem Fernseher saß, merkte ich, dass sie gar nicht hinschaute. Sie wollte ihm nur nahe sein. Während sie Mark über den Kopf oder den Arm strich, wandte sie sich oft vollständig vom Bildschirm ab und sah irgendwo in eine Ecke, hörte aber selten auf, ihn zu berühren. Trotz seiner kindlichen Abhängigkeit schien sie Mark genauso zu brauchen wie er sie, vielleicht sogar mehr. Es kam vor, dass sie zusammen auf dem Sofa einschliefen. Da ich wusste, dass Violet manchmal die ganze Nacht nicht schlafen konnte, weckte ich sie nicht. Ich stand leise auf und ging.

Ich vergaß nicht, dass Mark mein Geld gestohlen hatte, doch nachdem Bill gestorben war, kam es mir so vor, als gehörte dieser Vorfall einer anderen Epoche an, einer Zeit, in der Marks kriminelles Verhalten mehr Raum in meinem Inneren eingenommen hatte. In Wirklichkeit war mir die Wut schon durch Bills Leiden vergangen. Er hatte stellvertretend für Mark gebüßt, die Schuld auf sich genommen, als wäre es seine eigene. Mit seiner Selbstkasteiung, seinen Sühneopfern war es Bill gelungen, die verschwundenen siebentausend Dollar in sein Versagen als Vater zu verwandeln. Ich hatte seine Reue nicht gewollt. Ich hatte eine Entschuldigung von seinem Sohn gewollt, aber Mark war nie gekommen, mich um Verzeihung zu bitten. Er hatte seine wöchentlichen Zahlungen in Raten von zehn, zwanzig oder dreißig Dollar geleistet, doch als Bill nicht mehr da war, um die Überweisungen zu kontrollieren, kam auch kein Geld mehr, und ich konnte mich nicht überwinden, danach zu fragen. Dementsprechend überrascht war ich, als Mark eines Freitags Anfang September an meiner Tür auftauchte und mir hundert Dollar gab.

Er setzte sich nicht, nachdem er mir die Scheine ausgehändigt hatte, sondern lehnte mit gesenktem Blick an meinem Schreibtisch. Ich wartete ab. Nach einer langen Pause sah er zu mir auf und sagte: «Ich zahle dir alles zurück, jeden Penny. Ich habe viel darüber nachgedacht.»

Wieder schwieg er, und ich beschloss, ihm nicht durch eine Antwort aus der Verlegenheit zu helfen.

«Ich will tun, was Dad gewollt hätte», sagte er schließlich. «Ich kann nicht glauben, dass ich ihn nie wieder sehen werde. Ich dachte nicht, dass er sterben würde, bevor ich mich geändert hätte.»

«Geändert?», fragte ich. «Wovon redest du?»

«Ich habe immer gewusst, dass ich mich ändern würde. Verstehst du – einfach das Richtige tun, studieren, heiraten und das alles, damit Dad stolz auf mich wäre und die ganzen schlechten Sachen, die passiert sind, vergessen könnte und alles wieder wäre wie früher. Ich weiß, ich habe ihn verletzt. Das treibt mich jetzt um. Manchmal kann ich nicht schlafen.»

«Du schläfst immer», sagte ich.

«Nicht in der Nacht. Ich liege im Bett und denke an Dad, und dann packt es mich. Er war das Beste in meinem Leben. Violet ist wirklich nett, aber sie ist nicht wie Dad. Er hat an mich geglaubt, er wusste, dass ich tief drinnen viel Gutes in mir habe, und das macht den Unterschied aus. Ich dachte, ich würde Zeit genug haben, mich zu beweisen.»

Seine Augen füllten sich mit Tränen. In zwei durchsichtigen Strömen flossen sie ihm über die Wangen. Er gab kein Geräusch von sich, sein Gesichtsausdruck blieb unverändert. Noch nie hatte ich jemanden so lautlos weinen sehen. Er schniefte nicht, er schluchzte nicht, er produzierte nur eine Menge Flüssigkeit. «Dad hat mich sehr lieb gehabt», sagte er.

Ich nickte. Bis zu diesem Augenblick war ich auf Distanz geblieben, in der harten, misstrauischen Haltung, die ich ihm gegenüber einzunehmen gelernt hatte, doch nun wurde ich schwach.

«Ich werde es dir zeigen», sagte er laut und entschlossen. «Ich werde es dir zeigen, weil ich es Dad nicht zeigen kann. Du wirst sehen . . .» Er senkte den Kopf und schielte durch die Tränen auf den Boden. «Bitte glaub mir», sagte er mit bewegter Stimme. «Bitte glaub mir.»

Ich stand von meinem Stuhl auf und ging zu ihm. Als er den

Kopf hob, um mich anzuschauen, sah ich Bill. Die Ähnlichkeit war plötzlich da, ein aufflackerndes Erkennen des Vaters im Sohn. Es hatte mich kalt erwischt, und in den folgenden Sekunden empfand ich Bills Verlust als einen Schmerz im Bauch, der mir in die Brust und in die Lungen stieg und mir den Atem abzuschneiden schien. Beide, Mark und Violet, hatten größere Ansprüche auf Bill als ich. Mit Rücksicht auf sie hatte ich meinen eigenen Schmerz versteckt, hatte die Tiefen meines Unglücks sogar vor mir selbst verborgen, aber jetzt war Bill zurückgekehrt, wie ein Geist in Mark erschienen und verschwunden. Plötzlich wollte ich ihn wiederhaben, und es überkam mich maßlose Wut, dass ich ihn nicht haben konnte. Mit beiden Fäusten wollte ich auf Mark einhämmern, ihn anbrüllen, Bill wieder herzugeben. Ich spürte, dass der Junge die Macht hatte, es zu tun, dass er derjenige war, der seinen Vater zu Tode gegrämt, ihn mit Sorgen, Qualen und Ängsten umgebracht hatte, und jetzt war es Zeit, die ganze Sache umzudrehen, ihn ins Leben zurückzuholen. Solche Gedanken waren wahnsinnig, und mir wurde umso deutlicher, wie verrückt sie waren, als Mark vor mir stand, der mir eben erst gesagt hatte, er sei schuldig und wolle in Zukunft alles tun, um sich zu ändern. Ich hielt hundert Dollar in der Hand. Immer wieder nickte er nachdrücklich und wiederholte den Refrain: «Bitte glaub mir.» Als mein Blick auf seine Turnschuhe fiel, hatten sich in der Falte zwischen Schnürsenkel und Schuhspitze kleine Pfützen aus Tränen gebildet. «Ich glaube dir», sagte ich mit einer seltsamen Stimme – nicht, weil sie so gefühlvoll klang, sondern weil ihr Ton normal und ausdruckslos war und nichts von dem wiedergab, was ich empfand. «Dein Vater hat mir mehr bedeutet, als du ahnst. Er war die Welt für mich.» Ein törichter, banaler Satz, aber als ich ihn aussprach, schienen die Worte von einer Wahrheit bekräftigt, die ich lange für mich behalten hatte.

Marks Verschwinden am folgenden Wochen-
ende hatte etwas von einer Neuinszenierung. Er sagte uns, er
wolle seine Mutter besuchen. Violet gab ihm Geld für die Zugfahrt und ließ ihn allein gehen. Am nächsten Morgen entdeckte sie, dass in ihrem Portemonnaie zweihundert Dollar
fehlten. Sie rief Lucille an, aber Lucille wusste nichts von dem
Wochenendbesuch. Drei Tage später tauchte Mark wieder in
der Greene Street auf und bestritt hitzig, das Geld genommen
zu haben. Während Violet weinte, stand ich neben ihr und
spielte in Bills Abwesenheit die Rolle des enttäuschten Vaters,
was mir keine Schauspielkünste abverlangte, denn nur eine
Woche zuvor hatte ich ihm geglaubt. Ich fragte mich allmählich, ob nicht genau solche Augenblicke der Knackpunkt für
ihn waren, ob er nicht, um einen Verrat zu inszenieren, erst
irgendjemanden von seiner unerschütterlichen Aufrichtigkeit
überzeugen musste. Wie eine Maschine, die alle Vorgänge perfekt wiederholt, stand Mark unter dem Zwang, wieder zu tun,
was er vorher getan hatte: lügen, stehlen, verschwinden, wieder
auftauchen, um sich am Ende, nach heftigen gegenseitigen Be-
schuldigungen, Wut und Tränen, mit seiner Stiefmutter zu ver-
söhnen.

Nähe und Glauben sind eng miteinander verbunden. Ich
lebte auf engem Raum mit Mark. Diese Unmittelbarkeit, dieser
ständige Kontakt überflutete meine Sinne, versetzte meine Gefühle in Schwingungen. Auf Tuchfühlung mit ihm, war ich gezwungen, zumindest einen Teil dessen zu glauben, was er sagte.
Nichts zu glauben hätte das Exil bedeutet, einen vollständigen
Rückzug nicht nur von Mark, sondern auch von Violet, und um
sie beide kreiste mein tägliches Leben. Während ich las, meiner
Arbeit nachging und Lebensmittel einkaufte, nahm ich den gemeinsamen Abend atmosphärisch vorweg – das Essen, Violets
seltsam ekstatisches Gesicht bei ihrer Rückkehr aus dem Atelier,
Marks Geplapper über DJs und Techno, Violets Hand auf meinem Arm oder meiner Schulter, ihre Lippen auf meiner Wange,

wenn ich gute Nacht sagte, und ihr Geruch – diese Mischung aus Spuren von Bill und dem Duft ihrer selbst, ihrer eigenen Haut.

Für mich und vielleicht auch für Violet hatte Marks Rückfall in das alte Muster in einer anderen Dimension stattgefunden. Weil sich sein Diebstahl, die Tage seiner Abwesenheit und die Strafe, die Violet ihm auferlegte – wieder Hausarrest – nach Bills Tod ereigneten, hatten sie etwas von Schmierentheater an sich. Wir sahen, was sich abspielte, aber die Geschichte und der Dialog waren so gestelzt, so altbekannt, dass sie unsere Emotionen einigermaßen absurd erscheinen ließen. Ich glaube, das war das Problem. Nicht, dass wir unempfindlich gegen Marks Verfehlungen geworden wären, sondern dass wir uns eingestehen mussten, dass der Schmerz, den wir empfanden, von der niedrigsten Form der Manipulation verursacht worden war. Und doch waren wir wieder einmal auf denselben miesen alten Trick hereingefallen. Violet duldete Marks Verrat, weil sie ihn liebte, aber auch, weil sie einfach nicht die Kraft hatte, sich der Bedeutung seiner jüngsten Veruntreuung zu stellen.

Drei Wochen später verschwand Mark aufs Neue – diesmal mit einem han-chinesischen Tonpferd aus meinem Bücherregal und Violets Schmuckkästchen mit Perlen von ihrer Mutter und einem Paar Ohrringe mit Saphiren und Diamanten, die Bill ihr zu ihrem letzten Geburtstag geschenkt hatte. Allein die Ohrringe waren an die fünftausend Dollar wert. Ich weiß nicht, wie er es geschafft hat, das Tonpferd aus meiner Wohnung fortzuzaubern. Es war nicht sehr groß, und er konnte zahlreiche unbeobachtete Augenblicke genutzt haben, um es zu nehmen, aber bis zu dem Morgen, als er verschwand, hatte ich es nicht vermisst. Diesmal tauchte Mark nicht nach ein paar Tagen wieder auf. Als Violet in der Buchhandlung anrief, um nach ihm zu fragen, sagte ihr der Geschäftsführer, er sei seit Wochen nicht mehr da gewesen. «Eines Tages ist er nicht gekommen. Ich habe versucht, ihn anzurufen, aber er hatte uns eine falsche Nummer gegeben, und als ich unter William Wechsler nachschlug, gab es keinen Eintrag. Ich habe jemand anderen eingestellt.»

Violet wartete darauf, dass Mark zurückkehrte. Drei Tage vergingen, dann vier, und mit jedem Tag schien Violet weniger zu werden. Zuerst dachte ich, ihr Schrumpfen wäre eine Illusion, eine optische Metapher für die bangen Befürchtungen, die wir teilten, doch am fünften Tag bemerkte ich, dass die Hose locker um ihre Taille hing und die vertraute Rundlichkeit am Nacken, an den Schultern und den Armen verschwunden war. An diesem Abend bestand ich darauf, dass sie versuchen sollte, etwas zu essen. Aber sie schüttelte den Kopf, und ihre Augen füllten sich mit Tränen. «Ich habe Lucille angerufen und alle seine Schulfreunde. Niemand weiß, wo er ist. Ich fürchte, er ist tot.» Sie stand auf, öffnete den Küchenschrank und räumte sämtliche Tassen und Teller heraus. Danach sah ich sie zwei Nächte lang Schränke sauber machen, Böden schrubben, mit einem Messer Dreck unter dem Herd wegkratzen und das Bad mit Bleichmitteln bearbeiten. Am dritten Abend ging ich mit einer Tüte voll Lebensmittel für unser Abendessen zu ihr nach oben. Als sie mich hereinrief, trug sie Gummihandschuhe und hatte einen Eimer Seifenwasser in der Hand. Ich begrüßte sie nicht. Ich sagte: «Schluss damit. Schluss mit dem Putzen. Es reicht, Violet.» Sie warf mir einen entgeisterten Blick zu, dann stellte sie den Eimer ab. Ich ging zum Telefon und rief Laszlo in Williamsburg an.

Binnen einer halben Stunde klingelte er unten an der Haustür. Als Violet den Summer der Gegensprechanlage drückte und Laszlos Stimme hörte, gab sie einen erstaunten Laut von sich. Die verstopften Brücken, Staus und kriechenden U-Bahnen, die jeden anderen New Yorker bremsen, schienen Laszlo Finkelman nicht zu behindern. «Bist du geflogen?», sagte Violet, als sie ihm die Tür aufmachte. Laszlo lächelte schwach, kam herein und setzte sich. Ihn nur anzusehen wirkte beruhigend auf mich. Seine unverwüstliche Frisur, die große dunkle

Brille und das lange Pokerface belebten mich schon, ehe er versprach, er werde Nachforschungen über Marks Verschwinden anstellen. «Schreib deine Stunden auf», sagte Violet. «Ich gebe dir ein Sonderhonorar, wenn ich dich Ende der Woche bezahle.»

Laszlo zuckte die Achseln.

«Im Ernst», sagte sie.

«Ich bin sowieso auf Achse», sagte er und, nach dieser vagen Feststellung, an Violet gewandt: «Ich soll dir von Dan ausrichten, dass er ein Stück für dich schreibt.»

«Er hat mir erzählt, dass er dich anruft. Ich hoffe, er belästigt dich nicht allzu sehr.»

Laszlo schüttelte den Kopf. «Ich hab ihn runtergehandelt auf ein Gedicht am Tag.»

«Liest er dir am Telefon Gedichte vor?», fragte ich.

«Ja, aber ich habe ihm gesagt, dass ich nur eins am Tag verkrafte, mit noch mehr Inspiration wäre ich geistig überfordert.»

«Du bist sehr nett, Laszlo», sagte Violet.

Er blinzelte hinter seinen Brillengläsern. «Nein.» Er streckte einen Finger zur Decke – eine Geste, die ich von Bill kannte – und hob an: «Sing laut in das tote Gesicht. Lass es krachen vor den tauben Ohren. Hüpf herum auf dem Leichnam und weck ihn auf.»

«Armer Dan», sagte Violet. «Bill wird nicht aufwachen.»

Laszlo beugte sich vor: «Dan sagte mir, es sei ein Gedicht über Mark.»

Violet sah ihm mehrere Sekunden lang fest in die Augen, dann senkte sie den Blick.

Nachdem Laszlo gegangen war, machte ich das Abendessen. Während ich kochte, saß Violet schweigend am Tisch. Hin und wieder strich sie sich das Haar zurück oder fasste sich an den Arm, doch als ich die angerichteten Teller auf den Tisch stellte, sagte sie: «Morgen früh rufe ich die Polizei an. So lange ist er noch nie weggeblieben.»

«Das lass morgen deine Sorge sein», sagte ich. «Jetzt wird gegessen.»

Sie starrte auf ihren Teller. «Ist das nicht komisch? Mein ganzes Leben habe ich mich abgemüht, nicht zu dick zu werden. Essen war mein Trost, wenn ich traurig war! Aber jetzt geht einfach nichts mehr runter. Ich sehe mir an, was auf dem Teller liegt, und es ist grau.»

«Es ist nicht grau», sagte ich. «Sieh mal, das wunderschöne Kotelett hier, ein herrliches Kastilisch-Braun neben den reizenden grünen Bohnen in der Farbe dunkler Jade. Beachte bitte das ausgewogene Verhältnis von Braun und Grün vor der Blässe des Kartoffelbreis. Er ist nicht ganz weiß, sondern in den mattesten Gelbschattierungen getönt, dazu eine Scheibe Tomate, nur um der Farbe willen dicht an die Bohnen geschoben – ein leuchtendes Rot, um den Dingen Glanz zu geben und deine Augen zu erquicken.» Ich ließ mich feierlich neben ihr am Tisch nieder. «Aber nach dem Augenschmaus, meine Liebe, fängt das Fest erst richtig an.»

Violet sah weiter bedrückt auf ihren Teller. «Und das, nachdem man ein ganzes Buch über Essstörungen geschrieben hat.»

«Du hörst mir nicht zu», sagte ich.

«Doch, ich höre.»

«Dann entspann dich. Komm, wir wollen essen. Trink einen Schluck Wein.»

«Aber du isst ja gar nicht, Leo. Dein Essen wird kalt.»

«Ich kann später essen.» Ich nahm ihr Glas und führte es an ihren Mund. Sie nippte. «Sieh nur», sagte ich, «deine Serviette liegt noch immer auf dem Tisch.» Mit der geschraubten Präziosität eines Kellners fasste ich die Serviette an einer Ecke, wedelte sie auf und ließ sie über ihrem Schoß fallen.

Sie lächelte.

Ich beugte mich über ihren Teller, nahm ihr Besteck, schnitt ein winziges Stück Kotelett ab, spießte es auf und fügte ihm ein Häppchen Kartoffelbrei hinzu.

«Was machst du da, Leo?», sagte sie.

Als ich die Gabel anhob, wandte sie mir das Gesicht zu. Ich sah, wie sich zwischen ihren Augenbrauen zwei Falten bildeten. Ihr Mund zuckte, und ich dachte schon, sie würde weinen, doch sie tat es nicht. Ich führte die Gabel an ihre Lippen, nickte ihr zu, als sie zögerte, dann machte sie den Mund auf wie ein kleines Kind, und ich schob das Fleisch und den Kartoffelbrei hinein.

Violet ließ sich von mir füttern. Ich ging sehr vorsichtig zu Werke, immer darauf bedacht, dass sie viel Zeit zum Kauen und zum Schlucken hatte, dass sie zwischen jedem Happen eine Pause einlegen konnte und regelmäßig etwas von dem Wein trank. Ich glaube, mein prüfender Blick ließ sie gesitteter essen als sonst, denn sie kaute langsam und mit geschlossenem Mund, sodass ihr leichter Überbiss nur sichtbar wurde, wenn die Lippen sich öffneten, um die nächste Gabel voll Essen einzulassen. Die ersten Minuten waren wir beide still, und ich tat so, als bemerkte ich nichts von dem verschwommenen Glanz in ihren Augen, als hörte ich nichts von den Geräuschen bei jedem Schluckvorgang. Ihre Kehle muss vor Angst ganz eng und zusammengeschnürt gewesen sein, denn sie würgte ziemlich laut und errötete dann. Ich begann zu reden, um sie abzulenken – lauter Unsinn, eine Kette freier kulinarischer Assoziationen. Ich erzählte von Zitronenpasta, die ich in Siena unter einem funkelnden Sternenhimmel gegessen hatte, und von den zwanzig Sorten Rollmops in Stockholm. Ich erzählte von zehnarmigen Tintenfischen und ihrer indigoblauen Tinte in einem venezianischen Risotto, von dem illegal nach New York eingeschmuggelten Rohmilchkäse und von einem Schwein, das ich einmal in Südfrankreich Trüffel schnüffeln sah. Violet sagte kein Wort, aber ihre Augen wurden klarer, und die Mundwinkel zeigten Spuren von Belustigung, als ich von einem Oberkellner in einem Szenerestaurant erzählte, der vor lauter Eile, einen gerade zur Tür hereingekommenen Filmstar zu begrüßen, über eine kleine ältere Dame stolperte und der Länge nach hinschlug.

Am Ende lag nur noch die Tomate auf dem Teller. Ich spießte sie auf und brachte sie an Violets Mund, doch als ich die gallertartige rote Scheibe zwischen ihre Zähne schob, tropften etwas Saft und Samen auf ihr Kinn. Ich nahm ihre Serviette und tupfte ihr behutsam das Gesicht ab. Sie schloss die Augen, legte den Kopf ein wenig zurück und lächelte. Als sie die Augen öffnete, lächelte sie noch immer. «Danke», sagte sie. «Das Essen war köstlich.»

Am nächsten Tag gab Violet eine Vermisstenanzeige bei der Polizei auf. Obwohl sie mit keinem Wort den Diebstahl erwähnte, sagte sie doch, dass Mark schon öfter verschwunden war. Sie rief Laszlo an, aber er war nicht zu Hause, und am späten Nachmittag, nachdem sie nur wenige Stunden im Atelier verbracht hatte, bat sie mich nach oben. Ich sollte mir die Stellen auf ihren Tonbändern anhören, die sich auf Teddy Giles bezogen. «Ich habe das sichere Gefühl, dass Mark mit Giles zusammen ist, aber er steht nicht im Telefonbuch, und die Galerie will mir seine Nummer nicht geben.» Während wir in ihrem Loft saßen und die Bänder laufen ließen, fiel mir auf, dass sich die Züge ihres vergrämten Gesichts vor Interesse spannten und ihre Gesten so lebhaft waren wie seit Wochen nicht mehr.

«Dies ist ein Mädchen, das sich Virgina nennt – mit langem i, wie in Virginia oder Vagina», sagte Violet.

Eine junge weibliche Stimme begann mitten im Satz zu sprechen: «... eine Familie. So sehen wir das. Teddy ist eine Art Familienoberhaupt, weißt du, weil er älter ist als wir.»

Violets Stimme unterbrach sie. «Wie alt ist er denn genau?»

«Siebenundzwanzig.»

«Weißt du etwas über sein Leben, bevor er nach New York kam?»

«Er hat mir die ganze Geschichte erzählt. Er wurde in Florida geboren. Seine Mutter starb, und seinen Vater hat er nie kennen gelernt. Er ist bei einem Onkel aufgewachsen, der ihn nur geprügelt hat, bis er weglief, nach Kanada, wo er einen Job als Briefträger fand. Danach kam er hierher und landete in Clubs und in der Kunstszene.»

«Ich habe mehrere Versionen von seiner Lebensgeschichte gehört», sagte Violet.

«Ich weiß, dass die hier stimmt, wegen der Art, wie er sie erzählt hat. Irgendwie war er total traurig wegen seiner Kindheit.»

Violet sprach sie auf das Gerücht über Rafael und den abgeschnittenen Finger an.

«Das hab ich auch gehört. Trotzdem, ich glaub's nicht. So ein Typ, den wir Toad nennen – Kröte, weil er voll die Akne hat –, hat das gestreut. Weißt du, was er noch gesagt hat? Teddy hätte seine eigene Mutter gekillt, sie die Treppe runtergeschubst, aber es wäre nie rausgekommen, weil es aussah wie ein Unfall. Solche Hämmer lässt Teddy nur los, um seinen She-Monster-Act aufzupeppen, aber er ist echt ein supernetter Typ. Toad ist ganz schön blöd – und wie sollte Teddy eine umbringen, die schon gestorben war, bevor er überhaupt geboren wurde.»

«Seine Mutter kann doch nicht gestorben sein, *bevor* er geboren wurde.»

Schweigen. «Nein, ich meine wohl eher, als er gerade geboren war, aber der Punkt ist, Teddy ist einfach süß. Er hat mir seine Sammlung Salz- und Pfefferstreuer gezeigt – soooo niedlich. O mein Gott, lauter kleine Tiere und Blumen, und dann die beiden winzig kleinen Jungs mit ihren Gitarren und Löchern für Salz und Pfeffer im Kopf ...»

Violet stoppte das Band und spulte vor. «Jetzt hör dir diesen Jungen an. Er heißt Lee. Ich weiß nicht viel über ihn, außer dass er sich allein durchschlägt. Vielleicht ist er von zu Hause abgehauen.» Sie drückte auf Play, und Lee begann zu reden.

«Teddy ist für Freiheit, Mann. Das ist es, was ich an ihm mag

– er ist für Selbstverwirklichung, für ein höheres Bewusstsein. Er kämpft gegen diesen ganzen Normaloscheiß und sagt einfach, was Sache ist. Unsere Gesellschaft ist der letzte Dreck. Das hat er begriffen. Seine Kunst gibt mir einen Kick. Die ist echt, Mann.»

«Was meinst du mit echt?», fragte Violet.

«Eben echt, ehrlich.»

Schweigen.

«Ich sag dir was», fuhr Lee fort. «Als ich nicht mehr wusste, wohin, hat Ted mich aufgenommen. Ohne ihn hätt ich auf die Straße pissen können.»

Violet ließ das Band vorlaufen. «Jetzt kommt Jackie.» Ich hörte eine Männerstimme. «Giles ist ein Schwein, Schätzchen, ein Lügner und ein Fake. Das sag ich dir aus erster Hand. Künstlichkeit ist mein Leben. Diesen supergeilen Körper hab ich mich was kosten lassen. Ich hab mich selbst zu mir gemacht, aber wenn ich sage, der Typ ist ein Fake, meine ich, von innen falsch. Ich meine, dieser kleine Widerling hat da, wo andere Leute ihre Seele haben, ein Stück Plastik. She-Monster – was für ein Scheiß.» Jackies Stimme steigerte sich zu einem dynamischen Falsett. «Dieser She-Monster-Act ist widerwärtig, ekelhaft, grausam und dumm, und ich sag dir, Violet, ich bin schockiert, echt schockiert, dass das nicht für jeden glasklar ist, der auch nur eine einzige Gehirnzelle in seinem Schädel hat.»

Violet schaltete das Gerät ab. «Das wäre alles zu Teddy Giles. Es bringt uns nicht viel weiter.»

«Und diese unheimliche Nachricht auf dem Anrufbeantworter – hast du Mark nie danach gefragt?»

«Nein.»

«Warum nicht?»

«Weil ich wusste, wenn etwas dahinter steckt, würde er es mir nicht sagen, und ich wollte ihm nicht das Gefühl geben, das Band hätte etwas mit Bills Herzinfarkt zu tun.»

«Glaubst du das denn?»

«Ich weiß nicht.»

«Glaubst du, Bill wusste etwas, was wir nicht wissen?»

«Wenn ja, muss er es am selben Tag erfahren haben. Er hätte es mir nicht verschwiegen. Da bin ich mir sicher.»

An diesem Abend brauchte ich Violet nicht zu füttern. Zur Abwechslung kochten wir einmal bei mir, und sie aß ihre Pasta restlos auf. Nachdem ich ihr ein zweites Glas Wein eingeschenkt hatte, sagte sie: «Habe ich dir je von Blanche Wittmann erzählt? Ich glaube, sie hieß eigentlich Marie Wittmann, aber gewöhnlich wird sie Blanche genannt.»

«Ich wüsste nicht, aber irgendwo klingelt es bei mir.»

«Sie galt als die ‹Königin der Hysterikerinnen›. Sie war das berühmteste Schaustück bei Charcots Vorführungen von Hysterie und Hypnose. Die waren damals ein Renner, weißt du. Ganz Paris strömte herbei, um die Ladys wie Vögel zwitschern zu hören und zu sehen, wie sie auf einem Bein hüpften oder sich mit Nadeln spicken ließen. Aber nachdem Charcot gestorben war, hatte Blanche Wittmann nie wieder einen hysterischen Anfall.»

«Willst du damit sagen, dass sie die Anfälle ihm zuliebe bekam?»

«Sie liebte Charcot abgöttisch und wollte ihm gefallen. Also gab sie ihm, was er wollte. In den Zeitungen wurde sie oft mit Sarah Bernhardt verglichen. Nach dem Tod des Meisters wollte sie die Salpêtrière nicht verlassen. Sie blieb und wurde Röntgenassistentin. Es war die frühe Zeit der Röntgenstrahlen. Sie starb an der Verstrahlung, nachdem sie nacheinander sämtliche Gliedmaßen verloren hatte.»

«Gibt es einen Anlass für diese Geschichte?», fragte ich.

«Ja. Betrug, Täuschung, Lügen und Empfänglichkeit für Hypnose galten als Symptome der Hysterie. Das ist doch wie bei Mark, findest du nicht?»

«Ja, nur dass Mark nicht gelähmt ist und keine Krämpfe hat.»

«Nein, aber das erwarten wir auch nicht von ihm. Charcot wollte, dass die Frauen Vorstellungen gaben, und sie taten es. Wir wollen, dass Mark Rücksicht auf andere nimmt, dass er auf uns eingeht, wenn er mit uns zusammen ist, und genau das scheint er zu tun. Er führt für uns das Theater auf, das wir, wie er glaubt, sehen wollen.»

«Aber Mark steht nicht unter Hypnose, und ich glaube beim besten Willen nicht, dass man ihn als Hysteriker bezeichnen kann.»

«Ich sage ja nicht, dass Mark hysterisch ist. Die Mediziner-sprache ist wandelbar. Krankheiten überschneiden sich. Eins mutiert ins andere. Hypnose setzt nur den Widerstand gegen die Suggestion herab. Ich bin mir nicht sicher, ob Mark über-haupt viel Widerstand hat. Was ich sagen will, ist ganz einfach: Es ist nicht immer leicht, den Schauspieler von seinem Spiel zu trennen.»

Am nächsten Morgen rief Laszlo bei Violet an. Er hatte sich zwei Nächte ausgiebig in Clubs herumgetrieben, vom Limelight über den Club USA bis hin zum Tunnel, und Bruchstücke widersprüchlicher Informationen aufgeschnappt. Doch Übereinstimmung herrschte darin, dass Mark mit Teddy Giles unterwegs war, entweder in Los Angeles oder in Las Vegas. Niemand war sich ganz sicher. Um drei Uhr morgens hatte Laszlo zufällig Teenie Gold getroffen. Teenie hatte angedeutet, dass sie viel zu sagen hätte, weigerte sich aber, es Lasz zu sagen. Der einzige Mensch, mit dem sie nun, da Bill nicht mehr lebte, reden würde, war «Marks Onkel Leo». Sie hatte sich bereit er-klärt, mir «die ganze Geschichte» zu erzählen, wenn ich «mor-gen um Punkt vier nachmittags» zu ihr nach Hause käme. Als ich davon hörte, war «morgen» bereits heute, und um Viertel nach drei brach ich, versehen mit der Adresse East 76th Street Ecke Park Avenue, zu meiner seltsamen Mission auf.

Nachdem der Portier mich angemeldet hatte, führte er mich

durch die vornehme Eingangshalle zu einem Aufzug, der sich in der sechsten Etage automatisch öffnete. Eine Frau, vermutlich eine Filipina, machte mir die Tür auf, und mein Blick fiel in eine weitläufige Wohnung, die fast ganz in Taubenblau mit Goldakzent gehalten schien. Teenie tauchte hinter einer Tür auf, die zu einem Flur führte, ging ein paar Schritte in meine Richtung, blieb stehen und blickte zu Boden. Die teure Hässlichkeit schien sie zu verschlingen, als wäre sie zu klein für die Weite des Raumes.

«Susie», sagte sie zu der Frau, die mir die Tür geöffnet hatte, «das ist Marks Onkel.»

«Netter Junge», sagte Susie. «Sehr lieber Junge.»

«Kommen Sie», sagte Teenie, ohne die Augen zu heben. «Wir reden in meinem Zimmer.»

Teenies Zimmer war klein und unordentlich. Außer den gelben Seidenvorhängen hatte ihr Allerheiligstes nur wenig mit der restlichen Wohnung gemein. Blusen, Kleider, T-Shirts und Unterwäsche waren über einen Polsterstuhl geworfen, und dahinter sah ich ihre Flügel, leicht zerdrückt, unter einem Haufen achtlos hingeworfener Zeitschriften liegen. Auf ihrem Schreibtisch herrschte ein wirres Durcheinander von Gläsern, Flaschen, Schminkdöschen, Lotions, Cremes und dazwischen ein paar Schulbüchern. Als mein Blick in ein Regal fiel, bemerkte ich eine kleine Schachtel Lego, ganz neu, noch in der Plastikhülle, genau wie die, auf die ich in Marks Zimmer gestoßen war. Teenie saß auf der Bettkante und musterte ihre Knie, während sie die nackten Füße in den Teppichboden schob.

«Ich habe keine Ahnung, warum du mit mir reden wolltest, Teenie», sagte ich.

Mit hoher Piepsstimme sagte sie: «Weil Sie nett zu mir waren, damals, als ich hingefallen war.»

«Verstehe. Weißt du, wir machen uns Sorgen um Mark. Ein Freund von uns hat herausgefunden, dass er vielleicht in Los Angeles sein könnte.»

«Ich habe gehört, er wäre in Houston.»

«Houston?»

Sie musterte noch immer ihre Knie. «Ich war in ihn verliebt», sagte sie.

«Mark?»

Sie nickte heftig und schniefte. «Das dachte ich jedenfalls. Er sagte mir Sachen, die mir so ein Gefühl gaben, ganz wild und frei und irgendwie verrückt zu sein. Eine Zeit lang ging es gut. Ich habe wirklich geglaubt, dass er mich liebt, verstehen Sie?» Sie schlug eine halbe Sekunde lang die Augen zu mir auf, um sie dann gleich wieder zu senken.

«Was ist passiert?», sagte ich.

«Es ist vorbei.»

«Aber das ist schon eine Weile her, oder?»

«Mit kurzen Pausen zwischendrin waren wir jetzt fast zwei Jahre richtig eng.»

Ich dachte an Lisa. Das war die Zeit, in der Mark mit Lisa zusammen gewesen war. «Aber wir haben dich nie gesehen», sagte ich.

«Mark meinte, seine Eltern würden nicht erlauben, dass ich zu ihm nach Hause komme.»

«Das stimmt nicht. Er hatte Hausarrest, aber seine Freunde durften ihn besuchen.»

Teenie schüttelte den Kopf, und eine dicke Träne kullerte über ihre rechte Wange. Mindestens zwanzig Sekunden saß sie so da, während ich sie zum Reden ermutigte. Schließlich sagte sie: «Es fing an wie ein Spiel. Ich wollte mir ‹The Mark› auf den Bauch tätowieren lassen. Teddy blödelte herum und sagte, *er* würde mir das machen, aber dann …» Teenie hob ihr Hemd, und ich sah zwei kleine Narben, die ein M und ein W bildeten, übereinander, oben das M und darunter, in das M übergehend, das W, sodass ein einziges Zeichen entstand.

«Hat Giles dir das angetan?»

Sie nickte.

«Und Mark? War Mark dabei?»

«Er hat mitgeholfen. Ich hab geschrien, aber er hat mich festgehalten.»

«Mein Gott», sagte ich.

Tränen liefen ihr übers Gesicht. Sie streckte die Hand nach einem Stoffhasen auf ihrem Bett aus und streichelte seine Ohren. «Er ist nicht, wie Sie glauben. Am Anfang war er so süß zu mir, aber dann hat er sich langsam verändert. Ich hab ihm dieses Buch geschenkt, *Psycholand*, die Geschichte von so einem reichen Typ, der im Privatflugzeug durch die ganze Welt jettet und in jeder Stadt einen Mord begeht. Mark hat es ungefähr zwanzigmal gelesen.»

«Ich habe einige Besprechungen darüber gelesen. Ich dachte, es wäre eine Art Parodie, eine gesellschaftskritische Satire.»

Teenie hob die Augen und sah mich einen Augenblick verständnislos an. «Klar – jedenfalls kriegte ich allmählich eine Gänsehaut», fuhr sie fort, «und manchmal, wenn er über Nacht hier blieb, fing er an, mit dieser wirklich unheimlichen Stimme zu reden. Das war nicht seine normale Stimme, verstehen Sie, sondern eine gekünstelte. Und wenn er einmal angefangen hatte, machte er weiter und weiter. Ich sagte ihm, er soll aufhören, aber er tat es nicht, und wenn ich ihm den Mund zuhielt, hörte er noch immer nicht auf. Und dann dieser ganze Ärger mit meinen Eltern, weil er die Kodein-Pillen geklaut hatte, die mein Dad für seine schlimme Schulter braucht. Sie dachten, ich wäre es gewesen, und ich hab mich nicht getraut zu sagen, dass er es war, weil ich da schon Angst vor ihm hatte. Er behauptete steif und fest, er hätte sie nicht genommen, aber ich weiß, dass er es war. Die Kids erzählen, dass er und Teddy nachts losziehen und Leute überfallen, einfach so, aus Jux. Manchmal nehmen sie ihnen Geld ab, aber oft nur irgendwas Blödes, ihren Schlips, ihren Schal, ihren Gürtel oder sonst was.» Teenie schauderte unter Tränen. «Und ich dachte, ich wäre verliebt in ihn.»

«Glaubst du, dass die Sache mit den Raubüberfällen stimmt?»

Sie zuckte die Achseln. «Mittlerweile würde ich alles glauben. Fahren Sie nach Dallas, um ihn zu suchen?»

«Hattest du nicht Houston gesagt?»

«Ich glaube, es ist Dallas. Ich weiß nicht. Vielleicht sind sie schon zurück. Welcher Tag ist heute?»

«Freitag.»

«Wahrscheinlich sind sie zurück.» Teenie begann, am Nagel ihres kleinen Fingers zu kauen. Sie schien nachzudenken. Dann nahm sie den Finger aus dem Mund: «Kann sein, dass er bei Giles zu Hause ist, aber eher ist er im Büro von *Split World*. Manchmal übernachten Kids da.»

«Ich brauche die Adressen, Teenie.»

«Giles wohnt in der Franklin Street 21, vierter Stock. *Split World* ist in der East 4th.» Sie stand auf, begann in einer Schublade zu kramen, zog eine Zeitschrift heraus und gab sie mir. «Die Hausnummer steht drin.»

Das Titelblatt zeigte ein grausiges Bild von einem jungen Mann, der tot oder sterbend in einer glänzenden Blutlache saß, den Kopf an eine Kloschüssel gelehnt, während seine aufgeschlitzten Handgelenke auf den Oberschenkeln ruhten.

«Reizendes Foto», sagte ich.

«Die sind alle so», sagte Teenie gelangweilt. Dann hob sie den Kopf und sah mich mindestens drei Sekunden an, senkte den Blick und fuhr fort: «Ich erzähle Ihnen das alles, damit nicht noch mehr von diesen schlimmen Sachen passieren. Das hab ich auch Marks Dad gesagt, als ich ihn anrief.»

Einen Augenblick hielt ich den Atem an, dann sagte ich betont ruhig: «Du hast mit Marks Vater gesprochen? Wann war das?»

«Es ist ziemlich lange her. Als Nächstes hörte ich, dass er gestorben war. Ganz schön traurig. Muss ein netter Mann gewesen sein.»

«Hast du ihn zu Hause angerufen?»

«Nein, in seinem Büro, glaube ich.»

«Woher hattest du die Nummer?»

«Mark hat mir alle seine Nummern gegeben.»

«Hast du Marks Vater von deinem Schnitt am Bauch erzählt?»

«Ich glaub schon.»

«Du glaubst es?» Ich versuchte, meiner Stimme die Irritation nicht anmerken zu lassen.

Teenie drückte die Zehen fest in den Teppich. «Ich war ziemlich durcheinander, und außerdem war ich high.» Sie drückte fester. «Vielleicht können Sie eine Klinik für ihn finden. Mark und Teddy gehören wahrscheinlich beide irgendwo in eine Klinik.»

«Warst du diejenige, die Bill auf den Anrufbeantworter gesprochen hat, Giles hätte dich umgebracht?»

«Er hat mich nicht umgebracht. Ich sagte doch, er hat mich verletzt.»

Ich beschloss, ihr keine weiteren Fragen zu der Nachricht auf dem Anrufbeantworter zu stellen. Nachdem ich mit ihr gesprochen hatte, war ich mir sicher, dass die Stimme auf Bills Apparat nicht die von Teenie war. «Wo sind deine Eltern?», fragte ich sie.

«Meine Mom ist bei einer Versammlung, irgend so 'n Wohltätigkeitskram für Krebs, und mein Dad ist in Chicago.»

«Ich finde, du solltest mit ihnen reden. Das war Körperverletzung, Teenie. Du könntest zur Polizei gehen.»

Sie rührte sich nicht. Ihr Platinkopf begann zu wippen. Sie starrte auf den Tisch, als hätte sie mich vergessen.

Ich nahm die Zeitschrift und ging. Als ich die Wohnungstür öffnete, hörte ich Wasser rauschen und eine Frau vor sich hin singen. Es muss Susie gewesen sein.

Im Taxi Richtung downtown klangen mir die Mitleid erregenden Töne von Teenies Geständnis noch in den Ohren, vor allem der Refrain: «Und ich dachte, ich wäre verliebt in ihn.» Ihr ausgemergelter kleiner Körper, ihr gesenkter Blick, das Durcheinander von Make-up und weiblichen Utensilien um sie herum hatten mich deprimiert. Teenie tat mir Leid, diese kaputte kleine Gestalt in der riesigen blassblauen Wohnung, und doch machte ich mir Gedanken über ihren Anruf. Sollte Bills Herz zu schlagen aufgehört haben, als er von Teenie hörte, wie Mark sie festgehalten hatte? Ehrlich gesagt, konnte ich mir die Szene so kaum vorstellen, weil die Narbe zu glatt gewesen war. Konnte Teenie so sauber geschnitten worden sein, wenn sie sich gewehrt hatte? Ihre Geschichten über *Psycholand* und die gestohlenen Kodein-Pillen dagegen schienen mir glaubwürdiger, und ich begann, über Marks Drogenkonsum und dessen mögliche Rolle bei der Ausschaltung irgendwelcher Hemmungen zu spekulieren, die er gehabt haben mochte, wenn es darum ging, zu lügen und zu stehlen. Offenbar hatte Teenie sich einige Skrupel bewahrt, einen dumpfen Moralkodex, der das verurteilte, was sie «schlimme Sachen» nannte. Aber das Schlimme an diesen Sachen schien eher durch ihre eigene Betroffenheit definiert als durch allgemeiner gültige ethische Sanktionen. Sie konnte sich an ihr Gespräch mit Bill nicht mehr erinnern, weil sie Drogen genommen hatte, aber auch, weil sie nicht sehr helle war. Das machte ihre Amnesie ebenso natürlich wie entschuldbar. Teenie gehörte einer Subkultur an, in der Regeln klein und Laxheit groß geschrieben wurden, die aber, soweit ich das einschätzen konnte, auch überraschend nichts sagend war. Nach Mark und Teenie zu urteilen, empfanden diese Kids wenig Begeisterung. Sie waren keine Futuristen, die eine Ästhetik der Gewalt verherrlichten, keine Anarchisten, die um Freiheit von der Herrschaft der Gesetze kämpften. Ich vermute, sie waren Hedonisten, doch sogar Lust schien sie zu langweilen.

Als ich zu dem schmalen Gebäude in der East 4th Street zwi-

schen Avenue A und B aufblickte, wusste ich, dass ich umkeh-
ren, dass ich mich entscheiden konnte, nicht noch mehr über
diese viel zu großen Kinder und ihr trauriges kleines Leben zu
erfahren. Ich entschied mich, auf die Klingel zu drücken, entschied mich, die Tür im Parterre des alten Mietshauses mit
einem Ruck zu öffnen, und entschied mich, geradeaus den Flur
entlangzugehen. Ich begriff sehr wohl, dass ich mich auf etwas
Hässliches zubewegte, und mir war bewusst, dass dieses Hässliche mich anzog. Ich wollte sehen, was es war, mich ihm nähern
und es untersuchen. Es war ein morbider Sog, und indem ich
mich ihm hingab, spürte ich, dass mich das Abscheuliche, das
ich suchte, schon befleckt hatte.

Ich hatte nicht vorgehabt zu lügen, aber als die somnambule
junge Frau am Empfang die Augen zu mir hob – Augen hinter
einer geflügelten roten Brille – und ich an der rückwärtigen
Wand zwanzig *Split-World*-Covers sah, von denen eines Teddy
Giles zeigte, mit Blut, das ihm aus dem Mund tropfte, und
einem Löffel, in dem etwas lag, was aussah wie ein menschlicher
Finger, log ich spontan. Ich sagte ihr, ich sei Journalist beim
New Yorker und recherchierte für einen Artikel über kleine Al-
ternativzeitschriften. Ich bat sie, mir *Split World* zu erklären –
ihre *raison d'être*. Ich sah in die braunen Augen hinter den roten
Flügeln. Sie waren stumpf.

«Ich weiß nicht, was Sie meinen.»

«Worum es in der Zeitschrift geht, warum es sie gibt.»

«Oh», sagte sie, während sie die Frage abwägte. «Wollen Sie
mich vielleicht zitieren? Mein Name ist Angie Roopnarine.
R-O-O-P-N-A-R-I-N-E.»

Ich zog meinen Stift und mein Notizbuch aus der Tasche und
schrieb in großen Buchstaben Roopnarine auf. «Zum Beispiel,
warum der Name? Was sind das für Buchstaben?»

«Ich weiß nicht. Ich arbeite nur hier. Wahrscheinlich sollten
Sie besser mit jemand anderem sprechen, nur ist jetzt keiner da.
Sie sind alle zum Lunch.»

«Es ist halb sechs.»

«Wir machen erst mittags auf.»

«Verstehe.» Ich zeigte auf das Bild von Teddy Giles. «Gefällt Ihnen seine Kunst?»

Sie verdrehte den Kopf nach dem Cover. «Ist okay», sagte sie.

Ich kam zur Sache. «Wie man hört, hat er seine Groupies, stimmt das? Mark Wechsler soll dazugehören, Teenie Gold, ein Mädchen, das sich Virgina nennt, und ein Junge namens Rafael, der offenbar verschwunden ist.»

Angie Roopnarines Körper spannte sich plötzlich. «Gehört das auch zu Ihrem Artikel?»

«Ich lege meinen Schwerpunkt auf Giles.»

Sie warf mir einen misstrauischen Blick zu. «Ich weiß nicht, was Sie wollen. Sie scheinen mir nicht ganz der Richtige, um über dieses Zeug zu schreiben.»

«Oh, der *New Yorker* heuert eine Menge Grufties an», sagte ich. «Aber Mark Wechsler müssen Sie doch kennen. Er hat letzten Sommer hier gearbeitet.»

«Na, damit liegen Sie schon mal falsch. Er hat nie hier *gearbeitet*. Er hing rum, okay? Aber Larry hat ihn nie bezahlt.»

«Larry?»

«Larry Finder. Ihm gehört das Magazin und eine Menge andere.»

«Der Galeriebesitzer?»

«Das ist kein Geheimnis.» Das Telefon klingelte. «*Split World*», sang Angie in den Hörer. Plötzlich belebte sich ihre Stimme.

Ich nickte ihr zu, formte mit dem Mund ein Dankeschön und machte, dass ich wegkam. Auf der Straße holte ich tief Luft, um mich von der Beklemmung zu erholen, die sich wie eine Zange um meine Lungen gelegt hatte. Warum habe ich gelogen?, fragte ich mich. Etwa aus einem fehlgesteuerten Impuls, mich zu schützen? Vielleicht. Obwohl ich meine Verstellung nicht für einen schweren moralischen Fehltritt hielt, fühlte ich mich, während ich mich westwärts von dem Gebäude entfernte, lächerlich und kompromittiert. Entdeckungen über Mark hatten die Tendenz, ins Negative auszuschlagen. Er hatte letzten Sommer nicht für Harry Freund gearbeitet. Er hatte auch nicht für Larry Finder bei *Split World* gearbeitet. Sein Leben war eine Archäologie von Fiktionen, Schicht um Schicht, und ich hatte eben erst angefangen zu graben.

Violet hatte auf meinem Band mehrere dringende Nachrichten hinterlassen, in denen sie mich bat, nach oben zu kommen, sobald ich zu Hause sei. Als sie mir die Tür öffnete, sah sie blass aus, und ich fragte sie, ob etwas nicht in Ordnung sei. Statt einer Antwort sagte sie: «Ich muss dir etwas zeigen.»

Sie führte mich zu Marks Zimmer, und als ich durch die Tür sah, hatte Violet alles auf den Kopf gestellt, das Oberste zuunterst gekehrt. Der Wandschrank stand offen. Es hingen zwar noch Kleidungsstücke darin, doch die Fächer waren leer. Auf dem Boden türmten sich Papiere, Reklamezettel, Notizbücher und Magazine. Ich sah auch einen Kasten mit Spielzeugautos und einen anderen mit geknickten Postkarten, Briefen und abgebrochenen Stiften. Die Schreibtischschubladen waren herausgezogen und lagen in einer Reihe neben den Kästen. Violet beugte sich herab, nahm einen roten Gegenstand und überreichte ihn mir. «Das habe ich in einer Zigarrenkiste gefunden, mit Klebeband umwickelt.»

Es war Matthews Messer. Mein Blick fiel auf die silbernen Initialen, M. S. H.

«Es tut mir Leid», sagte Violet.

«Nach all den Jahren», sagte ich und versuchte, den Korkenzieher herauszuziehen. Nachdem ich ihn ausgeklappt hatte, fuhr ich mit dem Finger die Spirale entlang, während ich mich an Matts Verzweiflung erinnerte. «Ich lege es immer auf meinen Nachttisch, immer!» Ich muss sehr müde gewesen sein, denn in diesem Augenblick schien sich ein Teil von mir zu erheben, und ich hatte das höchst seltsame Gefühl, an die Decke geschwebt zu sein. Mir war, als sähe ich von oben auf den Raum hinunter, auf Violet, auf mich selbst und auf das Messer, das ich in der Hand hielt. Diese merkwürdige Teilung zwischen Erde und Luft, zwischen dem schwebenden Ich und dem Ich am Boden dauerte nicht sehr lange, doch auch als es vorüber war, fühlte ich mich weit entfernt von all den Dingen in diesem Raum, wie im Angesicht einer Fata Morgana.

«Ich erinnere mich an den Tag, als Matt es verloren hat», sagte Violet bedachtsam. «Und ich erinnere mich, wie todunglücklich er war. Mark hat es mir erzählt, Leo. Er sagte mir, wie schlimm er es fände, dass das Messer verschwunden war. Er war so mitfühlend, so traurig. Er erzählte mir, dass er es überall gesucht hätte.» Violets Augen waren weit aufgerissen, und ihre Stimme zitterte. «Mark war damals elf Jahre alt. Elf Jahre.» Sie packte meinen Arm, und ich spürte den festen Griff ihrer Finger. «Verstehst du, nicht das Stehlen ist so schrecklich, nicht einmal das Lügen. Es ist das vorgetäuschte Mitgefühl, so perfekt moduliert, so glaubwürdig, so echt.»

Ich steckte das Messer in die Tasche. Obwohl ich ihre Worte genau gehört und verstanden hatte, wusste ich nichts darauf zu sagen. Statt zu antworten, stand ich ganz still, die Augen auf die Wand gerichtet, und plötzlich dachte ich an das Taxi in Bills Selbstporträt – das Spielzeugauto, das er Violet in die Hand gegeben hatte, als er sie malte. Es gab irgendeine Gemeinsamkeit zwischen dem Bild von diesem Taxi und Matts Messer, und ich tastete die Möglichkeiten ab, sie auszudrücken. Das Wort «Pfand» kam mir in den Sinn, aber es war nicht ganz das richtige. Es bestand so etwas wie ein Austausch zwischen dem Bild des Spielzeugautos und dem realen Gegenstand in meiner Tasche. Die Verbindung hatte nichts mit Messern oder Autos zu tun. Das Messer entsprach dem gemalten Taxi, weil es immateriell geworden war – kein reales Ding mehr. Es spielte keine Rolle, dass ich in meine Hosentasche greifen und es wieder herausziehen konnte. Durch die Umtriebe der dunklen Bedürfnisse und Geheimnisse eines Kindes war etwas ausgewechselt worden. Das Geschenk, das ich Matt zu seinem elften Geburtstag gemacht hatte, existierte nicht mehr. Etwas anderes war an seine Stelle getreten, eine unheimliche Kopie oder ein Faksimile, und kaum hatte ich diesen Gedanken gedacht, schloss sich der Kreis. Auf dem Bild, das Bill mir geschenkt hatte, hatte Matt seine eigene Doublette des Messers gemalt. Er hatte den Geisterjungen mit der gestohlenen Beute aufs Dach geschickt, wo der Mond in sein leeres Gesicht schien und das aufgeklappte Messer in seiner Hand aufblitzen ließ.

Nachdem ich Violet von Teenie und *Split World* erzählt hatte, ging ich nach unten und verbrachte den Abend allein. Es dauerte eine Weile, bis ich in der Schublade einen Platz für das Messer gefunden hatte, doch am Ende beschloss ich, es ganz nach hinten zu schieben, weit weg von den anderen Gegenständen. Als ich die Schublade schloss, fühlte ich mich durch das Ereignis besser für meine Aufgabe gefeit. Ich suchte nicht mehr nur Mark. Ich wollte etwas anderes – Entlarvung. Ich wollte das leere Gesicht mit individuellen Zügen ausfüllen.

Einige Stunden nachdem Violet das Haus verlassen hatte, um in Bills Atelier zu gehen, drückte ich in der Franklin Street 21 eine Klingel mit der Aufschrift T. G. / S. M. Zu meiner Überraschung wurde sofort aufgemacht. Ein gedrungener, muskulöser Junge, nur mit Shorts bekleidet, empfing mich an der Stahltür zu Teddy Giles' Loft im fünften Stock. Als ich näher trat, sah ich den gebräunten Körper des Knaben von allen Seiten, und ich sah mich selbst, weil alle vier Wände des Flurs verspiegelt waren.

«Ich möchte zu Teddy Giles», sagte ich.

«Ich glaube, er schläft.»

«Es ist sehr wichtig.»

Der Junge drehte sich um, öffnete einen der Spiegel, der, wie sich herausstellte, auch eine Tür war, und verschwand. Zu meiner Rechten befand sich ein großer Raum mit einem riesigen orangen Sofa und zwei wuchtigen Sesseln – einer türkis, der andere violett. Alles in dem Loft sah neu aus: die Fußböden, die Wände, die Lichtinstallationen. Während ich mir den Raum ansah, wurde mir bewusst, dass der Ausdruck «neureich» nicht im entferntesten abdeckte, was ich dort sah. Die Einrichtung war das Ergebnis von «schnellem Geld» – ein paar großen Verkäufen, so blitzartig in Wohnungseigentum verwandelt, dass Makler, Anwälte, Architekten und Bauunternehmer außer Atem geraten sein mussten. Es roch nach einer Mischung aus Zigarettenrauch und abgestandenem Müll. Ein pinkfarbener Sweater und mehrere Paar Frauenschuhe lagen auf dem Fußboden. Es gab keine Bücher, aber Hunderte von Zeitschriften. Hochglanzausgaben von Kunst- und Modemagazinen türmten sich auf dem einzigen Tischchen und waren auch auf dem Boden verstreut, und ich bemerkte, dass manche Seiten mit gelben oder rosa Merkzetteln markiert waren. An der gegenüberliegenden Wand hingen drei riesige Fotos von Giles. Auf dem ersten tanzte er als Mann gekleidet mit einer Frau, die mich an Lana Turner in *Wenn der Postmann zweimal klingelt* erinnerte. Das zweite zeigte ihn in einer weiblichen Rolle mit strohblonder Perücke und einem eng anliegenden silbernen Abendkleid, unter dem sich seine künstlichen Brüste und gepolsterten Hüften wölbten. Auf dem dritten sah er aus wie durch einen optischen Trick in Stücke gerissen, im Begriff, das Fleisch seines eigenen abgetrennten rechten Arms zu essen. Während ich die mittlerweile schon vertrauten Bilder studierte, tauchte Giles hinter der Spiegeltür auf. Er trug einen roten Seidenkimono, offenbar echt japanisch. Bei jedem Schritt, den er sich zu mir hinbewegte, raschelte die schwere Seide. «Professor Hertzberg», begrüßte er mich lächelnd, «was verschafft mir das Vergnügen?»

Ehe ich antworten konnte, fuhr er fort. «Setzen Sie sich», sagte er mit einer ausladenden Handbewegung. Ich wählte den großen türkisen Sessel und ließ mich darauf nieder. Ich versuchte, mich anzulehnen, aber die Proportionen des Möbels brachten mich in eine fast liegende Haltung, sodass ich es vorzog, auf der Kante hocken zu bleiben.

Giles setzte sich in das violette Gegenstück, etwas zu weit weg für ein müheloses Gespräch. Um den misslichen Abstand zu verkürzen, beugte er sich vor, wodurch der Kimono ein wenig aufsprang und die weiße Haut seiner unbehaarten Brust entblößte. Er fixierte ein Päckchen Marlboro auf dem runden Tischchen zwischen uns.

«Stört es Sie, wenn ich rauche?»

«Nur zu», sagte ich.

Seine Hand zitterte beim Anzünden der Zigarette, und ich war plötzlich froh, ihm nicht näher zu sein. Von meinem Sitz aus, gut eineinhalb Meter entfernt, konnte ich den Gesamteindruck von Teddy Giles auf mich wirken lassen. Seine Züge waren nichts sagend und regelmäßig. Er hatte hellgrüne Augen mit blassen Wimpern, eine kleine, etwas platte Nase und farblose Lippen. Es war das Gewand, das diesem unbeschriebenen Gesicht seinen Charakter gab. Der steife, kunstvoll gearbeitete Kimono verwandelte Giles in das leibhaftige Bild eines verderbten Fin-de-Siècle-Dandys. Gegen den roten Stoff hob sich seine Haut fast leichenblass ab. Die weiten Ärmel betonten seine dünnen Arme, und die Ähnlichkeit mit einem Kleid ließ seine Zwitterhaftigkeit hervortreten. Es war schwer zu sagen, ob er dieses Selbstbild bewusst kultivierte, um mich zu bedienen, oder ob er sich darin als in einer seiner vielen Identitäten eingerichtet hatte.

Er nickte mir zu. «Nun, was kann ich für Sie tun?»

«Ich dachte, Sie wüssten vielleicht, wo Mark sich aufhält. Er ist seit zehn Tagen verschwunden, und seine Stiefmutter und ich machen uns Sorgen.»

Er antwortete ohne jedes Zögern. «In der letzten Woche habe ich Mark mehrmals gesehen. Gestern Abend war er hier, das steht fest. Wir hatten ein kleines Treffen, aber dann ist er mit ein paar Leuten gegangen. Wollen Sie damit sagen, dass er die ganze Zeit keinen Kontakt hatte mit ...», er legte eine Pause ein, «mit Violet? Heißt seine Stiefmutter nicht so?»

Während ich von Marks Diebstählen und seinem Verschwinden erzählte, hörte Giles aufmerksam zu. Seine hellgrünen Augen wichen nicht von meinem Gesicht, außer wenn er den Kopf abwandte, um den Zigarettenrauch nicht in meine Richtung zu pusten.

«Ich habe gehört, dass er mit Ihnen unterwegs war, irgendwo im Westen – wegen einer Ausstellung», sagte ich.

Giles schüttelte sehr langsam den Kopf, die Augen unverwandt auf mich gerichtet. «Ich war ein paar Tage in L. A., aber Mark war nicht mit.» Er schien nachzudenken. «Mark war durch den Tod seines Vaters am Boden zerstört. Das wissen Sie ja. Wir hatten mehrere lange Gespräche darüber, und ich war ehrlich davon überzeugt, dass ich ihm helfen konnte.» Nach einer Pause fügte er hinzu: «Ich glaube, durch den Verlust seines Vaters hat er etwas von sich selbst verloren.»

Es war schwer zu sagen, was ich von Giles erwartet hatte, aber jedenfalls kein Mitgefühl für Mark. Während ich so dasaß, begann ich mich zu fragen, ob ich nicht einen Teil meines Ärgers und meiner Frustrationen von Mark auf diesen Künstler abgewälzt hatte, den ich gar nicht kannte. Mein Teddy Giles war eine Erfindung, ein Konstrukt aus Gerüchten, Hörensagen, ein paar Zeitungsartikeln und Besprechungen in Zeitschriften. Ich sah durch den Raum auf das Foto von Giles als Frau.

Er bemerkte meinen Blick. «Mir ist klar, dass Sie meine Arbeiten ablehnen», sagte er nüchtern. «Mark hat das schon gesagt, nicht nur von Ihnen, sondern auch von seiner Stiefmutter. Ich weiß, dass sein Vater ebenfalls nicht viel damit anfangen konnte. Es ist der Inhalt, der die Leute aufbringt, aber ich benutze Gewalt als Material, weil sie allgegenwärtig ist. Ich bin nicht meine Arbeit. Als Kunsthistoriker sollten Sie in der Lage sein, diese Unterscheidung zu machen.»

Ich versuchte, vorsichtig zu antworten. «Ich glaube, ein Teil des Problems besteht darin, dass Sie selbst die Dinge vermischt und die Idee verbreitet haben, man könne nicht getrennt von dem gesehen werden, was man tut – dass Sie selbst, nun ja, gefährlich seien.»

Er lachte. Befriedigung, Vergnügen und Charme schwangen in diesem Lachen mit. Mir fiel auch auf, wie klein seine Zähne waren – wie zwei Reihen Milchzähne. «Sie haben Recht, ich benutze mich selbst als Objekt. Ich gebe zu, das ist nichts Neues, aber so, wie ich es mache, hat es eben noch keiner gemacht.»

«Mit Horrorklischees, meinen Sie?»

«Genau. Horror ist extrem und Extreme reinigen. Das ist der Grund, warum Leute sich Gruselfilme ansehen oder in meine Ausstellungen kommen.»

Ich hatte ein starkes Gefühl von Wiederholung. Giles sagte das nicht zum ersten Mal. Wahrscheinlich hatte er es schon tausendmal gesagt.

«Aber Klischees stumpfen ab, nicht wahr?», sagte ich. «Schon durch ihre Natur töten sie Bedeutung.»

Er lächelte mich etwas nachsichtig an. «Bedeutung interessiert mich nicht. Ich glaube nämlich nicht, dass das noch sehr wichtig ist. Die Leute wollen das nicht, wirklich. Sie wollen Speed. Und Bilder. Schnelle Beute bei kurzer Aufmerksamkeitsspanne, das macht sie an. Werbespots, Hollywood-Filme, die Sechs-Uhr-Nachrichten, ja sogar Kunst – letzten Endes läuft es nur auf Shoppen hinaus. Und was *ist* Shoppen? Rumlaufen, bis dir irgendwas Begehrenswertes ins Auge springt und du es kaufst. Warum kaufst du es? Weil es deinen Blick fängt. Wenn nicht, zappst du in ein anderes Programm. Und warum fängt es deinen Blick? Weil es etwas hat, was dir einen Kick gibt. Vielleicht ist es ein Funkeln oder ein Leuchten oder ein bisschen Blut oder ein nackter Arsch. Nur der Kick zählt – nicht das Etwas. Es ist ein Kreislauf. Du brauchst den nächsten Kick, also gehst du erneut los, blätterst deine Dollars hin und kaufst dir wieder was.»

«Aber sehr wenige Menschen kaufen Kunst», sagte ich.

«Sicher, aber mit Sensationskunst lassen sich Magazine und Zeitungen verkaufen, und der Hype bringt Sammler, und Sammler bringen Geld, und schon geht es rund. Schockiert Sie meine Ehrlichkeit?»

«Nein. Ich bin mir nur nicht sicher, ob die Leute ganz so oberflächlich sind, wie Sie behaupten.»

«Wissen Sie, ich kann gar nicht finden, dass Oberflächlichkeit so *falsch* ist.» Er zündete sich noch eine Zigarette an. «Mich stößt vielmehr das fromme Gerede von Leuten ab, wie *tiefsinnig* sie doch seien. Es ist doch wohl eine Freud'sche Lüge, dass jeder einen dicken unbewussten blinden Fleck in seinem Innersten hat, oder?»

«Ideen von menschlicher Tiefe dürfte es wohl schon vor Freud gegeben haben», sagte ich. Ich konnte regelrecht hören, wie sich der trockene Akademikerton in meine Stimme einschlich. Giles langweilte mich. Nicht, weil er dumm war, sondern weil sein Ton etwas Abgehobenes hatte, etwas Uneigentliches, Einstudiertes, das mich ermüdete. Er sah mich an, und ich glaubte, so etwas wie Enttäuschung zu spüren. Er hatte mich unterhalten wollen. Er war Journalisten gewohnt, die ihm aus der Hand fraßen, die ihn geistreich fanden. Ich wechselte das Thema. «Gestern habe ich mit Teenie Gold gesprochen», sagte ich.

Giles nickte. «Ich habe sie seit Monaten nicht gesehen. Wie geht es ihr?»

Ich beschloss, kein Blatt vor den Mund zu nehmen. «Sie hat mir eine Narbe auf ihrem Bauch gezeigt – Marks Initialen – und sagte ...» Ich hielt inne und sah Giles an.

Er hörte aufmerksam zu. «Ja?»

«Sie sagte, Sie hätten ihr die Buchstaben in die Haut geschnitten, während Mark sie festhielt.»

Giles schien mehr als überrascht. «O Gott», sagte er. «Die arme Teenie.» Er schüttelte traurig den Kopf und blies Rauch an die Decke. «Teenie ritzt sich selbst. Ihre Arme sind voller Narben. Sie hat versucht, damit aufzuhören, aber sie schafft es nicht. Es macht ihr gute Gefühle. Einmal hat sie mir gesagt, dass sie sich dann wirklich fühlt.» Er unterbrach sich, klopfte die Asche seiner Zigarette ab und sagte: «Wir alle fühlen uns gern wirklich.» Als er die Beine übereinander schlug, kam zwischen den Falten seines ausgeklügelten Gewandes ein nacktes Knie zum Vorschein. Mein Blick glitt zu seiner Wade hinunter, und ich bemerkte Haarstoppeln vom Rasieren. Giles hatte meine eigenen Zweifel an Teenies Geschichte bestätigt, und doch wunderte ich mich, warum sie mir ein so kompliziert ausgedachtes Märchen erzählt haben sollte. Teenie war alles andere als raffiniert. «Ich bin sicher, dass Mark mich anrufen wird», fuhr Giles fort. «Vielleicht schon heute. Was halten Sie davon, wenn ich mit ihm rede und ihn bitte, sich bei Ihnen zu melden und Ihnen zu sagen, wo er ist? Ich glaube, er würde auf mich hören.»

Ich stand auf. «Danke», sagte ich, «wir wären sehr dankbar, wenn Sie das täten.»

Giles erhob sich ebenfalls. Er lächelte, aber seine Lippen waren gespannt. «Wi-ir?», sagte er, indem er das Wort in zwei singende Silben verwandelte.

Sein Ton legte meine Nerven blank, doch ich blieb ruhig. «Ja», sagte ich, «er kann mich anrufen oder Violet.» Ich wandte mich zum Gehen. Im Flur stürmten wieder von allen Seiten Myriaden Spiegelbilder auf mich ein – mein eigenes in blauem Oxford-Hemd und Khakihose, Giles' im glänzenden roten Kimono, dazu die schrillen Farben der Sitzmöbel in dem weitläufigen Raum hinter uns, alles gebrochen von den spiegelnden Verkleidungen. Während mir das salbungsvolle «Wi-ir?» noch in den Ohren klang, ergriff ich einen Knauf, drehte ihn und öffnete die Tür, doch statt des Aufzugs hatte ich einen schmalen Gang vor mir. Am Kopfende hing ein Gemälde, das ich auf Anhieb erkannte, eines, das Bill von Mark gemalt hatte, als er zwei Jahre alt gewesen war. Der kleine Junge hielt sich einen Lampenschirm wie einen Hut über den Kopf und lachte sich kaputt; er war nackt bis auf eine Wegwerfwindel, die so schwer von Kot oder Urin war, dass sie ihm tief auf die Hüften gesackt war. Ich rührte mich nicht. Das Bild des kleinen Jungen schien mir entgegenzuschweben. Ich stieß einen überraschten Laut aus. Hinter mir sagte Giles: «Die falsche Tür, Professor.»

«Das ist von Bill», sagte ich.

«Ja, richtig.»

«Was hat das hier zu suchen?»

«Ich habe es gekauft.»

«Von wem?»

«Vom Eigentümer.»

Ich wandte mich abrupt zu ihm um. «Von Lucille? Sie haben es von Lucille gekauft?» Ich wusste so gut wie jeder andere, dass Gemälde ein bewegtes Schicksal haben, dass sie von Besitzer zu Besitzer wandern, in dunklen Räumen schmachten, wieder auftauchen, verkauft, weiterverkauft, gestohlen, zerstört und restauriert werden, ganz wie es kommt. Ein Bild kann überall und nirgends wieder auftauchen, doch der Anblick dieses Gemäldes an diesem Ort entsetzte mich.

«Ich denke daran, es zu benutzen», sagte Giles. Er stand dicht hinter mir. Ich spürte seinen Atem an meinem Ohr. Instinktiv zog ich den Kopf zurück.

«Es zu benutzen?», echote ich und ging langsam auf das Gemälde zu.

«Ich dachte, Sie wollten gehen», sagte Giles in meinem Rücken. Seine Stimme ließ einen Anflug von Belustigung erkennen, die mir innerlich einen Stoß versetzte, mich endgültig ins Schleudern brachte. Mit seinem singenden «Wi-ir?» hatte es angefangen. Welchen Vorteil ich mir im Lauf unseres Gesprächs auch verschafft haben mochte, in diesem Gang war er dahin. Mein klägliches Echo: «Es zu benutzen?», klang wie eine gegen mich selbst gerichtete abschätzige Bemerkung, eine Blöße, die durch keinen nachträglichen Witz wieder gutzumachen war. Ich sah nichts mehr als das gemalte Kind vor mir mit seinem irren Lachen, seinem wilden Ausdruck unbändiger Fröhlichkeit.

Ich bin mir noch immer im Unklaren darüber, was in mir vor sich ging, und über den genauen Ablauf der Ereignisse. Aber ich weiß, dass ich ein Gefühl von Eingeschlossenheit hatte und dann große Angst empfand. Teddy Giles war nicht sehr imposant, doch er hatte es fertig gebracht, mich mit ein paar kryptischen Kommentaren einzuschüchtern, die Welten, ganze Welten bedeuteten. Mir schien, dass Bill bei alledem irgendwie im Mittelpunkt stand und es keine Rolle spielte, dass er tot war. Bei dem größtenteils unausgesprochenen Kampf zwischen mir und Giles ging es um Bill, und diese plötzliche Erkenntnis ließ mich fast panisch werden. Dann, als ich fast unmittelbar vor dem Gemälde stand, hörte ich das Rauschen einer Wasserspülung. Das Toilettengeräusch machte mich darauf aufmerksam, dass ich schon vorher andere Geräusche vernommen hatte, die durch meine Reaktion auf das Gemälde nicht ganz ausgeblendet worden waren. Ich blieb stehen und hörte hinter einer Tür stöhnendes Würgen, dann einen schwachen, heiseren Hilferuf. Ohne zu zögern, riss ich die Tür direkt vor mir auf und sah Mark auf dem Boden eines Badezimmers liegen, dessen Wände mit winzigen grünen Glasplättchen verkleidet waren. Er hing zusammengesackt neben der Badewanne, sein Mund stand offen, und die Augen waren geschlossen. Seine Lippen hatten sich blau verfärbt. Der Anblick von Marks blauem Mund ließ mich plötzlich ruhig werden. Als ich mich auf ihn zubewegte, geriet mein

Schuh einen Augenblick ins Rutschen, und ich verlor das Gleichgewicht. Nachdem ich mich gefangen hatte, bemerkte ich eine Lache Erbrochenes unter meinen Füßen. Ich kniete mich neben Mark und ergriff sein Handgelenk, während ich in sein weißes Gesicht hinuntersah. Meine Finger tasteten, den Puls suchend, über die klamme Haut. Ohne den Kopf zu wenden, sagte ich zu Giles: «Rufen Sie den Rettungswagen.» Als keine Antwort kam, drehte ich mich um.

«Er wird schon wieder», sagte Giles.

«Wählen Sie auf der Stelle den Notruf», sagte ich, «bevor er hier in Ihrer Wohnung stirbt.»

Er verschwand in Richtung Eingang. Meine Finger suchten weiter. Mark hatte einen schwachen Puls, und als ich mir sein Gesicht ansah, war es totenbleich. «Du wirst es schaffen, Mark», flüsterte ich, und dann noch einmal: «Du wirst es schaffen.» Ich hielt mein Ohr an seinen Mund. Er atmete.

Als er die Augen aufschlug, durchströmte mich ein Glücksgefühl. «Mark», sagte ich, «ich muss dich ins Krankenhaus bringen. Schlaf nicht ein! Behalt die Augen offen!» Ich schob einen Arm wie ein Polster unter seinen Kopf und beobachtete ihn. Er schloss die Augen. «Nein», sagte ich mit Nachdruck. Ich zog ihn langsam hoch. Er war schwer, und beim Ziehen rutschte mein Hosenbein in das Erbrochene am Boden. «Hör zu, nicht schlafen», wiederholte ich streng.

Mark sah mich forschend an. «Verpiss dich», sagte er. Ich packte ihn unter den Armen und versuchte, ihn aus dem Bad zu schleifen, aber er wehrte sich. Mit einer ruckartigen Bewegung fuhr er mir ins Gesicht, und ich spürte, wie sich seine Fingernägel in meine Wange gruben. Der Schmerz durchzuckte mich so unverhofft, dass ich ihn fallen ließ. Sein Kopf schlug dumpf auf die Kacheln, und ich hörte ihn stöhnen. Ein glitzernder langer Schleimfaden lief ihm aus dem offenen Mund über das Kinn, dann übergab er sich und spie ockergelbe Flüssigkeit auf sein graues T-Shirt.

Das Erbrechen rettete Mark das Leben. Nach Angaben von Dr. Sinha, der ihn auf der Unfallstation im New York Hospital behandelte, hatte Mark eine Überdosis eines Drogencocktails eingenommen, darunter ein Tranquilizer für Tiere, der auf der Straße unter dem Namen «Special K» gehandelt wurde. Ehe ich mit Dr. Sinha sprach, hatte ich mein Bestes getan, meine Hose auf der Herrentoilette auszuwaschen, und eine Schwester hatte mir ein Pflaster für die drei blutigen Kratzer auf meiner rechten Wange gegeben. Während ich draußen im Gang stand, roch ich noch immer Erbrochenes, und die klimatisierte Luft ließ den großen nassen Fleck auf meiner Hose kalt werden. Als der Doktor «Special K» sagte, erinnerte ich mich an Giles' Stimme im Hausflur: «Kein K. heute Nacht, hm, M&M?» Über zwei Jahre waren vergangen, seit ich diese Worte zum ersten Mal gehört hatte, und jetzt wurden sie dechiffriert. Ich empfand es als Ironie, dass ich schon fast sechzig Jahre in New York lebte, während mein Übersetzer noch gar nicht lange in diesem Land sein konnte. Er war ein sehr junger Mann mit intelligenten Augen, der das melodische Bombay-Englisch sprach.

Drei Tage darauf nahmen Violet und Mark ein Flugzeug nach Minneapolis. Ich war nicht dabei gewesen, als Violet ihm im Krankenhaus das Ultimatum stellte, aber sie erzählte mir, dass er auf ihre Drohung hin, ihn ohne einen Cent vor die Tür zu setzen, eingewilligt hatte, nach Hazelden zu gehen, eine Rehaklinik für Suchtkranke in Minnesota. Durch einen Anruf bei einem alten Schulfreund, der in der Klinik einen einflussreichen Posten innehatte, hatte Violet Mark sehr schnell dort unterbringen können. Während er in Behandlung war, wollte sie bei ihren Eltern wohnen und ihn jede Woche besuchen. Sucht konnte viel von Marks Verhalten erklären, und die bloße Tatsache, dass sein Problem nun einen Namen erhielt, beruhigte einige meiner Ängste. Es war ein wenig so, wie wenn man mit einer Taschenlampe in eine dunkle Ecke leuchtet und jedes Stäubchen, jeden Fussel, der in den Lichtkegel fällt, als einzelnes Ding identifiziert. Lügen, Stehlen und Verschwinden – alles wurde ein Symptom von Marks «Krankheit». Unter diesem Aspekt war Mark nur wenige Schritte von der Freiheit entfernt. Natürlich wusste ich, dass das nicht so einfach war, doch als Mark nach seinem Martyrium im Krankenhaus erwachte, war er ein neuer Mensch geworden – ein Jugendlicher mit einer anerkannten Krankheit, der in einer Klinik behandelt werden konnte, in der die Spezialisten alles über Leute wie ihn wussten. Zuerst wollte er nicht hin. Er sagte, er sei nicht rauschgiftsüchtig. Er habe Drogen genommen, sei aber nicht abhängig. Er sagte auch, er habe Violets Schmuck und mein Tonpferd nicht gestohlen, doch wie man weiß, gehört Leugnen zum «Suchtprofil». Die Diagnose öffnete auch die Tür für erneute Sympathie gegenüber Mark. Von wilden Begierden heimgesucht, hatte er seine Handlungen kaum noch unter Kontrolle gehabt und verdiente eine Chance. Aber jede Patentlösung, jeder passende Name scheidet Überflüssiges aus – diejenigen Handlungen oder Gefühle, die nicht in das Interpretationsschema passen, das Matt gestohlene Messer zum Beispiel. Wie Violet gesagt hatte, war Mark elf Jahre alt gewesen. Und als er elf war, hatten Drogen in seinem Leben keine Rolle gespielt.

Doch das Kind spukt unweigerlich im Erwachsenen, selbst wenn das frühere Ich nicht mehr wiederzuerkennen ist. Bills Porträt von seinem drolligen Zweijährigen mit der vollen Windel hatte sich in die Wohnung eingeschlichen, in der sein Achtzehnjähriger fast gestorben wäre. Die Leinwand, niemandes Spiegel mehr, war ein lästiges Gespenst der Vergangenheit geworden – nicht nur von Marks Vergangenheit, sondern auch von der des Gemäldes selbst. Lucille sagte Violet, sie habe das

Gemälde vor fünf Jahren über Bernie verkauft. Ein Anruf bei Bernie genügte, um klarzustellen, dass er von Giles nichts wusste. Er hatte mit einer Frau namens Susan Blanchard verhandelt, einer angesehenen Beraterin mehrerer bekannter Sammler in der Stadt. Bernie zufolge war der Käufer ein gewisser Mr. Ringman, der auch einen der Märchenkästen erworben hatte. Violet empörte sich, weil Lucille und Bernie gegenüber Bill kein Wort über den Verkauf verloren hatten. «Er hatte das Recht, es zu erfahren», sagte sie. «Jedenfalls moralisch.» Aber Lucille hatte nicht gewollt, dass Bill es erfuhr, und hatte Bernie gebeten, es nicht zu erwähnen. «Lucille tat mir Leid», sagte Bernie zu Violet. «Und es war ihr Gemälde, das sie verkaufen wollte.»

Violet machte Lucille Vorwürfe wegen der vagabundierenden Leinwand. Ich nicht. Es war eine große Erleichterung für mich, zu erfahren, dass sie das Bild nicht direkt an Giles verkauft hatte, und ich war mir ziemlich sicher, dass sie das Geld gebraucht hatte. Doch für Violet vermischten sich die beiden Geschichten. Lucille hatte das Porträt ihres eigenen Sohnes an den Meistbietenden verscherbelt, und sie hatte sich nicht die Mühe gemacht, ihn im Krankenhaus zu besuchen. Statt zu kommen, hatte sie ihn angerufen und Mark zufolge die Überdosis nicht einmal erwähnt. Violet konnte das nicht glauben, eine von Marks Lügen, dachte sie, rief Lucille an und stellte sie zur Rede. Lucille bestätigte, dass sie Mark nicht auf den Drogentod, dem er nur knapp entronnen war, angesprochen hatte. «Ich hielt das nicht für produktiv», sagte sie. Worüber sie dann gesprochen habe?, wollte Violet wissen. Sie habe ihm das Neueste über Ollies Tagescamp erzählt, über die beiden Katzen, was sie abends kochen wollte, und habe ihm viel Glück gewünscht. Violet war erbost. Als sie mir die Sache erzählte, bebte sie vor Zorn. Mein Gefühl war eher, dass Lucille bewusst entschieden hatte, nicht über das Geschehene zu sprechen, dass sie die Entscheidung sorgfältig abgewogen hatte und zu dem Schluss gekommen war, es werde weder Mark noch ihr gut tun, dieses Terrain zu betreten. Ich glaube, jedes Wort, das sie ihm gegenüber gesprochen hat, war wohl überlegt. Ich konnte mir auch vorstellen, dass sie, nachdem sie aufgelegt hatte, das Gespräch im Geist noch einmal durchgegangen war, sich wegen dem, was sie gesagt hatte, vielleicht sogar selbst getadelt und es nachträglich revidiert hatte. Für Violet war jede Mutter, die nicht in den nächsten Zug sprang und sich ein Bein ausriss, um ans Bett ihres Sohnes zu eilen, «unnatürlich». Aber ich wusste, dass Lucille von Befangenheit und Unsicherheit gelähmt war. Sie steckte im Sumpf ihrer inneren Auseinandersetzungen, den Pro und Kontra und logischen Rätseln, die ihr fast jedes Handeln unmöglich machten. Der bloße Anruf in der Klinik hatte ihr wahrscheinlich eine ganze Portion Mut abverlangt.

Der Unterschied zwischen Lucille und Violet lag im Charakter, nicht im Wissen. Violet war über Mark ebenso verwirrt wie Lucille. Doch sie stellte weder ihre Gefühle für ihn infrage noch ihr Bedürfnis, danach zu handeln. Lucille dagegen fühlte sich ohnmächtig. Bills zwei Frauen waren Mark zwei Mütter geworden, doch während die Ehen nacheinander gekommen waren, hatten Lucilles natürliche und Violets adoptierte Mutterschaft jahrelang nebeneinander existiert und nun Bills Tod überdauert. Die beiden Frauen waren die überlebenden Pole des Begehrens eines Mannes, zusammengeschmiedet durch das Kind, das er nur mit einer von ihnen gezeugt hatte. Ich wurde den Eindruck nicht los, dass Bill noch immer eine Schlüsselrolle in der Geschichte spielte, die sich vor mir entfaltete, dass er eine unerschütterliche, fortlebende Geometrie unter uns geschaffen hatte. Wieder fand ich Hinweise in dem Gemälde, das in meiner Wohnung hing: die fortgehende Frau und die andere, die kämpfte und blieb; das seltsame kleine Auto in Violets molligem Schoß – ein Ding, das nicht es selbst war, aber auch kein Symbol, sondern ein Vehikel für unausgesprochene Wünsche. Als Bill dieses Bild malte, erwarteten Lucille und er ein Kind. Er hatte es mir selbst gesagt. Ich nahm mir das Gemälde noch einmal gründlich vor, und je länger ich es mir ansah, umso deutlicher wurde das Gefühl, dass auch Mark auf dieser Leinwand gegenwärtig war, im Körper der falschen Frau versteckt.

Violet und Mark blieben zwei Monate fort. Während dieser Zeit holte ich ihre Post herauf, goss die drei Pflanzen oben und hörte den Anrufbeantworter ab, auf dem noch immer Bills Stimme die Anrufer bat, nach dem Piepton zu sprechen. Einmal in der Woche ging ich in der Bowery vorbei, um dort nach dem Rechten zu sehen. Violet hatte mir als Sonderwunsch aufgetragen, bei Mr. Bob hereinzuschauen. Es stellte sich heraus, dass der Vermieter, Mr. Aiello, den Unterschlupf kurz nach Bills Tod entdeckt hatte und Violet jetzt, nachdem sie einen Deal mit ihm ausgehandelt hatte, Extramiete für den verwahrlosten Raum im Erdgeschoss bezahlte. Mr. Bobs neuer Status als offizieller Bewohner der Bowery 89 hatte ihn zugleich mit Besitzerstolz und Dienstbeflissenheit erfüllt. Bei meinen Besuchen verfolgte er mich laut schniefend, um seine Missbilligung kundzutun. «Ich kümmere mich um alles», sagte er. «Ich habe gefegt.» Fegen war seine Berufung geworden, und er fegte obsessiv, oft mit dem Besen an meinen Hacken entlang, so als hinterließe ich eine Dreckspur. Und während er fegte, deklamierte er mit lauter Stimme, indem er seine hochtrabenden Worte dramatisch an- und abschwellen ließ.

«Ich sage dir, er wird nicht ruhen. Er hat dem ewigen Schlaf ein gewaltiges Nein entgegengesetzt, und den ganzen Tag, bis spät in die Nacht, muss ich mir das trostlose Wandern seiner Füße dort oben unter dem Dach anhören, und gestern Nacht, als ich am Ende meines langen Arbeitstages alles säuberlich gefegt hatte und kein Leckerbissen, Krümel oder Gott weiß was noch mehr übrig war, erspähte ich ihn auf der Treppe – Mister

W., wie er leibt und lebt, natürlich körperlos – ein bloßer astraler Windhauch dessen, der er einmal war, und dieses fleischlos beseelte Phantom streckte in einer Geste unbeschreiblicher Betrübnis die Arme aus, und dann bedeckte es seine armen blinden Augen, und ich sah, dass es sie suchte – Beauty. Nun, da sie fort ist, ist der Geist untröstlich. Denk an meine Worte, denn ich habe ihn schon vorher gesehen und ich werde ihn wieder sehen. Ich kenne das Spuken der Geister aus eigener Erfahrung. Als ich noch mein Geschäft hatte – ich habe mit feinsten Antiquitäten gehandelt –, habe ich sie erlebt. Es gab mehrere Stücke, die *durchdrungen* waren. Beachte diesen Ausdruck und seine Bedeutung in diesem besonderen Fall – *durchdrungen*. Eine Frisierkommode im Queen-Anne-Stil war dabei, vormals im Besitz einer zierlichen älteren Dame in Ditmas Park, Brooklyn. Ein wunderschönes Heim war das, mit einem Turm, aber Mrs. Deerbornes Wesen, oder sagen wir besser, ihr *Animus*, der schattenhafte Geist dessen, was sie einst gewesen war, war noch immer flink, noch immer schnell. Er flatterte wie ein Vogel in diesem schönen Möbelstück, ein scheues Etwas im Innern der Schubladen. Ich sage nur eins, sie klapperten. Siebenmal habe ich die Anne verkauft, widerstrebend, wirklich widerstrebend, und siebenmal haben die Käufer sie zurückgebracht. Siebenmal habe ich sie anstandslos zurückgenommen, ohne eine Frage, denn ich wusste ja. Es war ihr Sohn, der sie quälte. Er war unverheiratet, ohne Arbeit, ohne Wohnung, ein Gammler von der schlechten Sorte, und ich glaube nicht, dass die alte Dame es ertrug, ihn so, ohne Halt im Leben, zu verlassen. Auch William Wechsler alias Mister W. hat unerledigte Geschäfte, und Beauty weiß das. Darum ist sie bis jetzt jeden Tag gekommen. Ich höre, wie sie für ihn singt und ihm erzählt, damit er einschlafen kann. Bald wird sie wieder bei ihm sein. Sein Geist kommt nicht ohne sie zurecht. Er ist rastloser, fahriger, verdrießlicher denn je, und sie ist die Einzige, die ihn beruhigen kann. Und ich sage dir auch, warum: Sie hat den Beistand der Engel. Verstehst du? Sie fliegen herab! Sie fliegen herab! Ich bin Zeuge. Als sie aus der Tür kam, habe ich das Feuermal der Seraphim auf ihrer Stirn gesehen. Sie ist berührt, berührt von den brennenden Fingern der himmlischen Heerscharen.»

Mr. Bobs Monologe quälten mich. Sie nahmen kein Ende. Es war weniger der Mischmasch von Religion und Okkultem, der mich irritierte, als der arrogante Ton bürgerlicher Selbstgefälligkeit, der sich unvermeidlich in seine mit abfälligen Bemerkungen über «Gammler», «Versager» und «Penner» gespickten Erzählungen von spukenden Tischen, Kommoden oder Sekretären einschlich. Bob hatte Bill und Violet in die Rollenbesetzung seiner wirren Geisterwelt aufgenommen, weil er sie ganz für sich haben wollte. Legenden leben und gedeihen nur auf dem Boden von Sprache, und so redete und redete er, um seinen Mr. W. und seine Beauty in dem selbst gemachten Reich zu bewahren. Dort konnten sie in himmlische Höhen aufsteigen oder in den Schlund der Hölle stürzen, ohne dass ich mich einmischte.

Dabei wäre ich so gern allein gewesen, wenn ich die Treppen zum Atelier hinaufging, die Tür aufschloss und in den großen Raum blickte, auf das wenige, das dort von Bill geblieben war. Wie gern hätte ich den Stuhl betrachtet, auf dem Bills Arbeitskleidung lag, in der ich Violet gesehen hatte. Wie gern hätte ich in aller Ruhe das Licht der großen, im Schein der Sonne oder der Abenddämmerung glänzenden Fenster auf mich fallen lassen, wäre still dagestanden und hätte den unveränderten Geruch des Raumes in mich aufgesogen. Aber das war unmöglich. Bob war das Hausgespenst des Gebäudes, sein schniefender, fegender, schimpfender, selbst ernannter mystischer Concierge, und daran konnte ich nichts ändern. Dennoch wartete ich auf seinen Segen, wenn ich das Haus verließ: «O Herr, erhebe die Seele deines zerlumpten Dieners, der da hinausgeht in den schnöden Rummel deiner Stadt, auf dass die Dämonen von Gotham ihn nicht böse in Versuchung führen und er auf dem geraden Weg der Wahrheit zu deinem himmlischen Licht gelangt.

Segne ihn und bewahre ihn, lasse dein strahlendes Angesicht über ihm leuchten und schenke ihm Frieden.»

Ich glaubte nicht an die Geister oder Engel des alten Mannes, doch im Lauf jenes Spätsommers verfolgte mich Bill eher mehr als weniger. Ohne es irgendjemandem zu sagen, begann ich mir Notizen zu machen und Material zusammenzustellen, um im Anschluss an mein Goya-Buch einen Essay über sein Werk zu schreiben. Der Impuls war mir eines Nachmittags beim Durchblättern des Katalogs von *Os Reise* gekommen, als das Initial des Helden, das zugleich die Anwesenheit des Buchstabens und die Abwesenheit der Zahl bedeutet, andere seiner Arbeiten wachrief, in denen es um Erscheinen und Verschwinden geht. Seither verbrachte ich jeden Morgen mit Bills Katalogen und Dias und begriff allmählich, dass ich angefangen hatte, ein Buch zu schreiben, nicht chronologisch, sondern nach Ideen geordnet. Es war nicht einfach. Es gab viele Arbeiten, die unter mehr als eine meiner ursprünglichen Kategorien fielen – *Verschwinden* und *Hunger* beispielsweise. Doch dann entdeckte ich, dass *Hunger* im Grunde ein Teil von *Verschwinden* war. Diese Zuordnung mochte akademisch sein, doch je länger ich die Bilder, Farben, Pinselstriche, Skulpturen und Inschriften studierte, umso stärker wurde der Eindruck, dass ihre Mehrdeutigkeiten alle mit der Idee des Verschwindens zusammenhingen. Das Gesamtwerk, das Bill hinterlassen hatte, bildete die Anatomie eines Geistes im wahrsten Sinne des Wortes – nicht, weil jedes Werk eines verstorbenen Künstlers seine Spur in dieser Welt darstellt, sondern weil Bills Werk vor allem eine Untersuchung der Unzulänglichkeit symbolischer Oberflächen war – der Erklärungsmuster, die an der Wirklichkeit vorbeigehen. Mit jeder Wendung wurde dem Wunsch, durch Buchstaben, Zahlen oder die Konventionen der Malerei etwas auf den Punkt zu bringen, zu fixieren, zu lokalisieren, ein Strich durch die Rechnung gemacht. Du glaubst zu wissen, schien Bill in jeder seiner Arbeiten zu sagen, aber du weißt nicht. Ich untergrabe deine Binsenwahrheiten, dein blasiertes Verständnis und täusche dich mit dieser Metamorphose. Wo hört ein Ding auf, und wo beginnt ein anderes? Deine Grenzen sind Erfindungen, Witze, Absurditäten. Dieselbe Frau wird dick und dünn, und mit jedem Extrem provoziert sie die Frage des Erkennens. Eine Puppe liegt auf dem Rücken und hat einen Klebestreifen mit einer veralteten Diagnose über dem Mund. Zwei Jungen werden der jeweils andere. Zahlen in Börsenberichten, Zahlen mit vorangestellten Dollarzeichen, in einen Arm gebrannte Zahlen. Noch nie zuvor hatte ich Bills Arbeiten so klar gesehen, und zugleich tappte ich im Dunkeln, erstickt von Zweifeln und etwas anderem – einer erdrückenden Vertrautheit. Es gab Tage, an denen meine Arbeit etwas von einer mich quälenden Geliebten annahm, die ihren Ausbrüchen von Leidenschaft eine unergründliche Kälte folgen ließ, die nach Liebe schrie und mir dann ins Gesicht schlug. Wie eine Frau geleitete mich die Kunst, und ich litt, duldete und genoss es. Ich saß mit dem Füller in der Hand an meinem Schreibtisch und führte einen Ringkampf mit dem verborgenen Mann, der mein Freund gewesen war, einem Mann, der sich selbst als Frau und als B, eine dicke, urwüchsige gute Fee, gemalt hatte. Doch der Kampf regte mein Innenleben ungewöhnlich an, und während die Sommertage dahingingen, fühlte ich mich in meiner Einsamkeit sehr lebendig.

Violet rief regelmäßig an. Sie erzählte von Hazelden – einer Heilstätte, die ich mit den Sanatorien meiner frühen Kindheit verwechselte. Die Eltern meiner Mutter, die ich nie kennen gelernt hatte, waren beide 1929 nach langer Isolierung in Nordrach, einem Sanatorium im Schwarzwald, an Tuberkulose gestorben. Ich stellte mir Mark auf einem Liegestuhl am Ufer eines Sees vor, der in der Sonne glitzerte. Diese Phantasie war sicher falsch – ein gemischtes Bild, zusammengesetzt aus den Geschichten meiner Mutter und meiner Erinnerung an die Lektüre des *Zauberbergs* von Thomas Mann. Das Entscheidende indes war meine Erkenntnis, dass Mark sich nicht bewegte, wann immer ich in dieser Zeit an ihn dachte. Er war erstarrt wie eine Person auf einem Schnappschuss, und dieser Stillstand war das einzig Wichtige. Ich hatte das Gefühl, Hazelden habe ihn gestoppt. Wie ein wohlwollendes Gefängnis reduzierte es seine Beweglichkeit, und mir wurde klar, dass es das Verschwinden und das dann folgende Umherstreunen war, was ich an Mark am meisten fürchtete. Violet sagte, sie fühle sich durch Marks Fortschritte ermutigt. Jeden Mittwoch ging sie zu den Familiensitzungen und bereitete sich darauf vor, indem sie über die zwölf Schritte las. Sie sagte, Mark habe einen holprigen Start gehabt, aber im Lauf der Wochen habe er sich langsam geöffnet. Sie erzählte von anderen Patienten oder «Peers», wie sie in Hazelden genannt wurden, besonders von einer jungen Frau namens Debbie.

Der Sommer ging zu Ende. Der Universitätsbetrieb begann, und mit ihm ging der ganztägige Rhythmus meiner Arbeit an dem Buch über Bill verloren. Doch ich schrieb oft in den Abendstunden weiter, wenn ich meine Notizen für die Vorlesungen durchgesehen hatte. Im späten Oktober kündigte Violet mir telefonisch ihre und Marks Rückkehr für die folgende Woche an.

Ein paar Tage nachdem ich mit Violet telefoniert hatte, stand plötzlich Laszlo vor der Tür. Ich wusste auf den ersten Blick, dass er eine schlechte Nachricht brachte. Ich hatte gelernt, mehr aus seiner Körpersprache als aus seinem Gesichtsausdruck zu lesen. Er ließ die Schultern hängen, und als er ins Zimmer trat, ging er langsam. Auf meine Frage, was los sei, erzählte er mir von dem Gemälde in Giles' bevorstehender Ausstellung. Noch war es ein Gerücht, eine jener schwebenden Klatschgeschichten, die Laszlo aus dünner Luft zu greifen schien, doch als eine Woche später die Ausstellung eröffnet wurde, wussten wir, dass es stimmte. Teddy Giles hatte das Gemälde von Mark als Zweijährigem benutzt. Der Skandal bestand darin, dass die wertvolle Leinwand zerstört worden war. Die Figur einer ermordeten Frau, der ein Arm und ein Bein fehlten, war durch Bills Gemälde von seinem Sohn gerammt worden. Auf der einen Seite ragte ihr Kopf aus der Leinwand, die ihr den Hals einquetschte, während der Rest des verstümmelten Körpers auf der anderen Seite herausstak. Die Wucht des Objekts beruhte darauf, dass ein Originalkunstwerk aus Giles' Besitz nun ebenso verstümmelt war wie die hindurchgestoßene Figur.

Die Neuigkeit versetzte die Kunstwelt in helle Aufregung. Es war nicht illegal, sein Eigentum zu beschädigen, auch wenn es ein Gemälde war. Wenn man wollte, konnte man es als Zielscheibe für Schießübungen benutzen. Ich erinnerte mich an Giles' Warnung: «Ich denke daran, es zu benutzen.» Diese Worte hatten für mich keinen Sinn ergeben. Nutzen hatte nichts mit Kunst zu tun. Kunst war ihrem Wesen nach nutzlos. Seit der Vernissage wurde nur über dieses eine Ausstellungsstück diskutiert. Die anderen ähnelten Giles' früheren Arbeiten – zerstückelte, gemarterte Frauenkörper, ein Männerpaar und mehrere Kinder, blutige Kleider, abgetrennte Köpfe, Gewehre. Niemand schien das noch zu kümmern. Was die Gemüter erhitzte – manche aus Empörung, andere aus Begeisterung –, war die Tatsache, dass hier ein Akt tatsächlicher Gewalt vorlag, nicht simuliert, sondern real. Die Körper waren künstlich, doch das Gemälde war echt. Und das Pikanteste daran: Bills Werk war teuer. Es wurde viel hin und her überlegt, ob die Verwendung des Gemäldes – trotz der Beschädigung – den Wert des Objekts als Ganzes erhöhe oder nicht. Es ließ sich schwer feststellen, was Giles tatsächlich für Marks Porträt bezahlt hatte. Mehrere hohe Preise wurden genannt, doch ich vermute, sie kamen von Giles selbst – eine notorisch unzuverlässige Quelle.

Violet kehrte in einen Aufruhr zurück. Mehrere Journalisten riefen an, um eine Stellungnahme von ihr zu bekommen. In weiser Voraussicht lehnte sie es ab, mit ihnen zu sprechen. Es dauerte nicht lange, bis die Spur zu Mark und seiner Bekanntschaft mit Giles führte. In der Klatschspalte einer kostenlosen Downtown-Zeitung spekulierte ein Kolumnist über die Verbindung zwischen ihnen, indem er andeutete, dass Giles und «Wechsler der Jüngere» ein Liebespaar seien oder gewesen seien. Ein Kritiker sprach von «Kunstschändung». Und Hasseborg hängte sich mit dem Argument an, die Entweihung eröffne der subversiven Kunst neue Wege. «Mit einem einzigen Schuss hat Theodore Giles das ganze pietätvolle Getue um die Kunst in unserer Kultur durchsiebt.»

Weder Violet noch ich besuchten die Ausstellung. Laszlo ging mit Pinky hin und machte heimlich ein Polaroid, das er uns mitbrachte. Mark war ein paar Tage bei seiner Mutter geblieben, ehe er nach New York zurückkehrte. Violet sagte, er sei ganz perplex gewesen, als sie ihm von dem Gemälde erzählt habe. «Er scheint Giles wirklich für einen netten Kerl zu halten und kann gar nicht fassen, wie er dem Werk seines Vater so etwas antun konnte.» Nachdem Violet das kleine Foto studiert hatte, legte sie es kommentarlos auf den Tisch.

«Ich hatte gehofft, es wäre eine Kopie», sagte Laszlo. «Aber es ist keine. Ich war ganz nahe dran. Er hat wirklich das echte Gemälde benutzt.»

Pinky saß auf dem Sofa. Ich bemerkte, dass ihre großen Füße sogar im Sitzen in der Grundstellung nach außen gedreht waren. «Fragt sich nur, warum ausgerechnet Bills Arbeit?», sagte sie. «Für das gleiche Geld hätte er irgendein Gemälde kaufen und kaputtmachen können. Warum dieses Porträt von Mark? Weil er ihn kennt?»

Laszlo öffnete den Mund, schloss ihn und öffnete ihn wieder. «Die Antwort heißt, dass Giles Mark nur deshalb kennt, weil er ...», er zögerte, «... auf Bill fixiert war.»

Violet beugte sich vor. «Hast du irgendeinen Grund, das zu glauben?»

Durch die Brillengläser sah ich Laszlos Augen eine Spur schmaler werden. «Ich habe gehört, er hätte ein ganzes Dossier über Bill, bis in die Zeit zurück, als er Mark noch gar nicht kannte – Zeitungsausschnitte, Kataloge, Fotos.»

Keiner von uns sagte ein Wort. Die Idee, dass Giles sich mit dem Sohn um des Vaters willen befasst haben könnte, hatte mir an dem Tag gedämmert, als ich Mark im Badezimmer fand. Aber was wollte Giles? Wäre Bill noch am Leben, hätte ihn die Zerstörung gekränkt, doch er war tot. Wollte Giles Mark treffen? Nein, sagte ich mir im Stillen, ich stelle die falschen Fragen. Ich dachte an Giles' Gesicht, als wir miteinander sprachen, an seine scheinbare Ehrlichkeit in Bezug auf Mark, seine Kommentare über Teenie. «Die arme Teenie. Sie ritzt sich selbst.» Ich dachte an das Zeichen in ihrer Haut – die verbundenen M oder das M über dem W. M & M. Bills M – die Jungen, Matthew und Mark. *Kein K heute Nacht, hm, M & M?* Der Wechselbalg. Ich hatte darüber geschrieben – Kopien, Doubles, Multiples. Vermischungen. Plötzlich fielen mir die beiden identischen männlichen Figuren in Marks Collage mit den zwei Babybildern ein. Wie war noch die Geschichte, die Bill mir einmal über Dan erzählt hatte? Ach ja. Dan war nach seinem ersten Schub im Krankenhaus. Bill hatte langes Haar gehabt, es aber abgeschnitten. Als er Dan besuchte, kam er mit kurzem Haar ins Zimmer. Ein Blick, und Dan empfing ihn mit den Worten: «Du hast mir die Haare abgeschnitten!» Bill sagte mir, das komme bei Schizophrenen häufig vor. Sie verwechseln die Pronomina. Genau wie Leute, die an Aphasie leiden. Meine Gedanken wirbelten durcheinander. Ich sah Goyas Saturn seinen Sohn verschlingen, das Foto, auf dem Giles seinen eigenen Arm abnagt, und dann Marks Kopf von meinem Arm zurückschnellen, als ich nachts aufwachte. Die Nachricht auf dem Anrufbeantworter: «M & M weiß, dass ich umgebracht wurde.» Nein.

«M & M weiß, dass *Ich* umgebracht wurde.» Der Junge im Treppenhaus mit der kleinen grünen Tasche. Ich. Sie nannten ihn «Ich».

«Alles in Ordnung, Leo?», fragte Violet.

Ich sah sie an, dann erklärte ich.

«Rafael und Ich sind ein und dieselbe Person», sagte sie.

«Meinst du den kleinen Jungen, von dem es heißt, Giles hätte ihn umgebracht?», sagte Pinky.

Das Gespräch uferte bald aus, mit Abschweifungen zu Rafaels angeblicher Versklavung, Marks möglicher Liebesaffäre mit Giles, Teenies glatter Narbe und den toten Katzen, die überall in der Stadt aufgehängt worden waren. Laszlo sprach von Special K und einer anderen Droge namens Ecstasy. In der Szene wurden die kleinen Pillen auch E genannt – ein weiterer Buchstabe im wachsenden Alphabet der Pharmazeutika. Doch der einzige harte Fakt, der uns zur Verfügung stand, war mein flüchtiger frühmorgendlicher Blick auf einen Jungen im Treppenhaus, den Mark «Ich» genannt hatte. Telefonisch hatte ein unbekanntes Mädchen Violet von dem Gerücht über einen möglichen Mord und einen Jungen namens Rafael erzählt, doch wer sollte wissen, ob die Geschichte nicht reine Erfindung war? Zum damaligen Zeitpunkt jedoch ließ ich meiner Phantasie freien Lauf und stellte die Vermutung an, Giles selbst könnte hinter den Anrufen stecken, sowohl bei Violet als auch bei Bill. «Er gibt Interviews mit verstellter Stimme. Warum sollte er nicht auch das Mädchen am Telefon sein?» Violet hielt nichts von der Idee. Sie meinte, was sie gehört habe, sei keine Fistelstimme gewesen. Als Pinky stimmverändernde Vorrichtungen erwähnte, die man am Telefon anbringen kann, fing Violet an zu lachen – ein Lachen, das bald in abgehackte schrille Schreie umschlug. Dann liefen ihr Tränen übers Gesicht. Pinky stand auf, kniete vor ihr nieder und legte ihr die Arme um den Hals. Laszlo und ich saßen schweigend da und sahen zu, wie die beiden Frauen einander in einer langen Umarmung wiegten. Es dauerte mindestens fünf

Minuten, bis Violets tränenreiches Lachen in gelegentlichem Japsen und krampfhaftem Schniefen verebbte. «Du bist ja so fertig», sagte Pinky und strich Violet übers Haar. «Du bist ja fix und fertig.»

Zwei Monate waren ohne einen Brief von Erica vergangen. Einen Tag bevor Mark nach New York zurückkam, brach ich unseren Pakt und rief sie an. Ich glaube, ich hatte nicht erwartet, dass sie zu Hause sein würde. Jedenfalls hatte ich mir schon meinen kleinen Spruch für den Anrufbeantworter zurechtgelegt, und als sie abnahm und hallo! sagte, schluckte ich einen Augenblick. Nachdem ich mich zu erkennen gegeben hatte, erwiderte sie nichts, und dieses kurze Schweigen machte mich plötzlich ärgerlich. Ich sagte ihr, unsere Freundschaft, Ehe, Beziehung oder was zum Teufel auch immer sei nur noch Heuchelei, ein unechtes, dämliches, totes Nichts, der ganze Zirkus mache mich krank und hänge mir zum Hals heraus. Wenn sie jemand anderen kennen gelernt hätte, wüsste ich es gern. In diesem Fall wollte ich frei von ihr sein und sie endgültig hinter mir lassen.

«Es gibt keinen anderen, Leo.»

«Warum hast du meine Briefe nicht beantwortet?»

«Ich habe fünfzigmal angefangen zu schreiben und alles weggeworfen. Mir ist, als würde ich immer nur mich selbst erklären und analysieren, bla, bla, bla. Sogar bei dir. Ich bin angewidert von meinem unendlichen Bedürfnis, alles zu unterdrücken und dann einzeln wieder hervorzukramen. Wenn ich es tue, erscheint es wie die schlimmste Scheinheiligkeit, wie raffinierte Lügen, wie Entschuldigungen für mich selbst.» Erica seufzte schwer, und mit diesem vertrauten Geräusch schwand mein Ärger. Doch kaum war er verflogen, merkte ich, dass er mir fehlte.

Gehässigkeit hat ein Ziel, eine Schärfe, die der Sympathie abgeht, und ich bedauerte, mich wieder auf dem schwankenden Boden diffuser Emotionen zu befinden.

«Ich habe so viel geschrieben, Leo, es war schwierig, dir zu schreiben. Es ist wieder Henry James.»

«Oh», sagte ich.

«Ich liebe sie, weißt du.»

«Wen?»

«Seine Protagonisten. Ich liebe sie, weil sie so kompliziert sind, und wenn ich daran arbeite, an ihnen und ihrem Leiden, vergesse ich mich selbst. Ich wollte schon anrufen – wie dumm von mir, dass ich nicht angerufen habe. Es tut mir wirklich Leid.»

Am Ende beschlossen wir, uns gegenseitig anzurufen *und* zu schreiben. Ich bat sie, mir das Buch zu schicken, sobald sie das Gefühl habe, fertig zu sein, und ich sagte ihr, dass ich sie liebe. Sie sagte mir, sie liebe mich auch. Es gebe keinen anderen. Es werde nie einen anderen geben. Nachdem ich aufgelegt hatte, begriff ich, dass wir niemals voneinander frei sein würden. Das machte mich nicht froh. Ich wollte Erica nicht gehen lassen, und doch lehnte ich mich gegen unsere hartnäckige Verbindung auf. Durch eine Absenz waren wir auseinander gerissen worden, doch dieselbe Absenz hatte uns fürs Leben aneinander gekettet.

Ich hatte von meinem Schreibtisch aus telefoniert. Nach einigen Minuten zog ich die Schublade auf, um mir die Dinge anzusehen, die ich dort gehortet hatte. Sie kamen mir seltsam vor – eine kuriose Sammlung von Memorabilia, darunter das Paar feine schwarze Socken, die verkohlte Pappe und das dünne, aus der Zeitschrift ausgeschnittene Rechteck. Ich betrachtete Violets Gesicht auf dem Foto und dann Bill, dessen Augen auf seine Frau gerichtet waren. Seine Frau. Seine Witwe. Der Tote. Die Lebende. Ich nahm Ericas Lippenstift in die Hand. Meine Frau und ihre geliebten Protagonisten in den Büchern eines toten

Mannes. Nichts als Fiktionen. Aber wir alle leben in den ein-
gebildeten Geschichten, die wir uns selbst von unserem Leben
erzählen, dachte ich und griff nach Matts Bild von Dave und
Durango.

Mark sah besser aus. Seine blauen Augen hatten
eine neue Direktheit, und er hatte in den Monaten, die er fort
gewesen war, einige Pfund zugenommen. Sogar seine Stimme
schien mehr Fülle und Überzeugungskraft zu haben. Seine Tage
bestanden aus Jobsuche am Morgen, Meetings der Anonymen
Drogensüchtigen am Nachmittag und Verabredungen mit
einem Mann, der sein «Pate» geworden war. Alvin war ein ehe-
maliger Heroinabhängiger, kaum über dreißig. Ein ordentlicher, höflicher Mann mit hellbrauner Haut, einem kurz ge-
schorenen Bart und vor Entschlossenheit glühenden Augen. Ein
Wiederauferstandener, ein Dostojewski'scher Held, aufgestie-
gen aus der Unterwelt, um einem Kameraden in Not zu helfen.
Sein Körper war ein kompakter Block zielstrebigen Willens, bei
dessen bloßem Anblick ich mich schlaff, überflüssig und igno-
rant fühlte. Wie Tausende andere war Marks «Pate» ganz unten
gewesen und hatte dann beschlossen, sein Leben zu ändern. Ich
habe seine Geschichte nie erfahren, doch Mark erzählte mir und
Violet zahllose andere, die er in Hazelden mitbekommen hatte,
düstere Geschichten von ausweglosen Nöten, die zu Lügen,
Fluchten, Verrat und manchmal zu Gewalt führten. Jede war
mit einem Namen verbunden – Maria, John, Angel, Hans, Ma-
riko, Deborah. Mark war offensichtlich an den Geschichten interessiert, aber es ging ihm dabei mehr um die schrecklichen
Details als um die Menschen, die sie herbeigeführt hatten. Vielleicht sah er ihre Handlungen als Spiegel seiner eigenen Ernied-
rigung.

Violet zeigte sich hoffnungsvoll. Mark ging jeden Tag zu den Meetings, redete oft mit Alvin und arbeitete als Hilfskellner in einem Restaurant in der Grand Street. Gemäß den Regeln des Programms hatte Violet ihm gesagt, sie werde Schluss machen mit den Strafen, doch er könne nur bei ihr wohnen, wenn er «clean» bleibe. So einfach war das. Um die Mitte des Monats klopfte Mark eines Abends gegen elf an meine Tür. Ich lag schon im Bett, war aber noch wach. Als ich die Tür aufmachte, stand er im Flur. Ich bat ihn herein. Er ging zum Sofa, setzte sich jedoch nicht, warf einen Blick auf das Gemälde von Violet, sah kurz in meine Richtung und dann auf seine Schuhe. «Es tut mir Leid», sagte er. «Tut mir Leid, dass ich dich verletzt habe.»

Ich starrte ihn an und zog meinen Bademantel fester zu, so als würde das Ziehen mir helfen, meine Gefühle zurückzuhalten.

«Ich hab Drogen genommen», fuhr er fort. «Das hat mich geschafft, aber ich bin für alles selbst verantwortlich.»

Ich antwortete nicht.

«Du brauchst mir nicht zu verzeihen, aber es ist wichtig, dass ich dich darum bitte. Das gehört zu den Schritten.»

Ich nickte.

Sein Gesicht zuckte.

Er ist achtzehn Jahre alt, sagte ich mir.

«Ich wünschte mir, es wäre alles anders, so wie früher.» Zum ersten Mal sah er mich an. «Du hast mich immer gemocht. Wir hatten gute Gespräche.»

«Ich weiß nicht, was diese Gespräche wirklich bedeutet haben, Mark. Du hast so viel gelogen …»

Er unterbrach mich. «Ich weiß, aber ich habe mich geändert.» Ein Klagen lag in seiner Stimme. «Und ich hab dir Dinge gesagt, die ich noch nie jemandem gesagt habe. Ich hab sie ernst gemeint. Wirklich.»

Die Verzweiflung schien aus seinem Inneren zu kommen, tief aus der Brust. War das ein neuer Klang? Hatte ich diese Töne je gehört? Ich glaubte nicht. Sehr vorsichtig legte ich meine Hand auf seine Schulter. «Die Zeit wird es ans Licht bringen», sagte ich. «Du hast eine Chance, alles wieder gutzumachen, und ich bin davon überzeugt, dass du es kannst.»

Er kam näher und sah in mein Gesicht. Er schien unendlich erleichtert. Er atmete lange aus, breitete die Arme aus und sagte: «Bitte.» Ich zögerte, dann wurde ich weich. Er lehnte sich an mich, legte den Kopf auf meine Schulter und umarmte mich mit einer Innigkeit und Wärme, die mich an seinen Vater erinnerten.

Am frühen Morgen des 2. Dezember war Mark wieder verschwunden. Am selben Tag erhielt Violet einen Brief von Deborah   dem Mädchen, mit dem die beiden sich in Hazelden angefreundet hatten. Es war fast Mitternacht, als Violet mit dem Brief in der Hand die Treppe herunterkam, sich aufs Sofa setzte und ihn mir vorlas.

Liebe Violet,
ich schreibe dir, um dir zu sagen, dass es mir gut geht. Es ist jeden Tag ein richtiger Kampf, nicht zu trinken und das alles, aber ich komme zurecht, und meine Mom hilft mir dabei. Sie versucht, mich nicht so viel anzuschreien, wie wir es in den Familiensitzungen besprochen haben. Sie weiß, dass mich das runterzieht. Wenn es wirklich schlimm kommt, denke ich an die Nacht in Hazelden, als ich das Singen vom Himmel hörte und die Stimmen, die mir sagten, dass ich ein Kind Gottes bin und er mich schon darum liebt. Ich weiß, manche von den anderen hielten mich für übergeschnappt, als ich sagte, dass ich nicht mehr Debbie bin. Aber in den Familiensitzungen habe ich gemerkt, dass du mich verstehst. Nachdem ich sie singen gehört hatte, musste ich Deborah sein. Du bist wirklich ein guter Mensch, und Mark

hat Glück, dich als Stiefmama zu haben. Er hat mir erzählt, wie du ihm durch den Entzug geholfen hast, als er so schlimm gezittert und gekotzt hat, bevor ihr nach Minnesota kamt. Ich habe mich immer danach gesehnt, so jemand zu haben. Ich wünsche mir, dass alle für mich beten, und hoffe, dass auch du für mich beten kannst. Fröhliche, fröhliche Weihnachten und ein wunderschönes neues Jahr!

Alles Liebe
Deborah

PS: Nächste Woche kommt mein Gips ab!

Als Violet fertig gelesen hatte, legte sie das Blatt auf ihren Schoß und sah mich an.

«Du hast mir nie erzählt, dass Mark Entzugssymptome hatte», sagte ich.

«Er hatte auch keine.»

«Aber warum schreibt Deborah das dann?»

«Weil er es ihr erzählt hat.»

«Und warum sollte er?»

«Ich nehme an, er wollte sich anpassen, mehr wie die anderen sein. Ich meine, Mark hat ein Drogenproblem, aber körperlich war er nie abhängig. Wahrscheinlich fand er es einfacher, sein ganzes Lügen und Stehlen zu erklären, wenn er so tat, als gehörte er zum harten Kern der Süchtigen.» Sie machte eine Pause. «Aber am Ende liebten sie ihn alle – die Berater, die anderen Patienten, einfach alle. Sie wählten ihn zum Gruppenführer. Mark war ein Star. Für Debbie hatte niemand sehr viel übrig. Sie zieht sich an wie eine Nutte und hat schlechte Haut. Sie ist erst vierundzwanzig und hat schon drei Entzüge hinter sich. Einmal wäre sie fast ertrunken. Sie war so blau, dass sie in einen See gefallen ist. Ein andermal fuhr sie mit dem Auto gegen einen Baum, und der Führerschein wurde ihr abgenommen. Bevor sie in Hazelden landete, kam sie stockbesoffen heim, fiel im Haus ihrer Mutter die Treppe hinunter und brach sich an fünf Stellen das Bein. Sie trägt einen Gips bis hier.» Violet zeigte auf ihren Oberschenkel. «Sie belog und beklaute ihre Mutter, genau wie Mark. Eine Zeit lang ging sie anschaffen. Ihre Mutter hatte es bis oben hin. Sie schrie Debbie nur noch an – ‹Du bist ein großes Baby. Es kommt mir so vor, als hätte ich vierundzwanzig Jahre lang ein plärrendes, kotzendes Baby gehabt. Du bist mir überhaupt keine Gefährtin. Mein ganzes Leben besteht darin, auf dich aufzupassen.› Dann weinte die Mutter, und Debbie weinte, und ich weinte mit. Ich saß auf dem Stuhl und heulte mir die Seele aus dem Leib wegen der armen Debbie und ihrer armen Mutter.» Violet schenkte mir ein ironisches Lächeln. «Dabei hatte ich keinen blassen Schimmer, wer sie waren. Aber egal, irgendwann im Lauf des zweiten Monats hatte Debbie ihre Vision und verwandelte sich in Deborah.»

«Das Singen», sagte ich.

Violet nickte. «Beim nächsten Familientreffen strahlte sie wie ein Weihnachtsbaum.»

«Das kann sich wieder geben, weißt du. Meistens geht so etwas vorbei.»

«Ja, aber sie glaubt an ihre Geschichte und an die Worte, in denen sie davon erzählt.»

«Im Unterschied zu Mark – ist es das, was du sagen willst?»

Violet stand auf, presste die Hände gegen die Stirn und begann, auf und ab zu gehen. Ich versuchte, mich daran zu erinnern, ob ich sie vor Bills Tod je hatte auf und ab gehen sehen. Sie machte einige Schritte und drehte um. «Manchmal denke ich, dass er gar nicht versteht, was Sprache ist. Es kommt mir so vor, als hätte er Symbole noch nie begriffen – die ganze Struktur der Dinge fehlt. Er kann sprechen, aber er benutzt Wörter nur als eine Möglichkeit, andere Leute zu manipulieren.» Violet zog eine Zigarette heraus und zündete sie an.

«Du rauchst neuerdings aber viel», bemerkte ich.

Sie inhalierte den Rauch der Camel und winkte unwillig ab. «Es ist mehr als das. Mark hat keine Geschichte.»

«Natürlich hat er eine», sagte ich. «Wir alle haben eine Geschichte.»

«Aber er weiß nicht, was das ist, Leo. In Hazelden wollten sie ihn dazu bringen, von sich selbst zu reden. Am Anfang hat er etwas über die Scheidung, über seine Mutter und seinen Vater vor sich hin gemurmelt. Der Berater hakte nach. Was meinst du damit? Erkläre. Und schließlich erklärte er: ‹Alle sagen, es müsse an der Scheidung liegen, dann wird es wohl so sein.› Das machte sie ärgerlich. Sie wollten, dass er seine Geschichte erzählt, so wie er sie empfindet. Also begann er zu erzählen, doch wenn ich es recht bedenke, sagte er nie etwas von größerer Bedeutung. Doch er weinte. Das machte sie glücklich. Er gab ihnen, was sie haben wollten – Gefühle, oder den Anschein davon. Aber eine Geschichte braucht zeitliche Verknüpfungen, und Mark scheint in einer Zeitverzerrung zu stecken, einer krankhaften Wiederholung, die ihn vor und zurück pendeln lässt, immer nur vor und zurück.»

«Denkst du an das Pendeln zwischen seinen Eltern?»

Violet hörte auf zu wandern. «Ich weiß nicht», sagte sie. «Viele Kids haben dieses Hin und Her zwischen geschiedenen Eltern und werden nicht wie Mark. Das kann es nicht sein.» Sie wandte mir den Rücken zu und ging zum Fenster. Während sie so dastand, mit der brennenden Zigarette dicht am Oberschenkel, betrachtete ich ihren Körper. Sie trug alte Jeans, die ihr nicht mehr passten. Ich vertiefte mich in das Stück nackte Haut zwischen ihrem kurzen Pulli und dem Hosenbund. Nach einer Weile stand ich auf und ging ebenfalls zum Fenster. Die Zigarette hatte einen beißenden chemischen Geruch, doch hinter dem Qualm atmete ich Violets Duft. Ich wollte ihre Schulter berühren, tat es aber nicht. Wir standen schweigend da und blickten auf die Straße. Es hatte aufgehört zu regnen. Ich beobachtete, wie dicke Tropfen platzten und die Scheibe hinunterrannen. Zu meiner Rechten stiegen weiße Rauchfahnen aus einem Gully in der Canal Street auf.

«Alles, was ich weiß, ist, dass man ihm kein Wort glauben kann. Ich meine nicht nur jetzt. Ich meine, kein Wort von dem, was er je gesagt hat. Manches muss wahr gewesen sein, aber ich weiß nicht, was.» Violets Augen verengten sich zu einem schmalen Spalt. «Erinnerst du dich an Marks Wellensittich?»

«Ich erinnere mich an das Begräbnis», sagte ich.

Nur Violets Lippen bewegten sich noch. Der Rest von ihr schien erstarrt. «Er hatte sich in der Käfigtür das Genick gebrochen.» Mehrere Sekunden vergingen, ehe sie mit der gleichen leisen Stimme weitersprach. «Alle seine Tiere sind gestorben. Die beiden Meerschweinchen, die weißen Mäuse, sogar die Fische. Natürlich kommt das oft vor bei so kleinen Wesen. Sie sind anfällig ...»

Ich antwortete nicht. Sie hatte mich ja auch nichts gefragt. Der aus dem Einstiegsloch quellende Rauch gewann im Licht der Straßenlaternen ungeahnte Schönheit, und wir sahen ihn aufwärts treiben wie die Höllenschwaden unseres aufblühenden Verdachts.

Marks Anruf drei Tage darauf wurde der Auslöser für die seltsamste Reise meines Lebens. Als Violet herunterkam, um mir von dem Anruf zu berichten, sagte sie: «Wer weiß, ob das wahr ist, aber er sagte, er sei mit Teddy Giles in Minneapolis. Er sagte, dass er in Giles' Tasche eine Pistole gesehen hat und dass er Angst hat, Giles würde ihn umbringen. Auf meine Frage, warum, sagte er, Teddy habe ihm erzählt, er hätte den Jungen ermordet, den sie ‹Ich› nannten, und seine Leiche in den Hudson geworfen. Mark sagt, er wisse, dass es stimmt. Ich fragte ihn, woher, aber er sagte, er könne es mir nicht sagen. Ich fragte ihn, warum er gelogen hat, als wir ihm die Gerüchte vorgehalten haben, warum er nicht zur Polizei gegangen ist, und er sagte, er habe Angst gehabt. Dann fragte ich, warum er mit Giles weggefahren sei, wenn er sich vor ihm fürchte. Statt einer Antwort fing er an, von zwei Detectives zu erzählen, die in der Finder-Galerie und in den Clubs Fragen über die Nacht gestellt haben, in der der Junge verschwand. Er glaubt, Giles sei vielleicht auf der Flucht vor der Polizei. Er will Geld für ein Flugticket nach Hause.»

«Du kannst ihm kein Geld schicken, Violet.»

«Ich weiß. Ich habe gesagt, ich würde dafür sorgen, dass ihm am Flughafen ein Ticket hinterlegt wird. Aber er sagt, er habe kein Geld mehr, um zum Flughafen zu fahren.»

«Er könnte das Ticket umtauschen und irgendwo anders hinfliegen», sagte ich.

«Ich bin mit so etwas noch nie in Berührung gekommen, Leo. Es kommt mir unwirklich vor.»

«Hast du ein Gefühl, ob er lügt oder nicht?»

Violet schüttelte langsam den Kopf. «Keine Ahnung. Ich habe schon lange befürchtet, dass etwas dahinter steckt ...» Sie holte Atem. «Wenn es stimmt, müssen wir Mark dazu bringen, dass er zur Polizei geht.»

«Ruf ihn zurück. Sag ihm, dass ich komme und mit ihm nach New York zurückfliege. Das ist die einzige Methode, ihn sicher herzuholen.»

Violet schien verblüfft. «Und deine Vorlesungen, Leo?»

«Heute ist Donnerstag. Ich habe erst am Dienstag wieder Vorlesung. Es wird keine vier Tage dauern.»

Ich bestand darauf, dass es meine Aufgabe sei, Mark zurückzuholen, dass ich es tun wolle, und am Ende willigte Violet ein, mich gehen zu lassen. Aber schon während ich sprach, wusste ich, dass ich dunkle Motive hatte. Der Gedanke, tollkühn zu handeln, erregte mich, und dieses aufregende Bild von mir selbst trug mich durch alle Vorbereitungen. Ich packte, während Violet Mark anrief und ihm sagte, ich würde ihn um Mitternacht – eine Stunde nach Ankunft meines Flugzeugs – im Foyer des Hotels erwarten. Bis dahin, riet sie ihm, solle er sich an öffentlichen Orten aufhalten. Ich warf ein Hemd, Unterwäsche und ein Paar Socken in eine kleine Segeltuchtasche, als flöge ich routinemäßig in den Mittelwesten, um widerspenstige Jungen mit dem Lasso einzufangen. Ich umarmte Violet zum Abschied – vertraulicher als sonst –, und schon saß ich im Taxi, das mich zum Flughafen brachte.

Kaum hatte ich meinen Platz im Flieger eingenommen, hob sich der Bann. Ich fühlte mich wie ein Schauspieler, der von der Bühne abgeht und plötzlich das Adrenalin vermisst, das ihn durch seine Darstellung eines anderen hat segeln lassen. Während ich mir die Tarnhose des jungen Mannes auf dem Sitz neben mir ansah, fühlte ich mich eher wie Don Quichotte als wie ein Held, eher älter als jünger, und ich fragte mich, was mich wohl am Ende meines Fluges erwartete. Marks Geschichte war bizarr. Eine im Fluss versenkte Leiche. Fragen stellende Detectives. Eine Pistole im Koffer. Waren das nicht die üblichen Krimi-Elemente? Spielte Giles nicht in seiner Kunst mit diesen Konventionen? Sah nicht alles danach aus, als wäre ich eine Schachfigur in irgendeinem Konzeptkunst-Stück zum Thema «Mord», das Giles sich ausgedacht hatte? Oder traute ich Giles mehr Intelligenz zu, als er tatsächlich besaß? Ich dachte an den pausbäckigen Jungen im Treppenhaus mit seiner Plastiktasche voller Legosteine in der Hand zurück und hatte plötzlich den absurden Gedanken, unterwegs zu sein, mich unbewaffnet einem potenziellen Mörder zu stellen. Aber außer Küchenmessern besaß ich ohnehin keine Waffen. Dann dachte ich an Matts Schweizer Messer, das zu Hause in meiner Schublade lag. Während mir das Bild des Messers noch vorschwebte, fand ich es zunehmend unangenehm. Ich erinnerte mich an den kleinen Mark auf allen vieren in Matts Zimmer. Ich sah ihn unters Bett kriechen und nach einiger Zeit wieder hervorkommen, seine großen blauen Augen zu mir aufgeschlagen: «Wo ist es nur hin? Es muss doch irgendwo hier sein.»

Das Foyer des Minneapolis Holiday Inn war ein großzügiger Raum mit gläsernem Lift, einem mächtigen, halbrunden Empfang und einer hohen, mit gewelltem dünnem Metall in hässlichem Kastanienbraun verzierten Decke. Ich hielt Ausschau nach Mark, sah ihn aber nicht. Das Café zu meiner Rechten war dunkel. Ich setzte mich und wartete bis zwölf Uhr dreißig. Dann benutzte ich das Haustelefon, um Zimmer 1512 anzurufen, aber niemand antwortete. Ich hinterließ keine Nachricht. Was sollte ich tun, wenn Mark nicht auftauchte? Ich ging zu einem Angestellten an der Rezeption und fragte, ob ich für einen Gast eine Nachricht hinterlassen könne, Mark Wechsler.

Ich beobachtete, wie die Finger des Mannes die Buchstaben in die Tastatur des Computers drückten. Er schüttelte den Kopf. «Wir haben keinen Gast unter diesem Namen.»

«Versuchen Sie Giles», sagte ich. «Teddy Giles.»

Der Mann nickte. «Da haben wir ihn. Mr. und Mrs. Theodore Giles, Zimmer 1512. Wenn Sie eine Nachricht hinterlassen möchten, das Haustelefon ist dort.» Er bewegte den Kopf nach links.

Ich bedankte mich und kehrte zu meinem Platz zurück. Mr. und Mrs.? Giles geht als Tunte, dachte ich. Aber selbst wenn die ganze Sache nur Schwindel war, müsste Mark doch wenigstens aufgetaucht sein, um sie am Laufen zu halten. Während ich über meinen nächsten Schritt nachdachte, sah ich aus dem Augenwinkel eine auffallend große junge Frau. Sie durchquerte das Foyer und ging eilig zum Ausgang. Obwohl ich ihr Gesicht nicht sehen konnte, fiel mir der sichere, selbstbewusste Gang eines hübschen Mädchens auf. Ich blickte ihr nach. Sie trug einen langen schwarzen Mantel mit Pelzkragen und Stiefel mit niedrigen Absätzen. Als sie in die Drehtür trat, konnte ich ihr Gesicht flüchtig von der Seite sehen und hatte das unheimliche Gefühl, sie zu kennen. Ihr langes blondes Haar wehte im Wind der sich drehenden Tür. Ich stand auf. Ich war sicher, diese Frau zu kennen. Ich stürzte zur Tür und sah draußen ein grün-weißes Taxi warten. Der hintere Wagenschlag öffnete sich, und im selben Augenblick erhellte die Innenbeleuchtung das Gesicht eines Mannes auf dem Rücksitz. Es war Giles. Die Frau rutschte neben ihn. Die Autotür schlug zu, und mit diesem Geräusch wusste ich, was ich gesehen hatte – Mark. Die junge Frau war Mark.

Ich rannte in die kalte Nacht hinaus, winkte dem anfahrenden Taxi mit erhobenen Armen und rief «Halt!». Es rollte aus der Auffahrt und bog in die Straße ein. Andere Taxis waren nicht in Sicht. Ich drehte mich um und ging wieder hinein.

Nachdem ich mir für die Nacht ein Zimmer genommen hatte, hinterließ ich am Empfang einen Brief. «Lieber Mark», schrieb ich, «du scheinst deine Meinung über die Rückkehr nach New York geändert zu haben. Ich bleibe noch bis morgen früh. Wenn du ein Ticket nach Hause willst, ruf mich auf meinem Zimmer an – 7538. Leo.»

Das Zimmer hatte grünen Teppichboden, mittelgroße Doppelbetten mit grün-orange geblümtem Überwurf, ein Fenster, das man nicht öffnen konnte, und einen gigantischen Fernsehapparat. Die Farben deprimierten mich. Da ich versprochen hatte, Violet anzurufen, auch wenn es spät würde, griff ich zum Telefon und wählte ihre Nummer. Sie nahm nach dem ersten Klingelzeichen ab und hörte schweigend zu, als ich ihr erzählte, was geschehen war.

«Glaubst du, es war alles gelogen?», sagte sie.

«Ich weiß nicht. Warum sollte er wollen, dass ich den ganzen Weg hierher mache?»

«Vielleicht fühlte er sich in der Falle und fand keine Möglichkeit, sich zu entziehen. Rufst du mich morgen früh wieder an?»

«Natürlich.»

«Weißt du, ich finde, du bist ein wunderbarer Mann.»

«Freut mich, das zu hören.»

«Ich kann mir gar nicht vorstellen, wie ich ohne dich zurechtkäme.»

«Ganz gut, nehme ich an.»

«Nein, das stimmt nicht, Leo. Du hast mich zusammengehalten.»

Nach einer kurzen Pause sagte ich: «Das beruht auf Gegenseitigkeit.»

«Schön, dass du das denkst», sagte sie sanft. «Versuch zu schlafen.»

«Gute Nacht, Violet.»

«Gute Nacht.»

Violets Stimme hatte mich erregt. Ich machte mich über die Minibar her, holte eine kleine Flasche Scotch heraus und stellte den Fernseher an. Ein Mann lag tot auf der Straße. Ich wechselte das Programm. Eine Frau mit Hochfrisur machte Werbung für eine Hackmaschine. Eine riesige Telefonnummer hing über ihrem Kopf. Ich wartete auf einen Anruf von Mark, trank einen zweiten Scotch und schlief gegen Ende von *Die Körperfresser kommen* an der Stelle ein, wo Kevin McCarthy, die quietschenden, mit Verwandlungskapseln beladenen Lastwagen im Rücken, blind über den nächtlichen Highway rennt. Als das Telefon klingelte, hatte ich stundenlang geschlafen und träumte von einem blonden Mann mit lauter kleinen Pillen in den Taschen, die sich, als er sie mir zeigte, wie weiße Würmer in seinen Handflächen wanden.

Ich sah auf die Uhr. Es war nach sechs.

«Hier ist Teddy.»

«Ich will Mark sprechen.»

«Mrs. Giles schläft noch.»

«Wecken Sie ihn auf», sagte ich.

«Mrs. Giles hat mich gebeten, Ihnen etwas auszurichten. Sind Sie bereit? Also: Iowa City. Geschnallt? Das Holiday Inn, Iowa City.»

«Ich komme runter zu eurem Zimmer», sagte ich. «Ich will Mark nur ein paar Minuten sprechen.»

«Sie ist nicht im Hotel. Sie ist hier. Wir sind am Flughafen.»

«Fliegt Mark mit Ihnen nach Iowa? Was ist in Iowa?»

«Das Grab meiner Mutter.» Giles legte auf.

Der Flughafen von Iowa City war verlassen. Ein Dutzend Reisende in Parkas rollten ihre Koffer durch die Hallen, und ich wunderte mich, wo all die Leute geblieben waren. Es stellte sich heraus, dass ich ein Taxi bestellen und dann zwanzig Minuten im eisigen Wind warten musste, bis es kam. Die Frau am Check-in-Schalter in Minneapolis hatte mir keine Auskunft geben wollen, ob Theodore Giles und Mark Wechsler unter den Passagieren der frühen Sieben-Uhr-Maschine gewesen waren, aber die Abflugzeit stimmte mit Giles' Anruf überein. Als ich vom Flughafen aus mit Violet telefonierte, hatte sie gemeint, ich solle nach Hause kommen, aber ich hatte nein gesagt, ich wolle weitermachen. Ich sah aus dem Taxifenster und fragte mich, warum. Iowa war flach, braun und öde. Die einzige Abwechslung seiner monotonen, fast baumlosen Ausdehnung waren schmutzige Flecken von nicht abgetautem Schnee unter einem endlosen, bedeckten Himmel. In der Ferne sah ich eine Farm, deren grauer Silo aus der Ebene aufragte. Ich dachte an Alice und ihren epileptischen Anfall auf dem Heuboden. Was hoffte ich bloß, hier zu finden? Was würde ich zu Mark sagen? Meine Arme und Beine taten mir weh. Ich hatte einen steifen Hals, der bei jeder Wendung schmerzte. Um aus dem Fenster zu sehen, musste ich den ganzen Körper drehen, wodurch weiter unten ein Druck auf die Bandscheiben entstand. Ich hatte mich nicht rasiert, und am Morgen hatte ich einen Fleck auf meinem Hosenbein entdeckt. Du bist ein altes Wrack, sagte ich mir, und doch willst du etwas von alldem hier – irgendeine Vorstellung von dir selbst, irgendeine Erlösung. Das Wort «Erlösung» war mir aus einem bestimmten Grund in den Sinn gekommen, den ich aber nicht verstand. Warum hatte ich dauernd das Gefühl, dass unter meinen Gedanken eine Leiche lag? Ein Junge, den ich gar nicht kannte. Ein Junge, den ich nur einmal gesehen hatte, den ich nicht einmal genau beschreiben konnte. War ich wegen Rafael, der auch «Ich» genannt wurde, nach Iowa geflogen? Ich konnte meine eigenen Fragen nicht beantworten. Das war keine neue Erfahrung. Je länger ich über etwas nachdachte, umso mehr schien es sich zu verflüchtigen, so als stiege es wie Dampf aus einer Höhle in meinem Kopf auf.

Das Holiday Inn in Iowa City roch dumpfig und feucht, genau wie das Schwimmbad im YMHA, wo ich nicht lange nach unserer Ankunft in New York schwimmen gelernt hatte. Während ich die fettleibige Frau mit dem gelben Kraushaar an der Rezeption ansah, erinnerte ich mich an das laute Knallen des Sprungbretts, wenn ich darauf hüpfte, und das Gefühl der an den Beinen herunterrutschenden Badehose im trüben Licht des Umkleideraums. Der Chlorgeruch durchdrang das Foyer, so als hätte der unsichtbare Swimmingpool jede Wand, jeden Teppich und jeden Polsterstuhl getränkt. Die Frau trug einen türkisen Pullover mit eingestrickten großen Blumen in Pink und Orange. Ich war mir nicht sicher, wie ich meine Frage einkleiden sollte. Fragte ich nach zwei jungen Männern oder nach einem dünnen Mann und einer großen blonden Frau? Ich beschloss, ihre Namen zu verwenden.

«Ich habe nur Wechsler», sagte sie. «William und Mark.»

Ich sah zu Boden. Die Namen taten mir weh. Vater und Sohn.

«Sind sie auf ihrem Zimmer?», fragte ich. Meine Augen blieben an einem angesteckten Schildchen hängen, das sie über ihrer gewaltigen rechten Brust trug. May Larsen stand darauf.

«Sie sind vor einer Stunde rausgegangen.»

Als sie sich zu mir vorbeugte, merkte ich, dass May Larsen neugierig war. Ihre wasserblauen Augen hatten ein waches, wissendes Blitzen, das ich geflissentlich übersah. Ich fragte nach einem Zimmer.

Sie musterte meine Kreditkarte. «Sie haben Ihnen eine Nachricht hinterlassen.» Sie händigte mir meinen Schlüssel und einen Umschlag aus. Ich entfernte mich, um den Inhalt zu lesen, aber ich spürte ihren Blick im Rücken, während ich das Blatt entfaltete.

Lieber Onkel Leo,
jetzt sind wir alle hier. Ich 1, Ich 2, Ich 3. Auf zum Friedhof.
Alles Liebe
        das She-Monster & Co.

May Larsen sagte mir dann, sie habe rein zufällig gehört, dass Mark und Giles einkaufen gehen wollten, und sie erklärte mir auch den Weg zu der Ladengalerie nur ein paar Straßen weiter. Ich hätte das Hotel niemals verlassen sollen, aber die Aussicht, unter Mrs. Larsens wachsamen Blicken vielleicht stundenlang im Foyer zu sitzen, schien mir unerträglich. Also spazierte ich hinaus in eine kleine verkehrsberuhigte Straße, eine Gegend, die im Stil der neuen amerikanischen Putzigkeit renoviert worden war. Ich sah mir die hübschen Bänke, die kahlen Bäumchen und einen Laden an, der zu Cappuccino, Caffè latte und Espresso einlud. Am Ende der Straße bog ich links ab und fand bald das Einkaufszentrum. Als ich durch die Tür ging, wurde ich von einem mechanischen Santa Claus begrüßt, der oben auf einer Vitrine saß. Er verbeugte sich und schenkte mir ein steifes Winken.

Ich bin mir nicht sicher, wie lange ich mich dort aufgehalten habe, wie lange ich umhergeschlendert bin zwischen den Regalen mit weichen Kleidern, farbigen Shirts und bauschigen Daunenjacken, die viel wärmer aussahen als mein eigener Wollmantel. Die Rauschgoldgirlanden und fluoreszierenden Lichter schienen über mir zu zittern, während ich einen Laden nach dem anderen betrat. Jeder verkaufte eine vertraute Marke mit Zweigstellen in allen anderen Groß- und Kleinstädten Amerikas. Auch in New York gab es diese Geschäfte, und doch fühlte ich mich auf meinem Rundgang von Gap zu Talbots und zu Eddie Bauer, immer darauf gefasst, Mark und Teddy hinter dem nächsten aufgetürmten Warenstapel zu entdecken, wieder wie ein Ausländer. Die Kettenläden, die Glanz in die leeren Ebenen von Amerikas Herzlanden bringen, gehen in New York City einfach unter. In Manhattan müssen ihre sauberen Logos mit der verblichenen Werbung Tausender stillgelegter Geschäfte konkurrieren, die ihre Schilder nie abgenommen haben, mit dem Lärm, dem Rauch, dem Müll auf den Straßen und dem Reden und Geschrei von Menschen, die in hundert verschiedenen Sprachen sprechen. In New York fällt nur auf, wer sich auffällig gewaltsam verhält – der Penner, der Flaschen an einer Hauswand zerschlägt, die kreischende Frau mit einem Regenschirm. Aber an jenem Nachmittag, als ich mich selbst in einem Spiegel nach dem anderen sah, kamen mir meine Züge plötzlich fremd vor. Inmitten der Einwohner von Iowa wirkte ich wie ein abgezehrter Jude, der sich seinen Weg durch einen Mob überfressener Nichtjuden bahnt. Und in diesem Anfall von beginnendem Verfolgungswahn kamen mir andere Gedanken an Gräber und ihre Steine, an Giles' tote Mutter, an das Pronomen «Ich» und Marks Auftritt als Frau mit blonder Perücke. Auf einmal fühlte ich mich erschöpft. Mein Rücken schmerzte im Bereich der unteren Wirbelsäule, und ich suchte den Ausgang zur Straße. Ich humpelte an einer von BHs überquellenden Plastiktonne vorbei, mir wurde übel, und ich musste mich festhalten. Einen Augenblick hatte ich den Geschmack von Erbrochenem im Mund.

Nachdem ich ein zähes Steak und eine Schachtel Pommes gegessen hatte, kehrte ich ins Hotel zurück, wo May Larsen mir eine weitere Nachricht überreichte:

Hey Leo!
Szenenwechsel: das Opryland Hotel. Nashville.
Wenn Sie nicht kommen, schicke ich Mark zu meiner Mutter.
  Ihr Freund und Bewunderer
  T. G.

In manchen Nächten irre ich noch immer durch die Gänge des Opryland-Hotels, steige noch immer in Aufzüge zu neuen Etagen und laufe durch Dschungel, die unter einem Glasgewölbe wachsen. Ich durchquere Miniaturdörfer, die aussehen sollen wie New Orleans, Savannah oder Charleston. Ich gehe über Brücken, unter denen Wasser fließt, fahre Rolltreppen nach oben, nach unten und wieder nach oben und bin immer auf der Suche nach Zimmer 149 872 in einem Flügel namens Bayou. Ich kann es nicht finden. Ich habe einen Plan und studiere die Linien, die die junge Frau am Empfang eingezeichnet hat, damit ich den Weg leichter finde, aber ich kann sie nicht verstehen, und die Tasche mit so gut wie nichts darin hängt schwerer und schwerer auf meiner Schulter. Der Schmerz im Rücken zieht die Wirbelsäule hoch, und wohin ich mich auch wende, höre ich Country-Musik. Sie ertönt aus geheimnisvollen Spalten oder Ecken und reißt nie ab. Das phantasmagorische Innere dieses Hotels ist untrennbar mit dem verbunden, was ich dort erlebt habe, weil seine unsinnige Architektur meinem Geisteszustand entsprach. Ich verlor die Orientierung und mit ihr die Marksteine einer inneren Geographie, auf deren Führung ich mich verlassen hatte.

In Iowa City hatte ich den letzten Flieger verpasst und musste am Ende dort übernachten. Morgens flog ich nach Minneapolis zurück und bestieg nachmittags ein anderes Flugzeug nach Nashville. Ich sagte mir selbst und auch zu Violet am Telefon, dass die in Giles' Notiz enthaltene Drohung gegen Mark mich zwang, die Verfolgungsjagd fortzusetzen. Dabei wusste ich sehr wohl, dass meine Methoden lächerlich gewesen waren. Ich hätte mich in Minneapolis vor die Zimmertür der beiden setzen und abwarten können, bis sie zurückkamen. Das Gleiche galt für Iowa City. Stattdessen hatte ich an dem einen Ort einen Zettel hinterlassen und mich an dem anderen in einer Ladengalerie verbummelt. Ich hatte mich so verhalten, als wollte ich sie gar nicht finden. Obendrein schien Giles bei jedem Ortswechsel von meiner Verfolgung entzückt zu sein. Sowohl in seinem Telefonat als auch in seiner Nachricht hatte er Gruseliges kunstvoll mit Koketterie kombiniert. Es sah nicht so aus, als fürchtete er sich vor der Polizei. Hätte er sonst jeden Ortswechsel angekündigt? Und für Mark schien von Giles keine Gefahr zu drohen. Er war bereitwillig mit seinem Freund oder Liebhaber in ein Flugzeug nach dem anderen gehüpft.

In der Zeit, in der die junge Frau hinter der langen Rezeption des Opryland-Hotels mit einem grünen Stift den Weg durch seine tausend Flügel zeichnete und mich zum dritten Mal im «größten Hotel der Welt» willkommen hieß, hatte ich mich schon in ein Loch gedacht. Es dauerte weitere eineinhalb Stunden, bis ich das Zimmer endlich geortet hatte, nicht ohne die Hilfe eines älteren Mannes in grüner Uniform, dessen Namensschild ihn einfach als «Bill» auswies. William ist ein häufiger Name, und doch versetzte es mir einen Stich, die vier Buchstaben auf seiner Brust zu sehen.

Ich hinterließ Mark eine schriftliche Nachricht am Empfang und eine mündliche auf Band. Danach beschloss ich, alle Meilen der Welt zu seinem Zimmer zu laufen und abzuwarten, bis er und Giles zurückkamen. Doch der bloße Gedanke an diese zweite Wanderung durch die endlose Landschaft von Restaurants und Boutiquen machte mich krank. Ich fühlte mich nicht gut. Nicht nur der Rücken tat mir weh. Ich hatte kaum geschlafen, und ein dumpfer, aber anhaltender Kopfschmerz drückte mir wie ein Gewicht auf die Schläfen.

Während ich die nicht enden wollenden Reihen von Schaufenstern mit ihren aufgeputzten Puppen und Plüschbären entlangging, verlor ich die Hoffnung. Es schien kaum noch etwas auszumachen, ob ich Mark fand oder nicht, und ich fragte mich, ob Giles gewusst hatte, dass mich seine Nachricht in ein Labyrinth von Hinterhalten stürzen würde, das über alles hinausging, was ich je erlebt hatte. Benommen trottete ich weiter. In einem Laden sah ich Masken von Laurel und Hardy, einen Radiergummi in Form von Elvis Presley und mehrere Becher, auf die Marilyn Monroe mit auffliegendem Rock geprägt war.

Nur eine Minute später entdeckte ich Mark und Giles auf einer Rolltreppe, vom Stockwerk unter mir hinauffahrend. Statt laut nach ihnen zu rufen, versteckte ich mich hinter der Säule eines kleinen Südstaatenherrenhauses, um sie zu observieren. Ich kam mir blöd und feige vor, aber ich wollte sie zusammen beobachten. Beide trugen Männerkleidung. Sie lächelten sich an und wirkten entspannt, wie zwei ganz normale junge Männer, die ihren Spaß haben. Mark stand, eine Hüfte vorgeschoben, auf der fahrenden Stufe, und ich hörte ihn zu Giles sagen: «Ganz schön wild, diese Hunde – und hast du den Arsch von dem Verkäufer gesehen? Das war 'n Ding, Mann, Spannweite eins achtzig.»

Nicht, was Mark sagte, verschlug mir den Atem, sondern das Wie. Die ganze Stimmlage, der Rhythmus, der Tonfall waren mir vollkommen fremd. Jahrelang hatte ich Mark in den Wechselfarben eines Chamäleons erlebt, hatte erfahren, wie er sich den Umständen anpasste, in denen er sich befand, aber im Klang dieser unbekannten Stimme schien die Unruhe, die mich so lange geplagt hatte, ihre schreckliche Bestätigung zu finden. Zugleich mit dem Entsetzen überkam mich ein leises Triumphgefühl. Ich hatte den Beweis, dass er wirklich ein anderer war. Ich trat hinter der Säule hervor und sagte: «Mark.»

Die beiden drehten sich um und starrten mich an. Offenbar waren sie aufrichtig überrascht. Giles fand als Erster seine Fassung wieder, kam mit großen Schritten auf mich zu und blieb nur ein paar Zentimeter vor mir stehen. Sein Gesicht war jetzt ganz dicht an meinem, und unwillkürlich zog ich angesichts der intimen Geste den Kopf zurück. Doch kaum hatte ich es getan, spürte ich, dass es ein Fehler gewesen war. Giles grinste. «Professor Hertzberg! Was führt Sie nach Nashville?» Er streckte mir die rechte Hand entgegen, aber ich nahm sie nicht. Sein blasses Gesicht blieb meinem sehr nahe, während ich nach einer schlagfertigen Antwort suchte. Es kam nichts. Giles hatte mich gefragt, was ich mich selbst gefragt hatte. Ich wusste nicht, warum ich nach Nashville gekommen war. Ich sah Mark an, der einen halben Meter hinter Giles stand.

Giles musterte mich noch immer. Den Kopf schräg zur Seite geneigt, wartete er auf eine Antwort. Ich bemerkte, dass er die linke Hand in der Tasche behielt und die ganze Zeit an etwas herumfingerte. «Ich habe mit Mark zu reden», sagte ich. «Allein.»

Mark ließ den Kopf hängen. Die Zehenspitzen nach innen gekehrt, stand er da wie ein unglückliches Kind. Seine Knie knickten einen Augenblick ein, ehe er sich fing und aufrichtete. Ich vermutete, dass er unter Drogen stand.

«Dann will ich euch beiden mal reden lassen», sagte Giles entgegenkommend. «Wie Sie sich vorstellen können, bietet dieses Hotel reichlich Inspirationen für meine Arbeit. So viele Künstler vergessen, was für eine fruchtbare Landschaft das Geschäftsleben in Amerika ist. Ich habe noch eine Menge zu sichten.» Er lächelte, winkte und ging langsam den Gang hinunter.

Es ist jetzt vier Jahre her, seit ich im Opryland-Hotel mit Mark gesprochen habe. Wir setzten uns in ein Café namens The Love Corner an einen kleinen roten Metalltisch mit einem großen weißen Herz darauf. Ich hatte Jahre Zeit, um zu verdauen, was er mir damals sagte, aber ich bin mir noch immer nicht sicher, was ich damit anfangen soll.

Mark hob den Kopf und sah mich mit einem Ausdruck an, den ich kannte. Seine Augen waren weit geöffnet vor unschuldiger Betrübnis, und seine Lippen schoben sich zu jenem Schmollmund vor, den er seit seiner frühen Kindheit zu machen pflegte. Ich fragte mich, ob sein Repertoire an Gesichtsausdrücken geschrumpft war. Entweder verlor er seine Variationsfähigkeit, oder irgendwelche Drogen beeinträchtigten seine Darbietung. Ich starrte auf die Maske des Bedauerns und schüttelte den Kopf.

«Ich glaube, du verstehst nicht, Mark», sagte ich. «Es ist zu spät für dieses Gesicht. Ich habe dich auf der Rolltreppe gehört. Ich habe deine Stimme gehört. Das war nicht die, die ich kenne, und selbst wenn ich sie nicht gehört hätte, habe ich diesen Ausdruck schon tausendmal an dir gesehen. Den setzt du für die Erwachsenen auf, die du verletzt hast – aber du bist nicht mehr drei Jahre alt. Du bist ein Mann. Dieses Hündchen-Gesicht ist unangemessen. Nein, schlimmer noch. Es ist jämmerlich.»

Sekundenlang wirkte Mark überrascht. Dann änderte sich sein Ausdruck wie auf Befehl. Er zog die Lippe zurück, und sogleich trat mehr Reife in sein Gesicht. Dieser schnelle Mienenwechsel stellte ihn bloß, und ich fühlte mich plötzlich im Vorteil.

«Es muss hart sein, mit so vielen Gesichtern und so vielen Lügen zu jonglieren. Es tut mir Leid für dich – diese ganze Story mit der Pistole und einem Mord auftischen zu müssen, nur damit Violet dir Geld schickt. Für wie dumm hältst du sie eigentlich? Hast du wirklich geglaubt, sie würde dir Geld telegraphieren, nach allem, was du getan hast?»

Mark senkte den Blick und sah auf den Tisch.

«Das ist keine Story.» Er sprach mit der Stimme, die mir vertraut war.

«Ich glaube dir nicht.»

Er hob die Augenlider, aber nicht den Kopf. Die blauen Iris waren feucht vor Betroffenheit. Auch diesen Blick kannte ich. Immer wieder war ich darauf hereingefallen. «Teddy hat mir gesagt, er hätte es getan – er hätte ihn umgebracht.»

«Aber das alles war lange vor Hazelden. Warum bist du jetzt mit Teddy abgehauen?»

«Er hat mich gebeten mitzukommen, und ich hatte Angst, nein zu sagen.»

«Du lügst.»

Mark schüttelte heftig den Kopf. «Nein!» Es war ein kleiner Aufschrei in seiner Stimme. Drei Tische weiter drehte sich daraufhin eine Frau zu uns um.

«Mark», sagte ich, indem ich versuchte, so leise wie möglich zu sprechen. «Verstehst du, wie aberwitzig das klingt? Du hättest von Minneapolis mit mir nach Hause fliegen können. Ich war da, um dich abzuholen.» Ich hielt inne. «Ich sah dich mit der Perücke, sah dich mit ihm ins Taxi steigen ...» Marks grinsendes Achselzucken ließ mich innehalten.

«Worüber lächelst du?»

«Ich weiß auch nicht. Du redest, als wär ich 'ne Tunte oder so.»

«Na schön, also was dann? Willst du mir erzählen, dass du und Teddy kein Liebespaar wärt?»

«Aber doch nur so, für 'n Kick zwischendurch. Das ist nichts Ernstes. Ich bin nicht schwul – nur mit ihm ...»

Ich beobachtete Marks Gesicht. Er sah etwas verlegen aus, sonst nichts. Ich beugte mich vor. «Was für eine Sorte Mensch fährt mit jemandem weg, den er für einen Mörder hält, von dem er sagt, er habe Angst vor ihm, mit dem er sich aber gern mal ‹für 'n Kick zwischendurch› einlässt?»

Mark antwortete nicht.

«Dieser Mann hat ein Gemälde deines Vaters zerstört. Macht dir das nichts aus? Ein Porträt von dir, Mark.»

«Das war nicht ich», sagte er in beleidigtem Ton. Seine Augen waren ausdruckslos.

«Natürlich warst du das», sagte ich. «Was redest du da?»

«Es sah mir nicht ähnlich. Es war hässlich.»

Ich schwieg. Seine Abneigung gegen das Porträt wehte mir wie eine Brise ins Gesicht. Das änderte alles. Ich fragte mich, inwieweit es Giles' Motive beeinflusst haben mochte. Er musste gewusst haben, was Mark empfand.

«Mom hat es dick eingepackt in der Scheune aufbewahrt. Sie mochte es auch nicht.»

«Verstehe», sagte ich.

«Ich begreife nicht, warum das so 'ne große Sache ist. Dad hat doch viele Bilder gemalt. Das war nur eines …»

«Stell dir nur vor, wie er sich gefühlt hätte.»

Mark schüttelte den Kopf. «Er war ja nicht mal da.»

Das Wort «da» brachte mich aus der Fassung. In Marks seichte, tote Augen zu sehen und diesen blöden Euphemismus für den Tod seines Vaters zu hören machte mich wütend. «Das Bild war besser als du, Mark. Es war echter, lebendiger, stärker, als du je warst oder sein wirst. Hässlich bist du selbst, nicht das Gemälde. Hässlich, leer und kalt. Du bist etwas, was dein Vater hassen würde.» Ich schnaufte laut durch die Nase. Mein Zorn überwältigte mich. Ich versuchte, mich zu beherrschen.

«Onkel Leo», jammerte Mark, «das ist gemein.»

Ich schluckte. Mein Gesicht bebte. «Trotzdem ist es wahr. Soweit ich weiß, ist es das Einzige, was wahr ist. Ich habe keine Ahnung, ob auch nur ein Wort, das aus deinem Mund kommt, wahr ist, aber ich weiß, dass sich dein Vater für dich schämen würde. Deine Lügen machen nicht einmal Sinn. Sie sind nicht klug. Sie sind einfach nur dumm. Die Wahrheit ist leichter. Warum sagst du nicht ausnahmsweise mal die Wahrheit?»

Mark saß ruhig da. Er schien fasziniert von meiner Wut. Dann sagte er: «Ich glaube, die Leute würden sie nicht mögen.»

Ich packte sein rechtes Handgelenk und begann es zu drücken. Ich legte meine ganze Kraft in diesen Griff, und als ich in seine erschrockenen Augen sah, fühlte ich mich glücklich. «Warum versuchst du es nicht jetzt?», forderte ich ihn auf.

«Das tut weh», sagte er.

Seine Passivität verblüffte mich. Warum schüttelte er mich nicht ab? Ohne locker zu lassen, knurrte ich ihn an: «Sag's mir jetzt endlich. Du hast doch jahrelang Theater gespielt. Ich habe dich nie wirklich gesehen, oder? Du hast Matt sein Messer gestohlen und dann so getan, als würdest du es suchen und als täte es dir Leid, dass er es verloren hatte.» Ich packte sein anderes Handgelenk und drückte so fest zu, dass mir ein Schmerz durch den Hals fuhr. Ich starrte auf seinen Adamsapfel, auf seine sanften roten Lippen und seine etwas flache Nase, in der ich plötzlich Lucilles erkannte. «Auch Matt hast du verraten.»

«Du tust mir weh», jammerte er.

Ich drückte noch fester. Ich wusste nicht, dass ich das in mir hatte. Ich merkte, dass ich nach Atem rang, aber nur, weil ich mich selbst die Worte ausstoßen hörte: «Ich will dir wehtun.» Ich hatte auf einmal ein erhebendes Gefühl im Kopf, ein intensives Glücksgefühl von Leere und Freiheit. Ich erinnerte mich an den Ausdruck «blind vor Wut» und dachte: Das ist falsch. Ich konnte ihm den Schmerz vom Gesicht ablesen, und jedes leise Zucken versetzte mich in einen Rausch.

«Lassen Sie ihn sofort los.» Die Männerstimme schreckte mich auf. Ich ließ Marks Handgelenke fallen und blickte auf.

«Ich weiß nicht, was hier vorgeht, aber wenn Sie nicht auf der Stelle Ruhe geben, hol ich den Wachdienst und lasse Sie vor die Tür setzen.» Der Mann hatte eine Knollennase, rosige Haut und trug eine Schürze.

«Ist schon gut», sagte Mark. Er hatte für die Gelegenheit seinen Unschuldsblick gewählt. Ich sah seinen Mund zittern. «Ich bin okay, wirklich.»

Der Mann sah ihm ins Gesicht. «Bist du sicher?», sagte er, indem er ihm die Hand auf die Schulter legte. Und dann, an mich gewandt: «Wenn du dich noch einmal an dem Jungen vergreifst, komm ich wieder und polier dir die Fresse. Verstanden?»

Ich sagte nichts. Ich hatte das Gefühl, Sand in den Augen zu haben, und starrte auf den Tisch. Meine Arme taten weh. Als ich versuchte, mich aufzurichten, zog ein brennender Schmerz mein Rückgrat hinauf. Irgendwie hatte ich es geschafft, mir den Rücken zu verrenken, als ich Marks Handgelenke umklammerte. Ich konnte mich kaum bewegen. Mark dagegen schien es bestens zu gehen. Er begann zu reden.

«Manchmal denke ich, mit mir stimmt was nicht und ich bin vielleicht verrückt. Ich weiß selbst nicht. Ich will nur, dass die Leute mich mögen, glaube ich. Ich kann nicht dagegen an. Manchmal komme ich durcheinander, wenn ich zum Beispiel zwei Leute an verschiedenen Orten getroffen habe und sie dann zusammen auf einer Party oder so wieder sehe, dann weiß ich nicht mehr, was ich tun soll. Das ist ganz schön verwirrend. Ich weiß, du glaubst, ich hätte Matt nicht gemocht. Aber da liegst du falsch. Ich mochte ihn sehr. Er war mein bester Freund. Ich wollte bloß das Messer. Das war nicht persönlich oder so. Ich habe es nur einfach genommen. Ich weiß nicht, warum, aber ich stehle gern. Manchmal, als wir klein waren und uns wegen irgendwas gestritten hatten, wurde Matt ganz traurig und fing an zu weinen und sagte: ‹Es tut mir so Leid, Mark. Verzeih mir! Verzeih mir!› So redete er. Das war irgendwie komisch. Aber ich erinnere mich, dass ich mich gefragt habe, warum ich nicht so war. Mir tat nichts Leid.»

Ich versuchte, mich so hinzubiegen, dass ich ihn ansehen konnte. Ich war ganz vornübergebeugt, aber es gelang mir, die Augen zu seinem Gesicht zu heben. Er sprach weiter, in einem Ton, der ebenso leer war wie sein Ausdruck. «In meinem Kopf ist eine Stimme, die nur ich höre, sonst niemand. Die Leute würden sie nicht mögen, darum benutze ich andere Stimmen, wenn ich mit ihnen rede. Teddy kennt das, weil wir einander so ähnlich sind. Er ist der Einzige, aber sogar bei ihm ist es nicht diese Stimme, nicht die in meinem Kopf.»

Ich zog die Hände vom Tisch zurück. «Und Dr. Monk?», sagte ich.

Mark schüttelte den Kopf. «Die hält sich für oberschlau, aber sie ist es nicht.»

«Alles zwischen uns war Lug und Trug», sagte ich.

Mark warf mir einen kurzen Blick zu. «Nein, du verstehst das einfach nicht. Ich habe dich immer gemocht, immer, seit ich ein kleines Kind war.»

Ich konnte nicht richtig nicken. Ich fragte mich, wie ich aufstehen würde. «Ich weiß nicht, ob diesem Jungen etwas zugestoßen ist oder nicht. Aber wenn du es glaubst, wenn du wirklich glaubst, dass er tot ist, musst du zur Polizei gehen.»

«Ich kann nicht», sagte er.

«Du musst, Mark.»

«Ich ist in Kalifornien», platzte er heraus. «Er ist mit einem anderen Typen durchgebrannt. Teddy wollte dich reinlegen, und er hat mich dazu gebracht mitzumachen. Es gibt keinen Mord. Das war alles nur ein großer Scherz.»

Ich glaubte ihm, bevor er ausgeredet hatte. Es war das Einzige, was einen Sinn ergab. Der Junge war nicht tot. Er war quicklebendig in Kalifornien. Die Grausamkeit der Geschichte, gepaart mit meiner eigenen Leichtgläubigkeit, beschämte mich. Eine Hitzewelle durchströmte meinen Körper. Ich stützte die Arme auf den Tisch und versuchte, mich vom Stuhl hochzuhieven. Ein stechender Schmerz schoss mir durch den Nacken und genau in der Mitte den Rücken herunter. Jede Aussicht auf einen würdevollen Abgang war dahin. «Kommst du jetzt mit nach New York, oder bleibst du hier?», sagte ich. «Violet ist mit dir fertig, wenn du nicht zurückkommst. Sie wollte dich das wissen lassen. Du bist neunzehn. Du kannst selbst für dich sorgen.»

Mark sah mich an. «Bist du okay, Onkel Leo?»

Ich konnte nicht aufstehen. Mein Körper war nach einer Seite hin verzogen, und mein Hals stand in einem Winkel heraus. Ich muss ausgesehen haben wie ein großer verletzter Vogel.

Plötzlich stand Giles vor mir, und ich hatte das unheimliche Gefühl, dass er die ganze Zeit in unserer Nähe gewesen war. «Darf ich Ihnen behilflich sein?», sagte er. Er klang echt besorgt, und das machte mir Angst. Eine Sekunde später griff er mir stützend unter den Ellbogen. Um seine Berührung abzuwehren, hätte ich den Arm schütteln und meinen ganzen Körper aufrichten müssen. Es ging nicht. «Sie sollten einen Arzt aufsuchen», fuhr er fort. «Wenn wir in New York wären, würde ich meinen Chiropraktiker anrufen. Der ist Spitze. Einmal habe ich mir beim Tanzen einen schlimmen Knacks im Rücken geholt, ob Sie's glauben oder nicht.»

«Wir bringen dich auf dein Zimmer, Onkel Leo. Nicht wahr, Teddy?»

«Kein Problem.»

Es war ein langer, schmerzhafter Gang. Jeder Schritt, den ich mich vorwärts bewegte, ließ einen Stich von meinem Oberschenkel in den Nacken fahren, und weil ich den Kopf nicht heben konnte, sah ich sehr wenig von dem, was um mich war. Mit Teddy auf der einen und Mark auf der anderen Seite fühlte ich mich leicht bedroht. Sie führten mich mit so übertriebener Höflichkeit und Besorgnis, dass es mir schien, als hätte man zwei Schauspielern den Auftrag erteilt, eine Szene mit einem stummen Krüppel zu improvisieren. Giles übernahm den größten Teil der Sprechrolle, indem er über Chiropraktiker und Akupunkteure monologisierte. Er empfahl chinesische Kräuter und Pilates-Übungen, ging dann von der alternativen Heilkunst auf die Kunst im Allgemeinen über, erzählte von seinen Sammlern, den jüngsten Verkäufen und irgendeinem Feature über ihn. Ich wusste, dass dieses Geplapper kein wirklich müßiges Gerede war, dass er eine Wende ansteuerte, und dann nahm er sie. Er kam auf Bills Leinwand zu sprechen.

Ich schloss die Augen in der Hoffnung, seine Worte ausblenden zu können, aber er sagte, er habe nie die Absicht gehabt, irgendjemanden zu verletzen, das würde ihm nicht im Traum einfallen, es sei einfach eine Inspiration gewesen, ein in der Kunst noch unbekannter Weg der Subversion. Er klang genau wie Hasseborg. Vielleicht war sogar seine Wortwahl ungefähr die gleiche wie die des Kritikers. Während er sprach, hatte ich den Eindruck, dass sein Griff an meinem Arm härter wurde. «William Wechsler», sagte er, «war ein bemerkenswerter Künstler, aber das Bild, das ich gekauft habe, war eine zweitklassige Arbeit.» Ich war froh, dass ich ihn nicht ansehen konnte. «Ich glaube wirklich, in meinem Werk hat es sich selbst transzendiert.»

«So ein Quatsch», sagte ich fast flüsternd. Wir waren in den langen Korridor eingebogen, der zu meinem Zimmer führte, und die Leere verunsicherte mich weiter. Ein Getränkeautomat glänzte im dämmrigen Flur. Ich konnte mich nicht daran erinnern und wunderte mich, wie ich es fertig gebracht hatte, dieses große leuchtende Objekt so nahe bei meiner Tür zu übersehen.

«Was Sie leider nicht begreifen», fuhr Giles fort, «ist, dass auch meine Arbeit eine persönliche Seite hat. William Wechslers Porträt von seinem Sohn, meinem M & M, meinem Zweiten Ich, meinem Mark the Shark, ist jetzt Bestandteil einer höchst ungewöhnlichen Hommage an meine verblichene Mutter.»

Ich beschloss, nichts zu sagen. Ich wollte nur noch weg von ihnen, meinen geplagten Leib in mein Zimmer werfen und die Tür hinter mir zuknallen.

«Mark und ich, wir empfinden die gleiche Achtung für unsere Mutter. Wussten Sie das?»

«Teddy», sagte Mark, «vergiss es.» Sein Ton war schroff.

Ich sah zu Boden. Sie waren stehen geblieben, und ich hörte ein leises Klicken. Teddy steckte eine Karte in eine Tür.

«Das ist nicht mein Zimmer», sagte ich.

«Nein, es ist unseres. Unseres ist näher. Sie können hier bleiben. Wir haben zwei Betten.»

Ich holte Atem. «Nein danke», sagte ich, während Giles gegen die Tür drückte. Als sie aufsprang, erwartete ich ein ähnliches Zimmer wie meines, aber stattdessen schwante mir Schreckliches, als ich durch die Öffnung sah. Aus dem Zimmer kam ein brenzliger Geruch, nicht von Zigaretten, sondern von etwas Verbranntem. Ich konnte nur einen Teil des Raumes sehen, aber der Teppichboden vor mir war mit Abfällen übersät – ein Frühstückstablett voller Zigarettenstummel, ein angebissener Hamburger, der den Teppich mit Ketchup besudelt hatte. Neben dem Tablett lagen ein weiblicher Bikini-Slip und ein halb verbranntes Laken, das zu einer Kugel zusammengeknüllt war. Ich konnte die unregelmäßigen braunen und ockergelben Spuren erkennen, die das Feuer hinterlassen hatte, aber auch zahlreiche Spritzer, die wie Blut aussahen, tiefrote Flecken, die mir die Kehle zuschnürten. Über dem verknüllten Tuch lagen die Schlaufen einer durchsichtigen Nylonschnur und nicht weit von der Schnur ein schwarzer Revolver. Ich bin mir ganz sicher, was ich gesehen habe, obwohl mir der Anblick dieses bizarren Stilllebens auch im Augenblick des Erlebens eher wie eine Halluzination vorkam.

Giles zog mich am Arm. «Kommen Sie rein, trinken Sie ein Gläschen.»

«Nein», sagte ich. «Ich werde mein Zimmer schon finden.» Ich stemmte die Absätze in den Teppichboden.

«Komm doch, Onkel Leo», quengelte Mark.

Ich raffte mich auf, indem ich mein Rückgrat durch eine Schmerzspirale quälte, und schüttelte Marks Hand von meinem Arm. Mein Mund zuckte. Ich zog mich von der Tür zurück, schlurfte auf die andere Seite des Ganges und lehnte mich einen Augenblick gegen die Wand, ehe ich von dannen humpelte, aber schon sprang Giles an meine Seite und streckte seinen Arm aus. «Ich bin gerade dabei, ein paar neue Ideen durchzuarbeiten», sagte er, auf das Zimmer weisend. Ich war wieder in die krumme

Haltung gesackt. Ich konnte einfach nicht gerade stehen. Er beugte sich über mich und flüsterte: «Aber Professor, gar nicht neugierig auf mich?» Dann legte er seine Finger auf meinen Kopf. Ich spürte seine Hand auf meiner Schädeldecke, spürte ihn mit Strähnen meiner Haare spielen, und als ich ihm in die Augen sah, lächelte er. «Haben Sie je daran gedacht, etwas Farbe zu benutzen?», sagte er. Ich versuchte, den Kopf wegzuziehen, aber er packte mein Gesicht an beiden Seiten, sodass sich die Außenränder meiner Brille in die Haut drückten, und dann schlug er meinen Kopf gegen die Wand. Ich stöhnte vor Schmerz.

«Das tut mir ja so Leid», sagte er. «Habe ich Ihnen wehgetan?»

Giles ließ nicht von mir ab. Er quetschte weiter meinen Kopf zusammen. Ich schlug um mich, hob das Knie, um ihn wegzustoßen, aber jede Bewegung brachte neuen Schmerz. Ich schnappte nach Luft, meine Beine gaben nach, und mein Körper rutschte an der Wand hinunter. In Panik suchten meine Augen Marks Gesicht. Ich sagte seinen Namen, und er kam wie ein Klagen aus meiner Kehle. Ich rief ihn laut und verzweifelt, während ich meine Hände zu ihm hob, aber er stand da wie versteinert. Ich konnte nichts aus seinem Gesicht herauslesen. Im selben Augenblick ging neben mir die Tür auf, und eine Frau kam heraus. Giles zog mich hoch und begann mich zärtlich zu tätscheln. «Es wird schon wieder», sagte er. «Soll ich einen Arzt rufen?» Dann trat er schnell zurück und warf der Frau ein freundliches Lächeln zu. Kaum war Giles aus dem Weg, kam Mark zu mir. Er sprach hastig und gepresst. «Geh jetzt auf dein Zimmer. Ich fahr morgen mit nach Hause. Ich treffe dich um zehn im Foyer. Ich will nach Hause.»

Es war eine hübsche Frau, schlank und mit lockerem blondem Haar, das ihr über die Augen fiel. Hinter ihr sah ich ein kleines Mädchen mit braunen Zöpfen, ungefähr fünf Jahre alt. Es umklammerte die Schenkel seiner Mutter.

«Ist alles in Ordnung hier draußen?», fragte sie.

Giles war gerade dabei, seine Zimmertür wieder zu schließen, aber sekundenlang sah ich ihren Blick durch den Spalt hereindringen. Ihre Lippen öffneten sich, dann musterte sie Mark, der einen Schritt zurückwich. Sie sah mich an. «Das ist nicht Ihr Zimmer, oder?»

«Nein», sagte ich.

«Sind Sie krank?»

«Ich habe mir den Rücken verrenkt», keuchte ich. «Ich muss mich hinlegen, aber ich hatte Schwierigkeiten, mein Zimmer zu finden.»

«Wir sind falsch abgebogen, Ma'am», sagte Giles mit einem warmen Lächeln.

Sie musterte Giles, und ihr Kiefer verhärtete sich. «Arnie!», schrie sie, ohne sich von der Stelle zu rühren.

Ich sah Mark an. Seine blauen Augen erwiderten meinen Blick. Er blinzelte. Ich verstand das als ein Ja. Ja, wir treffen uns morgen früh.

Arnie brachte mich zu meinem Zimmer. Er konnte sich mit seiner Frau messen, dachte ich, jedenfalls körperlich. Er war jung, kräftig gebaut und hatte ein offenes Gesicht. Während ich ging und meine schlotternden Glieder unter Kontrolle zu bringen versuchte, griff Arnie mir unter den Arm. Seine Berührung fühlte sich anders an als Marks oder Teddys. In seinen vorsichtigen Händen spürte ich eine Zurückhaltung – jenen ganz gewöhnlichen Respekt vor anderer Leute Körper, den man eigentlich für selbstverständlich hält, den ich aber eben noch vermisst hatte. Mehrmals fragte er mich, ob ich eine Pause einlegen und mich ausruhen wollte, aber ich bestand darauf weiterzugehen. Erst als wir in meinem Zimmer angekommen waren und ich in dem großen Spiegel neben dem Bad mein Spiegelbild erblickte, konnte ich das Ausmaß seiner Freundlichkeit ermessen. Mein Haar war auf die falsche Seite geschoben worden, und ein Büschel stand senkrecht hoch wie ein steifer grauer Strunk. Mein krummer, verdrehter Körper hatte mich erschreckend altern lassen, mich in einen hutzligen Greis von mindestens achtzig Jahren verwandelt, aber das Schockierendste war mein Gesicht. Obwohl die Züge im Spiegel Ähnlichkeit mit mir besaßen, sträubte ich mich, sie als meine zu erkennen. Meine Wangen schienen eingefallen, in den Dreitagebart versunken, und meine vor Erschöpfung roten Augen hatten einen Ausdruck, der mich an die verängstigten kleinen Tiere erinnerte, die ich auf den Straßen von Vermont so oft im Scheinwerferlicht meines Autos gesehen hatte. Entsetzt wandte ich mich ab und machte einen Versuch, das unmenschliche Starren, das ich im Spiegel gesehen hatte, durch einen menschlichen Blick zu ersetzen und Arnie für seine Freundlichkeit zu danken. Er stand an der Tür, die Arme unter den Worten Holy Cross Little League verschränkt, die vorne quer über sein blaues Sweatshirt liefen. «Brauchen Sie wirklich keinen Arzt? Oder wenigstens eine Eispackung oder sonst etwas?»

«Nein», sagte ich. «Ich weiß gar nicht, wie ich Ihnen danken soll.»

Arnie blieb noch einen Augenblick an der Tür stehen. Er sah mir in die Augen. «Diese Strolche haben Sie belästigt, nicht?»

Ich konnte nur nicken. Sein Mitleid ging fast über das hinaus, was ich im Augenblick verkraften konnte.

«Also dann, gute Nacht. Ich hoffe, dass Ihr Rücken sich bis morgen früh erholt», sagte er, ehe er hinausging und die Tür hinter sich schloss.

Ich ließ das Licht im Bad an. Da ich nicht flach liegen konnte, stützte ich mich mit Kissen ab und versorgte mich mit Scotch aus der Minibar. Das half immerhin für kurze Zeit über die schlimmsten Schmerzen hinweg. Die ganze Nacht hindurch war mir übel und schwindlig. Selbst wenn die Krämpfe im Rücken mich aus dem Schlaf rissen und ich mich daran erinnerte, wo ich war, schlingerte mein Bett, bewegte ich mich gegen meinen Willen, und wenn ich schlief, bewegte ich mich noch immer, im Traum in einem Flugzeug oder einem Zug, auf einem

Schiff oder einer Rolltreppe. Die Übelkeit brach in Wellen über mich herein, und meine Gedärme revoltierten, so als hätte ich Gift geschluckt. In meinen Träumen bestieg ich ein Fahrzeug nach dem anderen, hörte mein Herz ticken wie eine alte Uhr, und erst wenn ich aufwachte, wurde mir bewusst, dass ich mich nicht vom Fleck rührte. Wenn ich die Augen aufschlug und versuchte, diese Schwindel erregende Illusion von dauernder Bewegung abzuschütteln, brachte das Bewusstsein Giles' Finger in mein Haar zurück, und ich spürte den Druck seiner Hände an meinem Gesicht. Die Demütigung verzehrte mich, und ich wollte die Erinnerung vertreiben, sie mir aus Brust und Lungen reißen, wo sie sich wie ein Feuer in meinem Körper eingenistet hatte. Ich wollte denken, mir vor Augen führen, was geschehen war, und den Sinn begreifen. Ich begann abzuwägen, was ich in dem Raum gesehen hatte – das Laken, die Schnur, die Schusswaffe, die Essensreste. Es hatte ausgesehen wie der Schauplatz eines Verbrechens, aber schon während ich es sah, während ich in das Zimmer starrte, war in mir die Ahnung aufgekommen, es könnte eine gestellte Szene sein, die Waffe eine Spielzeugwaffe und das Blut gefärbtes Wasser – alles künstlich arrangiert. Aber dann kamen Giles' Hände wieder. Sein Angriff war real gewesen. Eine schmerzhafte Beule hatte sich an meinem Hinterkopf gebildet, wo mein Schädel gegen die Wand geknallt war.

Und Mark? Die ganze Nacht kam und ging sein Gesicht vor meinen Augen, und ich wusste, dass mir seine letzten Worte Hoffnung gemacht hatten. Man stellt sich oft vor, dass Hoffnung Stufen hätte, aber ich glaube nicht. Es gibt Hoffnung oder keine Hoffnung. Seine Worte gaben mir Hoffnung, und während ich zusammengekrümmt in jenem Bett lag, hörte ich sie wieder und wieder: «Ich will nach Hause. Ich fahre morgen mit.» Er hatte diese Äußerung außerhalb von Giles' Hörweite gemacht, und das eröffnete eine neue Möglichkeit, sein Verhalten zu interpretieren. Ein Teil seiner beschädigten Persönlichkeit wollte nach Hause. Selbst schwach und schwankend, war

Mark unter den Einfluss von Giles' stärkerer Persönlichkeit geraten, der fast hypnotische Macht über ihn besaß, aber es gab noch einen anderen Raum in ihm – jenen Ort, auf dessen Existenz Bill immer beharrt hatte und wo er an denen festhielt, die ihn liebten und die er liebte. Ich hatte ihn gerufen, und er hatte mir geantwortet. Eine quälende Kombination von Hoffnung und Schuldgefühlen begleitete mich in den Morgen. Ich hatte etwas Schreckliches zu Mark gesagt, als ich mit ihm über das Gemälde seines Vaters sprach. In dem Augenblick hatte ich es tatsächlich geglaubt, aber jetzt litt ich an der Überzeugung, dass mein Vergleich monströs gewesen war. Ein Mensch darf nie an einem Ding gemessen werden. Nie. Ich nehme es zurück, sagte ich in Gedanken zu ihm. Ich nehme es zurück. Und dann fiel mir wie eine Fußnote zu dem Gedachten ein, dass ich irgendwo gelesen hatte, vielleicht bei Gershom Scholem, dass Reue und Rückkehr im Hebräischen ein und dasselbe Wort sind.

Aber Mark kam nicht um zehn ins Foyer, und als ich auf seinem Zimmer anrief, antwortete niemand. Ich wartete eine volle Stunde. Der Mann, der da auf einer Bank in jenem Foyer saß, hatte herkulische Anstrengungen gemacht, präsentabel auszusehen. Er hatte sich in Schieflage rasiert, um weitere Belastungen seines Rückens zu vermeiden. Er hatte den Fleck auf seinem Hosenbein kräftig mit Wasser und Seife gerieben, unbeirrt von den unerträglichen Zuckungen seiner Wirbelsäule bei dieser Reinigungsaktion. Er hatte sich das Haar gekämmt, und als er sich zum Warten auf die Bank setzte, hatte er seinen Körper in eine Haltung gezwängt, von der er glaubte, dass sie einigermaßen normal aussähe. Er ließ suchende Blicke durch das Foyer wandern. Er hoffte. Er revidierte seine bisherige Interpretation der vorausgegangenen Ereignisse, ersetzte sie durch eine andere und noch eine andere. Er dachte über mehrere Möglichkeiten nach, bis er die Hoffnung verlor und seinen elenden Körper in ein Taxi bugsierte, das ihn zum Flughafen fuhr. Er tat mir Leid. Er hatte so wenig verstanden.

Am Morgen des dritten Tages nach meiner Rückkehr nach New York konnte ich mich dank Dr. Huyler und einem Medikament namens Relafen wieder beschwerdefrei in meiner Wohnung bewegen. Etwa zur gleichen Zeit klingelten oben bei Violet zwei Polizisten in Zivil und fragten nach Mark. Ich sah sie nicht, aber sobald sie weg waren, kam Violet herunter und berichtete mir von ihrem Besuch. Es war neun Uhr morgens, und Violet trug ein hochgeschlossenes langes weißes Baumwollnachthemd. Auf den ersten Blick fand ich, dass sie ein bisschen wie eine altmodische Puppe aussah. Sie fing an zu reden, und mir fiel auf, dass ihre Stimme zu dem gleichen halben Flüstern gesenkt war wie am Tag von Bills Tod, als sie mich aus dem Atelier anrief.

«Sie haben gesagt, sie wollten ihm nur ein paar Fragen stellen. Ich sagte ihnen, Mark sei mit Teddy Giles unterwegs und habe sich, soweit ich wüsste, zuletzt in Nashville aufgehalten. Ich sagte ihnen, er habe Probleme gehabt und würde mich vielleicht gar nicht anrufen, aber falls doch, würde ich ihm ausrichten, dass sie ihn» – Violet atmete tief durch – «in Zusammenhang mit dem Mord an Rafael Hernandez sprechen wollten. Das war alles. Sie stellten mir keinerlei Fragen. Sie sagten: ‹Vielen Dank›, und dann gingen sie. Sie müssen seine Leiche gefunden haben. Es ist alles wahr, Leo. Meinst du, ich sollte sie anrufen und ihnen erzählen, was wir wissen? Ich habe nichts gesagt.»

«Was wissen wir denn, Violet?»

Einen Augenblick sah sie verwirrt aus. «Eigentlich gar nichts, oder?»

«Nicht über den Mord.» Ich lauschte dem Wort, als ich es aussprach. So abgedroschen. Es kursierte ständig überall, doch ich wollte nicht, dass es mir so leicht über die Lippen ging. Es sollte schwer auszusprechen sein, schwerer, als es war.

«Da ist diese Nachricht auf Bills Band, die besagt, dass Mark Bescheid weiß. Ich habe sie nie gelöscht. Glaubst du, er weiß es wirklich?»

«Erst meinte er, ja, aber dann änderte er seine Geschichte und behauptete, der Junge sei in Kalifornien.»

«Wenn er es weiß und bei Giles bleibt, was bedeutet das?»

Ich schüttelte den Kopf.

«Ist das ein Verbrechen, Leo?»

«Nur Bescheid zu wissen, meinst du?»

Sie nickte.

«Vermutlich hängt es davon ab, wie viel man weiß, ob man wirklich echte Beweise hat. Vielleicht glaubt Mark die Geschichte gar nicht. Vielleicht denkt er wirklich, der Junge sei abgehauen ...»

Violet schüttelte den Kopf. «Nein, Leo. Denk dran, Mark hat zwei Polizisten erwähnt, die in der Finder Gallery Fragen stellten. Daraufhin hat Giles die Stadt verlassen. Gibt es nicht irgendein Gesetz, das Fluchthilfe unter Strafe stellt?»

«Wir wissen ja nicht, ob gegen Giles ein Haftbefehl vorliegt. Wir wissen nicht, ob die Polizei überhaupt irgendwelche Beweise hat. Ehrlich gesagt, Violet, wir wissen nicht einmal, ob Giles diesen Jungen umgebracht hat. Es ist unwahrscheinlich, aber möglich, dass er mit einem Mord angibt, den er gar nicht begangen hat – bloß weil er davon wusste. Das würde ihn zwar schuldig machen, aber anders.»

Violet sah an mir vorbei auf das Bild von ihr. «Detective Lightner und Detective Mills», sagte sie. «Ein Weißer und ein Schwarzer. Sie sahen weder jung noch alt aus, waren weder dick noch dünn. Sie waren sehr nett und schienen nichts von mir zu erwarten. Sie redeten mich mit Mrs. Wechsler an.» Violet hielt inne und wandte sich wieder mir zu. «Komisch, seit Bill tot ist, gefällt es mir, wenn Fremde mich so anreden. Es gibt keinen Bill mehr. Es gibt keine Ehe mehr. Ich habe meinen Namen ja nie geändert. Ich war immer Violet Blom, aber jetzt möchte ich wieder und wieder seinen Namen hören und lasse mich gern damit ansprechen. Es ist wie mit seinen Hemden. Ich möchte tragen, was von ihm geblieben ist, und sei es nur sein Name.»

Violet sagte das gänzlich emotionslos. Sie stellte nur Tatsachen fest.

Einige Minuten darauf ging sie nach oben. Eine Stunde später klopfte sie erneut bei mir und erklärte, sie sei auf dem Weg ins Atelier, doch sie wolle mir Kopien von Bills Videobändern geben, die ich mir ansehen sollte, wenn ich Zeit hätte. Bernie habe die Sache schleifen lassen, sagte sie, weil er sich um so viel zu kümmern hatte, aber schließlich habe er Kopien der Videofilme herausgerückt. «Bill wusste nicht, wie die Arbeit am Ende aussehen würde. Er sprach davon, einen großen Raum zur Ansicht der Videos zu bauen, aber er überlegte es sich ständig anders. Er wollte das Werk *Ikarus* nennen. So viel weiß ich und dass er eine Menge Zeichnungen von einem fallenden Jungen gemacht hat.»

Violet sah auf ihre Stiefel und kaute auf der Lippe.

«Alles in Ordnung mit dir?»

Sie blickte auf und sagte: «Muss ja.»

«Was machst du den ganzen Tag im Atelier, Violet? Es ist doch nicht mehr viel drin.»

Violet kniff die Augen zusammen. «Ich lese», sagte sie mit Ingrimm. «Zuerst ziehe ich Bills Arbeitskleidung an, und dann lese ich. Ich lese den ganzen Tag. Ich lese von neun Uhr morgens bis sechs Uhr abends. Ich lese und lese, bis mir die Schrift vor den Augen verschwimmt.»

Die ersten Szenen auf dem Bildschirm zeigten Neugeborene – winzige Lebewesen mit unförmigen Köpfen und zarten, sich windenden Gliedern. Bills Kamera löste sich nie von diesen Säuglingen. Erwachsene kamen in Form von Armen, Oberkörpern, Schultern, Knien, Schenkeln und Stimmen vor, und gelegentlich drang ein großes Gesicht in den Fokus und näherte sich einem Baby. Das erste Kind schlief im Arm einer Frau. Das kleine Geschöpf hatte einen großen Schädel, dünne blaurote Ärmchen und Beinchen und war mit einem karierten Strampler und einer absurden kleinen weißen Haube bekleidet, die unter dem Kinn zugebunden war. Diesem Säugling folgte ein weiterer, vor die Brust eines Mannes geschnallt. Sein dunkles Haar stand nach oben ab wie das von Laszlo, und seine schwarzen Augen wandten sich in bassem Erstaunen der Kamera zu. Bill hielt damit auf Kinder, die in Wagen herumgefahren wurden, in Snugglys schliefen, sich auf den elterlichen Armen rekelten oder verzweifelt an einer Schulter weinten. Manchmal monologisierten unsichtbare Eltern oder Kinderfrauen über Schlafverhalten, Stillen, Milchpumpen und Spucken, während hinter ihnen der Verkehr rauschte, aber die Gespräche wie der Lärm untermalten nur die bewegten Bilder der kleinen Fremdlinge – die des einen, der seinen kahlen Kopf von der Brust seiner Mutter wegdrehte, während ihm die Milch aus den Mundwinkeln rann; die der dunkelhäutigen Schönheit, die im Schlaf an einer unsichtbaren Brust saugte und dann zu lächeln schien; die des hellwachen Babys, dessen blaue Augen zum Gesicht seiner Mutter hinaufwanderten und sie mit tiefer Konzentration anzusehen schienen.

Soweit ich erkennen konnte, war Bills einziges Leitprinzip das Alter gewesen. Er musste jeden Tag losgegangen sein und nach Kindern Ausschau gehalten haben, die etwas älter waren als die vom Vortag. Allmählich verließ seine Kamera die Säuglinge und wandte sich älteren Babys zu, die schon sitzen konnten, zirpten, quiekten, grunzten und jeden losen Gegenstand, dessen sie habhaft werden konnten, in den Mund steckten. Ein dickes kleines Mädchen nuckelte an seiner Flasche und zwirbelte begeistert das Haar seiner Mutter. Ein kleiner Junge heulte, weil sein Vater ihm einen Gummiball aus dem Mund zog. Ein anderes Baby streckte vom Schoß einer Frau die Hand nach einem wenige Zentimeter entfernten älteren Mädchen aus und begann, auf dessen Knien herumzutatschen. Eine erwachsene Hand tauchte auf und versetzte dem Arm des Babys einen Klaps. Bestimmt nicht sehr fest, denn das Kleine streckte erneut die Hand zum Tatschen aus, nur um wieder einen Klaps zu bekommen. Die Kamera wich einen Augenblick zurück und zeigte das erschöpfte, leere Gesicht der Frau, ehe sie auf ein drittes, schlafendes Kind in einem Buggy zoomte und ein paar Sekunden auf seine schmutzigen Wangen und die zwei durchsichtigen Rotzfahnen hielt, die ihm aus der Nase in den Mund liefen.

Bill filmte Kinder, die wie Äffchen im Park herumkrabbelten, und andere, die liefen und hinfielen, sich aufrappelten und weitertorkelten wie alte Trunkenbolde in einer Bar. Er nahm einen kleinen Jungen auf, der auf unsicheren Beinen neben einem großen, keuchenden Terrier stand. Der ganze Körper des Kindes bebte vor Aufregung, während es die Hand an die Schnauze des Hundes hielt und kurze Freudenlaute ausstieß: «Eh! Eh! Eh!» Dann sah man ein kleines Mädchen mit dicken Knien und Kullerbauch in einer Bäckerei stehen. Sie blickte nach oben und gab ein paar unverständliche Silben von sich, die von einer unsichtbaren Frau beantwortet wurden: «Das ist ein Ventilator, Schätzchen.» Mit zurückgelegtem Kopf und mahlenden Lippen starrte das Kind an die Decke und begann mit hoher, ehrfurchtsvoller Stimme das Wort «Lator» zu psalmodieren. Eine vor Wut platzende Zweijährige strampelte und schrie neben ihrer auf dem Bürgersteig hockenden Mutter, die eine Apfelsine hielt: «Aber Herzchen», sagte die Mutter in das Geheul hinein, «diese Apfelsine ist genau so wie die, die Julie bekommen hat. Da ist kein Unterschied.»

Als die Kinder, die Bill filmte, drei oder vier wurden, hörte ich zum ersten Mal seine Stimme. Beim Bild eines ernsten kleinen Jungen sagte er im Off: «Weißt du, was dein Herz macht?» Das Kind sah unverwandt in die Kamera, legte die Hand auf die Brust und sagte, ohne zu lächeln: «Es pumpt Blut in mich rein.

Es kann bluten und leben.» Ein anderer Junge hielt eine Tüte Saft hoch, schüttelte sie und sagte zu der Frau, die neben ihm auf der Parkbank saß: «Mommy, mein Saft hat seine Schwerkraft verloren.» Ein blondes Kind mit fast weißen Zöpfen lief im Kreis, hüpfte auf und ab, blieb plötzlich stehen, wandte sein gerötetes Gesicht der Kamera zu und sagte mit klarer, altkluger Stimme: «Glückliche Tränen schwitzen.» Ein kleines Mädchen mit verdrecktem Tutu und einem schief sitzenden Diadem beugte sich dicht zu einer Freundin, die einen rosa Rock auf dem Kopf trug. «Keine Sorge», flüsterte sie verschwörerisch. «Es hat geklappt. Ich habe den Mann angerufen, wir dürfen Brautjungfern sein.» – «Wie heißt deine Puppe?», fragte Bill ein adrett angezogenes kleines Mädchen mit zu einer Krone geflochtenem Haar. «Nur zu», sagte eine Frauenstimme, «du darfst es ihm sagen.» Das Mädchen kratzte sich am Arm und hielt die Puppe an einem Bein in die Kamera. «Shower», sagte sie.

Die anonymen Kinder kamen und gingen, wurden größer und älter. Bill beobachtete sie dabei und hielt mit der Kamera auf ihre Gesichter, während sie ihm erklärten, wie die Dinge funktionierten und woraus sie gemacht wurden. Ein Mädchen setzte ihm auseinander, dass Waschbären aus Raupen entstünden, ein anderes meinte, sein Gehirn sei aus Metall mit Augentropfen darin, und ein drittes behauptete, die Welt habe mit einem «dicken, dicken Ei» angefangen. Einige der Gefilmten schienen Bill nach einer Weile zu vergessen. Ein Junge schob den Finger in die Nase, bohrte vergnügt darin und holte ein paar krustige Popel heraus, die er prompt in den Mund steckte. Ein anderer, die Hand tief in der Hose, kratzte sich lustvoll seufzend die Eier. Ein kleines Mädchen beugte sich über einen Buggy. Sie gab gurrende Laute von sich, dann zwickte sie das Baby, das angeschnallt im Wagen saß. «Ich hab dich gern, du kleines Dickerchen», sagte sie und kniff und rubbelte seine Wange. «Mein Schnuckiputz», fügte sie ungestüm hinzu, als das Baby anfing zu schluchzen. «Lass das, Sarah», sagte eine

Frau. «Sei lieb.» – «Ich war ja lieb», entgegnete Sarah mit zusammengekniffenen Augen und schloss fest den Mund.

Ein etwas älteres, ungefähr fünf Jahre altes Mädchen stand
neben seiner Mutter auf dem Bürgersteig irgendwo in Mid-
town. Man sah die beiden von hinten vor einem Schaufenster.
Nach einigen Sekunden war klar, dass Bill vor allem die Hand
des Mädchens interessierte. Die Kamera folgte ihr, während sie
über den Rücken der Mutter wanderte, nach oben zu den
Schulterblättern, dann nach unten zum Gesäß. Selbstvergessen
strich die kleine Hand den mütterlichen Rücken auf und ab. Er
filmte auch einen Jungen am Straßenrand mit trotzig verzoge-
nem Gesicht und blitzenden Tränen in den Augenwinkeln. Daneben eine vom Hals an abwärts sichtbare Frau, ihr Körper starr
vor aufgestautem Zorn. «Ich hab's satt!», brüllte sie. «Ich hab
die Nase voll von dir. Du benimmst dich wie ein kleines Arsch-
loch, und ich will, dass du damit aufhörst!» Sie beugte sich über
den Jungen, packte ihn bei den Schultern und schüttelte ihn.
«Hör auf! Hör auf!» Tränen rollten die Wangen des Jungen hinunter, aber sein Ausdruck blieb stur und widerspenstig.

Die Bänder hatten etwas Resolutes, Erbarmungsloses, zeugten von einem beharrlichen Willen, scharf hinzuschauen. Die
Kamera blieb dicht am Objekt, auch als die Kinder größer wur-
den und sich besser ausdrücken konnten. Ein Junge namens Ra-
mon, der Bill erzählte, er sei sieben, erklärte, dass sein Onkel
Hühner sammele: «Er kauft alles, wo ein Huhn drauf ist. Sein
ganzer Keller ist voller Zeug mit Hühnern.» Ein pummeliger
Junge in weiten kurzen Jeans, vermutlich acht oder neun, musterte finster einen größeren mit Baseballkappe, der eine Tüte
Süßigkeiten in der Hand hielt. In jäher Wut sagte der Kleinere:
«Ich scheiß auf dich», und stieß seinen Gegner heftig zu Boden.
Süßigkeiten flogen durch die Luft, während der Junge am Bo-
den frohlockte: «Er hat das S-Wort gesagt! Er hat das S-Wort
gesagt!» Ein Paar Erwachsenenbeine kamen ins Bild gelaufen.
Zwei kleine Mädchen in karierten Wolluniformen saßen tu-

schelnd auf Betonstufen. Ein Stück weiter verdrehte ein drittes Mädchen in der gleichen Uniform den Kopf nach ihnen. Bill filmte sie im Profil. Während sie die anderen beobachtete, schluckte sie ein paar Mal schwer. Die Kamera wanderte durch die Menge der Schulkinder und fokussierte einen Jungen mit einem Mund voll blinkender Brackys, der gerade seinen Rucksack abnahm und ihn seinem Nachbarn gegen die Schulter donnerte.

Je länger ich mir die Bilder ansah, umso mysteriöser fand ich sie. Was als gewöhnliche Bilder von Kindern in der Stadt begonnen hatte, wurde mit der Zeit ein bemerkenswertes Dokument menschlicher Eigenheit und Gleichheit. Es gab so viele verschiedene Kinder – dicke, dünne, helle, dunkle, schöne und unscheinbare, gesunde Kinder und solche, die verkrüppelt oder missgebildet waren. Bill hatte eine Gruppe kleiner Rollstuhlfahrer gefilmt, die über eine Hebebühne aus einem Bus auf die Straße abgesenkt wurden. Eine pausbäckige Achtjährige richtete sich beim Herunterrollen von der Plattform kerzengerade auf und winkte Bill mit spöttischer Grandezza. Er filmte einen Jungen mit einer Hasenscharte, der zuerst schief lächelte und dann ein furzendes Geräusch mit dem Mund machte. Er folgte einem anderen Jungen, dem eine undefinierbare Krankheit oder ein Geburtsfehler die Wangen aufgebläht und das Kinn genommen hatte. Er trug eine Art Beatmungsgerät und stampfte auf kurzen Beinen neben seiner Mutter her. Die Unterschiede zwischen den Kindern waren verblüffend, und doch vermischten sich ihre Gesichter am Ende. Vor allem offenbarten die Videos die unbändige Vitalität von Kindern, die Tatsache, dass sie im Wachzustand selten aufhören, sich zu bewegen. Ein schlichter Gang zur nächsten Straßenecke bedeutete Winken, Hüpfen, Springen, Herumwirbeln und vielfache Pausen, um ein Stück Abfall zu untersuchen, einen Hund zu streicheln oder auf einen Betonpoller oder ein Mäuerchen zu klettern. Auf dem Schulhof oder Spielplatz schubsten, boxten, traten, kniffen, knufften, küssten, umarmten sie sich, zerrten aneinander, schrien, lachten, summten und sangen, und während ich sie beobachtete, sagte ich mir, dass Erwachsenwerden wirklich Langsamerwerden bedeutet.

Bill starb, bevor die Kinder in die Pubertät kamen. Ein paar Mädchen ließen unter ihren T-Shirts oder den Blusen der Schuluniform Ansätze knospender Brüste erkennen, aber die meisten Kinder hatten noch gar nicht angefangen, sich zu verändern. Ich vermute, Bill hatte vorgehabt weiterzumachen, mehr und mehr Kinder zu filmen, bis zu jenem Augenblick, da die Gestalten auf dem Bildschirm nicht mehr von Erwachsenen zu unterscheiden gewesen wären. Als das Video zu Ende war und ich den Fernseher abgeschaltet hatte, war ich erschöpft und ein wenig mitgenommen von dieser Parade kindlicher Körper und Gesichter, von der schieren Menge jungen Lebens, die an mir vorbeigezogen war. Ich stellte mir Bill bei seiner rastlosen Suche nach Kindern, Kindern und noch mehr Kindern vor, die irgendein drängendes Verlangen in ihm selbst zu stillen vermochten. Was ich gesehen hatte, war ungeschnittenes Rohmaterial, doch insgesamt bildeten die Fragmente durchaus eine Syntax, die auf eine mögliche Bedeutung hin gelesen werden konnte. Es war, als hätte Bill die vielen von ihm dokumentierten Leben zu einer Einheit verschmelzen wollen, um das Eine im Vielen oder das Viele im Einen zu zeigen. Jeder hat einen Anfang und ein Ende. Immer wieder hatte ich beim Betrachten der Videobänder an Matthew gedacht, zuerst als Baby, dann als Kleinkind und schließlich als Junge, der für immer in der Kindheit stecken geblieben war.

Ikarus. Der Bezug zwischen den gefilmten Kindern und dem Mythos blieb versteckt. Aber Bill hatte den Titel nicht grundlos gewählt. Ich dachte an Breughels Gemälde mit den beiden Figuren – dem Vater und dem fallenden Jungen, dessen Flügel an der Sonne schmelzen. Dädalus, der große Architekt und Zauberer, hatte diese Flügel für sich und seinen Sohn zur Flucht aus ihrem Turmgefängnis angefertigt. Er ermahnte Ikarus, nicht zu nah an die Sonne zu fliegen, aber der Junge hörte nicht auf ihn und stürzte ins Meer. Dennoch ist Dädalus in dieser Geschichte nicht schuldlos. Er riskierte zu viel für seine Freiheit und verlor darum seinen Sohn.

Weder Violet noch ich oder Erica in Kalifornien, die inzwischen die ganze Geschichte kannte, bezweifelten, dass die Polizei Mark finden und vernehmen würde. Es war nur eine Frage der Zeit. Nach dem Besuch der Detectives Lightner und Mills hatte ich jedes Gefühl dafür verloren, was Mark zuzutrauen war und was nicht, und ohne diese Barriere lebte ich in Furcht. Die Erinnerung an den Vorfall im Hotelflur in Nashville ließ mich nicht los. Jede Nacht kehrte meine Hilflosigkeit zurück. Giles' Hände. Seine Stimme. Das Dröhnen, als mein Kopf gegen die Wand prallte. Und Marks Augen, hinter denen nichts war. Ich hörte mich seinen Namen rufen, sah meine Arme, die sich nach ihm ausstreckten, und dann saß ich auf der Bank im Foyer und wartete auf niemanden. Das meiste davon hatte ich Violet und Erica berichtet, aber in ruhigem Ton und in nüchternen Worten, und von Giles' Fingern in meinem Haar hatte ich ihnen nichts erzählt. Diese Geste entzog sich mit der Zeit jeder Beschreibung durch Worte. Es war viel leichter, einfach nur zu sagen, er habe meinen Kopf gegen die Wand geknallt. Irgendwie war die Gewalt weniger schlimm als das, was ihr vorausgegangen war. Ich schlief schlecht, und bisweilen stand ich nach stundenlangem Wachliegen auf, um die Schlösser an meiner Wohnungstür zu überprüfen, obwohl ich wusste, dass ich zugesperrt und die Kette vorgelegt hatte.

Der einzige gesicherte Tatbestand, den man der Presse entnehmen konnte, war, dass die zerstückelte und verweste Leiche eines Jungen namens Rafael Hernandez in einem Koffer irgendwo bei einem Pier am Hudson angeschwemmt und mit Hilfe der zahnärztlichen Kartei identifiziert worden war. Alles Übrige war Zeitungsklatsch. *Blast* brachte unter der Überschrift «NUR EIN KINDERSCHERZ?» einen langen Artikel mit Fotos von Teddy Giles. Darin behauptete der Journalist Delford Links, Leute aus der Kunst- und Clubszene hätten schon seit einiger Zeit von Rafaels Verschwinden gewusst. Am Tag nachdem der Junge verschwand, habe Giles mehrere Freunde und Bekannte angerufen und behauptet, er habe gerade «einen echten» begangen. Am selben Abend sei er in Kleidern, die von oben bis unten mit getrocknetem Blut besudelt schienen, in den Club USA gekommen und habe dort herumkrakeelt, das She-Monster habe das «ultimative Kunstwerk vollbracht». Kein Mensch hatte Giles ernst genommen. Selbst nach dem Auffinden der Leiche wollten die Leute in Giles' Umgebung einfach nicht glauben, dass er wirklich jemanden ermordet haben könnte. Ein Siebzehnjähriger namens Junior wurde zitiert: «Der hat doch immer so 'n Zeug geredet. Er hat mir bestimmt schon fünfzehnmal erzählt, er hätte grad jemand abgemurkst.»

Auch Hasseborg wurde zitiert: «Die Giles' Kunst innewohnende Gefahr ist, dass sie jede einzelne unserer heiligen Kühe attackiert. Sein Werk beschränkt sich nicht auf Plastiken oder Fotos oder auch Performances. Seine Personae sind ebenfalls Kunst – ein Schauspiel wechselnder Identitäten, einschließlich der des psychopathischen Killers, der ja eine berühmte mythische Figur ist. Schalten Sie Ihren Fernseher ein. Gehen Sie ins Kino. Er ist allgegenwärtig. Doch zu unterstellen, diese Persona sei mehr als nur das, ist eine Infamie. Die Tatsache, dass Giles Rafael Hernandez kannte, macht ihn wohl kaum des Mordes an ihm schuldig.»

Am Sonntagabend nach meiner Rückkehr aus Nashville saßen Violet und ich oben bei ihr zu Tisch, als es klingelte. Es war

Laszlo. Sein Gesichtsausdruck war ja immer ziemlich ernst, doch als wir ihm aufmachten, dachte ich, dass er fast traurig aussah. «Ich hab da was gefunden», sagte er und gab Violet einen Artikel. Er stammte aus der Klatschspalte des Downtown-Blatts *Bleep*. Violet las vor: «Gerüchte kursieren über einen gewissen Bad Boy aus der Kunstszene und die Leiche seines dreizehnjährigen Ex-Spielzeugs und Teilzeit-E-Dealers, die im Hudson trieb. Eine von B. B.s Ex-*Freundinnen* behauptet, es gäbe einen Mordzeugen – einer von B. B.s vielen Ex-*Bi-Freunden*. Könnte es noch dicker kommen? Bleibt dran …»

Violet sah Laszlo an. «Was hat das zu bedeuten?»

Laszlo schwieg. Statt einer Antwort gab er ihr eine Visitenkarte. «Arthur ist mit meiner Cousine verheiratet. Ein wirklich guter Typ – Fachanwalt für Strafsachen. Er hat früher mal bei der Staatsanwaltschaft gearbeitet.» Laszlo machte eine Pause. «Vielleicht braucht ihr ihn ja gar nicht.» Er rührte sich nicht. Ich sah ihn nicht einmal atmen. Dann sagte er: «Pinky wartet auf mich.»

Violet nickte. Als Laszlo zur Tür hinausging und sie ganz leise hinter sich schloss, blickten wir ihm nach.

Einige Minuten sagten wir nichts. Draußen war es dunkel und hatte zu schneien begonnen. Durchs Fenster beobachtete ich das weiße Geriesel. Laszlo kannte sich aus, und uns war klar, dass er die Karte nicht grundlos dagelassen hatte. Als ich mich vom Fenster abwandte und Violet ansah, war sie so bleich, dass ihre Haut durchscheinend wirkte, und ich entdeckte hektische Flecken an ihrem Hals. Unter ihren niedergeschlagenen Augen verliefen blasslila Schatten. Ich wusste, was ich dort sah: trockenen Kummer, alt und vertraut gewordenen Kummer. Er dringt einem in die Knochen und nistet sich dort ein, weil er kein Fleisch braucht, und nach einer Weile spürt man, dass man nur noch Haut und Knochen ist, hart und ausgedörrt wie das Skelett im Klassenzimmer. Sie drehte und wendete das Kärtchen und blickte zu mir auf.

«Ich habe Angst vor ihm», sagte sie.

«Vor Giles?», sagte ich mit dumpfer Stimme.

«Nein. Ich meine Mark. Ich habe Angst vor Mark.»

Violet und ich saßen oben bei ihr auf dem Sofa, als sich sein Schlüssel im Schloss drehte. Bevor wir das Geräusch hörten, hatte Violet über irgendetwas gelacht, was ich gesagt hatte und was mir heute entfallen ist, aber ich erinnere mich, dass mir ihr Gelächter noch in den Ohren klang, als Mark zur Tür hereinkam. Er sah traurig aus, ein wenig verlegen und sehr sanft, aber sein Anblick ließ mich gefrieren.

«Ich muss mit euch reden», sagte er. «Es ist wichtig.»

Violet war erstarrt. «Dann rede», sagte sie. Sie ließ sein Gesicht nicht aus den Augen.

Er kam auf uns zu, ging um den Tisch herum und beugte sich hinunter, um Violet zu umarmen.

Sie zuckte zurück. «Nein, nicht. Ich kann nicht», sagte sie.

Mark sah erschrocken und dann gekränkt aus.

Mit leiser, fester Stimme sagte Violet: «Du belügst mich, du bestiehlst mich, du verrätst mich, und jetzt soll ich dich umarmen? Ich habe dir doch gesagt, dass ich dich hier nicht mehr haben will.»

Er starrte sie ungläubig an. «Was soll ich denn machen? Die Polizei will mich sprechen.» Er atmete tief ein und trat etwas zurück. Seine Arme hingen schlaff herunter. «Ich weiß, dass Teddy es getan hat», sagte er. Er kniff die Augen zusammen. «Ich habe ihn in der Nacht gesehen.» Er setzte sich auf die andere Seite des Tisches und ließ den Kopf hängen. «Er war ganz voll Blut.»

«Du hast ihn gesehen?», sagte Violet laut. «Wen? Was meinst du damit?»

«Ich bin zu Teddy gegangen. Wir wollten ausgehen. Er hat

die Tür aufgemacht und war von oben bis unten voll Blut. Zuerst dachte ich, es wär ein Scherz, du weißt schon, ein Fake.» Mark blinzelte einmal, dann blickte er uns unverwandt an. «Aber dann sah ich ihn – Ich – auf dem Boden liegen.»

Ich hatte ein Gefühl, als müsste mir die Schädeldecke zerspringen. «Wusstest du, dass er tot war?»

Mark nickte.

Violets Stimme blieb fest. «Was passierte dann?»

«Er meinte, er würde mich umbringen, wenn ich was sagen würde, und dann ging ich wieder. Ich hatte Angst, also bin ich mit dem Zug zu Mom gefahren.»

«Warum bist du nicht zur Polizei gegangen?»

«Ich hab's dir doch gesagt. Ich hatte zu große Angst.»

«In Minneapolis schienst du aber keine Angst zu haben», sagte ich. «In Nashville auch nicht. Du schienst gern mit Giles zusammen zu sein. Ich habe auf dich gewartet, Mark, aber du bist nicht gekommen.»

Er hob die Stimme: «Ich musste doch mit ihm gehen. Ich konnte nicht weg. Verstehst du das denn nicht? Ich musste. Es war nicht meine Schuld. Ich hatte Angst.»

«Du musst jetzt mit der Polizei sprechen», sagte Violet.

«Ich kann nicht. Teddy bringt mich um.»

Violet stand auf. Sie ging hinaus und kam kurz darauf wieder. «Du musst jetzt mit der Polizei sprechen, sonst kommen sie und holen dich. Ruf diese Nummer an. Die Detectives haben sie für dich dagelassen.»

«Er braucht einen Anwalt, Violet», sagte ich. «Er kann nicht ohne Anwalt dahin.»

Ich war es dann, der Arthur Geller anrief, den Mann von Laszlos Cousine, und wie sich herausstellte, hatte er den Anruf erwartet. Wenn Mark am nächsten Tag auf die Polizeiwache gehe, werde ihm ein Anwalt zur Seite stehen. Violet sagte Mark, sie würde die Kosten dafür übernehmen. Dann korrigierte sie sich: «Nein. Bill wird es tun. Es ist sein Geld.»

Sie ließ Mark in seinem Zimmer übernachten, aber sie sagte ihm, danach müsse er sich einen anderen Ort zum Wohnen suchen. Dann wandte sie sich an mich und fragte, ob ich auf dem Sofa schlafen könnte. Sie sagte: «Ich möchte nicht mit Mark allein sein.»

Mark sah entgeistert aus. «Das ist ja blöd», sagte er. «Leo kann doch zu Hause schlafen.»

Violet drehte sich zu ihm um. Sie hob die Handflächen gegen sein Gesicht, wie um einen Schlag abzuwehren. «Nein», sagte sie scharf. «Nein. Ich werde nicht mit dir allein bleiben. Ich traue dir nicht.»

Indem sie mich als Nachtwache auf dem Sofa postierte, wollte sie klarstellen, dass das Leben nicht wie gewöhnlich weitergehen würde, aber meine Gegenwart reichte nicht aus, um den Zauber des Alltäglichen zu brechen. Die Stunden, die auf Marks Ankunft folgten, waren beunruhigend, nicht weil irgendetwas geschah, sondern gerade weil nichts geschah. Ich hörte, wie er sich die Zähne putzte, hörte seine Stimme, die mir und Violet in seltsam fröhlichem Ton eine gute Nacht wünschte, und dann das Schlurfen in seinem Zimmer, bevor er sich schlafen legte. Es waren die üblichen Geräusche, und ebendeshalb fand ich sie furchtbar. Die bloße Tatsache, dass Mark in der Wohnung war, schien alles darin zu verändern, schien Tisch und Stühle, die Nachtlampe im Flur und das rote Sofa, auf dem ich mir ein behelfsmäßiges Bett gemacht hatte, zu verwandeln. Am irritierendsten war, dass die Veränderung spürbar, aber nicht sichtbar schien. Sie war wie ein Firnis, der sich über alles legte, eine banale Maske, die so fest an der widerlichen Form darunter haftete, dass sie nicht abging.

Lange nachdem alles im Haus schlief, lag ich noch wach und lauschte den Geräuschen draußen. «Er hat ein gutes Herz, mein Sohn.» Bill hatte am Fenster gestanden und auf die Bowery hinuntergeschaut, als er diese Worte aussprach, und ich weiß, dass er daran glaubte, aber Jahre zuvor, in dem Märchen, das er *Der*

Wechselbalg genannt hatte, hatte er die Geschichte einer Vertauschung erzählt. Ich erinnerte mich an das geraubte Kind in seinem Glassarg. Bill wusste es, dachte ich. Irgendwo tief innen wusste er es.

Am nächsten Morgen ging Mark mit Arthur Geller zur Polizei. Tags darauf wurde Teddy Giles wegen des Mordes an Rafael Hernandez festgenommen und bis zu seinem Prozess ohne Kaution im Gefängnis von Riker's Island inhaftiert. Man hätte meinen können, mit dem dramatischen Auftritt eines Zeugen wäre der Fall beendet gewesen. Doch Mark hatte den Mord selbst nicht gesehen. Er hatte einen blutverschmierten Giles und Rafaels Leiche gesehen. Das war wichtig, aber der Staatsanwalt wollte mehr. Das Gesetz muss sich mit Tatsachen begnügen, und es gab kaum welche. Der Fall bestand größtenteils aus Gerede – Klatsch, Gerüchten und Marks Geschichte. Die Leiche lieferte wenig Nachweisliches, weil die Polizei keinen vollständigen Körper in dem Koffer gefunden hatte. Der Junge war zerstückelt worden, und nach monatelanger Verwesung unter Wasser hatten die Fragmente aus Knochen, zersetztem Gewebe und Zähnen seine Identität enthüllt – sonst nichts. Den Zeitungen entnahmen wir, dass Rafael Hernandez gar kein Mexikaner gewesen war und dass Giles ihn nicht gekauft hatte. Als er vier war, hatten seine Eltern, beide drogensüchtig, ihn und eine Schwester im Säuglingsalter verlassen. Das kleine Mädchen starb mit zwei Jahren an Aids. Rafael war von seiner dritten Pflegefamilie irgendwo in der Bronx weggelaufen und in den Clubs gelandet, wo er Giles kennen gelernt hatte. Er war auf den Strich gegangen, hatte willigen Kunden Ecstasy verkauft und für einen Dreizehnjährigen nicht schlecht verdient. Ansonsten war der Junge ein Niemand.

Giles' Festnahme stellte die Rezeption seines Werks auf den Kopf. Was als kluger Kommentar zum Horrorgenre gedeutet worden war, galt nun auf einmal als sadistische Phantasie eines Mörders. Das eigentümlich Insulare der New Yorker Kunstszene ließ Offensichtliches oft subtil, Dummes intelligent und Sensationslüsternes subversiv erscheinen. Es war alles eine Frage der Vermarktung. Da Giles eine Art kleinere, von Kritikern und Sammlern umschwärmte Berühmtheit geworden war, wurde seine neue Bezeichnung als mutmaßlicher Schwerverbrecher in der Kunstwelt, die er so plötzlich verlassen hatte, als ebenso peinlich wie faszinierend empfunden. Im ersten Monat nach seiner Verhaftung beschäftigten sich Kunstmagazine, Zeitungen und sogar die Fernsehnachrichten mit der Geschichte vom «Kunstmord». Larry Finder gab ein öffentliches Statement ab, in dem er sagte, in Amerika gelte ein Mensch so lange als unschuldig, bis seine Schuld erwiesen sei, aber im Falle, dass Giles des Verbrechens für schuldig befunden würde, verurteile er die Tat entschieden und werde ihn nicht länger vertreten.

Doch inzwischen stiegen die Preise seiner Arbeiten, und Finder machte flotte Geschäfte mit Teddy Giles. Die Käufer waren scharf auf die Werke, weil diese nun die Realität nachzuahmen schienen, aber Giles, der von Riker's Island aus ungehindert Interviews gab, baute eine Verteidigung auf, die vom genauen Gegenteil ausging. In einem Interview in *Dash* behauptete er, die ganze Sache sei eine Ente. Er habe für seine Freunde in seiner Wohnung einen Mord inszeniert, mit künstlichem Blut und einer realistisch aussehenden, aber nachgemachten Leiche von Rafael. Er habe gewusst, dass Rafael fort wollte, dass er vorhatte, eine Tante in Kalifornien zu besuchen, und er, Giles, habe die Reise dazu benutzt, einen raffinierten «Kunstscherz» zu veranstalten. Rafael Hernandez war ermordet worden, aber Giles behauptete steif und fest, er habe es nicht getan. Er verwies darauf, dass seine «Hersteller» den Plan gekannt und vielleicht einer von ihnen den Mord begangen hätte, um ihm das Verbrechen anzuhängen. Er schien zu wissen, dass sich die Polizei auf die Aussage eines ungenannten Freundes stützte, eines Freundes, der an jenem Tag zu ihm gekommen war und von der Tür aus in seine Wohnung geschaut hatte. Konnte der Freund etwa beschwören, dass das Blut, das er gesehen hatte, echtes Blut gewesen war und die Leiche auf dem Fußboden keine Nachbildung? Das Kurioseste an dem Fall war, dass Giles tatsächlich eine nachgemachte Leiche von Rafael vorweisen konnte. Pierre Lange erzählte dem Journalisten, er habe am Dienstag vor Rafaels Verschwinden einen Abdruck von dessen Körper gegossen. Giles habe ihm wie sonst auch Anweisungen über die Verletzungen gegeben, und dann habe er nach Polizeifotos und Fotos aus der Gerichtsmedizin gearbeitet, um die Wunden glaubwürdig zu machen. Natürlich, fügte er hinzu, seien die Körper immer hohl. Blut und mitunter beschädigte innere Organe würden effektheischend dazugetan, aber er mache weder Gewebe noch Muskeln oder Knochen nach. Dem Artikel zufolge hatte die Polizei das Leichenimitat beschlagnahmt.

Der Fall schleppte sich acht lange Monate hin. Mark hatte in der Wohnung einer Freundin Unterschlupf gefunden, bei einem Mädchen namens Anya, das wir nie kennen lernten. Violet telefonierte regelmäßig mit Arthur Geller, der einigermaßen zuversichtlich war, dass Marks Zeugenaussage beim Prozess zu einer Verurteilung führen würde. Einmal die Woche sprach sie mit Mark, aber mir erzählte sie, die Gespräche seien gezwungen und mechanisch. «Ich glaube kein Wort, das aus seinem Mund kommt. Ich frage mich oft, wieso ich überhaupt noch mit ihm rede.» An manchen Abenden unterhielt sich Violet mit mir, während sie aus dem Fenster sah. Mitunter hörte sie auf zu sprechen, und ihr Mund öffnete sich in einem Ausdruck der Ungläubigkeit. Sie weinte nicht mehr. Sie schien vor Furcht erstarrt. Manchmal hörte sie sekundenlang auf, sich zu bewegen, und wurde reglos wie eine Statue. Dann wieder war sie schreckhaft nervös. Beim leisesten Geräusch fuhr sie zusammen oder hielt die Luft an. Wenn sie den momentanen Schock überwunden hatte, rieb sie sich die Arme, so als wäre ihr kalt. In solchen Nächten bat sie mich, auf dem Sofa zu übernachten, und ich legte mich im Wohnzimmer mit Bills Kissen und der Decke aus Marks Bett schlafen.

Ich kann nicht sagen, ob Violets Angst meiner entsprach. Wie die meisten Gefühle ist diese vage Furcht ein roher Klumpen, der nur mit Worten beschrieben werden kann. Doch überträgt sich dieser innere Zustand schnell auf das, was uns angeblich äußerlich ist, und ich spürte, dass die Räume in meiner und in Violets Wohnung, die Straßen der Stadt, ja sogar meine Atemluft, nach einer diffusen, allumfassenden Bedrohung rochen. Mehrmals glaubte ich, Mark in der Greene Street zu erblicken, und jedes Mal raste mein Herz, bis ich merkte, dass es ein anderer großer dunkelhaariger Junge in weiten Hosen war. Ich glaubte nicht, dass Mark eine Gefahr für mich darstellte. Meine Beklommenheit schien von etwas viel Größerem als Mark oder Teddy Giles herzurühren. Sie konnte nicht von einem einzelnen Menschen ausgelöst werden. Die Gefahr war unsichtbar, veränderlich und breitete sich aus. Dass ich vor etwas so Vagem Angst habe, lässt mich verrückt erscheinen, so irre wie Dan, dessen paranoide Schübe einen harmlosen Klaps auf seinen Arm in einen Angriff auf sein Leben verwandeln konnten, doch Geisteskrankheit ist eine graduelle Sache. Die meisten von uns haben hin und wieder auf die eine oder andere Art Anflüge davon, verspüren ihren heimtückischen Sog und die Verlockung des Zusammenbruchs. Aber ich kokettierte damals nicht mit dem Wahnsinn. Ich erkannte die Angst, die mir die Luft nahm, als irrational, aber ich wusste auch, dass das, wovor ich mich fürchtete, jenseits der Vernunft angesiedelt war und dass Unsinniges auch real sein kann.

Im April erzählte Arthur Violet die Geschichte mit der Lampe. Eine Zeit lang drehten sich die Ermittlungen um diese Lampe, doch hat das Ausmaß ihrer Bedeutung für mich wenig mit der Polizeiarbeit zu tun oder damit, wie am Ende die Anklage aussah. Erst längere Zeit nach dem Durchkämmen der Gegend um Giles' Wohnung hatte die Polizei mit einer Frau gesprochen, die ein Einrichtungsgeschäft in der Franklin Street besaß. Arthur konnte nicht erklären, weshalb es so lange gedauert hatte, bis sie gefunden wurde. Jedenfalls hatte Roberta Alexander Giles und Mark als die beiden jungen Männer identifiziert, die am frühen Abend des Mordtages in ihrem Laden gewesen waren. Das Problem waren die Zeitangaben. Ms Alexander zufolge waren sie in ihren Laden gekommen, nachdem Mark, wie er behauptete, aus Giles' Wohnung geflohen und zum Bahnhof gegangen war, wo er nach eigenen Angaben mehrere Stunden wie vor den Kopf geschlagen verzweifelt auf einer Bank gesessen hatte, ehe er schließlich den Zug nach Princeton nahm. Mark und Teddy hatten eine Tischlampe gekauft. Ms Alexander hatte die Quittung mit dem Datum, und sie war sich der Zeit sicher, weil sie gerade bei den Vorbereitungen für den Ladenschluss um sieben gewesen war. An Giles oder Mark war ihr nichts Ungewöhnliches aufgefallen. Vielmehr hatte sie beide außerordentlich zuvorkommend und umgänglich gefunden, und sie hatten nicht gefeilscht. Sie hatten ihr über zwölfhundert Dollar in bar gegeben.

Arthur zufolge hatte der Staatsanwalt Marks Geschichte schon zu bezweifeln begonnen, ehe er von dem Lampenkauf erfuhr. Bei Gesprächen mit anderen Leuten aus Giles' Umkreis fand er heraus, dass Mark die meisten in der einen oder anderen Sache angelogen hatte. Einem Verteidiger würde es ein Leichtes sein, nachzuweisen, dass Mark ein gewohnheitsmäßiger Lügner war. Arthur wusste, dass, wenn eine Tatsache ins Wanken geriet, wahrscheinlich weitere folgen würden; dass aus Marks «Tatsachen» nach und nach Erfindungen und aus Mark, dem Augenzeugen, ein Tatverdächtiger werden konnten. Mark schwor, seine Geschichte sei wahr, abgesehen von der Sache mit der Lampe. Teddy habe mit ihm das Haus verlassen, und er sei aus Angst mitgegangen. Er habe gewusst, dass das keinen guten Eindruck machen würde, deshalb habe er es nicht erwähnt. Ja, er habe gewartet, bis Teddy sich umgezogen hatte, ja, sie seien anschließend zusammen in die Wohnung zurückgegangen, um die Lampe abzustellen, aber alles andere sei wahr. Lucille hatte schon bezeugt, dass Mark gegen Mitternacht bei ihr eingetroffen war.

Mark war klar, dass jemandem, der einen Mord entdeckt, Angst und Feigheit verständnisvoll zugebilligt werden, aber nicht der beiläufige Kauf einer Lampe gemeinsam mit dem Täter, nachdem er gerade die Leiche von dessen Opfer gesehen hat. Niemand konnte den Zeitpunkt von Marks Eintreffen im Loft in der Franklin Street bezeugen, und genau wie Arthur befürchtet hatte, argwöhnte der Staatsanwalt allmählich, womöglich eher einen Komplizen als einen Zeugen befragt zu haben. Wir alle hatten diesen Verdacht. Arthur bereitete Violet auf Marks mögliche Festnahme vor, aber ich glaube, das war unnötig. Sie hatte schon lange vermutet, dass Mark nicht die volle Wahrheit über den Mord erzählt hatte, und statt Anzeichen eines Schocks zu zeigen, sagte sie mir, Arthur tue ihr Leid. Mark habe ihn getäuscht, so wie er uns alle getäuscht hatte. «Ich habe ihn gewarnt», sagte sie, «aber er hat Mark trotzdem geglaubt.»

Ob Mark Giles nun geholfen hatte, Rafael umzubringen, oder ob er erst nach dem Mord dazugekommen war – seine Anwesenheit in dem Laden in der Franklin Street und der Kauf der teuren Lampe trieben mir das letzte Gefühl für ihn aus. Ich wusste, dass Teddy Giles und Mark Wechsler einer bestimmten Definition gemäß wahnsinnig waren, Exempel einer Gleichgültigkeit, die viele monströs und unnatürlich finden, aber in Wirklichkeit waren sie keine Einzelfälle, und ihre Taten waren offensichtlich die von Menschen. Schreckliches mit Unmenschlichem gleichzusetzen schien mir schon immer ein bequemer Trugschluss, wenn auch nur, weil ich in ein Jahrhundert hineingeboren bin, das mit solchem Gerede ein für alle Mal hätte aufräumen sollen. Für mich wurde die Lampe zum Zeichen nicht etwa des Unmenschlichen, sondern des Allzumenschlichen, der Entgleisung, des Bruchs, der in Menschen stattfindet, wenn sie keine Bereitschaft zur Einfühlung mehr haben, wenn andere nicht mehr Teil ihrer selbst sind, sondern verdinglicht werden. Es ist eine echte Ironie, dass meine Einfühlung in Mark genau in dem Augenblick verschwand, als mir klar wurde, dass er selbst keinen Funken dieser Eigenschaft besaß.

Violet und ich warteten beide darauf, dass etwas geschah. Unterdessen arbeiteten wir. Ich schrieb an meinem Buch über Bill, und dann schrieb ich das Geschriebene um. Nichts, was ich mir einfallen ließ, war gut, aber die Qualität meiner Gedanken und meiner Prosa war ohnehin zweitrangig – Hauptsache, ich konnte weitermachen. Violet las im Atelier. Oft kam sie mit Kopfschmerzen und gereizten Augen nach Hause, und sie hustete von all den Zigaretten, die sie geraucht hatte. Ich begann, ihr Sandwiches in die Bowery mitzugeben, und sie musste mir versprechen, sie zu essen. Ich glaube, sie tat es, denn sie nahm nicht weiter ab.

Monate vergingen, und Arthur hatte nichts Neues zu berichten, außer dass der Staatsanwalt noch immer irgendetwas oder -jemanden suchte, um seine Anklage abzusichern. Violet und ich verbrachten die meiste Zeit jenes heißen Sommers miteinander. In der Church Street, unterhalb der Canal Street, wurde ein kleines Restaurant eröffnet; dort trafen wir uns zwei- oder dreimal die Woche zum Abendessen. Einmal ging Violet kurz nach ihrer Ankunft zur Toilette, und der Kellner fragte mich, ob ich für meine Frau etwas zu trinken bestellen wolle. Als sie im Juli zwei Wochen nach Minnesota fuhr, rief ich sie täglich an. Nachts machte ich mir Sorgen, sie könnte todkrank werden oder beschließen, im Mittelwesten zu bleiben, und nie zurückkommen. Doch als sie zurückkam, lebten wir weiter in der Spannung, ob der Fall je abgeschlossen würde. Die Zeitungen berichteten nicht weiter darüber. Mark war von Anya weggegangen und wohnte jetzt bei einem anderen Mädchen namens Rita. Er informierte Violet, er arbeite in einem Blumenladen, und nannte ihr den Namen, aber sie machte sich nie die Mühe, dort anzurufen und zu überprüfen, ob es stimmte oder nicht. Es schien nicht so wichtig.

Und dann, gegen Ende August, meldete sich ein Junge namens Indigo West. Er fiel wie ein Deus ex Machina vom Himmel und befreite Mark von jedem Verdacht. Er behauptete, den Mord durch die Zimmertür in Giles' Wohnung mit angesehen zu haben. Anscheinend war Indigo nur einer von vielen, die einen Schlüssel zu Teddys Wohnung hatten. Er war gegen fünf Uhr morgens gekommen und in eins der Schlafzimmer gegangen. Er verschlief fast den ganzen nächsten Tag und wachte vom Klirren splitternden Glases im vorderen Zimmer auf. Als er nachsehen ging, erblickte er, wie er sagte, Giles mit einer Axt in der einen Hand und einer zerbrochenen Vase in der anderen über Rafael gebeugt, dem schon ein Arm fehlte. Auf dem Boden war eine große Plastikplane ausgebreitet, die voller Blut war. Indigo zufolge war Rafael gefesselt und sein Mund mit Klebeband zugeklebt. Wenn er nicht schon tot war, so doch fast. Von Giles ungesehen und ungehört, lief Indigo ins Schlafzimmer zurück und versteckte sich unter dem Bett, wo er sich übergab. Er lag mindestens eine Stunde vollkommen still. Er sagte, er habe Giles herumgehen hören, einmal direkt vor der Schlafzimmertür. Als das Telefon klingelte, habe Giles geantwortet, und nicht lange danach hörte er Teddy im Flur mit jemandem sprechen und erkannte Marks Stimme. Indigo hatte Mark deutlich sagen hören, er habe Hunger, doch das übrige Gespräch war zu leise gewesen. Als die Tür zufiel und alle Geräusche verstummten, wartete er noch ein paar Minuten, dann kroch er unter dem Bett hervor und rannte aus dem Haus. Er sagte, er sei ins Puffy's gegangen und habe bei einer Bedienung mit blauem Haar Kaffee bestellt.

Indigo war ein siebzehnjähriger Heroinsüchtiger, aber Arthur sagte, der Junge wiederhole seine Geschichte immer wieder, ohne je davon abzuweichen, und obwohl die Polizei keine einzige Blutspur in Giles' Wohnung gefunden hatte, entdeckte sie einen Fleck auf dem Teppich unter dem Bett, in dem Indigo übernachtet hatte, und die Bedienung im Puffy's, die damals blaues Haar gehabt hatte, erinnerte sich an ihn. Er war ihr aufgefallen, weil er über seinem Espresso gezittert und geweint hatte. Mit Indigo Wests Aussage konfrontiert, ließ Teddy Giles sich auf einen Handel ein. Die Anklage gegen ihn wurde auf schweren Totschlag herabgesetzt, und er wurde zu fünfzehn Jahren Gefängnis verurteilt. Indigo West ging für seine Zeugenaussage straffrei aus, es gab weder gegen ihn noch gegen Mark eine Anklage. Eine Woche lang brachten die Zeitungen Artikel über das Ende des Falls, und dann verschwand er aus den Schlagzeilen. Arthur vermutete, dass der Staatsanwalt nicht riskieren wollte, mit zwei Zeugen von zweifelhaftem Charakter vor Gericht zu gehen. Indigo West war schon einmal wegen Drogenbesitzes zu einem Aufenthalt in einer Besserungsanstalt für Jugendliche verurteilt worden. Der Junge war zwar völlig verkorkst, aber ich glaube, ein ehrlicher Verkorkster.

Dennoch hatte sein Auftauchen etwas Magisches. Als ich herausfand, dass es Laszlo gewesen war, der Indigo gefunden hatte, legte sich mein Staunen etwas. Er hatte mit Arthurs Segen in seinen eigenen Kanälen Nachforschungen betrieben, unter anderem durch ein Gespräch mit jenem Klatschkolumnisten, der die Sache mit dem Augenzeugen aufgebracht hatte. Der Kolumnist kannte Indigo nicht, aber seine Stieftochter hatte von einem Freund gehört, dass ein Junge, der jede Donnerstagnacht im Tunnel verbrachte, von jemand anderem gehört habe, ein Dritter hätte den Mord mit angesehen. Die Gerüchtekette führte zu Indigo West, dessen eigentlicher Name Nathan Furbank war.

Blieb die Frage, warum Laszlo und nicht die Polizei den Zeugen hatte aufspüren können. Ich kam nicht umhin, den Erfolg den erstaunlichen Fähigkeiten der Finkelman'schen Augen, Ohren und Nase zuzuschreiben.

Während der Ermittlungen und des Prozesses hatte Violet regelmäßig bei Lucille angerufen, um sie auf dem Laufenden zu halten. Manchmal sprachen sie freundschaftlich miteinander, aber sehr oft wollte Violet etwas von Lucille, was Lucille ihr nicht geben wollte oder konnte. Violet wollte, dass Lucille die Bizarrerie dessen, was Mark erlebt hatte, zur Kenntnis nahm. Sie wollte animalischen Schmerz, Qual und Verzweiflung, aber Lucille sagte immer nur, er «tue ihr Leid», sie mache sich «große Sorgen» um ihn. Nach Giles' Verurteilung wurde sie noch gelassener. In den Gesprächen mit Violet schob sie Marks Probleme auf die Drogen. Die Drogen hätten seine Gefühle und Reaktionen gedämpft. Das Wichtigste sei, dass er keine Drogen mehr nehme. Lucilles Verteidigung war nicht unvernünftig. Marks Drogenkonsum war immer ein nebulöses Thema gewesen, doch während sich Lucille bemühte, sanft und höflich zu bleiben, geriet Violet unweigerlich immer mehr außer sich.

Eines Abends gegen Ende November klingelte das Telefon, wenige Minuten nachdem Violet und ich fertig gegessen hatten. An Violets zurückhaltendem Ton merkte ich sofort, dass der Anruf von Lucille kam. Mark hatte nach dem Ende des Prozesses kurze Zeit bei ihr und seinem Stiefvater gewohnt. Dann war er zu Freunden in ein Haus gezogen und hatte einen Job in einer Tierklinik gefunden. Lucille erzählte Violet in aller Ruhe, Mark habe einem seiner Mitbewohner Geld und das Auto gestohlen. Er sei nicht zur Arbeit erschienen und seit drei Tagen nicht gesehen worden. Violet nahm sich zusammen. Sie sagte Lucille, keine von ihnen beiden könne da etwas tun, aber als sie den Hörer auflegte, war ihr Gesicht gerötet, und ihre Hand zitterte.

«Ich glaube, Lucille meint es gut», sagte ich.

Violet sah mich einige Sekunden an, dann schrie sie auf einmal: «Weißt du denn nicht, dass sie nur halb lebendig ist?! Ein Teil von ihr ist tot!» Ihr bleiches Gesicht und ihr gebrochener Aufschrei schockierten mich so, dass ich nicht antworten konnte. Sie packte meine Oberarme, schüttelte mich und fauchte mich an: «Weißt du denn nicht, dass sie Bill langsam umgebracht hat? Mir ist das sofort aufgefallen. Und Mark, mein Junge. Er war auch *mein* Junge. Ich habe sie geliebt. Ich habe beide geliebt. Lucille nicht. Sie kann es nicht.» Sie riss die Augen weit auf, wie in plötzlicher Panik. «Erinnerst du dich? Ich hab dich damals gebeten, dich um Bill zu kümmern.» Sie schüttelte mich noch fester, während ihre Augen sich mit Tränen füllten. «Ich dachte, du hättest das verstanden! Ich dachte, du wüsstest Bescheid!»

Ich sah sie an. Sie hatte ihren Griff gelockert, hielt mich aber noch immer fest, und einen Augenblick spürte ich, wie das Gewicht ihres Körpers an meinen Armen zog, ehe sie losließ. Sie atmete heftig von ihrem Wutausbruch, der bald in Schluchzen überging. Als ich sie so weinen hörte, zog sich in meiner Brust etwas zusammen, so als wäre es mein eigener Schmerz, den ich hörte, oder als wären ihr Schmerz und meiner ein und derselbe.

Sie beugte sich vor und schlug die Hände vors Gesicht. Ich streckte die Arme aus und zog sie an mich. Der Druck in meiner Lunge schien unerträglich. Ihr Gesicht war an meinen Hals gepresst, ich spürte die Berührung ihre Brüste und ihrer Arme, die mich fest umfingen. Meine Hand wanderte zu ihrer Taille, und meine Finger drückten auf ihren Hüftknochen, während ich sie noch fester umschlang.

«Ich liebe dich», sagte ich. «Verstehst du nicht, dass ich dich liebe. Ich will für dich da sein, will für immer bei dir sein. Ich würde alles für dich tun.» Ich versuchte, sie zu küssen. Ich nahm ihr Gesicht und drückte es an meines, wobei meine Brille verrutschte. Violet gab einen leisen Schrei von sich und stieß mich weg.

Sie sah mich erschrocken an. Sie hob die Hände, als wolle sie um etwas bitten, und ließ sie dann sinken. Als ich sie so neben dem türkisen Tisch stehen sah, eine Haarsträhne über der Stirn, mit nassen Augen und ihren vollen Lippen, glaubte ich, noch nie zuvor jemanden gesehen zu haben, der so schön war. Sie war mein Halt auf der Welt, war die, an der ich litt und die ich liebte. Und im selben Augenblick wusste ich, dass ich sie gerade verlor. Bei dieser Erkenntnis wurde mir kalt. Ich setzte mich an den Tisch, faltete die Hände und starrte wortlos darauf hinunter. Ich fühlte Violets Augen auf mir. Ich hörte sie atmen, und als ich wenige Sekunden später ihre Hand auf meinem Kopf spürte, blickte ich nicht auf. Sie sagte mehrmals «Leo», und dann brach ihre Stimme. «Es tut mir Leid. Es tut mir wirklich Leid. Ich, ich … wollte dich nicht wegstoßen, ich …» Sie kniete sich neben mich und sagte: «Bitte sprich mit mir. Bitte sieh mich an.» Ihre Stimme war heiser und erstickt. «Es tut mir so Leid.»

Ich sprach mit dem Tisch. «Ich glaube, es ist besser, wenn wir nichts sagen. Es war lächerlich von mir, zu glauben, du könntest meine Gefühle erwidern, wo ich doch besser als jeder andere weiß, was du und Bill einander bedeutet habt.»

«Dreh deinen Stuhl rum, damit ich dich sehen kann. Du musst mit mir reden. Du musst.»

Ich widerstand ihrer Bitte, aber nach einer Weile kam mir meine Sturheit kindisch vor. Ohne aufzustehen, rutschte ich mit dem Stuhl herum, und als ich ihr gegenübersaß, sah ich, dass ihr die Tränen über die Wangen liefen und dass sie die Faust gegen den Mund presste, um die Fassung zu bewahren. Sie schluckte, nahm die Hand vom Gesicht und sagte: «Es ist so kompliziert, Leo, viel komplizierter, als du denkst. Niemand ist wie du. Du bist gut, du bist großzügig …»

Ich senkte den Blick und schüttelte den Kopf.

«Bitte, du sollst wissen, ohne dich ...»

«Nicht, Violet. Schon gut. Du brauchst dich vor mir nicht zu entschuldigen.»

«Tue ich ja gar nicht. Du sollst nur wissen, dass ich dich schon gebraucht habe, bevor Bill starb.» Violets Lippen zitterten. «Auch Bill hatte seine dunkle Seite – einen verborgenen unwissenden, unerkennbaren Kern, den er nur in seinen Arbeiten freilegte. Er war besessen. Es gab Zeiten, da fühlte ich mich vernachlässigt, und das tat weh.»

«Er betete dich an. Du hättest hören sollen, wie er von dir sprach.»

«Und ich betete ihn an.» Sie presste so fest die Hände zusammen, dass ihre Arme zitterten, aber sie klang nun etwas gefasster. «Tatsache ist, dass mein eigener Mann für mich weniger zugänglich war als viele andere Menschen. Da war immer etwas, wohin ich nicht vordringen konnte, etwas Fernes, und ebendas, was ich nie haben konnte, wollte ich. Es hielt mich am Leben und erhielt meine Liebe, denn was es auch war, ich konnte es nie finden.»

«Aber ihr wart so gute Freunde.»

«Die besten», sagte sie, nahm meine Hände und drückte sie. «Wir sprachen ständig über alles. Nach seinem Tod sagte ich mir immer wieder: ‹Wir waren eins.› Aber Wissen und Sein sind zwei verschiedene Dinge.»

«Ganz die Philosophin», sagte ich. Die Bemerkung hatte eine gewisse Schärfe, und Violet reagierte auf meinen Anflug von Grausamkeit, indem sie die Hände wegzog.

«Du bist mit Recht wütend. Ich habe dich ausgenutzt. Du hast für mich gekocht, hast dich um mich gekümmert und bei mir übernachtet. Ich habe einfach nur genommen, genommen und genommen ...» Ihre Stimme wurde lauter, und ihre Augen füllten sich wieder mit Tränen.

Ihr Kummer flößte mir Schuldgefühle ein. «Das ist nicht wahr», sagte ich.

Sie nickte. «O doch. Ich bin selbstsüchtig, Leo, und ich habe etwas Kaltes und Hartes in mir. Ich bin voller Hass. Ich hasse Mark. Dabei habe ich ihn geliebt. Natürlich nicht von Anfang an, aber ich habe langsam gelernt, ihn zu lieben und später dann zu hassen, und ich frage mich, ob ich ihn auch hassen würde, wenn ich ihn geboren hätte, wenn er mein eigener Sohn wäre? Aber die wirklich schreckliche Frage ist: Was war es, was ich liebte?»

Violet schwieg eine Weile, und ich musterte meine Hände, die auf meinen Knien lagen. Sie sahen alt aus, voller Venen und farblos. Wie die Hände meiner Mutter, als sie alt wurde, dachte ich.

«Erinnerst du dich daran, wie Lucille Mark nach Texas mitnahm und dann feststellte, dass sie es mit ihm nicht schaffen würde, und ihn zu uns zurückschickte?»

Ich nickte.

«Er war ziemlich schwierig, machte dauernd Theater, aber nachdem sie Weihnachten zu Besuch gekommen war und wieder abreiste, drehte er erst richtig durch. Er stieß mich, schlug mich, schrie mich an. Abends wollte er nicht ins Bett. Er bekam jedes Mal einen Wutanfall. Ich war nett zu ihm, aber es ist schwer, jemanden zu mögen, der abscheulich zu einem ist, auch wenn es sich um ein sechsjähriges Kind handelt. Bill meinte, Mark vermisse seine Mutter zu sehr, er müsse wieder zu ihr, und sie flogen nach Houston. Ich glaube, das war ein schicksalhafter Fehler, Leo. Das ist mir erst vor kurzem klar geworden. Nach einer Woche rief Lucille an und sagte Bill, Mark sei ‹vorbildlich›. Genau das Wort hat sie benutzt. Es hieß gehorsam, hilfsbereit, lieb. Ein paar Wochen darauf biss Mark ein kleines Mädchen in der Schule so fest in den Arm, dass es blutete, aber zu Hause machte er überhaupt keinen Ärger. Als er dann wieder nach New York zog, war der zornige kleine Wilde völlig verschwunden. Es war, als hätte ihn jemand in eine gehorsame, angenehme Kopie seiner selbst verwandelt. Aber genau das lernte ich lieben, diesen Automaten.» Violets Augen waren trocken, und sie sah mich mit zusammengepresstem Mund an.

Ich betrachtete ihr verkniffenes Gesicht und sagte: «Ich dachte, du würdest nicht verstehen, was mit Mark passiert ist.»

«Ich verstehe es ja auch nicht. Ich weiß nur, dass er so fortging und anders zurückkam. Es hat ewig gedauert, bis mir das auch nur in Ansätzen klar wurde. Er musste jahrelang seine Falschheit vorführen, bis ich wirklich hinter seine Maske blicken konnte. Bill weigerte sich, das zu sehen, aber wir hatten beide Teil daran. Haben wir es verursacht? Ich weiß nicht. Haben wir ihn verdorben? Ich weiß nicht, aber ich glaube, er hatte das Gefühl, wir würden ihn wegwerfen. Ich will dir sagen, dass ich auch Lucille hasse, obwohl sie nichts dafür kann, wie sie ist, ganz vernagelt und zugemauert wie ein baufälliges Haus. So denke ich über sie. Am Anfang, nachdem Bill sie verlassen hatte, tat sie mir Leid, aber dieses Mitleid ist mir längst vergangen. Und Bill hasse ich auch dafür, dass er mir weggestorben ist. Er ist nie zum Arzt gegangen. Er hat geraucht und getrunken und in seiner Melancholie geschmort, und ich denke noch immer, er hätte härter, zäher, gemeiner, aggressiver sein müssen, nicht so verdammt schuldbewusst wegen allem und jedem, er hätte stärker sein müssen – für mich!» Sie schwieg einen Augenblick. Ihre Wimpern glänzten schwarz von Tränen, und ich sah die roten Äderchen in ihren Augen. Sie schluckte. «Ich habe jemand gebraucht, Leo. Ich war so allein mit meinem Hass. Du warst so nett zu mir, und ich habe deine Nettigkeit ausgenutzt.»

Da musste ich lächeln. Zuerst hatte ich keine Ahnung, warum ich so belustigt war. Es war ein wenig wie das Kichern bei einer Beerdigung oder das Lachen, wenn man von einem furchtbaren Autounfall erfährt, aber ich begriff, dass ich gerade über ihre Ehrlichkeit lächeln musste. Sie bemühte sich so sehr, mir die Wahrheit über sich zu sagen, sofern sie sie kannte, und nach den unzähligen Lügen und Diebstählen und dem Mord, nach all dem, was wir zusammen durchgemacht hatten, wirkte ihre Selbstkritik komisch. Sie erinnerte mich an eine Nonne im Beichtstuhl, die einem Priester, der selbst viel Schlimmeres getan hat, ihre bescheidenen Sünden ins Ohr flüstert.

Als sie mich lächeln sah, sagte sie: «Das ist nicht lustig, Leo.» «Doch», sagte ich. «Die Menschen können nichts für ihre Gefühle. Was zählt, ist, was sie tun, und soweit ich weiß, habt ihr nichts falsch gemacht, du und Bill. Als ihr Mark zu Lucille zurückgeschickt habt, glaubtet ihr, das Richtige zu tun. Mehr kann man nicht machen. Jetzt hör du mir mal zu. Wie sich gezeigt hat, habe auch ich keine Gewalt über meine Gefühle, aber es war ein Fehler, mit dir darüber zu sprechen. Ich wünschte, ich könnte es zurücknehmen – um meinetwillen genauso wie um deinetwillen. Ich habe den Kopf verloren. So einfach ist das, aber ich kann's nicht ändern.»

Violet sah mich durchdringend mit ihren grünen Augen an, während sie mir die Hände auf die Schultern legte und meine Arme zu streicheln begann. Die Berührung überrumpelte mich einen Augenblick, doch ich konnte dem Glücksgefühl nicht widerstehen, das sie auslöste, und ich spürte, wie meine Muskeln sich entspannten. Es war so lange her, seit ich jemandes Hand so auf mir gespürt hatte, und ich versuchte mich an das letzte Mal zu erinnern. Als Erica zu Bills Beerdigung hier war, dachte ich.

«Ich habe beschlossen fortzugehen», sagte Violet. «Ich kann nicht mehr hier bleiben. Nicht Bills wegen. Ich bin gern bei seinen Sachen. Wegen Mark. Ich kann nicht mehr in seiner Nähe sein, nicht einmal in derselben Stadt. Ich will ihn nicht mehr sehen. Ein Freund in Paris hat mich eingeladen, ein Seminar an der American University zu halten, und ich habe zugesagt, auch wenn es nur für ein paar Monate ist. Ich fliege in zwei Wochen. Ich wollte es dir schon beim Essen erzählen, aber dann hat das Telefon geklingelt und …» Sie verzog das Gesicht, dann fuhr sie fort: «Ich habe Glück, dass du mich liebst. Ich habe wirklich Glück.»

Ich wollte etwas erwidern, aber Violet legte mir einen Finger auf den Mund. «Sei still. Ich muss dir noch etwas sagen. Ich glaube nicht, dass es so weitergehen könnte, weil ich zu durcheinander bin. Ich bin zerbrochen, verstehst du, nicht mehr heil.» Ihre Hände wanderten in meinen Nacken und rieben ihn sanft. «Aber wenn du willst, können wir heute Nacht zusammen sein. Ich habe dich sehr gern, vielleicht nicht genau so, wie du es möchtest, aber ...»

Sie hielt inne, weil ich nach ihren Händen fasste und sie sanft von meinem Nacken fortzog. Ich hielt sie weiter fest, während ich ihr ins Gesicht sah. Ich wusste, dass ich sie mit allen Sinnen begehrte. Ich hatte vergessen, wie es war, sie nicht zu begehren, aber ich wollte nicht dieses Opfer – diesen Liebesdienst, den sie mir anbot. Ich stellte mir vor, meine Begierde würde angenommen, aber nicht erwidert, und vor diesem Bild meines Verlangens schrak ich zurück. Ich schüttelte den Kopf, und zwei große Tränen quollen aus ihren Augen. Während unseres ganzen Gesprächs hatte sie neben mir gekniet. Nun legte sie den Kopf auf meinen Schoß, bevor sie aufstand, mich zum Sofa zog, sich neben mich setzte und sich an meine Schulter lehnte. Ich nahm sie in den Arm, und so saßen wir lange, ohne etwas zu sagen.

Ich erinnerte mich an Bill in Vermont, wie er kurz vor dem Abendessen aus der Tür der Bowery zwei trat. Ich sah ihn vom Küchenfenster aus, und obwohl es eine ungewöhnlich deutliche Erinnerung war, empfand ich weder Rührung noch Sehnsucht. Ich war lediglich ein Voyeur in meinem eigenen Leben, ein kühler Betrachter, der anderen Menschen bei ihren alltäglichen Verrichtungen zusah. Bill hob die Hand, um Matthew und Mark zu begrüßen, dann blieb er stehen, um sich eine Zigarette anzuzünden. Ich sah ihn über den Rasen auf das Farmhaus zugehen, während Matt an seinem Arm zerrte und ihn durch die Gläser seiner Hornbrille ansah. Mark hampelte grinsend, einen Arm in die Seite gestemmt, mit dem anderen hilflos wackelnd, als «Spasti» hinter ihnen her. Ich inspizierte im Geist die große Küche und sah Erica und Violet am Tisch Oliven entkernen. Ich hörte die Fliegengittertür zuklappen, und bei dem Geräusch blickten die beiden Frauen zu Bill auf. Rauch stieg von der Kippe zwischen seinen vom Malen blauen und grünen Fingern auf, und dann erneut, als er an der Zigarette zog. Ich sah, dass er mit seinen Gedanken noch im Atelier weilte, dass er noch nicht bereit war, mit irgendjemandem zu reden. Draußen hinter ihm hatten sich die Jungen hingekauert, um nach der Ringelnatter Ausschau zu halten, die unter der Eingangstreppe lebte. Niemand sprach, und in der Stille hörte ich das Ticken der Uhr, die rechts von der Tür hing – eine große alte Schuluhr mit klaren schwarzen Ziffern –, und auf einmal hatte ich Schwierigkeiten zu verstehen, wie die Zeit auf einer Scheibe gemessen werden kann, einem Kreis mit Zeigern, die immer wieder in dieselbe Position zurückkehren. Diese logische Revolution erschien mir als ein Fehler. Zeit ist nicht zirkulär, dachte ich. Das ist falsch. Aber die Erinnerung ließ mich nicht los. Sie ging weiter – machtvoll, intensiv, unentrinnbar. Violet sah auf die Uhr und zeigte auf Bill: «Du stinkst vor Dreck, Liebling. Geh dich waschen. Du hast genau zwanzig Minuten.»

Violet verließ New York am späten Nachmittag des neunten Dezember. Der tief hängende Himmel begann zu dunkeln, und ein paar winzige Schneeflocken fielen. Ich trug ihren schweren Koffer die Treppen hinunter und stellte ihn auf dem Bürgersteig ab, während ich ihr ein Taxi herbeiwinkte. Sie trug ihren langen marineblauen Mantel mit dem Gürtel um die Taille und eine weiße Pelzkappe, die mir immer gefallen hatte. Der Fahrer ließ den Kofferraum aufspringen, und wir hoben zusammen den Koffer hinein. Beim Abschied klammerte ich mich an das, was da war – Violets Gesicht ganz nahe an meinem, ihr Geruch in der kalten Luft, die Umarmung und dann ihr rascher Kuss auf den Mund, nicht die Wange, das Geräusch der aufgehenden und zuschlagenden Autotür, ihre Hand am Fenster und unter der Kappe ihre Augen mit einem liebevollen, betrübten Blick. Ich folgte dem gelben Taxi die Greene Street hinunter, während Violet den Hals verrenkte und noch einmal winkte. An der nächsten Ecke bog der Wagen in die Canal Street ein. Ich blickte ihm nach, bis er sich so weit entfernt hatte, dass er nur noch ein zusammengeschrumpftes gelbes Ding mitten im Verkehrsgewühl war. Als ich den Eindruck hatte, dass es nur noch so groß war wie das Taxi auf meinem Bild, kehrte ich um und ging nach Hause.

Im Jahr darauf begannen die Probleme mit meinen Augen. Ich glaubte, mein getrübtes Sehen wäre auf Überanstrengung beim Arbeiten oder vielleicht auf grauen Star zurückzuführen. Als mir der Augenarzt sagte, da könne man nichts machen, weil ich eher die trockene als die feuchte Makuladegeneration hätte, nickte ich, dankte ihm, stand auf und wollte gehen. Er muss meine Reaktion abwegig gefunden haben, denn er machte ein missbilligendes Gesicht. Ich sagte, ich hätte bisher Glück mit meiner Gesundheit gehabt und sei von unheilbaren Krankheiten nicht aus der Fassung zu bringen. Er fand das unamerikanisch, und ich stimmte ihm zu. Mit den Jahren ist das Trübe zu Nebel und dann zu jenen dichten Wolken geworden, die mein Sehvermögen jetzt beeinträchtigen. Ich erkenne noch Umrisse, sodass ich ohne Stock gehen kann, und finde mich auch in der U-Bahn noch zurecht. Die tägliche Rasur indes wurde zu mühselig, darum habe ich mir einen Bart wachsen lassen. Ich lasse ihn einmal im Monat von einem Mann im Village schneiden, der mich immer Leon nennt. Ich habe es aufgegeben, ihn zu korrigieren.

Erica ist weiter halbwegs präsent in meinem Leben. Wir telefonieren häufiger und schreiben uns seltener, und jedes Jahr im Juli verbringen wir zwei Wochen zusammen in Vermont. Im letzten Juli war es das dritte Mal, und ich bin mir sicher, dass wir diese Tradition beibehalten werden. Vierzehn von dreihundertfünfundsechzig Tagen scheinen uns zu genügen. Wir wohnen nicht in dem alten Farmhaus, aber unweit davon. Voriges Jahr sind wir den Hügel hinaufgefahren, haben das Auto abgestellt, sind einmal um das Rasengeviert gegangen und haben durch die Fenster des leeren Hauses gespäht. Erica ist nicht stark. Ihr Leben wird weiter von Kopfschmerzen unterbrochen, die sie tage-, manchmal wochenlang zur halben Invalidin machen, aber sie lehrt noch immer eifrig und schreibt viel. Im April 1998 veröffentlichte sie *Nandas Tränen. Unterdrückung und Befreiung im Werk von Henry James.* Zu Hause in Berkeley verbringt sie die Wochenenden oft mit Daisy, die jetzt eine Rap-versessene, pummelige Achtjährige ist.

Im nächsten Frühjahr gehe ich in den Ruhestand. Meine Welt wird zusammenschnurren, ich werde meine Studenten und die Avery Library, mein Büro und Jack vermissen. Da meine Kollegen und Studenten wissen, was ich verloren habe – Matthew, Erica und mein Augenlicht –, haben sie eine verehrungswürdige Gestalt aus mir gemacht. Vermutlich verströmt ein fast blinder Professor für Kunstgeschichte eben einen Hauch von Romantik. Aber niemand an der Columbia University weiß, dass ich auch Violet verloren habe. Es ergab sich so, dass sie und Erica heute etwa gleich weit von mir entfernt sind, die eine in Paris, die andere in Berkeley, und ich, der sich nie vom Fleck bewegt hat, halte in New York die Stellung dazwischen. Violet wohnt in einem kleinen Appartement im Marais, nahe der Bastille. Jedes Jahr im Dezember kommt sie ein paar Tage nach New York, ehe sie über Weihnachten nach Minnesota fliegt. Sie verbringt regelmäßig einen Tag in New Jersey mit Dan, dem es, wie sie sagt, etwas besser geht. Er läuft noch immer auf und ab, raucht Kette, formt mit den Fingern das O, spricht einige Dezibel lauter als die meisten Menschen und muss doch das gewöhnliche Geschäft des Alltagslebens bewältigen. Alles ist schwer – Putzen, Einkaufen, Kochen –, und dennoch hat Violet den Eindruck, dass alles an Dan etwas weniger Dan-typisch geworden ist als früher, so als hätte sein ganzes Wesen einen Gang heruntergeschaltet oder sich um eine Nuance aufgehellt. Er schreibt noch immer Gedichte und gelegentlich Szenen für ein Theaterstück, ist aber weniger produktiv als früher, und auf den Zetteln und Manuskriptseiten, die in seiner Einzimmerwohnung herumliegen, stehen Verse oder Dialogfetzen, denen Auslassungen folgen. Das Alter und die Einnahme starker Medikamente über dreißig Jahren hinweg haben ihn abstumpfen lassen, aber dadurch scheint sein Leben auch etwas leichter geworden zu sein.

Vor vier Jahren hat Violets Schwester Alice einen Mann namens Edward geheiratet. Ein Jahr später, im Alter von vierzig Jahren, bekam sie eine Tochter, Rose. Violet ist ganz verrückt nach Rose und kommt jedes Jahr mit einem Koffer voll Puppen und Kleidern aus Paris für das Engelchen in Minneapolis hier an. Ich höre alle zwei bis drei Monate von Violet. Statt eines Briefes schickt sie mir eine Audiokassette, und ich höre mir ihre Neuigkeiten und die weitschweifigen Gedanken zu ihrer Arbeit an. Ihr Buch *Die Roboter des Spätkapitalismus* enthält Kapitel über «Kaufsucht», «Werbung und künstliche Körper», «Lügen und Internet» sowie eines mit dem Titel «Der pathologische Parasit als idealer Konsument». Ihre Forschungen haben sie vom 18. Jahrhundert in die Gegenwart geführt, von dem französischen Irrenarzt Pinel zu einem lebenden Psychiater namens Kernberg. Terminologie und Ätiologie der Krankheit, die sie untersucht, mögen sich mit der Zeit verändert haben, aber Violet hat sie in allen Formen aufgespürt: *folie lucide*, Geisteskrankheit, Schwachsinn, Soziopathie, Psychopathie und antisoziale Persönlichkeit, kurz ASP. Heutzutage gehen die Psychiater bei der Diagnose der Störung nach Checklisten vor, die sie in Ausschüssen überprüfen und auf den neuesten Stand bringen, doch die am häufigsten vorkommenden Charakterzüge sind: Wandlungsfähigkeit und Charme, pathologisches Lügen, fehlende Einfühlung und Reue, dafür Impulsivität, Gerissenheit und Neigung zur Manipulation, frühe Verhaltensstörungen und die Unfähigkeit, aus Fehlern zu lernen oder auf Strafen zu reagieren. Jeder umfassendere Gedanke wird im Buch durch einen individuellen Fall illustriert – eine der zahllosen Geschichten, die Violet im Lauf der Jahre gesammelt hat.

Weder Violet noch ich erwähnen jemals den Abend, als ich ihr sagte, dass ich sie liebe, aber mein Geständnis begleitet uns noch immer wie eine gemeinsam erlittene Blessur. Es hat ein neues Taktgefühl und eine Gehemmtheit in uns geschaffen, die ich bedaure, aber kein wirkliches Unbehagen. Bei ihrem jährlichen Besuch verbringt sie immer einen Abend mit mir, und während ich das Essen zubereite, merke ich, dass ich die offensichtlichsten Anzeichen meiner Freude zu unterdrücken versuche, doch nach ungefähr einer Stunde legt sich diese Befangenheit, und wir verfallen in eine Vertrautheit, die fast, aber nicht ganz so ist wie früher. Erica hat mir erzählt, dass es in Violets Leben einen Mann namens Yves gibt und dass sie ein «Arrangement» haben – eine klar begrenzte Liaison, die in Hotels stattfindet –, aber mir gegenüber spricht Violet nicht von ihm. Wir reden über die Menschen, die wir beide kennen: Erica, Laszlo, Pinky, Bernie, Bill, Matthew und Mark.

Mark taucht von Zeit zu Zeit auf und verschwindet dann wieder. Mit Geld, das Bill für ihn beiseite gelegt hatte, schrieb er sich in der School for Visual Arts ein und beeindruckte seine Mutter und sogar Violet (die seine Studien von Paris aus verfolgte) mit seinen ersten Ergebnissen, die per Post kamen – lauter gute und sehr gute Noten. Doch als Lucille wegen irgendeiner Information im Sekretariat der Hochschule anrief, erfuhr sie, dass Mark nicht dort studierte. Die Zeugnisse waren mit dem Computer hergestellte, gut gemachte Fälschungen. Nach eineinhalb Wochen Schulbesuch im Herbst hatte er sein Schulgeld, das er direkt zurückerstattet bekam, eingesteckt und war mit einem Mädchen namens Mickey verschwunden. Im Frühjahr hatte er sich wieder eingeschrieben, wieder das Geld genommen und sich aus dem Staub gemacht. Ab und zu ruft er seine Mutter an und behauptet, er sei in New Orleans oder Kalifornien oder Michigan, aber niemand weiß es mit Sicherheit. Teenie Gold, die jetzt zweiundzwanzig ist und am Fashion Institute of Technology studiert, schickt mir jedes Jahr eine Weihnachtskarte. Vor zwei Jahren schrieb sie, dass einer ihrer Freunde meinte, er hätte Mark in New York mit einem Stapel CDs beim Verlassen eines Plattengeschäfts gesehen, aber er war sich nicht hundertprozentig sicher.

Ich will Mark nie wieder sehen und nie wieder mit ihm sprechen, aber das heißt nicht, dass ich von ihm befreit wäre. Nachts, wenn jeder Laut von der relativen Stille des Hauses verstärkt wird, rasen meine Nerven, und ich fühle mich im Dunkeln blind. Ich höre ihn im Hausflur vor meiner Wohnungstür oder auf der Feuerleiter. Ich höre ihn in Matts Zimmer, obwohl ich weiß, dass er nicht da ist. Ich sehe ihn auch, in halb erinnerten, halb erfundenen Visionen. Ich sehe ihn auf Bills Arm, das Köpfchen an die Schulter seines Vaters geschmiegt. Ich sehe Violet, die ihn nach dem Baden in ein Handtuch wickelt und seinen Hals küsst. Ich sehe ihn mit Matt Arm in Arm vor dem Haus in Vermont auf den Wald zugehen. Ich sehe ihn eine Zigarrenkiste mit Klebeband umwickeln. Ich sehe ihn als Harpo Marx wie verrückt hupen, und ich sehe ihn vor dem Hotelzimmer in Nashville zuschauen, wie Teddy Giles meinen Kopf gegen die Wand knallt.

Laszlo berichtet, Teddy Giles sei ein mustergültiger Gefangener. Anfangs hatten manche spekuliert, Giles würde wegen eines sogar unter Kriminellen verpönten Verbrechens im Gefängnis umgebracht werden, doch er scheint bei allen beliebt zu sein, vor allem bei den Aufsehern. Nicht lange nach seiner Verhaftung brachte der *New Yorker* einen Artikel über Giles. Der Journalist hatte gut recherchiert, und einige Mysterien wurden beseitigt. Ich erfuhr, dass Giles' Mutter weder Prostituierte noch Kellnerin gewesen war. Sie war auch nicht tot, sondern lebte in Tuscon, Arizona, und weigerte sich, mit der Presse zu sprechen. Teddy Giles (der mit Taufnamen Allan Johnson hieß) wuchs in einem Mittelklasse-Vorort von Cleveland auf. Sein Vater, ein Buchhalter, verließ seine Frau, als Teddy eineinhalb Jahre alt war, und ging nach Florida, unterstützte Frau und Sohn aber weiterhin. Einer von Giles' Tanten zufolge litt Mrs. Johnson an einer schweren Depression und kam einen Monat nach dem Verschwinden ihres Mannes in ein Krankenhaus. Giles wurde zu einer Großmutter in Pflege gegeben und in seiner Kindheit zwischen der Mutter und verschiedenen anderen Familienmitgliedern herumgereicht. Mit vierzehn flog er von der Schule und ging auf Reisen. Danach hatte der Journalist Allan Johnsons Spur verloren und fand sie erst wieder, als er unter dem Namen Teddy Giles in New York auftauchte. Der Publizist gab die üblichen Kommentare über Gewalt, Pornographie und amerikanische Kultur ab. Er sinnierte über den hässlichen Inhalt von Giles' Werk, über seinen kurzen, sensationellen Aufstieg in der Kunstwelt, die Gefahren der Zensur und die Trostlosigkeit all dessen. Der Mann schrieb gut und sachlich. Dennoch überkam mich beim Lesen das Gefühl, dass er schrieb, was die Leser von ihm erwarteten, dass der Artikel mit seiner glatten Sprache und den altbekannten Gedanken niemanden aus der Fassung bringen würde. Auf einer Seite war ein Foto von Allan Johnson mit sieben Jahren abgedruckt – eines dieser schlecht aufgenommenen Porträts aus der Grundschule mit einem künstlichen Himmel als Hintergrund. Er war einmal ein niedliches Kind mit blondem Haar und abstehenden Ohren gewesen.

Laszlo arbeitet nachmittags für mich. Er sieht gut, was ich schlecht sehe, und zusammen sind wir ein leistungsfähiges Team. Ich bezahle ihn ordentlich und glaube, er hat meist Freude an der Arbeit. An drei Abenden die Woche kommt er und liest mir rein zum Vergnügen vor. Wenn Pinky ihren Babysitter überreden kann, länger zu bleiben, kommt sie mit, schläft aber oft auf dem Sofa ein, bevor die Lesung zu Ende ist. Will, auch bekannt als Willy, Wee Willy, Winky und The Winker, ist vorigen Monat zweieinhalb geworden. Der Spross der Finkelmans rennt, hüpft und klettert wie der Teufel. Wenn seine Eltern ihn zu Besuch mitbringen, springt und trampelt er auf mir herum, als wäre ich sein persönlicher Kletterbaum, und lässt keinen Teil meines alternden Körpers aus. Trotzdem mag ich den rothaarigen kleinen Derwisch gern, und manchmal, wenn er auf mir herumkrabbelt und die Finger auf mein Gesicht legt oder meinen Kopf berührt, spüre ich in seinen Händen ein kleines Vibrieren, bei dem ich mich frage, ob The Winker nicht die ungewöhnliche Sensibilität seines Vaters geerbt hat.

Für einen Abend mit dem *Mann ohne Eigenschaften,* den sein Vater mir seit zwei Monaten vorliest, ist Will allerdings noch nicht reif. Für einen lakonischen Menschen liest Laszlo ziemlich gut. Er beachtet die Interpunktion und stolpert selten über Wörter. Hin und wieder macht er nach einer Passage eine Pause und gibt einen Laut von sich – eine Art Schnauben, das aus der Kehle aufsteigt und durch die Nase herauskommt. Ich freue mich auf das Schnauben, das ich «Finkelman'sches Lachen» getauft habe, denn durch einen Vergleich zwischen dem Schnauben und dem jeweiligen Satz habe ich endlich Zugang zu den schon immer von mir vermuteten komischen Tiefen in Laszlo gefunden. Er hat einen trockenen, verhaltenen, oft schwarzen Humor, der sehr gut zu Musil passt. Mit fünfunddreißig ist Lasz nicht mehr jung. Ich habe überhaupt nicht den Eindruck, dass er körperlich gealtert ist, aber das liegt vielleicht daran, dass er sein Haar, die Brille und die Neonhose nie verändert hat, und außerdem sehe ich unscharf. Laszlo hat jetzt einen Galeristen, aber er verkauft sich zu schlecht, um den Galeristen zu beglücken. Dennoch macht er weiter mit seinen kinetischen Tinkertoys, die jetzt kleine Gegenstände und Fahnen mit Zitaten halten. Ich weiß, dass er Musil mit offenen Ohren für ein scharfsinniges Zitat liest. Wie sein Mentor Bill hat Laszlo eine Neigung zur Reinheit. Auch er hat etwas Asketisches. Aber er gehört einer anderen Generation an, und seine aufmerksamen Augen waren zu lange auf das Eitle, Käufliche, Grausame, Schwache, den willkürlichen Aufstieg und Fall in der New Yorker Kunstwelt gerichtet, um davon unberührt zu bleiben. Mitunter schleicht sich ein zynischer Unterton in seine Stimme, wenn er über Ausstellungen spricht.

Seit dem Frühjahr verfolgen Laszlo und ich die Mets-Spiele im Radio. Jetzt haben wir Ende August, und es gibt viel Aufregung um eine mögliche Subway-Serie. Weder Lasz noch ich waren jemals fanatische Fans. Wir hören für zwei andere Fans zu, die gestorben sind, und wir freuen uns für sie an hoch aufsteigenden Homeruns, hart geschlagenen Doubles, gelungenen Slides auf Third Base oder einem Gerangel um die Frage, ob der Spieler auf First aus war oder nicht. Mir gefällt die Sprache des Baseball – Sliders, Fastballs, Knuckleballs –, und ich höre mir die Spiele gern im Radio an, wo Bob Murphy uns auffordert, dranzubleiben, um die «glückliche» Zusammenfassung zu hören. Der sportliche Kampf erregt mich mehr, als ich gedacht hätte. Vorige Woche bin ich doch tatsächlich von meinem Sessel aufgesprungen und habe gejubelt.

Laszlo holt gern die Mappe mit Matts Zeichnungen hervor und sieht sie sich an. Manchmal, wenn meine Augen ermüdet sind, beschreibt er mir die darauf dargestellten Szenen. Ich lehne mich in meinen Sessel zurück und höre zu, was er mir über die winzigen Menschen in Matthews New York berichtet. Vorige Woche beschrieb er ein Bild von Dave: «Dave erholt sich in seinem Sessel. Er sieht irgendwie erledigt aus, aber seine Augen sind offen. Es gefällt mir, wie Matt den Bart des Alten gezeichnet hat, mit diesen Wellenlinien und der weißen Pastellkreide drüber. Guter alter Dave, er träumt wahrscheinlich von einer alten Freundin und geht im Geiste den ganzen traurigen Schlamassel nochmal durch. Ich kann's erkennen, weil Matt eine kleine Falte zwischen seine Augenbrauen gezwängt hat.»

Laszlo ist meine rechte Hand bei meinem Buch über Bill. Seit mehreren Jahren wird es dicker, dünner und wieder dicker. Ich möchte es fertig haben, bevor 2002 Bills Retrospektive im Whitney Museum beginnt. Im Frühsommer habe ich die Korrekturarbeiten, die ich Laszlo diktiere, unterbrochen, um diese Seiten zu schreiben. Ich sagte ihm, ich hätte ein persönliches Projekt, dem ich mich widmen müsse, ehe wir weitermachen könnten. Er ahnt die Wahrheit. Er weiß, warum ich meine alte mechanische Schreibmaschine entstaubt habe und jeden Tag stundenlang wie in Trance tippe. Ich habe meine alte Olympia genommen, weil meine Finger auf ihren Tasten nicht so leicht daneben treffen wie bei einem Computer. «Du überanstrengst deine Augen, Leo», sagt Laszlo. «Du solltest dir von mir helfen lassen – wobei auch immer.» Aber bei dieser Geschichte kann er mir nicht helfen.

Vor ihrer Abreise nach Paris sagte Violet, sie habe in der Bowery eine Kiste mit Büchern von Bill für mich stehen gelassen. Sie hatte Titel aufgehoben, von denen sie wusste, dass ich sie gern haben würde, und die mir bei meiner Arbeit helfen konnten. «Sie sind alle voller Unterstreichungen», sagte sie, «und in manchen stehen lange Anmerkungen am Rand.» Über zwei Monate holte ich diese Bücher nicht ab. Als ich schließlich hinging, kam Mr. Bob fegend hinter mir her und ließ seine Tiraden los. Ich beraubte Bills Geist, ich entweihte den heiligen Grund des Toten, betrog Beauty um ihr Erbe. Als ich auf meinen Namen zeigte, der in Violets Handschrift auf einem Pappkarton stand, verschlug es Bob einen Augenblick die Sprache, aber gleich darauf legte er wieder los über einen spukenden Schrank, den er zwanzig Jahre zuvor in Flushing aufgespürt hatte. Als ich mit dem kleinen Karton unter dem Arm aus der Haustür ging, strafte er mich mit einem eher flüchtig heruntergeleierten Segen.

Violet hat das Atelier in der Bowery nicht aufgegeben. Sie bezahlt noch ihre Miete und die von Mr. Bob. Irgendwann werden Mr. Aiello oder seine Erben etwas aus dem Gebäude machen wollen, aber vorläufig ist es ein in sich zusammensinkendes, vergessenes Gebäude, das von einem verrückten, aber äußerst redegewandten alten Mann bewohnt wird. Heute bekommt Bob den größten Teil seiner Nahrung in Suppenküchen. Ungefähr einmal im Monat gehe ich hin und sehe nach ihm, oder wenn ich mich den Monologen des Alten nicht gewachsen fühle, schicke ich Laszlo zu ihm. Immer wenn ich den kleinen Ausflug mache, bringe ich eine Tüte Lebensmittel mit und muss mir Bobs Gezeter über meinen Geschmack anhören. Einmal hat er mir vorgeworfen, ich hätte «keinen feinen Gaumen». Dennoch spüre ich, dass er neuerdings etwas milder zu mir ist. Seine Feindseligkeit ist weniger vitriolhaltig, seine Segnungen sind länger und blumiger geworden. Meine Besuche bei Mr. Bob werden keineswegs von Altruismus diktiert, sondern von meiner Begierde, seinem wortreichen Lebewohl zu lauschen, ihn die Herrlichkeit des Herrn, der Engel, des Heiligen Geistes und des Lamms Gottes preisen zu hören. Ich freue mich auf seine kreativen Pervertierungen der Psalmen. Am liebsten ist ihm Psalm 38, den er für seine Zwecke frei variiert, indem er Gott anruft, er möge meine Lenden vor abscheulicher Krankheit bewahren und die Gesundheit meines Leibes erhalten. «O Herr, lass ihn nicht ganz krumm und gebückt gehen», bellte Bob beim letzten Mal, als ich in der Bowery war, hinter mir her. «Lass ihn nicht den ganzen Tag Trauer tragen.»

Erst im Mai fand ich dann Violets Briefe. Einige Bücher hatte ich schon aufgeschlagen, aber nicht den Band mit den

Zeichnungen von Leonardo da Vinci. Ich wollte ihn aufheben, bis ich mit den Recherchen zu *Ikarus* begann. Ich war mir sicher, dass Bills unvollendetes Werk von diesen Zeichnungen beeinflusst war, nicht unmittelbar, sondern weil der italienische Künstler Skizzen von einer fliegenden Vogelmaschine gemacht hatte. Ich hatte *Ikarus* gemieden. Es schien unmöglich, darüber zu schreiben, ohne Mark zu erwähnen. Sobald ich den Band aufschlug, flatterten die Briefe heraus. Fast sofort wurde mir klar, was ich da gefunden hatte, und ich fing an zu lesen. Ich las und ruhte mich aus, las und ruhte mich aus, vor Anstrengung fast keuchend, aber begierig nach dem nächsten Wort. Es ist gut, dass mich niemand beim Entziffern dieser Liebesbriefe sah. Schwer atmend, blinzelnd und mit höchster Anspannung gelang es mir schließlich, im Lauf einiger Stunden alle fünf zu lesen, dann machte ich die Augen zu und hielt sie lange geschlossen.

«Erinnerst du dich daran, dass du mir gesagt hast, meine Knie seien schön? Ich mochte meine Knie nie. Ich fand sie sogar hässlich. Aber deine Augen haben sie rehabilitiert. Ob ich dich wieder sehe oder nicht, ich werde mein Leben mit diesen zwei schönen Knien verbringen.» Die Briefe waren voll ähnlicher kleiner Gedanken, doch sie schrieb auch: «Es ist jetzt wichtig, dir zu sagen, dass ich dich liebe. Ich habe mich zurückgehalten, weil ich feige war. Aber jetzt schreie ich es heraus. Und selbst wenn ich dich verliere, werde ich mir immer sagen: ‹Das habe ich gehabt. Ich hatte ihn, und es war rauschhaft, heilig, himmlisch.› Wenn du mich lässt, werde ich dein ganzes seltsames, unbändiges, malendes Ich auf immer abgöttisch lieben.»

Bevor ich die Briefe nach Paris an Violet abschickte, fotokopierte ich sie und legte die Kopien in meine Schublade. Ich wünschte, ich wäre souveräner gewesen. Sie nicht zu lesen hätte ich vermutlich nicht geschafft, aber wenn meine Augen besser gewesen wären, hätte ich vielleicht nicht diese Kopien gemacht. Ich hebe sie nicht auf, um mich mit ihrem Inhalt zu befassen.

Das wäre zu schwierig. Ich hebe sie als Objekte auf, bezaubert von ihren vielfältigen Metonymien. Wenn ich meine Sachen jetzt aus der Schublade nehme, trenne ich Violets Briefe an Bill selten von dem kleinen Foto der beiden, aber ich halte das Stück verkohlte Pappe und Matthews Messer sehr fern von den anderen Dingen. Die heimlich verdrückten Donuts und das gestohlene Geschenk sind mit Mark und mit meiner Furcht beladen. Die Furcht reicht weiter zurück als zum Mord an Rafael Hernandez, und wenn ich mein Spiel der beweglichen Gegenstände spiele, bin ich oft versucht, die Fotografien meiner Tante, meines Onkels, meiner Großeltern und der Zwillinge zu dem Messer und dem Überrest der Schachtel zu schieben. Dann kokettiert das Spiel mit dem Schrecken. Es bringt mich so nahe an dessen Rand, dass ich das Gefühl habe zu fallen, als hätte ich mich von der Kante eines Gebäudes gestürzt. Ich falle senkrecht, und im rasenden Fall verliere ich mich in etwas Formlosem, aber Ohrenbetäubendem. Es ist, als dringe man in einen Schrei ein, als wäre man ein Schrei.

Und dann ziehe ich mich zurück, vor dem Rand scheuend wie ein Phobiker. Ich stelle eine andere Ordnung her. Talismane, Ikonen, Zauberformeln – diese Bruchstücke sind meine schwachen Schutzschilde, hinter denen ich Sinn und Bedeutung finde. Die Spielzüge müssen rational sein. Ich zwinge mich zu einer kohärenten Begründung für jede Anordnung, aber im Grunde ist das Spiel ein magisches. Ich bin sein Totenbeschwörer, der die Geister der Verstorbenen, der Verschollenen und Imaginären herbeiruft. Wie O, der eine Wurst zeichnet, weil er Hunger hat, rufe ich Geister, die mir nicht weiterhelfen können. Doch die Beschwörung hat eine ganz eigene Kraft. Die Gegenstände werden zu Musen der Erinnerung.

Jede Geschichte, die wir über uns erzählen, kann nur in der Vergangenheit erzählt werden. Sie spult sich von dort, wo wir heute stehen, nach rückwärts ab, und wir sind nicht mehr ihre Akteure, sondern ihre Zuschauer, die sich entschieden haben zu sprechen. Manchmal ist die Spur hinter uns mit Steinen markiert, wie die, die Hänsel hinter sich fallen ließ. Dann wieder ist die Fährte fort, weil bei Sonnenaufgang die Vögel herabgeflogen sind und alle Krumen aufgepickt haben. Die Geschichte huscht über die Lücken und füllt sie mit der Hypotaxe eines «und» oder «und dann». Ich habe es auf diesen Seiten ebenso gemacht, um auf einem Weg zu bleiben, der, wie ich weiß, von flachen Mulden und tiefen Löchern unterbrochen ist. Mit dem Schreiben versuche ich, meinem Hunger nachzuspüren, und Hunger ist nichts anderes als Leere.

In einer Version der Geschichte könnte das verkohlte Stück Donut-Schachtel für Hunger stehen. Ich glaube, Mark hungerte immer nach etwas. Aber nach was? Er wollte, dass ich ihm glaubte, ihn bewunderte. Er wollte es unbedingt, jedenfalls solange er mir in die Augen sah. Vielleicht war dieses Bedürfnis das Einzige, was heil und echt an ihm war, und es ließ ihn erstrahlen. Es machte nichts, dass er wenig oder gar nichts für mich empfand oder dass er sich verstellen musste, um meine Bewunderung zu bekommen. Worauf es ankam, war, dass er meinen Glauben spürte. Aber die Freude, anderen zu gefallen, hielt nie lange vor. Unersättlich befriedigte er sich mit Crackern und Donuts, gestohlenen Dingen und Geld, Pharmazeutika und der fieberhaften Jagd nach alldem.

Für Lucille habe ich keinen Gegenstand in meiner Schublade. Es wäre einfach gewesen, irgendetwas von ihr aufzuheben, aber ich tat es nie. Bill verfolgte sie lange als ein Geschöpf in seinem Kopf, das er nie zu fassen bekam. Vielleicht suchte auch Mark nach ihr. Ich weiß es nicht. Sogar ich bin ihr eine Weile gefolgt, bis ich in eine Sackgasse geriet. Die Idee von Lucille war stark, aber ich weiß nicht, woraus diese Idee bestand, außer vielleicht eben aus diesem Ausweichen, das sich am besten durch nichts darstellen lässt. Bill verwandelte das, was sich ihm entzog, in wirkliche Dinge, die die Last seiner Bedürfnisse, Zweifel und Wünsche trugen – Bilder, Kästen, Türen und all diese Kinder auf Video. Vater von Tausenden. Schmutz, Farbe, Wein, Zigaretten, Hoffnung. Bill. Der Vater von Mark. Ich sehe ihn noch vor mir, wie er seinen kleinen Sohn in dem blauen Bootbett wiegte, das er in der Bowery für ihn gebaut hatte, und ich höre ihn mit leiser, heiserer Stimme «Take a Walk on the Wild Side» singen. Bill liebte seinen Wechselbalg, seinen unbeschriebenen Sohn, seinen Geisterjungen. Er liebte den jungenhaften Mann, der noch immer von Stadt zu Stadt vagabundiert und auf der Suche nach einem Gesicht, das er aufsetzen, einer Stimme, die er benutzen kann, in seine Reisetasche greift.

Violet sucht noch immer nach der Krankheit, die in der Luft liegt, dem Zeitgeist, der seinen Opfern zumurmelt: Schrei, hungre, iss, töte. Sie sucht nach den raunenden Ideen, die den Menschen durch den Kopf geistern und dann Narben in der Landschaft hinterlassen. Doch wie diese Seuchen von außen nach innen dringen, ist unklar. Sie bewegen sich in Sprache, in Bildern, in Gefühlen fort und in etwas anderem, das ich nicht benennen kann, etwas zwischen und unter uns. Es gibt Tage, da wandere ich auf einmal durch die Zimmer einer Wohnung in Berlin, Mommsenstraße 11. Die Einrichtung ist etwas verschwommen, und die Menschen sind alle fort, aber ich kann die Weite der leeren Zimmer und das durch die Fenster einfallende Licht spüren. Ein schmerzliches Nirgendwo. Ich wende mich davon ab wie mein Vater und denke an den Tag, als er aufhörte, auf den Listen nach ihren Namen zu suchen, an den Tag, als er Bescheid wusste. Es ist schwer, mit Dingen zu leben, die keinen Sinn ergeben, mit grausigem, unsagbarem Unsinn. Er konnte es nicht. Bevor meine Mutter starb, schrumpfte sie. Sie sah sehr klein aus in dem Krankenhausbett, und ihr fleckiger Arm auf der Decke war wie ein Stock mit blasser, loser Haut darüber. Alles war nur noch Berlin und Flucht, Hampstead, Deutsch und Konfusion. Vierzig Jahre waren aus ihrem Kopf verschwunden, und sie rief nach meinem Vater. Mutti im Dunkeln.

Violet hat Bills Arbeitskleidung eingepackt und mit nach Paris genommen. Ich stelle mir vor, dass sie sie hin und wieder zum Trost anzieht. Wenn ich an Violet in Bills abgetragenem Hemd und den Jeans voller Farbflecken denke, gebe ich ihr eine Camel zu rauchen und nenne das Bild im Stillen *Selbstporträt*. Ich stelle sie mir nicht mehr am Klavier vor. Die Klavierstunde endete schließlich mit einem wirklichen Kuss, der sie weit von mir fort befördert hat. Es ist schon seltsam, wie das Leben läuft, wie es sich verwandelt und mäandriert, wie aus einem Ding ein anderes wird. Matthew zeichnete viele Male einen alten Mann und nannte ihn Dave. Jahre vergehen, und es stellt sich heraus, dass er seinen eigenen Vater gezeichnet hat. Ich bin jetzt Dave, Dave mit Klappen auf den Augen.

Über mir ist eine andere Familie eingezogen. Vor zwei Jahren hat Violet den Loft für viel Geld an die Wakefields verkauft. Jeden Abend höre ich ihre beiden Kinder, Jacob und Chloe. Bevor sie ins Bett gehen, bringen sie mit ihren rituellen Kriegstänzen meine Deckenlampen zum Klirren. Jacob ist fünf, Chloe drei, und Krach ist ihre Stärke. Ich nehme an, es würde mich stören, wenn sie stundenlang trampeln würden, aber an ihr übliches Toben gegen sieben Uhr habe ich mich gewöhnt. Jacob schläft in Marks früherem Zimmer und Chloe in Violets Arbeitsraum. Im Wohnzimmer hat eine Plastikrutschbahn das rote Sofa ersetzt. Jede wahre Geschichte hat mehrere mögliche Enden. Dies ist meines: Die Kinder oben schlafen, denn in den Zimmern über mir ist es still. Es ist halb neun Uhr abends am 30. August 2000. Ich habe gegessen und das Geschirr abgeräumt. Ich werde jetzt aufhören zu tippen, mich in meinen Sessel setzen und meine Augen ausruhen. In einer halben Stunde kommt Laszlo und liest mir vor.

Danksagung

Obwohl dieses Buch ein Roman ist und die Geschichte wie die Figuren frei erfunden, sind die zahlreichen Bemerkungen zu Hysterie, Essstörungen und Psychopathie einer Vielzahl von Quellen entnommen. Darunter *Erfindung der Hysterie* von Georges Didi-Huberman (Fink Verlag); *Geschichte des Privatlebens: Von der Revolution zum Großen Krieg,* Band 4, herausgegeben von Georges Duby und Michelle Perrot (Fischer Verlag, Frankfurt a. M.), worin ich die bellenden Frauen von Josselin fand; *Essstörungen* von Hilde Bruch (Fischer Verlag, Frankfurt a. M.) mit der Geschichte des dicken kleinen Jungen, der meint, seine Eingeweide seien aus Gelatine; und *Holy Anorexia* (The University of Chicago Press) von M. Bell, der Caterina Benincasas Extremfasten analysiert. Die sich herausbildende Terminologie, die Prüflisten, allgemeinen Beschreibungen und möglichen Ätiologien dessen, was heute Psychopathie oder antisoziale Persönlichkeit genannt wird, stammen aus mehreren Werken: *The Roots of Crime* von Edward Glover, M. D. (International Universities Press); der dritten und vierten Ausgabe des *Diagnostic and Statistical Manual* der American Psychiatric Association (DSM-III und DSM-IV); *Abnormalities of the Personality: Within and Beyond the Realm of Treatment* von Michael H. Stone, M. D. (W. W. Norton und Co.); *Impulsivity: Theory, Assessment, and Treatment,* herausgegeben von Christopher D. Webster und Margaret A. Jackson (The Guilford Press); *Psychotherapeutische Strategien* und *Schwere Persönlichkeitsstörungen* (Klett-Cotta, Stuttgart), beide von Otto F. Kernberg; John Bowlbys dreibändigem Werk *Attachment and Loss* (Basic Books); *The Mask of Sanity* von Hervey Cleckley (fünfte Ausgabe, Emily S. Cleckley); sowie den folgenden Büchern von D. W. Winnicott: *Aggression: Versagende Umwelt und antisoziale Tendenzen* (Fischer Verlag, Frankfurt a. M.), *Reifungsprozess und fördernde Umwelt* (Psychosozial Verlag), *Familie und individuelle Entwicklung* (Fischer Verlag, Frankfurt a. M.), *Holding and Interpretation* (Grove Press) und *Playing and Reality* (Routledge).

Ich danke Ricky Jay für *Jay's Journal of Anomalies*, dem ich den Hungerkünstler Sacco, der in London vor einer Menschenmenge hungerte, und die apokryphe Geschichte von Descartes' Automaton entliehen habe. Er ließ mich freundlicherweise auch einen Blick in mehrere seltene Bände seiner Privatbibliothek werfen, mit medizinischen Berichten über den Zustand von Menschen, die behaupteten, ausschließlich von Luft und Gerüchen zu leben.

Dr. Finn Skårderud danke ich für seine Bücher und für unsere Gespräche über zeitgenössische Kultur und Essstörungen. Die Hinweise im Roman auf J. M. Barrie und Lord Byron habe ich ebenso von ihm wie die Geschichte der an Bulimie leidenden Patientin, die in Plastiktüten erbrach und diese im Haus ihrer Mutter versteckte. Besonders hilfreich waren mir folgende seiner Bücher: *Sultekunsternere (Hungerkünstler)*, *Sterk Svak: Håndboken om spise forstyrrelser (Stark schwach: Ein Handbuch über Essstörungen)* und *Uro: En reise i det moderne selvet (Unruhe: Eine Reise in das moderne Selbst)*.

Zutiefst dankbar bin ich schließlich meiner Schwester Asti Hustvedt für ihre Forschungen und Gedanken zur Hysterie. Die in Violets Dissertation ausgedrückten Ideen ähneln denen in Astis unveröffentlichter Doktorarbeit: *Science Fictions: Villiers de l'Isle-Adam's L'Ève Future and Late Nineteenth Century Medical Constructions of Femininity* (New York University, 1996). Profitiert habe ich auch von ihrer Forschung über das Krankenhausarchiv der Salpêtrière für ihr Buch *Living Dolls*, das demnächst bei Norton erscheint. Ich danke ihr für ihre sorgfältige Lektüre des Romans und seiner Bezüge zum Thema Hysterie ebenso wie für unsere andauernden Gespräche über die Rätsel von Kultur, Medizin und Krankheit.

Siri Hustvedt

«Ihre Erzählkunst und ihre Lebensklugheit fesseln.» Der Spiegel

Die Verzauberung der Lily Dahl
Roman. 3-499-22457-7
Nächtliche Blicke in ein erleuchtetes Fenster: Ein halb nackter, muskulöser Mann malt selbstvergessen und schweißgebadet an einem Ölbild. Die junge Lily Dahl, die ihn aus ihrem Fenster jenseits der Straße beobachtet, ist fasziniert. Abend für Abend schaut sie ihm zu, und eines Nachts schaltet sie ihr eigenes Licht an und zieht sich für ihn aus ...

Die unsichtbare Frau
Roman. 3-499-23603-6
Iris Vegan, Literaturstudentin in New York: eine intelligente, schöne Frau, aber auch unsicher, beeinflussbar, auf der Suche nach sich selbst. Und somit Idealfigur für die morbiden Phantasien der Männer. Wie unter einem inneren Zwang lässt sie sich auf eine Reihe von erotischen Abenteuern ein.

Was ich liebte
Roman
Eltern und Kinder auf der Suche nach ihrer Identität, künstlerische und sexuelle Lebensentwürfe. «Hustvedts eindrucksvollster und ambitioniertester Roman.» Frankfurter Rundschau

3-499-23309-6

Weitere Informationen in der Rowohlt Revue oder unter www.rororo.de

Paul Auster
Das Buch der Illusionen

**«Klüger kann Kino im Kopf kaum sein,
kurzweiliger auch nicht.»** Brigitte

Professor David Zimmer (bekannt aus «Mond über Manhattan») ist ein gebrochener Mann, seit seine Frau und seine Kinder bei einem Flugzeugabsturz starben. Nur die Arbeit an einem kleinen Buch über einen 1929 verschollenen Stummfilmkomiker namens Hector Mann erhält ihn am Leben. Dann geschieht Seltsames: Auf mysteriöse Weise tauchen Manns verloren geglaubte Filme wieder auf. Und eines späten Abends steht eine attraktive junge Frau vor der Tür von Zimmers Haus in Vermont und fordert ihn auf, sofort mit ihr nach New Mexico zu fliegen: Mann lebe noch und wolle ihn sprechen. Als der ungläubige Zimmer ablehnt, zückt sie einen Revolver. Von da an wird alles anders im Leben des Professors. Er betritt eine Welt, die in allen Farben der Kunst und des Verbrechens, der Liebe und der Leidenschaft schillert, und für einen Moment darf er darin glücklich sein, bevor sie mit einem großen Knall zerplatzt ...

3-499-23526-9